As Profecias de Urag

Leonel Caldela

Deus Máquina

Deus Máquina

EDIÇÃO: *J.M. Trevisan e Victória Cernicchiaro*
REVISÃO: *Gustavo Brauner e Vitória Vozniak*
PROJETO GRÁFICO E LETTERING: *André Carvalho*
DIAGRAMAÇÃO: *Victória Cernicchiaro*
ILUSTRAÇÃO DE CAPA: *Rod Mendez*
ILUSTRAÇÃO DE MIOLO: *Maurício Dias*
ASSISTENTE DE PRODUÇÃO: *Laura Reginin*
EDITORA-CHEFE: *Karen Soarele*
DIRETOR-GERAL: *Guilherme Dei Svaldi*

EQUIPE DA JAMBÔ: Guilherme Dei Svaldi, Rafael Dei Svaldi, Leonel Caldela, Akila Gabriel, Ana Júlia Gamla, Anderson Dornelles, André Schwertz, Bruno Piñeiro, Daniel Boff, Dan Ramos, Dani Marques, Davide Di Benedetto, Elisa Guimarães, Gabriel Adam, Gabriel dos Santos, Jaime de Andruart, José Cerqueira, J. M. Trevisan, Julia Rosiello, Karen Soarele, Laura Reginin, Leticia Mendes, Marcel Reis, Marcelo Cassaro, Marina Alvarez, Marcus Vinicius, Marlon Vernes, Maurício Feijó, Miguel Souza, Priscilla Souza, Simone Rocha, Tatiana Gomes, Thiago Rosa, Tiago Guimarães, Tiago Orib, Victória Cernicchiaro e Yasmim Borges.

JAMBÔ

Rua Coronel Genuíno, 209
Porto Alegre, RS • CEP 90010-350
contato@jamboeditora.com.br • www.jamboeditora.com.br

2ª edição: junho de 2025 | ISBN 978858365171-0

C146d Caldela, Leonel

Deus máquina / Leonel Caldela; edição de J.M. Trevisan. — Porto Alegre: Jambô, 2025.
448 p. il.

1. Literatura brasileira — Ficção. I. Caldela, Leonel. II. Trevisan, J.M. III. Título.

CDU 82-312.9

Dedicado à minha mãe.

Na colônia penal

1

ERA O FIM.

Qualquer história crível já teria acabado. Eu não sabia onde estava Atreu, e não fazia sentido que não estivesse morto. D'Agostini sumira entre os barcos e o incêndio nas ondas; há muito não víamos Ganimedes e Penélope. E Jocasta, com o pior destino de todos, triunfara. Estávamos terminados, estávamos derrotados, o que era o único desenlace provável daquela guerra de loucos contra a Santa Igreja.

Quanto a mim, no mar.

A parte menos importante aconteceu no mar, e é por onde começo. Sendo escritor, tenho pouco talento para protagonista. Minha vocação está em coadjuvante, como deve ter ficado claro desde o início. Durante um tempo pensei em mentir bastante aqui: tentei colocar-me ao lado de Atreu por um sem-número de vias artificiais, esbocei cenários em que estivesse junto a ele, no palco principal. Mas a verdade é que eu não estava lá — e, assim, o lugar onde eu estava perdia toda a importância.

Por isso, não se deve dar atenção à minha jornada no navio com o Bispo Calímaco e o inveterado falastrão e facínora, o pirata Pharoux. É um relato trivial, e tudo que escrevo aqui é descartável.

O navio parecera-me apertado no começo, mas depois era todo o universo de que eu precisava. O mundo lá fora, especialmente o oceano, tornara-se grande demais. Eu vivera em uma cabine enquanto meus ferimentos eram mais graves, mas esse luxo me foi tirado. Dormia numa rede, assim como quase todos os marujos. Esquecera o hábito de usar sapatos, já que o convés prestava-se a pés descalços. Ainda sobravam alguns sacos de areia, que era espalhada pelo chão para que não escorregasse tanto. Minha função era não atrapalhar, e nisso logo fiz-me especialista; sabia ficar fora do caminho dos outros.

Nominalmente, rumávamos ao paraíso — fora o que o Bispo Calímaco me dissera, assim que acordei de meu longo sono, causado pelas feridas. Calímaco buscava sua amada, a falecida Felícia, e o capitão pirata havia convencido-o de que conhecia o caminho. Eu não sabia se Calímaco era louco, estúpido ou apenas muito dissimulado. De qualquer forma, demonstrava acreditar na tagarelice de Pharoux e fora seu salvo-conduto para sair dos calabouços no Farol dos Órfãos, onde ele e sua tripulação estavam presos. Eu estava numa jornada rumo a um lugar em que não acreditava, com a missão de recuperar uma esposa morta. Sentia-me cada vez mais como o alívio cômico de minha própria história.

E, não conseguindo deixar a mente quieta, especulava os porquês. Por que Pharoux mantinha Calímaco (e eu mesmo) no navio, gastando comida e água? Descartando-se a possibilidade absurda de que estivesse sendo honesto, por que não se livrar de nós depois que a utilidade de Calímaco acabara? Eu via piratas rezando furtivamente pelos cantos, ouvindo alguma preleção do bispo, e imaginava se seria aquele o motivo. Alguns haviam se convertido (ou fingiam muito bem) após seu encontro com Jocasta. Introduzindo Deus em um grupo, os ânimos não demoram a explodir, e imaginei se não era o religioso que mantinha aqueles criminosos em relativa paz.

Logo obtive confirmação.

Porque ancoramos. O mar estava perigoso, segundo Pharoux — e Pharoux era um especialista em salvar a própria pele. O que quer que acontecesse na capital e nos salões da Igreja, havia muitos navios da marinha (e até mesmo dos rebeldes) circulando, indo a um lugar e outro, ou perdidos. O melhor para uma embarcação pirata era esconder-se. Assim, o capitão encontrou uma baía oculta e ficamos parados. O navio também precisava de consertos, o que demorava muito com materiais escassos. Semanas, meses. Minha aventura no mar logo transformara-se em um longo tempo de tédio, fome, sede e perigo, quase em terra.

Descobri que não existe coisa pior para uma tripulação do que ficar estática. Não fazíamos progresso ao paraíso ou a lugar algum, e a água potável começava a escassear. Escaleres cheios de marujos iam à praia recolher comida e bebida, mas isso arriscava fugas e traição — encontrados por algum grupo armado, os tripulantes tinham grandes chances de vender a posição de seu líder. Por isso, Pharoux mantinha-nos dentro do navio, como se estivéssemos em alto-mar, passando pelos mesmos racionamentos. É enlouquecedor enxergar o oceano à volta, a água salgada de aparência refrescante, e ter apenas a racionalidade impedindo de bebê-la.

Na noite estagnada, as gargantas secas e a impaciência alimentavam-se mutuamente. Facas foram sacadas da cintura de calças rotas. Havia um limite até mesmo para o que uma tripulação pirata era capaz de tolerar.

Com as pálpebras semicerradas, deitado em minha rede e forçando respiração regular, imaginei se eles viriam a mim primeiro. Eu era diferente, era intruso, e sempre podia haver uma justificativa supersticiosa que me culpasse pela má sorte. Vi o movimento ao meu redor, ouvi o barulho dos pés calejados deslizando nas tábuas do chão, mas todos passaram ao largo. A cada fedor característico, sinalizando a passagem de um marujo, meu coração disparava, mas fui ignorado.

Então, como o tolo que sou, pulei da rede e fui atrás.

Os vultos dos marujos lembrariam abutres, se eu estivesse em terra. No barco, pareciam mais gaivotas — aparência algo patética, uma simpatia fingida, apenas aguardando o momento de mergulhar e comer algo vivo ou podre. Vi suas silhuetas contra o negrume, era uma noite clara. Lua grande no céu, aquecia tanto quanto o sol. A sensação era de um cobertor molhado enrolado por todo o corpo; um abafamento sufocante, sem o alívio de uma brisa. As silhuetas adquiriram pontas: eles sacaram as adagas.

Pharoux, de costas, apoiado na amurada. Observava o nada do oceano, como se fosse alguma coisa.

— Vamos logo, seus moloides — disse o capitão pirata. — Já vi freiras assassinarem com mais rapidez.

Então virou-se, encarando os amotinados.

Pharoux era comprido, idiossincrático e repugnante. A casaca aberta mostrava um peito coberto de desenhos feitos de cicatrizes, os cabelos eram tranças em uma maçaroca, unidas por sujeira. Abriu os braços, convidando as lâminas, e as mãos separaram-se com uma envergadura enorme. Vasta também era a bocarra, de onde saíam torrentes de falatório e o indefectível sorriso de dentes de ouro.

— Vocês não são piratas — disse Pharoux. — São menininhas, não é mesmo? Menininhas amedrontadas chorando para o Papai do Céu.

Não era o modo dos piratas, isso eu já descobrira. Eles tinham o direito de reclamar do capitão, e uma morte desse tipo era rara. Assassinar oficiais era mais típico na marinha da Igreja.

— Estão magoados porque baixamos âncora? — debochou Pharoux, ensaiando um passo de dança. — Porque a água está acabando e não podem procurar uma taverna? Vão chorar porque não há talco para seus traseiros?

Dois avançaram, mas só um passo. Pharoux continuou sua zombaria, emitindo guinchos e afetando trejeitos efeminados.

— E que culpa tenho eu, o mais piedoso homem em todo o mundo, que os ama mais do que suas mãezinhas sifilíticas e seus padrastos que os visitavam à noite? — De repente, fez uma expressão de dar pena. — Vou levá-los rumo à felicidade, se apenas souberem esperar um pouco. Sou seu melhor amigo, trato-lhes com mimos, como nem suas avós conseguem. Como posso ser culpado? Se querem culpar alguém — deu de ombros — sempre há os dois novatos.

Senti gelo esôfago acima. Tentei fazer-me imperceptível, mas dois olhares de revesgueio, e logo outros, notaram-me atrás. De qualquer forma, não havia para onde fugir.

Mas alguém disse:

— Não podemos matar os dois.

— E por acaso podem me matar? Qual será o propósito de nossos passageiros, então?

Foi o primeiro sinal claro do que estava acontecendo, mas na hora não entendi.

Outro marujo retificou:

— Não podemos matar *o bispo*.

— Matem o outro — ofereceu Pharoux. — Não serve para nada! É um bardo, está atraindo a desgraça.

— Nunca ouvi dizer que bardos dão azar — falou alguém.

— Ah, tenho certeza de que dão — disse Pharoux.

Quis objetar: eu não era um bardo.

Viraram-se para mim. Não sabiam se minha morte traria benefício, mas era algo a fazer. Quebraria o tédio. Dei um passo para trás e meio ouvi, meio senti algo batendo no casco do navio. Naquele momento, preferia ser bardo. Se fosse capaz de entreter uma plateia simples, poderia salvar minha pele. Como sempre, ser escritor não me ajudava.

— Não tenha medo — disse Pharoux. — Eles não mordem. Nem mesmo têm dentes. — Gargalhou da própria piada.

— Mas por que facas? — Ouvi, de repente. Era a voz de caramelo do Bispo Calímaco.

Ele costumava dormir dentro de uma cabine e vadeou para o convés em seu andar bem-humorado, já acostumado ao balançar do navio. A batina estava arregaçada, dobrada e presa na altura das canelas com uma costura tosca. Não era uma figura elegante, mas naquele momento nem Atreu pareceria tão heroico.

— Por que facas, se somos irmãos? — repetiu o bispo. — O jovem Iago está aqui como todos nós, suportando as durezas para alcançar o paraíso. Estamos todos no mesmo barco! — Pareceu notar o gracejo só depois de já tê-lo feito, e riu sozinho.

— Fique longe, bispo.

A barriga sensata e generosa de Calímaco postou-se entre mim e as adagas. Ouvi de novo o que quer que fosse batendo no casco.

— Ele não é um de nós — disse um marujo. — Talvez, se o matarmos, nossa sorte melhore.

— De qualquer forma, mal não pode fazer — falou outro alguém.

— Não, de fato — disse Calímaco. — Não fará mal.

Eu não esperava ouvir aquilo, e nem os piratas. Mas não se deixaram abalar por muito tempo. Tomaram o comentário como uma bênção e três ergueram as lâminas.

— Mal nenhum a Iago, de qualquer forma — interrompeu o bispo. — Vai chegar ao paraíso antes de nós. Mas vocês... — Balançou a cabeça e sussurrou, com a mão em concha ao lado da boca: — Vocês vão para um lugar bem diferente.

Meus algozes estacaram. O som de batida parara, mas logo veio um barulho molhado, de algo se despejando, que eu já associava às redes puxando algo do mar.

— Capitão! — da popa. — Bispo!

Alheios à conspiração, alguns marujos haviam mesmo puxado, nas redes, o que se chocava contra o casco. Carregaram a coisa com reverência e certa dificuldade — feita de madeira, pesada, pouco maior que um homem.

Era um anjo.

Uma decoração para a proa de um navio, a bem da verdade. Mas, naquela noite de superstições, não fazia diferença que estivesse quebrado, que a pintura descascasse, que todos lá reconhecessem o artesanato mal acabado daquele tipo de adorno. Era um anjo, e era um sinal. Carregaram a escultura para o meio do ajuntamento como em uma procissão. Os dedos de todos afrouxaram, as facas caíram no convés.

— É um sinal de Urag — disse o bispo. — Precisam de mais alguma coisa para acreditar que nosso destino é o paraíso?

Aquele era um sinal, de fato. Mas um sinal bem diferente, que só entenderíamos meses depois, ao descobrir outros navios que ocupavam o mar junto conosco, fora do alcance das lunetas. Um sinal bem mais funesto, arrisco dizer.

Mesmo assim, a manhã recebeu-nos com chuva. Tivemos o que beber. Fiquei contrariado por ter sido salvo pela providência divina; aquilo não existia. Porém, era uma boa época para milagres, e eu preferia estar errado a morrer.

Pharoux considerou que era seguro partir e que o navio estava em condições de enfrentar a viagem. Zarpamos.

O paraíso demorava muito. Eu não sabia quanto tempo já ficáramos no navio, até porque passara dias dormitando o sono dos feridos. Não lembrei de contar os alvoreceres depois de acordar; o único registro que possuía do tempo era minha barba surgindo de novo e de novo após ser raspada, e meu nariz que se acostumara com os cheiros da água e da tripulação. Minhas feridas cicatrizavam bem e raramente doíam. Quase podia ser uma existência tolerável.

Eu não sabia se Calímaco, sob o sol do meio da tarde, era um tolo ou uma raposa:

— E por que demoramos tanto, meu capitão?

Pharoux deu um de seus sorrisos largos, satisfeitos, mostrando os dentes de ouro. Tanto deboche dava-lhe o ar demasiadamente descontraído de um predador.

— A felicidade é sempre distante, bispo. Imagine só se Urag pusesse o paraíso bem ao alcance de qualquer filibusteiro desqualificado que vaga por Seus mares. Seria a invasão do Jardim de Deus, não acha? Sem falar em tantos heróis buscando suas namoradinhas mortas! O caos.

Falava como se um ovo chocasse no fundo de sua garganta. Um vozeirão empolado e grave, que reverberava nos tímpanos.

— Sempre pensei que o paraíso fosse no céu — disse o bispo.

— E como as alminhas não cairiam, então?

— Anjos têm asas.

— Mas cansariam de tanto batê-las, feito beija-flores em pânico!

Calímaco levou os dedos ao queixo, como se ponderasse a questão. Há muito eu suspeitava de que estivesse em uma nau de loucos. O bispo não se esforçava para atestar a própria sanidade, desde o Farol dos Órfãos e sua obsessão por Felícia. Não era surpresa que Pharoux proferisse todo tipo de bobagens, mas eu achava curioso que se desse o trabalho de discutir com o religioso. Talvez apenas gostasse muito do som da própria voz.

De repente, virou-se para mim:

— Ah, Iago, menino peralta! Venha aqui e cante uma balada para acalmar o coração de nosso bispo.

Cocei uma pulga em minha camisa, sentindo a pele gretada e curtida. Todos nós havíamos adquirido uma coloração castanha, de sol forte o tempo todo. Calímaco apresentava-se bicolor, o rosto bronzeado contrastando com a calva vermelha e reluzente como um doce.

— Eu não canto, Pharoux. Não sou bardo. Sou escritor.

— Ninguém se importa com essa diferença, além de bardos e escritores.

Era verdade.

— E os mortos bondosos ficam em graça eterna no paraíso? — disse Calímaco. — O senhor os viu?

— Com estes olhos que o mar há de tragar, bom bispo. São como crianças traquinas, rindo e correndo na presença de Urag. Sua Felícia deve estar lá.

— Preciso fazer correções em minha versão do Discurso Santo! Tanta coisa errada.

Era o livro sagrado de Urag. Calímaco revisara e modificara a Palavra de Deus em sua paróquia, mas todos os seus escritos haviam queimado durante o ataque da Igreja. Era um herege alegre, e Pharoux parecia encontrar diversão em dar-lhe assunto. Mais uma vez Calímaco tentou recrutar-me para pôr ao papel suas interpretações da mensagem divina. Eu não conseguia achar qualquer brincadeira em Deus; lembrava-me de Atreu e Jocasta, e Lubna morrendo longe de mim.

— E há comida no paraíso, meu capitão?

Calímaco tomara o hábito de chamar o pirata de capitão — e não um qualquer, mas seu.

— Muita comida. — Foi a resposta de Pharoux. — Banquetes todos os dias, ostras recheadas com fígado, panelões de línguas de colibri.

— Diga isso ao seus homens, então!

Porque, naquela viagem espiritual, os estômagos não se saciavam com catequese. Havíamos partido com poucos mantimentos, desperdiçado boa parte com o tempo escondidos, recuperado menos que o necessário em expedições à praia, e a situação não deixara de piorar. Não ousando perseguir embarcação alguma (a Igreja ainda podia estar em nossos calcanhares), sobrevivíamos de peixe e restos de pão duro, temperado com carunchos. Os piratas, cheios de cicatrizes e más intenções, ainda faziam esgares para nós dois. Quase só para mim, na realidade.

Mesmo assim, passaram-se semanas até a segunda tentativa de assassinato.

Eu havia separado minha porção de peixe e naco de pão, embrulhado--os em um pano, deixado para comer mais tarde, enrodilhado em minha rede como um feto. É que sentia muita fome à noite, antes de dormir, e também por um prazer infantil em juntar cama e comida. Seja como for, eu não havia comido ao mesmo tempo que os outros e atraía cobiça.

O homem arrancou-me o pão, os carunchos se agitaram. Ele estava de pé junto à rede, pude sentir seu hálito de cáries. Fiz menção de me erguer, ele me segurou com uma manzorra calejada na garganta. Debati-me, tentei chutá-lo, mas a posição era desvantajosa. O peixe caiu no chão.

— Veja o que você fez, idiota — ele disse.

Então senti a ponta da adaga no meu flanco, por baixo da lona da rede.

— Você está comendo o nosso pão e não serve para nada. Não importa o que o capitão diga, cansei de esperar.

Pharoux dissera alguma coisa a meu respeito, a respeito de minha serventia. Era mais preocupante que a adaga.

— Mas vou lhe achar uma utilidade.

A adaga era mais urgente. Seria fácil entregar a comida, mas esse tipo de intimidação nunca acaba ao ceder a primeira vez. Eu estava cansado de ter medo, lembrei-me de Oberon e do homem que matei no Farol dos Órfãos. Bati no rosto do pirata com o punho. Ele botou o peso do corpo sobre mim, dobrou meu braço, de modo que não podia mexê-lo. Minhas feridas reclamaram. A adaga subiu, ficou perto de meu rosto.

— Ninguém viaja de graça num barco pirata — rosnou. — Vai me dar sua comida, hoje e todos os dias. Ou então vai ser minha mulher.

Acho que os facínoras sabem quem ameaçar. Apenas ouvir aquilo já era humilhante, nunca aconteceria com os generais rebeldes. Tentei bater nele de novo, meu rosto foi picado pela ponta da faca. Fechei os olhos por instinto, para protegê-los.

Ouvi um grunhido.

Meu algoz olhou para trás, meio confuso. Um segundo vulto se erguia. Era um navio de adagas: enfim uma delas furara as costas de alguém e, felizmente, não eram as minhas. Meu salvador também não era ninguém especial. Só outro marujo.

— Ele vai nos trazer dinheiro.

O pirata ferido ainda tentou argumentar. Algo quase cômico com suas palavras toscas e escorrendo sangue.

— Não vou estragá-lo. Podemos vender o bispo.

— Não se vende um bispo, seu pagão.

Ouvi o som indefinido, de umidade e pano, quando a adaga foi enterrada mais uma vez, com mais raiva. Meio sobre mim, o pirata gorgolejou.

— O bispo falou que você não pode matar ninguém. Não pode possuir homens como se fossem mulheres.

Calímaco nunca pregara contra homens deitando-se juntos, mas aquele recém-convertido encarregara-se de encampar o preceito. Acho que Deus vem sempre junto de determinados ódios.

A faca o perfurou mais uma vez. O pirata escorregou e caiu.

— Nem uma palavra — disse meu salvador, com a adaga ensanguentada. — Urag olha por você.

À volta, olhos em mim. Os homens faziam as ameaças veladas dos realmente perigosos: não precisavam falar para me mandar calar a boca. E, ao mesmo tempo, faziam o sinal da voz elevada. Uma mistura típica de bandidos crentes. Há menos de um ano, aqueles homens não tinham a menor reverência. Parecia que o navio estava infectado por Urag, como uma gripe. Eu não sabia o quão certo estava ao pensar isso.

Passaram-se as horas, e é claro que não consegui dormir. Nem comer, embora fosse idiotice desperdiçar uma ração inteira. O nervosismo não conhece o bom senso.

Esgueirei-me, em meio às redes cheias de piratas roncando. Tenho certeza de que muitos me viram, mas o entra e sai de pessoas durante qualquer período faz parte da rotina de um navio e acho que não prestaram muita atenção. Pelos cantos (tanto quanto isso era possível), cheguei perto da cabine de Pharoux. Arrisquei um olhar para dentro, ele não estava. Em alguma ronda pelo barco, passando pelo timão ou apenas distribuindo ordens. Eu precisava ser rápido.

Não sabia o que pretendia. Havíamos partido sem mapas e cartas náuticas. Improvável também que o capitão tivesse pergaminho para esboçar qualquer rota. Entrei na cabine, onde havia só uma cama estreita de palha, uma mesa de madeira ordinária, empenada pela umidade, e alguns retalhos de pano.

Revirei-os. Eram lona de vela. E não eram só isso, mas um tipo de mapa improvisado. Porque, apesar das noções românticas de escritores, nem mesmo piratas navegam sem rumo certo. Sem pergaminhos, sem instrumentos, Pharoux usara aqueles retalhos para traçar uma rota, fazendo cálculos aproximados através das estrelas. Um capitão devia ser um homem de conhecimentos, por mais que fosse um bandido.

Ele havia marcado o que parecia ser uma ilha. Era o nosso destino. Com tanta imprecisão, não admirava que estivéssemos demorando. Não admirava que os homens estivessem inquietos. E, em outro retalho, números. Contas simples. Como resultado, o valor de venda de um escravo letrado, e outro que podia fazer trabalho pesado. Injusto: eu também era letrado.

Boca seca, percepção aguçada, abastecida pelo pavor. Pharoux engambelara Calímaco no Farol para conseguir a liberdade, mas tinha-lhe um uso em mente o tempo todo. Para mim também. Os marujos tornavam-se mais devotos, podiam até recusar-se a vender o bispo. Mas um escritor não era nada sagrado.

Deslizei para fora da cabine, sob a escuridão, torcendo para não ser visto. A mandíbula doendo por dentes rilhados, a tensão espalhada por meu pescoço. Adentrei a cabine de Calímaco sem tanta discrição. Fui até sua rede e o sacudi, vendo a saliva derramada em sua bochecha rebrilhar à lua.

— Estão nos levando a um porto pirata! — sussurrei em desespero.

O bispo piscou duas vezes, estreitou os olhos como se tentasse me colocar em foco. Franziu as sobrancelhas para entender, depois sorriu.

— Você teve um pesadelo, jovem Iago. Rumamos ao paraíso.

— Calímaco, sei que não é louco. Eles vão nos vender como escravos.

O bispo deu um tapinha reconfortante na minha cabeça.

— Não, não. Chegaremos ao paraíso. Você vai ver.

Eu sabia mesmo que ele não era louco?

— Tenha fé.

O horror da solidão tomou os dias seguintes. Eu já não suspeitava — sabia que estava sozinho como vítima. Vez por outra era assaltado pela tentação de ter fé, confiar que tudo fosse dar certo. Para Calímaco, era fácil falar. Os homens prestavam-lhe cada vez mais respeito. Até mesmo Pharoux parecia temer isso. Imaginei se não haveria correções em seus cálculos, quanto ele podia ganhar por apenas um escravo.

Então, um dia, um barco.

Pharoux evitara a todo custo qualquer contato com outros navios. Ninguém além de piratas e da marinha da Igreja navegava por aquelas lonjuras e não havia razão para procurar uma briga. Os marujos preparavam-se para evadir, afastar-se antes que pudessem ser notados, mas o capitão os deteve. Subiu na gávea com a agilidade de uma aranha, ficou um tempo observando a nau com sua luneta. Então sorriu — pude notar porque seus dentões de ouro reluziram ao sol.

— Vamos abordar, minhas alegres crianças.

Muitos vivas.

Os piratas se armaram de faca e cutelo. Salivavam ante a possibilidade de butim gordo. Mesmo os convertidos pareciam ter esquecido por um tempo a crença em Deus, ou planejavam depois pedir absolvição.

— Precisamos de bênção, bispo! — disse alguém.

Calímaco mexia os dedos, incerto de como responder.

— Meu filho, Urag não abençoa a pilhagem.

Decepção.

— A bênção, bispo! Vamos lá, só uma.

— Por que não fazem amizade com a outra tripulação? Talvez eles compartilhem seus tesouros.

Pharoux deitou um braço comprido sobre os ombros do bispo:

— Quem sabe que tipo de hereges apóstatas ocupa o navio, meu querubim? Se hereges forem, estaremos fazendo um serviço ao bom Deus, que provavelmente receber-nos-á com ainda mais alvíssaras em Seu paraíso!

— Mas...

— E se forem bondosos e inocentes como bebezinhos criados numa dieta de hóstias, estaremos apenas acelerando seu encontro jubiloso com o Criador.

Calímaco não soube o que dizer ou então não quis dizer nada.

— De qualquer modo, acredito que aprovará a abordagem assim que vir a bandeira deles, ó clérigo bem-aventurado.

Nosso navio se aproximou, a presa tentou fugir. Mas nossos navegadores eram hábeis, e sua maior habilidade estava na caçada. A distância foi diminuindo, até que pude divisar os mastros e as velas, o adorno de proa e o estandarte.

Pharoux tinha razão.

De início, pareceu-me que era a marinha da Igreja. As três trombetas, sem nenhum outro símbolo, na bandeira do navio. Mas então notei: eram quatro trombetas. O brasão da Santa Igreja fora maculado, acrescido de mais um elemento, que se erguia por sobre o padrão equilibrado que todos conheciam. Eram hereges. Ou pelo menos assim achávamos.

— Uma quarta trombeta! — entusiasmou-se o Bispo Calímaco. — Ótima ideia. Quanto mais trombetas, mais alta a mensagem de Deus, não?

— Seu humor é hílare, bispo — disse Pharoux.

— Capitão, pergunte aos tripulantes sobre essa quarta trombeta antes de matá-los, sim?

Pharoux ergueu seu sabre:

— À pilhagem, hienas das ondas! Vamos roubar até a última trombeta!

Foi algo feio. Os navios se aproximaram tanto que pareciam roçar. Cheguei a pensar em tentar fugir para o inimigo, mas vi que seria pior. Os tripulantes da outra nau faziam menção de se defender — alguns pegavam armas, outros brandiam punhos e ameaçavam — mas em geral só corriam em círculos, desesperados. Um grupo deles ajoelhou-se de mãos dadas e começou a rezar. Os piratas jogaram cordas com ganchos entre os navios e usaram-nas para se balançar de uma embarcação a outra. Outros cabos eram usados para puxar os dois navios juntos, e logo foi possível pular por sobre as amuradas. Começou o sangue.

Havia mulheres no barco. Senti náusea.

A gritaria era infernal. Os piratas venceram todos os tripulantes sem dificuldade, mesmo aqueles armados. Só um dos inimigos parecia ter treinamento de guerra, e conseguiu esgrimir com dois piratas antes que um terceiro dividisse-lhe o crânio com uma machadinha. Colares eram arrancados de pescoços. Era difícil tirar os anéis, então dedos eram decepados, e os saqueadores levavam o conjunto todo.

Achei uma adaga caída no convés de nosso navio. Fiz menção de pular a amurada, ir morrer lá defendendo alguém. Senti a mão do bispo no ombro.

— Não vale a pena, jovem Iago.

Eu o enxergava como um borrão. Sua voz misturada aos gritos das vítimas.

— Eles estão...

— Eu sei. E você não vai conseguir impedir nada. Apenas jogará sua vida fora.

Um impulso como aquele tinha conquistado a simpatia de Atreu.

— Atreu não está aqui — disse o bispo.

— Mas se eu puder salvar *um*...

— Não poderá. Fique aqui, faça sua parte vigiando os piratas. Depois, encontre Atreu e D'Agostini. Os criminosos receberão justiça.

Calímaco mostrava-se são.

— É por isso que você está aqui? — eu disse.

— Sim. E também porque Pharoux conhece o caminho até o paraíso, onde reencontrarei minha amada Felícia.

Então, não mais.

O único alívio foi que o espetáculo durou pouco. Em minutos, estavam todos mortos, até mesmo as mulheres. Fiquei surpreso com a quantidade que morrera simplesmente rezando de olhos fechados, sequer tentando preservar-se um instante. Os piratas atearam fogo à nau chacinada, voltaram carregando pequenos baús de ouro, joias de parco valor, roupas, comida, vinho.

Um mapa.

— Descobriu sobre essa trombeta adicional, meu capitão? — disse Calímaco.

— Ah, eram loucos! Desvairados totais, lunáticos navegando pelas águas de sua própria veneta.

Mas havia um mapa. Uma carta náutica. Um marujo interrompeu:

— São peregrinos.

Pharoux deixou seu sorriso esmaecer por um instante:

— Certo, isso também.

Era uma carta náutica, que mostrava uma rota marítima. Naquele quebra-cabeças de correntes submarinas, ventos previsíveis, estradas que só um marinheiro experiente sabia enxergar, aquele era um mapa que possibilitava chegar a um local específico, um destino que a tripulação não conhecia.

Era um mapa até o paraíso.

— Vê, jovem Iago? — alegrou-se o bispo, arrancando a carta náutica do marujo. — É a providência divina! Nem sempre entendemos o que Urag diz, mas Ele está sempre falando conosco.

Os rostos dos marujos não deixavam dúvida. Assombro total, bocas pendentes, como se Deus houvesse se materializado no navio. Muitos faziam o sinal da voz elevada. Aqueles que não haviam acompanhado antes agora miravam seus colegas, tentavam imitar o gesto sagrado. Se a conversão ao encontrar Jocasta não fora suficiente, tinham viajado com um bispo. Se descobrir um anjo à deriva não bastara, Deus havia lhes enviado um mapa.

— Contudo, meus santos sacripantas, temos um destino já traçado — disse Pharoux. — O paraíso não vai acabar, não é mesmo? Pode esperar só um pouquinho.

Um semicírculo começou a se formar ao redor do capitão.

— O paraíso é eterno, meus infantes! Mas o dinheiro...

— Já conseguimos dinheiro, capitão.

O peito de Pharoux desinflava aos poucos.

— Temos boa mercadoria. — Ele ainda tentou, fazendo um gesto para mim. — Estão nos esperando.

— Urag está esperando — interrompeu Calímaco, com o sorriso mais corado e inocente do mundo.

E os marujos, com as adagas mais dispostas e devotas.

Aqueles homens haviam encontrado o rumo ao paraíso e não desistiriam da viagem. Se Pharoux tentasse dar uma ordem contrária, não haveria intervenção que o salvasse. Mudou de postura, de estratégia. Tomou fôlego e empertigou-se.

— Urag está entre nós, empoleirado na gávea! — proferiu o capitão. — Temos um bispo que pode redimir os que vivem em pecado e salvar nossas almas, e um outro que não serve para nada, mas é muito decorativo. Temos um mapa, e os mais nobres ladrões e saqueadores do mundo todo. — Apontou heroicamente para uma direção aleatória. — Rumo ao paraíso então, minha tripulação sagrada!

Não fui vendido como escravo. Seguimos naquele misto de bufonaria e ameaça, pantomima e assassinato, até chegar ao paraíso.

Mas estou me adiantando.

É melhor voltar ao começo, e a Atreu.

2

Como eu queria estar ao lado de Atreu! Queria sofrer junto, também ser perseguido. Mas, em vez disso, eu era uma nota de rodapé. Eu estava no mar, Atreu estava preso.

Quando cruzou os portões, adentrou a paliçada e meteu-se forçado naquele acampamento, sem demora deram-lhe uma túnica e uma picareta e, já o primeiro dia, foi trabalho esfalfante. A prisão ficava em um deserto, a um mês de carroça da praia, no território do minério divino, e para isso servia. Adjacente a uma pedreira, uma mina de fragmentos milagrosos, onde os detentos trabalhavam, batendo as ferramentas metálicas até que algo valioso se desprendesse. Então recolhendo e entregando aos guardas, então deteriorando e enlouquecendo e morrendo e sendo substituídos. Era uma prisão, e era um campo de trabalho.

— O trabalho liberta — dissera o oficial, de máscara e armadura, ao receber os recém-chegados.

Era um campo de trabalho, e era um campo de reeducação. A educação punitiva não era novidade para Atreu; fora boa parte de sua juventude.

A prisão tinha uma grande área aberta, cercada pelas altas muralhas de troncos. No perímetro, em intervalos regulares, torres de vigilância, onde postavam-se guardas mais ou menos atentos, mais ou menos entediados. Salpicando o enorme pátio plano, de areia avermelhada, construções largas e baixas. Depósitos, alojamentos, blocos de celas. Todos quase iguais, feitos de pedra amarelecida, cobertos do fino pó cor de argila. Sol forte o tempo todo, e o matiz quente emprestava ainda mais calor, como se o mundo fosse visto por uma lente alaranjada. Ao fundo, a pedreira, que sozinha quebrava a monotonia do ambiente.

Não, outra coisa quebrava: as roupas dos carcereiros mais graduados. Os oficiais cobriam-se por inteiro, em trajes que não permitiam ver nada de seus corpos. O tecido, as placas de armadura e as máscaras eram decorados com o padrão visual complexo e abstrato que víramos antes no porão do Farol dos Órfãos e no interior do crânio de Pugna Marco Segundo. Era o padrão visual que protegia contra o minério divino, bloqueava as emanações nocivas e imprevisíveis dos fragmentos. Os oficiais estavam protegidos; os guardas comuns perdiam dentes e cabelos e unhas, e enlouqueciam da mesma forma que os prisioneiros. Como medida preventiva, eram trocados depois de alguns meses.

Atreu só ficou sabendo disso mais tarde. No primeiro dia, apenas foi levado até o centro do pátio. Outras pessoas haviam empreendido a jornada junto a ele: um bando de miseráveis, que podiam até mesmo ter sido nobres, antes de serem empilhados nas carroças para transporte. Homens, mulheres, umas poucas crianças, embora nenhuma tivesse sobrevivido, seus cadaverezinhos jogados ao longo das trilhas. Estavam no centro do pátio, o sol cozinhando o topo da cabeça, os joelhos doendo porque fazia muito tempo que não ficavam de pé. Atreu observou os guardas, que formavam um quadrado ao redor, com lanças prontas. Pensou em como saltar, agarrar uma lança, matar o primeiro e derrubar o segundo com o cabo atrás dos joelhos, então correr e fugir. Pensou que era o suficiente para uma abertura, e depois só pátio aberto. Mas seus joelhos estavam fracos. Calculou quando e onde seria atingido por flechas, antes de chegar ao portão — que de qualquer forma estava bem trancado. Não, a fuga não seria feita de correrias. Atreu fugiria, é lógico, até porque eu não estaria escrevendo sobre um homem que não escapasse daquilo. Mas fugiria do seu jeito, que envolvia sentar consigo mesmo e planejar.

— O trabalho liberta — disse o diretor, voz abafada pela máscara, para os prisioneiros. — Vocês estão aqui porque precisam se libertar. Suas mentes estão presas ao pecado, porque têm um grande vazio onde deveria estar Deus. O diabo adora a mente desocupada. Mas aqui nunca faltará trabalho nobre, suor glorioso.

Atreu examinou os oficiais. Os uniformes completos prestavam-se ao disfarce. Ninguém notaria se fosse ele sob o tecido e a máscara, e ainda poderia dar ordens aos menos graduados. Mas, mais tarde notaria, os oficiais eram poucos, conheciam-se, mantinham-se em locais visíveis e sempre andavam em duplas ou grupos.

Ao longe, o bate-bate das picaretas. Som de alguns pés chiando na areia, sobre um fundo de silêncio imóvel.

— Vocês comerão, trabalharão, cultuarão Urag. Nossa terra não mais os quer; daqui não há volta. Sejam obedientes e sofrerão menos do que merecem. Poderão ter uma boa vida.

— Qual o seu crime? — Atreu sussurrou para a mulher ao seu lado.

— Adultério.

Curiosidade mórbida, prazer masoquista em descobrir. Não perguntara durante todo o tempo em que viajaram juntos. Não havia razão para querer saber agora e repreendeu-se em silêncio.

— Silêncio! — disse um guarda e um chicote estalou bem perto do rosto de meu amigo.

Calou-se.

— Agora já estão bem descansados — disse o diretor. — Ao trabalho.

Metido na túnica branca encardida, ainda com manchas do último dono, Atreu foi levado à mina. O interior escuro não era menos quente: compensava a falta de sol com o ar estagnado, espesso. Era como respirar sopa. Batidas rítmicas das picaretas. A maioria dos prisioneiros não tinha dentes, pouco cabelo, unhas ou dedos faltando, línguas inchadas, pústulas no corpo. A deformidade do minério divino. Entoavam um cântico, mas naquele dia Atreu não foi obrigado a acompanhar.

Já escuro quando os tiraram da pedreira. Nenhum fragmento fora achado, mas sempre havia o dia seguinte. E o próximo. E o próximo.

Ele estava exausto, é claro, mas de certa forma era mais estimulante do que a imobilidade insalubre da carroça. Atreu bem sabia: o difícil não era o início; o estirão que faz os músculos doerem. A monstruosidade estava na repetição. Deram de comer a eles, em um refeitório coletivo. Um cozido pastoso que Atreu engoliu com sofreguidão. Os detentos mais demenciados babavam dentro das tigelas, deixavam cair a pasta. Depois, ele e os novatos foram mandados para seus alojamentos. Os demais, para algum outro canto.

As celas eram quartinhos exíguos e fechados, portas grossas de madeira com pequenas aberturas cobertas de barras. Não havia janelas, só um monte de palha fazendo as vezes de cama e um balde onde defecar. Pelo menos estaria sozinho.

Entrava uma luz mesquinha, vinda dos lampiões nos corredores. Atreu quis aproveitar a luminosidade. O balde era metálico, e ele usou a borda para riscar a parede. Um traço, marcando o primeiro dia. Era importante manter noção do tempo, até porque ainda planejava sair de lá e retomar a guerra.

Adormeceu na palha.

Não adiantava rebelar-se contra si mesmo; melhor comer e dormir tão bem quanto pudesse. Entrou em sono profundo assim que encostou a cabeça, esperando recobrar forças, mas acordou com um clangor estridente.

— Prisioneiro! Prisioneiro!

Dois guardas na cela, sobre ele, batendo espadas no balde metálico. Reflexo, pensou como derrubar um, tomar-lhe a lâmina, espetar a garganta do outro, correr, alcançar o portão externo — não, não era o caminho. Seria uma fuga estúpida, boa para criar um santo mártir, péssima para o Soldado do Diabo.

— Hora de se lavar — disse o guarda.

Estranho, pois mesmo em liberdade era raro que alguém tomasse banho em nossa terra. Atreu foi levado do alojamento para uma área externa, onde localizavam-se várias grandes tinas com água já bem suja — detentos recém limpos voltavam a suas celas enquanto outros aguardavam sua vez. A altura da lua mostrava que era o meio da noite. Obediente, Atreu lavou-se, entrando na tina com outros três imundos. Tornou a vestir a túnica, foi levado de volta à cela.

— Durma.

Conseguiu obedecer.

Acordou poucas horas depois, dessa vez logo que abriram a porta.

— Levante. Hora do trabalho.

Ele e muitos outros foram para a mina, onde carregaram pedregulhos soltos pelas picaretas do dia anterior. Algumas horas disso (a hora mais escura, logo antes que o sol despontasse) e de volta à cela. Mandaram que dormisse.

Era difícil, mas esforçou-se para obedecer. Precisava estar aguçado e atento, e sobretudo vivo. Roubaria o sono que conseguisse. Mas, ao fechar os olhos, tentou concentrar-se para acordar em menos de duas horas — queria ter tempo de marcar o segundo dia, manter um calendário.

Acordou sozinho, pegou o balde para fazer a marcação. Como se estivesse a postos, um guarda entrou e o interrompeu, levou-o para o refeitório e então em seguida para a mina. Atreu não marcou aquele dia.

Horas de picareta, à volta entoavam o cântico. Ainda não precisava cantar. Atreu examinou os túneis, os guardas, suas expressões. Os mais cruéis, os que pareciam mais entediados, os que demonstravam estar contrariados pelo dever de chicote junto aos prisioneiros. E durou pouco: questão de horas, foram substituídos por outra turma, levados aos alojamentos, onde mandaram de novo que Atreu dormisse. Os guardas ficaram olhando até que ele fechasse os olhos e estivesse imóvel por um bom tempo, então não conseguiu fazer a marcação do dia.

Acordado de novo no meio de sonhos, rumo às minas, e trabalho.

Aos alojamentos, mandaram que dormisse. Tentou marcar o dia, mas interromperam. Quando se deu conta, já era escuro de novo; alojamento, sono; minas, trabalho, e estava claro.

Quantos dias haviam se passado?

A rotina era invariável. As pedras eram iguais, as roupas eram iguais, os rostos eram iguais — exceto por alguma ferida nova produzida pelas emanações do minério. A comida era igual, o cântico era sempre o mesmo. Tudo parecia transcorrer ao mesmo tempo, em um período muito curto. Os dias mesclavam-se um ao outro, era difícil controlar.

Ao final do sexto dia, ou quinto, ou sétimo — ou terceiro — houve algo diferente.

Já considerados veteranos, ele e os outros com quem compartilhara a carroça foram levados ao maior galpão, onde também estavam os demais detentos. Em compridos bancos de madeira, enfileirados, virados para uma espécie de palco.

Os guardas acompanharam um preso, que entrou correndo por entre as fileiras de bancos, sorrindo muito. Subiu ao palco com um salto e bateu palmas.

— Vocês amam Deus? — disse, com entusiasmo.

Amavam.

— Estou aqui para falar de alguém, alguém muito importante — disse o prisioneiro no palco, agitando-se, mudando o peso do corpo de um pé ao outro, quase dançando. — E sabem quem é? Isso mesmo, nosso senhor Urag.

Era um homem muito alto, ombros largos como uma porta, pés imensos, metidos em sapatos de couro macio. Vestia uma túnica semelhante à de todos os outros, mas decorada com os mesmos padrões dos oficiais. Proteção contra a loucura e a morte do minério divino; queriam que ficasse lá. Seus movimentos poderiam ter sido cômicos, era desengonçado e seu corpanzil ocupava um espaço enorme, mas o entusiasmo era contagiante. Os detentos nos bancos tentavam pular, mesmo sentados, assistiam de olhos arregalados e boca meio aberta, respiração presa. Batiam palmas quando ele batia, gritavam aleluias a seu comando. Também estavam no palco outros quatro prisioneiros — esses vestidos nas túnicas comuns. Incitavam a plateia e puxavam os gritos, a coreografia de palmas, mostravam aos fiéis como reagir.

— Quem aqui está preso? — disse o pregador. — Quem aqui está na prisão?

De instinto, os novatos ergueram as mãos. Atreu ficou imóvel, é claro. Os veteranos também, e deram um risinho de lado para os recém-chegados, que não sabiam ainda interpretar as palavras do apóstolo.

Desceu do palco e foi até um prisioneiro veterano, na primeira fila.

— Não está preso, irmão?

— Não!

— E por que não?

— Porque sou livre em Urag.

O pregador segurou seu ombro, a manzorra cobrindo parte de seu peito.

— Olhem este irmão! Está livre? Está longe da prisão? Conhece a liberdade? — Gritos, vivas, incitados pelos ajudantes de palco. — Pois não está. Todos estamos presos.

Um tom sóbrio. O público se remexeu, desconfortável.

— Todos nós. Eu, vocês, os guardas. Estamos todos presos neste mundo odiento, somos todos iguais nesta prisão. Isto aqui? — Tocou uma parede, indicando o mundo. — Isto aqui é porcaria. — Chutou a parede. — Isto é mentira, é falsidade. É prisão. Vamos rezar para Urag nos libertar desta prisão. Mas Ele só vai atender se trabalharmos muito!

O trabalho libertava.

Atreu sentiu um toque em seu braço. Virou-se e encarou o homem ao lado. Era um velho de olhos saltados, muito sorridente, com barba eriçada e cabelos compridos, de um castanho salpicado de branco. Rosto comprido e chupado, rugas muito fundas na testa. Parecia algo entre um camponês e um profeta.

— E você, parceiro? — disse o homem, em sussurro. — É novo? — já sabendo a resposta.

Atreu fez que sim.

— Adoro dia de novatos. É diferente, sabe? Quebra a monotonia.

O homem piscava muito, focava e desfocava seus olhos. Tinha uma risada rouca, intermitente, que soltava sem motivo, como uma pontuação a cada frase. Atreu identificou os sinais de uso crônico e prolongado de mordanze. Todos os dias, calculou, desde a juventude. Não era um diagnóstico tão difícil, os dentes avermelhados colaboravam bastante.

— Todo dia a mesma coisa. — Risada de vibração, como uma moeda que acabara de cair no chão e ainda estivesse oscilando. — Ajuda muito ter novidade. Por que você está preso?

— Sou o Soldado do Diabo.

— Coisa pesada! — Pareceu achar aquilo muito engraçado. Sabia rir sem fazer quase nenhum barulho, uma espécie de espasmo contido no rosto.

— E você?

— Escrevi um poema proibido.

— Falou mal dos padres?

— Não; era sobre um rio perto da minha aldeia. Mas era proibido, entende? Cinco versos, duas estrofes, sete sílabas métricas, depois cinco, depois sete, e cinco e cinco. É proibido, sabia?

Atreu teve de rir. Era absurdo, e o homem ao seu lado poderia acreditar em todo tipo de ficções após algumas décadas de mordanze. Mas era o tipo de absurdo que poderia ser verdade. E era mesmo, viemos a descobrir. Por uma lei ancestral, imposta por alguma Voz com inclinações poéticas, apenas membros do mais alto clero podiam usar aquele formato em particular.

— Sou Atreu.

— O Soldado do Diabo! Meu nome é Guermantes. Fique comigo, estou aqui há muito tempo. Mostro a você todos os truques.

Era como estar de novo na Escola Marcial. O mundo era um grande pátio de colégio, Atreu pensou, e todos nós temos eternamente dezesseis anos.

— Todos nós estamos nesta mesma prisão, é isso mesmo! — A voz do pregador elevou-se. — Só podemos orar para Deus nos tirar daqui logo. E quem tem as chaves? Quem pode abrir a porta de nossa cela e nos deixar respirar um pouco de ar puro? Quem pode nos mostrar o caminho de saída? Não é Urag, não. — Ele suava muito, agitando os braços e espalhando uma chuva de pingos salgados nas primeiras filas. — Não podemos ver nem ouvir Deus. Ninguém aqui é digno. Só quem pode nos mostrar isso é a Voz de Urag.

Atreu sentiu um desconforto na pele ao ouvir o título. Um nojo instintivo, como uma barata caminhando sobre seu peito.

— Estou feliz hoje! — berrou o pregador. Faltavam-lhe vários dentes. — Estou feliz porque temos uma nova Voz! Ouçam a boa notícia, temos uma nova Voz de Urag, depois de tanto tempo sem rumo. Temos uma nova pastora, e o nome dela é Jocasta.

Os presos gritaram de alegria. Mesmo os guardas, que talvez já soubessem, deixavam escapar sorrisos. Era um alívio ter uma Voz de Urag.

— O diabo perdeu! — gritou o pregador, enquanto seus auxiliares batiam palmas rítmicas acima da cabeça. — O diabo queria que ficássemos presos, mas eu digo a ele *não mesmo, maldito!* Fora com sua maldade!

Repetiram, em êxtase: *fora com sua maldade.*

— E viva a Voz Jocasta!

Viva a Voz Jocasta.

— O diabo está aqui, minha gente. Estou sentindo o amaldiçoado! Vamos tirar o diabo daqui!

Todos ergueram as mãos, balançando-as freneticamente. Os auxiliares de palco caminhavam saltitando por entre a plateia, escolhendo uma ou outra pessoa. O pregador puxou a primeira ao palco, uma mulher encarquilhada, com vergões escarlates no rosto e uma erupção purulenta sobre o nariz.

— É o diabo, irmã? É o diabo?

— É o diabo! — disse ela.

— *Fora com sua maldade!*

Pousou a mão na cabeça da mulher, cobrindo-a quase por inteiro, os dedos grossos e compridos chegando ao seu rosto e sua nuca. Suor pingava farto, misturava-se com as lágrimas da crente. O pregador sacudiu-a como uma boneca, a prisioneira agitou-se numa convulsão, virou os olhos e começou a emitir uma torrente de sílabas desconexas.

Atreu eriçou-se: reconheceu um som — talvez um timbre, talvez um fonema — mas um reflexo da língua que Pugna Marco Segundo emitira quando abrimos seu cérebro bizarro. A língua dos antigos? Talvez um efeito do minério divino. Sabemos muito pouco, mas é certo que o ambiente molda o poder do minério. O ambiente da prisão, daquela missa circense, da redescoberta de fragmentos, encaixava-se com o fenômeno.

O pregador soltou a crente, ela dançou no palco, agitando-se em entrega a Urag.

— É o diabo indo embora! — Garantia o artista no palco. — Fora com sua maldade!

Era contagiante, em todos os sentidos, e fazia mesmo o maior dos céticos se questionar. As dezenas de presos estavam unidas no êxtase místico, e mesmo com algum conhecimento o fenômeno no palco impressionava. Convidava à crença, ou pelo menos à dúvida. Experimentei isso antes e depois, e soube o que passava na mente de Atreu: vamos lá, será que não era *possível* que fosse mesmo um exorcismo?

— Nada no céu — ele murmurou para si mesmo, quase como uma reza.

— Onde mais está o diabo? — incitava o pregador. — Venha aqui, irmão!

Outros subiram ao palco, o espetáculo se repetiu em suor e frenesi.

— Não se assuste — disse Guermantes. — É assim mesmo, você se acostuma. Se quiser, lhe consigo um pouco de mordanze. As coisas fazem mais sentido depois que mastigamos uma folhinha, sabe?

Expulsaram o diabo, louvaram Deus, exaltaram a Voz, que os iria salvar. No final, estavam todos exaustos, ator e plateia.

— Aquele guarda é Romero — disse Guermantes. — Guarde o nome, guarde o rosto. É fácil de lembrar, porque é alto e sardento. Se você der parte da sua comida para ele, consegue quase meia hora sem supervisão. Ele avisa quando um sargento chega, é ótimo para mascar mordanze ou descansar um pouco sem ser incomodado.

Romero era mesmo alto, destacava-se dos demais. Tinha ombros largos, peito sólido. Parecia mais um guerreiro de parede de escudos do que um guarda numa prisão esquecida. Na verdade, seria bem parecido com Atreu, não fossem as sardas e o ar de indolência meio estúpida.

Havia outros guardas que negociavam comida por vista grossa: Xandro, Zigneu, Dellenio. Cada um com suas peculiaridades e preferências. Guermantes mantinha relação de negócios com todos, tentando não desagradar nenhum.

Na fila para o banho, Atreu e o velho conseguiam roubar um pouco de conversa em voz baixa.

— Onde você consegue mordanze?

— Outro guarda. — Pontuado pela risada onipresente. — Anastasio, o baixote vesgo. Como não sabe ler, gosta que alguém leia o Discurso Santo para ele. Daqui a pouco viro padre, já decorei quase o livro todo.

— Você consegue outras coisas?

— Que coisas?

— Armas. Ácido. Veneno.

Guermantes fez uma expressão pensativa, entortando a boca. Entraram juntos na tina de água suja. O velho não tinha qualquer vergonha de seu corpo — e, mesmo se tivesse, seria inútil ali. Banhavam-se sob o crepúsculo, já que os horários mudavam a cada dia, acompanhando a rotina de poucas horas de sono entrecortado. Atreu não fazia ideia de quanto tempo já passara na prisão. Certamente menos de duas semanas. Não, não certamente. Era só um palpite.

— Nada dessas coisas — disse Guermantes. — Mas posso tentar. Não prefere mordanze?

— Não, obrigado.

— Muito bem, mas estou aqui há mais tempo do que qualquer um. E garanto que tudo fica mais fácil com uma folha entre os dentes.

Dois guardas passaram, carregando um cadáver para fora do portão. Algo bem comum. Atreu notava: quase a única ocasião em que o portão era aberto. Se um prisioneiro morria, estava impregnado demais de minério divino. Por certo temiam que estivesse contaminado, fosse contagioso.

Mais ou menos nessa época Atreu sentiu que estava escorregando. Duas feridas surgiram perto dos cantos de sua boca — consequência do ar seco ou do minério, em igual probabilidade. Certo dia tentou lembrar o nome da garota que lhe fornecia óleo, sabão e outros produtos na Escola Marcial, e não conseguiu. Passou boa parte de um turno de trabalho tentando chamar à cabeça o nome de Sudário do Louco.

Acordou certa vez tomado por uma melancolia inexplicável, movido à beira das lágrimas por qualquer coisa que não podia determinar. Antes que pusessem-no na cama de novo, estava convencido de que um dos prisioneiros era um padre infiltrado para vigiá-lo.

— Estou enlouquecendo — disse para si mesmo.

Sozinho na cela, o cansaço chamava ao sono, mas soube que deveria manter o cérebro ativo, mais do que nunca. Tomou pedaços de palha, quebrou-os em diferentes comprimentos, representando números. Milhares, centenas, dezenas e unidades, por ordem decrescente de tamanho. Outros pedaços eram sinais matemáticos e montou para si equações cada vez mais complexas, desafiando-se. Ficar ativo, exercitar-se, mais do que nunca. Tentava elaborar o plano de fuga, mas não conseguia juntar as peças. Precisava de informação e sua fonte era apenas Guermantes. Precisava de tempo em que não estivesse dormindo ou trabalhando, tempo para pensar. Mas a matemática era o que o mantinha são. Tentou usar o próprio planejamento da fuga como exercício mental e viu-se convencido de que, se fosse capaz de contar todas as batidas da picareta naquela tarde, um raio cairia do céu e derrubaria a paliçada.

— Estou mesmo enlouquecendo.

Atreu falou com todos os prisioneiros que conseguiu, perguntou seus nomes, fez questão de gravá-los. Enxergava um rosto, repetia o nome na mente, num desafio de memória para quando não tinha suas equações na palha. Durante o trabalho, repassava conhecimentos anatômicos, datas de acontecimentos históricos, tudo para manter-se ocupado, pensando. Atreu nunca conhecera aquele tipo de trabalho, comum para boa parte do povo de nossa terra. Não o cansaço de produzir, o esforço como missão, com finalidade. Apenas a labuta pura, burra, exaustiva e infindável.

Atreu desprezava a preguiça, criara-se com rotina física e mentalmente puxada, na Academia. Mas aquilo era diferente. Não desafiava, apenas derrotava. A mina era grande demais; erguer e baixar a picareta era repetitivo demais. Embotava a mente. Durante o trabalho, ele fugia para seus exercícios mentais, até que:

— Cante.

Fora mantido alheio à cantoria, mas enfim chegara a hora. Não fazia muito sentido que tivessem demorado tanto, e aqui suspeito de que Atreu já tivesse perdido a noção do tempo. Talvez tudo isso tenha se passado em um punhado de dias, ou talvez sua memória estivesse confusa; o encontro com Guermantes e a primeira exibição do pregador tenham ocorrido só depois. E quem garante que existiram mesmo tais personagens? Se admito que minto, agora e sempre, Atreu talvez nem saiba que mentiu, e toda esta parte é de uma incerteza avassaladora. Mas um guarda disse cante, e Atreu teve de cantar, junto a todos os outros. É claro que era um hino religioso.

Fui trabalhar na pedreira
Meus filhos foram atrás
Um deles morreu, um se perdeu
O outro virou capataz.

E tentou ocupar a mente com exercícios, mas já estava ocupada pelos versos. Manter o ritmo, manter a picareta, manter-se no mesmo tom e harmonia de todos. A cantoria hipnotizava, sincronizava-se com a cadência do trabalho, unia o corpo e a mente em uma experiência imersiva. Repetia-se até que as palavras perdiam o sentido e só a sensação de preenchimento importava. Não deixava espaço para mais nada.

Fui viajar no deserto

Ele batia com a picareta.

Meus filhos foram também

Batia com a picareta.

Largaram o mapa, seguiram a Voz

Batia com a picareta.

E agora são homens de bem.

Ele batia com a picareta e ficou muito feliz quando encontrou um fragmento de minério divino. Entregou-o com orgulho a um guarda e, mais tarde, formaram-se bolhas nas pontas de seus dedos. Foi deitar, e não havia mais palha. Dormiu no chão, e nada para representar seus números. Sua língua examinou um dente frouxo, ele cutucou e puxou. A raiz desprendeu-se fácil, suja de vermelho. Buraco no fundo da gengiva.

No refeitório, apegava-se ao último exercício: repassava os nomes dos detentos. Viu o pregador cumprimentar muitos deles, sorrindo sempre, numa mesa ao fundo.

Guermantes entregou furtivamente meia tigela de cozido a um guarda corrupto.

— Não estou bem — disse Atreu. — Este lugar está me vencendo.

— É isso que eles querem — sussurrou Guermantes, conspiratório. — Uma folha de mordanze ajuda.

— Não. Não.

Olhou o cozido.

— Há quanto tempo você está aqui, Guermantes?

— Muito. Ninguém há tanto tempo quanto eu. — O guarda passou ao lado do velho prisioneiro, deu-lhe um tapinha no ombro, sinalizando o acordo entre os dois. — Quase um ano.

Os guardas passaram por entre as mesas, carregando um corpo.

— Preciso fugir — disse Atreu.

3

Jocasta prostrou-se e pediu ajuda a Deus. Mas Deus não respondeu, porque não existia.

Conseguira uns minutos longe do burburinho, das atenções constantes, dos pedidos para que escolhesse coisas e abençoasse coisas, das tentativas de agradá-la. Conseguira, a custo, permissão de não usar maquiagem tão pesada e penteados tão elaborados. Usar roupas sem tantas camadas e tantos enfeites, adornos que não impedissem movimentos normais. Então aproveitava aquela liberdade momentânea, um respiro nos deveres de messias, para prostrar-se e juntar os pulsos na altura do queixo, as mãos espalmadas para cima, em posição de reza. Era seu maior delito.

É sempre difícil escrever sobre Jocasta, porque é difícil escrever sobre fé. Além disso, ela passava por algo muito além da minha experiência, além da experiência de qualquer um. Jocasta era a Voz de Urag. Sua peregrinação tivera sucesso. Ela saíra da aldeia miserável e chegara a Ruiturus, a capital. Fora acolhida pelos cardeais e sagrada como representante de Deus no mundo.

A última Voz de Urag rebelara-se, questionara os próprios atos. Para evitar que isso ocorresse de novo, os cardeais haviam revelado a Jocasta seu maior segredo: era tudo uma farsa. Não havia Deus. Não havia razão para remorsos.

Sabendo que falava sozinha, rezava para o nada, sentindo-se tola. Era apenas uma garota brincando de faz de conta, atuando sem plateia. Em seus tempos de camponesa, podia sentir a presença divina, sua fé era sólida e tangível, a divindade era tudo que fazia sentido. Mas aprendeu, e foi uma educação inclemente. A Voz de Urag deveria ouvir Deus, mas era a única que não ouvia.

Levantou-se sem ritual. Só limpou a poeira dos joelhos. A porta se abriu, sem um pedido de permissão. Um servo de costas retas, esticado e tenso como uma corda de arco, deu passagem ao Cardeal Derionde.

Ele entrou com seus passinhos mansos, pequenos, meio curvado com seu sorriso de avô.

— Já chega, não é mesmo?

Jocasta abafou um tremor. Por pouco não fora apanhada.

— Eles estão esperando? — disse a Voz.

— Os arautos estão chamando a congregação.

— Então ainda...

— Então já teve tempo suficiente sozinha, Santidade — sorriu Derionde.

Jocasta ficou quieta. Fez que sim.

— O que ela estava fazendo, Pugna? — disse o cardeal.

Pugna Marco Segundo estivera perto da Voz, assim como sempre estava. Imóvel, olhar vago, postura ausente. Jocasta acostumara-se àquele homem miraculoso e bizarro, que diziam ser um anjo ou um santo, o guardião eterno da Voz de Urag. Pugna era extraordinário por suas capacidades — mas quem passava muito tempo perto dele logo aprendia a considerá-lo parte da mobília. Quando não precisava agir, apagava-se como um lampião. Eu sabia que Pugna era um homem artificial, algum tipo de legado da civilização antiga que esteve aqui muito antes de nós. Jocasta, embora não compreendesse seu protetor com exatidão, sabia que não era feito de carne e osso, e que guardava mistérios. Mas um enigma insolúvel não instiga por muito tempo, e logo o general tornou-se cotidiano.

Além do mais, tinham tampado seu crânio, serrado por Atreu numa bizarra cirurgia, com uma folha de chumbo gravada com os padrões visuais que protegiam contra o minério divino.

Derionde mantinha-se olhando para Pugna Marco Segundo, à espera de uma resposta.

— A Voz de Urag estava deitada, descansando, Eminência — disse o general.

Derionde sorriu.

Jocasta não entendia por completo a lealdade de Pugna, mas sabia que era fiel a ela, acima de tudo. Não iria delatá-la. Talvez Derionde não soubesse disso, ou talvez apenas quisesse que Jocasta relaxasse. Imagino que seja essa a verdade, devido ao que aconteceu depois, mas estou me adiantando.

— Vamos, Santidade. — Derionde estendeu sua mão fofa e enrugada. — Não faz bem para uma jovem passar tanto tempo isolada.

Jocasta aceitou os dedos em seus próprios, delgados e longos, e caminhou para fora do quarto, acompanhada por Pugna. O servo fechou a porta atrás deles.

Estava em um castelo, mas não era o Palácio Eterno da Voz. Não estava na capital, em seu santuário, e a barulheira da cidade logo assaltou seus ouvidos. Estaria bem pior lá fora. Aquela era Colina Seca, foco de peregrinação e de pecado, e estava repleta de nobres de todos os tipos.

O cardeal, a santa e o general andaram pelos corredores, sendo precedidos por uma onda de servos, guardas e padres ajoelhando-se em reverência. Um jovem acólito seguia atrás deles, respingando essência aromática no piso (porque o chão que fora abençoado pelo pisar da Voz não deveria ser maculado por pés pecadores antes de ser dedicado a Deus). À frente do cortejo, outro acólito espalhava uma espécie de talco (pois a santa também não deveria tocar no chão que ainda não fora purificado). Jocasta segurava uma máscara de porcelana à frente do rosto, para que os olhos mortais não conspurcassem sua face. Tudo muito elaborado e tedioso.

Seu destino era uma sala de maquiagem.

— Derionde, preferia que eles me vissem ao natural — ela disse, sentando-se numa cadeira de espaldar alto e sendo cercada por aias.

— O modo como fazemos é natural. Está escrito no Discurso Santo.

— Se eles puderem ver meu rosto...

— Seu rosto é para os escolhidos. Lembra?

Estou mentindo.

Nada disso aconteceu. Jocasta não questionava. Não contradizia as recomendações de Derionde. Fora dela a ideia de mostrar o rosto aos escolhidos, ao pequeno povo de Deus. O que aconteceu foi bem mais simples: Jocasta passou pelo enfado de andar mascarada e se maquiar, e sabia muito bem que a congregação de nobres que iria ouvi-la não merecia tantos privilégios. Devo lembrar: Jocasta era uma deles.

Repassou com Derionde seu discurso, o que falaria e como introduziria as novas leis que os dois haviam planejado. Sempre tivera a plebe em suas mãos — o povo jogara-se sobre a história da camponesa que se revelara messias. Agora, em Colina Seca, iria consolidar seu domínio sobre a nobreza.

— Nossos vigias descobriram mais algum candidato? — disse Jocasta.

— Temos muitos homens entre os escolhidos, Santidade. Precisamos de mais...

— Mulheres com filhos — completou a Voz.

Deriondo sorriu. Ambos pensavam como um só. Mulheres com filhos emprestavam um ar doméstico e confortável ao grupo seleto.

— Talvez a Baronesa Rodmilla? — disse o cardeal.

— Seria perfeita.

Jocasta depois me disse que, no meio daquela conversa, já mal lembrava que antes estivera rezando. Duas horas de maquiagem e foi mostrar-se aos fiéis. Mais tarde iria se reunir com os escolhidos.

Mas, antes de tudo isso, tivera meses de preparações, em Ruiturus.

Para que eu entendesse tudo que foi feito naquele tempo, antes de Colina Seca, Jocasta enfatizou seus passeios pelas masmorras. Então talvez seja a melhor forma de explicar o que se passou.

Sempre me pareceu algo arriscado, mas é comum que os castelos de nossos nobres contenham masmorras, que os prisioneiros que aguardam execução ou tortura fiquem sob os pés dos lordes. Talvez porque sejam essas as únicas construções sólidas o bastante para impedir fugas. E havia uma masmorra, com toda a escuridão e a umidade e o ar estagnado que se espera, nos porões do Palácio Eterno da Voz.

Estava se tornando uma parada habitual para Jocasta. As outras Vozes nada queriam com os calabouços, algumas nem sabiam de sua existência. Mas Jocasta tivera assuntos ali muitas vezes. Quando primeiro visitara, achou que ficaria chocada, que o horror seria demais. Mas apenas olhou tudo como figuras num livro, sem alterar a respiração.

Mais uma vez, então, entrou no calabouço, escoltada por Pugna. Os cardeais também gostavam de manter um olho sobre ela naquelas ocasiões, e o eleito para acompanhá-la fora Melquíades. O jovem gorducho suava e remexia os dedos, e logo preferiu ficar para trás.

Os carcereiros já sabiam aonde conduzir Jocasta. Sempre a mesma cela.

— Olá, Benedict — disse a Voz.

O prisioneiro ergueu o rosto.

Benedict fora o Cavaleiro Imaculado, um dos heróis que, segundo minha profecia fajuta, iriam derrotar o diabo. Traíra Jocasta em sua jornada até Ruiturus. Quem poderia imaginar que uma plebeia chegaria a líder da Igreja? Com a ascensão da camponesa, fora punido, é claro. Trancafiado discretamente, mas o brilho de sua presença continuava lá, mesmo após meses. Ele sorriu para Jocasta, com seus lábios muito vermelhos e seus olhos luminosos.

— Santidade. — Prostrou-se em deferência.

— Como você está?

— Vivo, por enquanto. Pela graça de Deus.

Mais uma vez olhou direto para ela, como se não fosse um prisioneiro miserável.

— Ou pela graça da Voz? — completou.

Jocasta ficou um instante sem responder.

— Você tem razão. Está vivo porque eu quero.

Mais de uma vez Benedict fora arrastado para a execução. Chegara a ter a cabeça encostada no bloco de madeira e esperara o machado do carrasco, mas então fora poupado.

— Por quê, Jocasta?

Dois guardas fizeram menção de abrir a porta da cela, já com as mãos nas espadas. Ninguém podia chamar a Voz por seu nome.

— O que vão fazer? — riu Benedict. — Me matar?

Com um gesto, Jocasta deteve os dois.

— Não acho que você deva morrer — ela disse.

— Por quê?

— Acho que merece uma segunda chance.

— Ora, vamos, Santidade! — Benedict abriu os braços, em exasperação. — É comigo que está falando. Tranquei-a em um porão e matei seus fiéis. Sejamos francos.

Silêncio.

Então:

— Acho que matá-lo é estupidez — disse Jocasta.

Ordenou que todos os guardas e carcereiros fossem embora. Ficou apenas com Benedict e o eterno Pugna Marco Segundo.

— Você é útil, Benedict.

— Sou traiçoeiro.

— Você gosta de vencer. A traição é apenas um meio. Alguém como você seria útil para mim.

— Alguém como eu?

— Alguém que não quer ser bom. Só quer ser vitorioso.

O cavaleiro riu. Escrúpulos atrapalhavam, e ele não sofria desse incômodo.

— Então tire-me daqui — disse Benedict. — Ficar preso é estupidez.

Em nossa terra, não havia prisão como punição por si só, exceto em casos muito raros. A masmorra era um lugar onde os condenados aguardavam seu castigo real, ou eram mantidos para fácil acesso entre uma e outra sessão de tortura. Em geral, apenas nobres capturados em batalha tinham valor vivos e aprisionados. Nesses casos, eram mantidos na área principal do castelo, quase como hóspedes.

— Você vai ser libertado quando for útil, Benedict.

— Posso ser útil agora.

— Não se preocupe com isso. Deixe as decisões para mim.

Ele riu alto.

— Você é Derionde com tetas, menina.

Jocasta se afastou, seguida por Pugna. Mandou chamar de volta os guardas e carcereiros. Foi examinar o resto dos calabouços, as salas de tortura e um depósito onde ficavam cadáveres do dia, ainda não enterrados.

Vários prisioneiros usavam batina. Alguns jogavam-se contra as grades ao ver a santa, implorando clemência. Outros já haviam desistido, ou apenas encolhiam-se de pavor à mera visão de qualquer pessoa — resultado da tortura.

Eram professores.

Uma das primeiras ideias de Jocasta fora infiltrar alunos nos colégios da Igreja. Digo alunos, mas eram espiões. Agora isso parece lógico — afinal, dos colégios saíram Atreu, Ganimedes e até mesmo Benedict. Assim, jovens acólitos haviam sido selecionados e doutrinados, e então inseridos nas escolas comuns e no Instituto do Brado de Urag. Qualquer professor considerado suspeito era delatado, trazido e torturado, ou simplesmente morto em silêncio. A rebeldia se originava em algum lugar, e era necessário determinar onde estava a fraqueza no ensino, que permitia aquilo.

Outro ato enérgico de Jocasta fora atacar Sudário do Louco. Derionde era meticuloso, deliberado e inteligente, mas seguia um planejamento sem pressa. Jocasta insistira que aquilo devia ser prioridade, não podia esperar no longo cronograma do cardeal. Assim, Sudário do Louco queimou.

Jocasta complementava Derionde. Ele era todo estratégia, ela estava acostumada a conviver com a urgência. Nossa terra estava em paz, e feliz.

Jocasta voltou de sua ronda e encontrou Melquíades sentado com as mãos sobre o estômago. Seu rosto estava cinzento, ele parecia nauseado. Os ecos da tortura sempre tinham sobre ele esse efeito.

— O que Vossa Santidade conversou com Benedict? — disse Melquíades.

— Não se preocupe com isso, Eminência.

— A execução será adiada de novo?

— Sei que você não gosta de falar sobre essas coisas. Agora preciso ter com o Cardeal Derionde.

E foi assim, em harmonia com Derionde, que Jocasta surgiu na sacada do castelo, em Colina Seca. No fundo de sua mente, a dúvida sobre Urag mordiscava: será mesmo que não havia nada no céu? Mas a terra era urgente e não deixava espaço para dúvidas. Apenas ação.

Cerca de duzentas pessoas aguardavam-na, na praça em frente ao castelo. Era um dos raros espaços amplos em Colina Seca — o resto da cidade era tomado por construções de todos os tipos, atopetadas em vários andares e espremendo-se umas contra as outras. Do outro lado da praça, atrás da pequena multidão de nobres, depois de uma cerca metálica de proteção, estava o Arco dos Inocentes. Mesmo naquele momento, tinha de ser protegido por soldados, pois sempre havia quem quisesse atravessá-lo.

— Vocês são os filhos favoritos de Urag — disse a Voz.

Em resposta, os nobres fizeram o sinal da voz elevada, espalmando as mãos para o alto, os pulsos juntos.

Ninguém estava acostumado a ouvir a santa. No passado, as palavras das messias haviam sido para poucos ouvidos, quase nunca um pronunciamento como aquele. No passado, a Voz de Urag fora só uma garota dentro de uma caixa, uma boneca para as pessoas olharem enquanto obedeciam aos cardeais. Jocasta fora talvez a primeira a governar junto, e nobres e plebeus sabiam o privilégio que era poder escutá-la. Que bênção, pensavam, que época para se viver!

— Dizemos ao povo que são eles os preferidos de Deus — continuou Jocasta, para seu público de sangue azul. — Que sua humildade e trabalho duro serão recompensados no paraíso. Mas sabemos, eu e vocês, que a verdade é mais complexa.

Nobres adoravam sentir-se parte de um grupo exclusivo. Jocasta precisava ganhar seus corações — assim instruíra Derionde — e logo descobriu uma boa forma.

— O trabalho duro será mesmo recompensado após a morte. Mas alguém precisa guiar os plebeus neste mundo ilusório. E esse é o seu trabalho. É o dever daqueles que Urag selecionou como nobres.

A plateia concordou, solene.

Jocasta enxergou, ao longe, um séquito cruzando os portões da cidade. Os muros eram altos, as entradas eram bem guardadas. Um baú foi entregue aos soldados no portão. Para entrar em Colina Seca, era preciso pagar. O preço em ouro proibia o acesso a todos que não fossem nobres. Era uma boa fonte de renda para a Santa Igreja.

— Por que estão aqui? — disse Jocasta. — Por que vieram a Colina Seca?

Silêncio.

— Se faço uma pergunta, desejo uma resposta! Talvez as outras Vozes não lhes dirigissem a palavra, mas agora é diferente. — Mais alto: — Por que estão aqui?

— Para receber a bênção de Vossa Santidade — arriscou alguém.

— Mentira. Poderiam ter sido abençoados em Ruiturus, em muitas ocasiões.

O nobre que havia respondido encolheu-se, querendo sumir. Os demais ficaram gratos por não terem ousado abrir a boca. Jocasta então respondeu a si mesma:

— Vieram aqui para pecar.

Era quase a única razão pela qual alguém ia a Colina Seca.

A cidade se originara ao redor do Arco dos Inocentes. Era um fragmento de uma construção antiga, uma espécie de pórtico que não levava a lugar algum. Um retângulo de pedra com uma abertura ovalada. Segundo as histórias, era tudo que restava da fortaleza onde a Voz Irmandra resistira, acompanhada apenas por freiras e crianças órfãs, ao ataque das hordas pagãs. Quando a derrota era inevitável, Irmandra teria implorado a Urag que perdoasse todos aqueles que estavam dentro do castelo — órfãos, freiras e assassinos. Um último ato de amor, que garantira a entrada de todas aquelas almas no paraíso. Desde então — diz-se — todos aqueles que passam sob a entrada do castelo são absolvidos de todos os pecados. E a entrada era tudo que restara, após a depredação, ficando conhecida como Arco dos Inocentes.

— Todos os dias imploro a Urag para que me torne cega às mentiras deste mundo — continuou Jocasta. — Mas até agora não fui atendida. Urag quer que eu enxergue o que acontece aqui. Prostituição. Jogatina. Embriaguez. Gula.

Séculos atrás, Colina Seca atraía incontáveis peregrinos em busca do Arco dos Inocentes. Até os mais miseráveis empreendiam a jornada, pois a liberdade espiritual valia a pena. E valia cometer qualquer ato para alcançar a cidade — tudo seria perdoado no final. Segundo os livros copiados pelo clero, isto foi proibido quando um pirata herege cruzou o Arco e não pôde ser tocado pelo exército da Igreja, pois fora perdoado por Deus. Desconfio de que a verdade seja bem mais simples. Havia bastante potencial de lucro; a Igreja fechou a cidade e passou a cobrar pelo acesso. As estradas foram limpas de peregrinos, e Colina Seca tornou-se reduto dos nobres.

— Não posso, e nem desejo, proibir que pequem. O Arco dos Inocentes absolve seus pecados, e todos que estão aqui pagaram por essa graça. Mas sua presença é prova de que podem viajar. Têm ouro a ser gasto com prazeres ilusórios. Gozam de saúde e disposição.

A Igreja não é tola e, em pouco tempo, o potencial de Colina Seca ficou evidente. Com absolvição garantida, não havia por que não pecar ainda mais dentro da cidade. Mercadores de vinho pagaram grandes somas para estabelecer seus negócios dentro dos muros, sabendo que a sede dos nobres seria grande quando sua alma não estava em risco. Bordéis abriram as portas, despejando fortunas nos cofres da Igreja. Arenas, casas de apostas e antros de jogo foram erguidos por burgueses e nobres, sempre revertendo parte do ouro a Deus.

Em Colina Seca, os nobres entregavam-se a seus vícios. Dias depois, voltavam para casa, inocentes como bebês.

— A Igreja exige mais uma peregrinação de vocês — anunciou Jocasta. — Dos filhos preferidos de Deus. Todos os anos, o senhor de cada família com brasão deverá passar uma estação em Ruiturus, no Palácio Eterno da Voz. Lá, estudará o Discurso Santo, ouvirá os conselhos dos cardeais e voltará ainda mais sábio para seu lar.

Houve um engasgo coletivo. O decreto afastava os senhores de suas terras por muito tempo. Dificultava esconder qualquer coisa da capital. Mantinha os nobres sob controle rígido.

Puxava firme as rédeas, após o caos da guerra civil.

— Em troca, irei me envolver muito mais em suas vidas. Nunca estarão sozinhos quando precisarem da sabedoria de Urag.

Jocasta decretou que quaisquer casamentos entre altos nobres deveriam ocorrer em Ruiturus, com as bênçãos da Voz ou dos cardeais. Na superfície, era aconselhamento, preparação para a vida matrimonial. Em seu âmago, era o poder de vetar casamentos inconvenientes, proibir alianças que deixariam famílias nobres poderosas demais.

Jocasta aumentava o poder da Igreja. Centralizava a política em si mesma e nos cardeais.

Derionde mantinha seu sorriso bondoso.

— Sei que a Igreja pede muito de seus filhos mais queridos — disse a Voz de Urag. — Mas desejamos que prosperem, para guiar o povo. Então, a partir de hoje, todos os impostos serão abolidos.

Como se caísse um relâmpago. Os nobres se entreolharam. Era maravilhoso demais, já começavam a contar os lucros.

— Todas as doações para os cofres da Igreja serão voluntárias.

E, com aquilo, Jocasta ganhara seus corações. Apenas mais tarde ficaria claro que os arautos cantariam os nomes das famílias mais generosas a cada ano, como recompensa por sua bondade. Tudo ficaria exposto, às claras. Jocasta transformou os impostos num leilão. Os próprios nobres competiriam para superar-se em pagamentos, e os santos cofres iriam se encher mais do que nunca.

— O ouro nunca mais será problema, meus filhos. — Fez um gesto grandiloquente. — Preocupem-se com os assuntos espirituais. Descobrirão que, a partir de hoje, a Santa Igreja cuidará de suas necessidades materiais.

Em Colina Seca, todos os pecados eram perdoados. A Igreja condenava a usura, o empréstimo de dinheiro com juros. Mas, por ideia de Jocasta, um negócio daquele tipo estava sendo inaugurado naquele mesmo dia. Os agiotas seriam perdoados ao fim de cada expediente. E os nobres poderiam fazer empréstimos, endividando-se para com a Igreja, pagando cada vez mais.

Jocasta apertou a forca ao redor dos pescoços nobres.

A multidão explodiu de felicidade, gritou vivas a seu nome.

Jocasta e Derionde caminhavam pela cidade. Pugna Marco Segundo ao lado, vigilante. O séquito de servos, acólitos e guardas fazendo um muro ao redor da santa e do cardeal.

As ruelas eram esvaziadas para que eles passassem. Colina Seca estava cheia de pecadores ávidos por perdão, ávidos por pecar mais. Passaram pelo vão entre dois prédios de onde vinham sons frenéticos de bebedeira, alcançaram uma praça. Por trás de sua máscara de porcelana, Jocasta sorriu de orgulho: lá estava a casa de empréstimos que ela idealizara, e havia uma fila de homens de sangue azul derramando-se porta afora. Passaram pela fila, os aristocratas curvando-se. Derionde afastou-se do cortejo, tocou o ombro de um deles com sua mão gentil.

— Precisa de ouro, senhor Cássio?

O nobre gaguejou que sim.

— Ora, todos precisamos, neste mundo de ilusão. Mas não se preocupe. Basta pedir e a Igreja proverá.

— Obrigado, Eminência — com felicidade genuína.

O cortejo da Voz entrou em uma mansão larga, que ocupava todo um quarteirão. Depois das portas duplas, havia um salão imenso, onde bebidas eram servidas, garotas com decotes e coxas à mostra contorciam seus corpos, mesas inteiras de gente importante apostavam ouro e terras em jogos de cartas ou dados. Havia um pequeno palco no fundo, onde mais tarde uma trupe espalhafatosa apresentaria um espetáculo burlesco, onde flatulência, ereções e seios seriam motivo das maiores risadas.

Atravessaram o salão apenas observando, sendo precedidos pelas mesuras de todos.

— Continuem, continuem — dizia Derionde, sorrindo. — Não esqueçam do Arco dos Inocentes, antes de voltar para casa.

Em uma das mesas, a Baronesa Rodmilla acabava-se em gargalhadas, vermelha de vinho tinto, empurrando mais uma pilha de moedas para uma aposta na combinação certa de cartas. Jocasta fez um gesto, e um de seus acólitos foi até a baronesa, sussurrando para que se dirigisse à Voz.

Rodmilla curvou-se fundo ante Sua Santidade.

— Erga-se, Vossa Graça — disse Derionde.

A baronesa dirigiu todos os cumprimentos certos, mesmo embriagada.

— Você é feliz, Rodmilla? — disse Jocasta.

— Muito, Santidade.

— Mesmo?

— Sim, Santidade — gaguejou.

— E acha que poderia ser mais feliz ainda?

Difícil responder.

— Achamos que você é especial, Rodmilla. Possui fé verdadeira. Gostaria de ouvir mais? Conhecer os planos que Deus tem para você?

Horas depois, Rodmilla entrou na casa e foi recebida com sorrisos. Os escolhidos eram menos de vinte. Mas estavam tão felizes em vê-la!

— É ótimo que esteja aqui!

— Você vai adorar.

— Sinta-se abençoada. Eu mesmo nunca fui tão feliz.

— Vai conhecer seu verdadeiro potencial.

Era estranho, era contrário a todos os costumes — mas, afinal, estavam em Colina Seca. Mal chegara, todos abraçaram-na, numa enxurrada de acolhimento.

— Bem-vinda, irmã.

Então Jocasta chegou. Sorria. Sem maquiagem e sem máscara.

Ouso especular: em Ruiturus, Melquíades bateu à porta do Cardeal Simas.

O quarto de Simas raramente estava vazio. Havia uma mulher sobre mãos e joelhos na cama, e Melquíades corou.

— O que foi, irmão? — disse Simas.

— Precisamos conversar.

Silêncio. Simas bufou para que continuasse.

— Sobre a Voz — disse Melquíades.

— Está preocupado com Jocasta?

— Jocasta e Derionde.

Simas riu.

— Deboche se quiser — disse o gorducho. — Os dois estão unidos. Têm planos. Quem garante que não vamos ficar de fora?

Simas cruzou os braços sobre o peito magro, ergueu uma sobrancelha sarcástica.

— Bem, talvez *você* fique de fora, Melquíades. Sempre foi o mais fraco.

— Eles estão tramando...

— Ou talvez *nós* estejamos tramando.

— Ainda temos o convento. Podemos escolher uma menina.

— Jocasta é perfeita — Simas bocejou.

— Você é ingênuo.

— Sei que prefere as menininhas do convento, mas não chore. Peça para que Barsoom o proteja.

Melquíades fechou as mãozinhas em punhos, com a raiva impotente de uma criança.

— Relaxe. — Simas fez um gesto largo em direção ao quarto. — Tenho uma mulher sobrando. Aceita? Sirva-se.

O outro olhou para baixo, as bochechas em chamas. Então saiu pisando duro com seus pezinhos macios.

A risada de Simas acompanhou-o pelo corredor.

Saindo de Colina Seca, Jocasta começou a ir em direção ao Arco dos Inocentes. Sempre havia a *possibilidade* de que Deus estivesse olhando, não?

— Onde vai, Santidade? — disse Derionde.

— Apenas...

— Não. Venha. Temos um longo caminho a percorrer.

4

NA MINA, O RITMO DAS PICARETAS, E O CANTO.

Atreu tentava manter o controle do tempo, ao menos uma ideia geral. O difícil era a vigilância. Assegurava uma noção dos dias (ou ao menos das semanas) pelo crescimento de sua barba loura, o comprimento dos fios do cabelo. Atreu tivera cabelos longos quando o conheci, mas agora eram curtos de detento. E depois um guarda raspava-lhe o rosto e o escalpo todos os dias, para que fosse sempre a mesma coisa.

Ele me explicou mais tarde, a mente junta memórias muito parecidas numa coisa só. Isso comprime o tempo; é a razão pela qual a vida acaba logo quando atingimos a idade adulta e cada ano demora uma eternidade, quando somos crianças. Quando todos os dias são iguais, registramos todos num só bloco. E deixamos o tempo passar com mais facilidade, ficamos indolentes. Um grande ato drástico sempre pode ficar para amanhã, até o amanhã sumir. Seja começar uma nova peça, declarar um amor, pedir desculpas ou fugir de uma prisão.

Tudo isso para dizer que Atreu não sabia há quanto tempo estava preso, ou mesmo quanto passara desde que notara a loucura chegando perto e os dentes indo embora, e tivera a revelação de que um ano naquele lugar tornava alguém um veterano empedernido. De início, um pavor imediato, que depois virou medo constante, e logo vago. Tornou-se uma preocupação, o tipo de coisa que se deixa para amanhã. Na mina, trabalhava como todos os dias, cabeça e rosto escanhoados e lisos, batendo com a picareta, sob luz de lampiões, ao lado de muitos outros.

— O Soldado do Diabo, então? — ouviu à sua direita.

O prisioneiro falara entre dentes. Atreu olhou-o de soslaio e, num instante, o homem ergueu a picareta e golpeou. Atreu saltou para o lado, a cabeça pontuda do instrumento zuniu perto de seu pescoço. Tivesse atingido, atravessaria de fora a fora. A picareta é uma arma tentadora, Atreu sabia, porque o peso da cabeça, a pequena área da ponta e a poderosa alavanca do cabo criam um golpe devastador. Mas, como muitas tentações, é uma armadilha, porque é lenta e desajeitada, não permite erro no primeiro ataque. O homem puxou a picareta de volta para si, descrevendo um arco vasto, grunhindo com esforço, erguendo-a de novo acima da cabeça. Atreu largou a sua, saltou abaixado na direção dele, bateu com a cabeça em seu ventre e agarrou-lhe os joelhos por trás. O inimigo caiu de costas, Atreu foi rápido em montar sobre ele, prendeu-lhe os pulsos.

E três guardas estavam sobre os dois, espadas prontas, apontando ao pescoço do inimigo.

— Deixe seu colega em paz.

Não fizeram menção de atacar Atreu. Pelo contrário, só o haviam defendido. O outro detento foi levado embora.

— É o Soldado do Diabo! — disse o prisioneiro. — É um herege, não vai sobreviver.

O homem tomou um soco atrás da cabeça, de um dos guardas, para calar a boca. Um oficial, uniforme completo e decorado, máscara cobrindo o rosto, aproximou-se de Atreu e perguntou se estava bem. Então estalou um chicote e mandou todos de volta ao trabalho.

Quem atacara meu amigo era só um pobre coitado, sem nome e sem rosto, que nem mereceu lembrança. Atreu não estivera em risco verdadeiro. Mesmo assim, os guardas logo haviam chegado, para salvá-lo.

Salvá-lo.

Se fossem apenas cruéis, tudo seria mais simples. Mas não o queriam morto. Queriam-no *lá.*

Atreu pensou: por isso a revolução acabara. Guardas da prisão — soldados da Igreja — corriam em sua defesa. Vítimas tentavam matá-lo. Não enxergavam os guardas e o pregador e os padres como inimigos. O inimigo seria sempre o Soldado do Diabo.

No refeitório, meio da noite:

— Mudei de ideia.

Guermantes olhou-o sem entender, o beiço meio para fora.

— Mudei de ideia — repetiu Atreu. — Quero um pouco de mordanze.

— Um pouco?

— Muito.

— Respeito! — O velho soltou sua risadinha muda. — Vai abrir sua cabeça.

Sentado num dos bancos compridos, ao lado de Guermantes e outros que não importavam. Todos os olhos fixos no prisioneiro que subira ao palco, vibrando de punhos cerrados com a palavra de Deus e os feitos da Voz. Guardas observando, toda a volta, tentando manter a severidade. Não havia cinismo ali; todos envoltos na alegria religiosa.

— Quem gostaria de uma visita da Voz Jocasta? — disse o pregador, expelindo gotas enormes e pastosas de suor.

Todos ergueram as mãos e gritaram.

— Vamos rezar! Vamos rezar, e Urag vai nos ouvir, e a Voz virá a nossa presença. Mas — dedo em riste, subitamente cenho franzido —, só se nossa fé for suficiente. Só se pedirmos com todo o coração!

Gritaram o nome de Urag.

— Melhor acompanhar — disse Guermantes.

Atreu estava de braços cruzados, lábios juntos.

— Você acredita nisso?

— Deus não está com ele, nem no céu — disse o velho. — Deus está em tudo, nas folhas das árvores, no vento, nas nuvens...

— Deus não está em lugar nenhum.

— Que seja, homem. Acho que Deus não gosta de gritaria, mas é melhor gritar junto, ou eles vêm nos aborrecer.

Braços cruzados. E, com efeito, o pregador o notou.

— Um irmão não está sentindo o amor.

É claro que estivera em sua mira desde o começo. Era o Soldado do Diabo, a presa mais tentadora, a caça mais suculenta para aquele religioso festivo. Se pudesse dobrá-lo — ao menos aos olhos da plateia — a vitória seria plena. Não sei quais eram as motivações daquele homem, nem se acreditava de verdade em tudo que falava, ou em alguma parte. Mas, fosse seu objetivo elevação espiritual, privilégios dentro da prisão ou mesmo a liberdade, estaria mais próximo quebrando o general herege.

— É o Soldado do Diabo! — gritou alguém.

— Ninguém é do diabo. Somos todos de Urag, este irmão apenas ainda não sabe. Venha aqui, por favor.

Os assistentes de palco foram buscar Atreu.

Meu amigo obedeceu, até porque não tinha escolha. Resistir naquele momento seria convidar punições, ou mesmo um linchamento rápido. Então foi, mais prisioneiro que os outros, ladeado por detentos escolhidos (túnicas mais brancas que o resto), juntar-se ao pregador.

— Qual é seu nome, irmão?

— Atreu.

— E qual foi seu crime, Atreu?

— Fiz guerra contra a Igreja. Perdi a conta de quantos capangas dos padres matei.

— É o Soldado do Diabo! — repetiu um grito do fundo. O pregador ordenou silêncio.

— E por que fez isso, Atreu?

— Porque padres são ladrões e assassinos, e Deus não existe.

O pregador deixou a resposta assentar um instante no público, como um pedregulho quebrando a superfície viscosa de um balde de cola. Tinha instinto teatral, ou ao menos circense.

— Sabe de uma coisa? Deus não se importa com suas palavras. Deus ama você mesmo assim.

A plateia gritou aleluias.

— Deus vai entrar em você, Atreu! Não peço que acredite. Não peço que me aceite. Só peço que sinta o amor! Será que o amor é tão ruim, Atreu? Sinta o amor que Urag tem por você!

Agarrou a cabeça raspada de Atreu com sua mão imensa. A intensidade da oratória já fazia o suor brotar farto, encharcando a túnica e exalando cheiro forte.

— Sinta o amor de Deus, Atreu! — balançando a cabeça. — A luz de Urag sobre você!

— Não há espaço para Deus aqui — disse Atreu, com voz gutural.

Uma voz que não era a sua. Que só poderia pertencer a algum demônio.

Os detentos entraram em frenesi. Se antes acompanhavam a pregação, repetindo as frases feitas e incitando ainda mais o pastor, agora explodiram numa confirmação inesperada, uma virada dramática tornada ainda mais notável pelo marasmo de suas vidas. Os guardas tiveram de se aproximar, batendo com porretes em alguns aleatórios para acalmar o resto, ameaçando todos com suas espadas.

— *Quem está bloqueando o caminho de Deus?*

— Este é o meu soldado. — As palavras roufenhas saíram do fundo da garganta de Atreu, numa sonoridade macabra.

E talvez falte a mim o senso dramático do pregador, mas não tentarei enganar: não era verdade. É claro que Atreu estava fingindo. Não tinha escorregado tanto para a loucura. Também duvido de que meu próprio público esteja inclinado a acreditar em possessão demoníaca genuína. Atreu estava fingindo, porque era um bom ator e porque sabia julgar as pessoas. Sabia que, naquele ambiente instável e ávido por estímulo, qualquer coisa seria aceita — as vítimas do engodo fariam força para acreditar. Era o mesmo princípio do batismo da Santa Igreja: privação sensorial levando à suscetibilidade.

— Quem está nesse corpo? — urrou o pregador, chacoalhando a cabeça de Atreu.

— Tenho mil nomes, e não tenho nenhum. Este é o meu soldado, o meu escolhido, o amante e assassino da minha Voz. Aqui Urag não entra.

O pregador não se deixou abalar. Era ótimo na improvisação:

— Irmãos, vamos fazer o que mil guerreiros não conseguiram! Vamos vencer o Soldado do Diabo! *Fora com sua maldade!*

Os prisioneiros já estavam de pé, os guardas estavam apreensivos. Alguns temiam uma revolta, mas não havia risco algum. Capturados muito mais pelo culto do que pelos muros e espadas, eles só queriam balançar seus braços acima da cabeça e berrar para que o diabo deixasse o corpo de meu amigo.

— *Fora com sua maldade!*

— Este homem me pertence — entoou Atreu.

— Todos pertencemos a Deus! Você vai sair daí, criatura imunda, vai voltar ao inferno. — E para seus ajudantes: — Tragam o porco!

Os assistentes de palco correram entre os bancos, abrindo caminho pelo público, escoltados por um guarda (apenas um, pois eram bem comportados). Enquanto a discussão continuou entre o pregador e o demônio habitando Atreu, sob a ululação da plateia, eles sumiram porta afora e pouco depois voltaram, puxando um leitão de orelhas compridas por uma corda que fazia as vezes de coleira.

— No passado, a Voz Guadalupe expulsou de um homem uma legião de demônios, e obrigou-os a entrar em porcos — disse o pastor, suor pingando de seu lábio superior. — É o que vamos fazer hoje, irmãos!

Emplastrou a manzorra sobre o peito do possuído.

— Saia deste homem! — Um gesto rápido em direção ao porco, fazendo chover gotas em um arco e deixando uma marca úmida na túnica de Atreu. — Vá para o porco!

— *Fora com sua maldade!* — recitaram os fiéis, aos berros, enquanto o porco encolhia-se, confuso e alarmado.

— Saia deste homem! — Arco largo, em direção ao animal. — Vá para o porco!

— *Fora com sua maldade!*

Atreu emitiu um urro raspado, começou a chacoalhar-se no palco. Impossível dizer o quanto já tinha se perdido na própria performance. Às vezes, assim são os grandes atores.

— Está saindo, irmãos, olhem o demônio indo embora! Já para o porco, coisa imunda!

Manzorra no peito, puxou com força, num último gesto em direção ao bicho, e Atreu berrou, abrindo muito a boca. O pregador agarrou o pescoço suíno. O porco guinchou, e todos interpretaram como a agonia do diabo entrando no animal.

— Está livre!

Atreu despencou, mole como um boneco.

Os presos berraram, sapatearam no chão. Duas mulheres arrancavam os cabelos. Os guardas tiveram de conter o frenesi, mas dois ou três deles estavam igualmente pasmos.

O pregador ergueu a mão espalmada, num gesto de calma. Fez barulhos tranquilizadores, chiando baixinho.

— Chega. Basta, meu povo. Este homem está livre. O diabo está preso. Chega. Agora os guerreiros de Urag descansam.

Como crianças, foram aos poucos voltando à calma.

— Quem é você? — disse o pregador, abaixando-se para o recém-liberto.

— Atreu.

— E qual foi seu crime, Atreu?

— Duvidei.

Se estivesse lá, eu bateria palmas.

Atreu manteve-se quieto por um longo tempo. Fazia o papel de salvo e convertido. Era um jogo arriscado: participava das celebrações religiosas, respondia quaisquer indagações com fervor na medida certa (melhor não exagerar, ou seria uma caricatura). Tudo necessário para seu plano, mas era uma aposta. A cada dia, tornava-se menos um alvo, mas perdia mais de si mesmo. Sua sanidade se esvaindo. Adquiriu um terror abjeto de deixar a cela após um número ímpar de passos. Começou a ouvir sussurros, sugerindo que arrancasse *apenas uma* unha. Mais ou menos nessa época, começou a descobrir insólitas anomalias estéticas em si mesmo, pensar que talvez com uma orelha a menos seu rosto ficaria mais bem acabado.

E tudo tornava-se mais difícil ainda porque passara a mastigar as folhas de mordanze, na companhia de Guermantes. Precisava da planta para seu plano, e não podia despertar suspeitas. O torpor agradável gerava satisfação por estar dentro de si mesmo. Tornava tolerável o tédio absoluto — o que era muito perigoso.

O corpo também decaía: cuspiu outro dente. Notou que havia um pouco menos de cabelo a ser raspado todos os dias.

Era necessário. Não achava fragmentos de minério divino (que, apesar de mais abundantes ali, ainda eram raridade). Mas, trabalhando no calor estufado do meio-dia, encontrou um fungo que lhe seria útil e escondeu-o com sutileza veloz na palma. Tossiu, levou a mão à boca, armazenou o pedaço de fungo entre a gengiva e a bochecha. Dias depois, viu um pequeno lagarto que produzia uma peçonha interessante. Capturou-o e juntou-o à coleção de insignificantes componentes, mantida oculta em sua cela.

Tudo vagaroso. Deliberado. Metódico — mas metódica também podia ser a loucura e, por vezes, ele duvidava de que houvesse realidade naquele estratagema complexo e exaustivo. Se não era tudo uma superstição, uma certeza fantasiosa de que um dia iria fugir.

— Guermantes, preciso de tempo para descansar.

O velho riu para Atreu, deu-lhe um tapinha nas costas. Estavam no refeitório, como sempre — quase o único lugar onde podiam trocar algumas palavras.

— É difícil aproveitar o mordanze com alguém vigiando, não é? Sempre me deixa com medo.

Atreu concordou, o que Guermantes achou muito engraçado.

— Sem problemas, homem. Já falei, trate com Romero, Xandro, Zigneu, Dellenio. — Apontou os guardas em um grupinho. — Em troca de metade do seu grude, qualquer um deles garante meia hora de paz.

Dellenio fazia sua ronda das mesas. Aproximou-se de Guermantes, para receber seu suborno alimentício habitual.

Atreu comia na posição desconfiada da maioria dos detentos: braço dobrado sobre a mesa, à frente da tigela, protegendo-a. Corpo curvado sobre a comida. Era bom para evitar o roubo, e também funcionava para que ninguém notasse que um prisioneiro acrescentava seus próprios ingredientes ao cozido.

Atreu derramou no mingau restos de folha de mordanze moída. Também o fungo esmigalhado, gotículas da substância produzida pelo lagarto, pó de enxofre encontrado na mina.

— Pois é, senhor, estou sem fome — riu Guermantes para o guarda Dellenio, que recolheu a tigela.

Dellenio era rotundo e mal-humorado, sua barriga testando o limite do uniforme. Atreu ignorou-o, esperou a passagem de Romero, o ruivo alto.

— Também perdi o apetite — disse Atreu.

Romero recolheu a tigela, já salivando. Coisas simples para homens simples.

Atreu precisava manter o controle do número de refeições, então usou o único instrumento à sua disposição: para cada tigela entregue, um machucado feito com unha e dente no antebraço esquerdo. No final, contabilizava sete.

O pregador gritou a pergunta, quem precisava de Deus? Todos, é claro, mas uma irmã precisava mais. Era nova na prisão e estava toda machucada, após uma noite em que o guarda esqueceu de trancar as portas. Também esqueceu de vigiar. Também esqueceu de fazer alguma coisa, durante as horas em que ela ficou gritando.

— Eu preciso! — Atreu levantou a mão.

Guermantes ergueu as sobrancelhas para ele, deixou a mandíbula pender com os lábios fechados, como se visse uma criatura de outro mundo.

— Eu preciso de Urag! — repetiu Atreu.

— Ora, mas é nosso irmão aceitando o amor.

Outros fiéis disputavam a atenção do pregador, mas Atreu era o preferido. Foi abrindo caminho a cotoveladas até o palco.

— E qual é seu problema, irmão Atreu?

— Estou cansado o tempo todo.

Guermantes tentou avisá-lo num sussurro alto:

— Homem, isso é o mordanze!

Subiu ao tablado, sob os olhos do público. A irmã que andava com dificuldade (feridas no meio das pernas) já recebera o Espírito Santo e era auxiliada de volta aos bancos. Atreu conferiu: o guarda Romero estava ali. Discretamente segurando o estômago, com uma tez esverdeada.

— Anda cansado, irmão Atreu?

— Só penso em dormir. É horrível.

— E quer que Urag lhe dê determinação para enfrentar o dia de trabalho?

— Não acho certo pedir mais nada de Urag. Acho que há outra coisa me drenando.

Um monossílabo de espanto correu pela plateia. O pregador assentiu com a cabeça, num movimento largo e teatral, como dizendo *é óbvio*.

— *E o que é essa coisa que o drena?* — De repente, num guincho, agarrando a testa de Atreu com sua manzorra.

Meu amigo gritou. Tensionou o corpo, ficando nas pontas dos pés e esticando-se todo.

— Quem está aí? — exigiu o pregador. — Que entidade é essa que persegue nosso irmão?

— Nenhum de vocês me interessa — Atreu rosnou como um bicho.

— É o diabo, minha gente! É o diabo!

— Não quero nenhum de vocês. — Virou-se num repelão, estendeu o braço esquerdo. — Quero *ele!*

Apontava como uma flecha para o guarda Romero.

Era uma aposta, porque ele não sabia se tudo estava fazendo efeito, ou qual seria a reação de Romero. Mas, num ambiente de fé e loucura, de crença e um pobre coitado envenenado durante sete dias com um alucinógeno, era uma aposta boa.

— *Vim caçar o santo!* — urrou Atreu.

Instinto, o guarda largou a espada e ergueu os antebraços, protegendo-se. Meu amigo gritava, e logo Romero também, começando a convulsionar e emitir palavras desconexas por entre lábios frenéticos, língua ligeira. Se o plano de Atreu funcionara, já há sete dias o homem sofria de alucinações, mudanças de humor, agitação e um estado de sonho desperto. Era natural que, envolvido na pantomima sacra, fosse tão influenciado.

Súbito, Atreu caiu no chão. Enquanto Romero parecia tomado pelo Espírito Santo, o demônio dentro do prisioneiro berrava de agonia. A entrega total era mostra de força, e ali Urag era forte, manifestando-se no guarda.

— O diabo não tem poder, minha gente! Vejam só! O diabo sendo derrotado por um homem de fé!

— O guarda santo vai morrer! — gritou Atreu.

— Tragam o porco!

E de novo o demônio que possuía Atreu foi transferido para aquele suíno confuso.

Atreu relaxou de repente, deixando-se amolecer no tablado.

— Espero que o diabo deixe-o em paz agora, irmão.

— Obrigado, obrigado. — Atreu beijou a mão do pregador.

Todos os prisioneiros tinham olhos arregalados para o guarda Romero. Ele estava impressionado consigo mesmo. A estranheza que experimentara nos últimos dias tinha uma explicação mística. Quase esquecera seu estômago fragilizado.

Não demorou muito. Quase nada. O guarda Romero sumiu, e logo surgiu um novo e orgulhoso oficial, oculto em seu uniforme completo, com sua máscara, nem um centímetro de pele visível. Todos sabiam que era ele, porque fazia bem saber. Um guarda considerado santo nunca seria mantido como apenas um guarda, e um oficial santo nunca ficaria anônimo. Ninguém desobedecia um santo, capaz de amedrontar até mesmo o diabo.

Romero desfilou com queixo erguido por trás da máscara, durante cerca de um dia. Então as dores de estômago ficaram insuportáveis.

Atreu na sala do diretor da prisão:

— Quer dizer que se acalmou?

O diretor era um homem mediano em todos os sentidos, nunca chamaria atenção se não tivesse seu uniforme e sua máscara. Atreu via-lhe o rosto agora porque a máscara estava erguida. Ele comia ao lado de outros oficiais, em sua mesa, manchando de gordura alguns pergaminhos. Seis guardas com lâminas de prontidão, caso o prisioneiro voltasse à rebeldia.

— Eu estava errado — disse Atreu.

— Gosto de comer, mas não engulo merda. Por que essa mudança?

— Deus.

Os oficiais riram, espalhando comida semimastigada pelo escritório. Comiam carne de porco. O diabo não parecia ter prejudicado o sabor.

— Você não é um qualquer, Atreu. Recebemos documentos a seu respeito. Viveu ao lado do Cardeal Derionde, e encontrou Deus na prisão?

— O Cardeal Derionde nunca me convenceu.

— Ah, é? Por quê?

— Não era muito alegre.

O diretor desfez o sorriso. Mastigou um pouco, conjecturando. Fazia sentido: o pregador não era um cardeal, mas era um espetáculo. Além do mais, a prisão fora feita para quebrar espíritos inconvenientes. Apenas funcionara.

— Muito bem — disse o diretor, limpando os lábios num pedaço de pano. — Muito bem. Você pode obter privilégios por bom comportamento aqui, Atreu. Assim como o próprio pregador. Ele tem privilégios.

— Sim, senhor.

— Você veio muito bem recomendado. Dizem que sabe coisas.

— Sim, senhor.

— O oficial Romero está doente. Se temos um santo, quero um santo que dure muito, entendeu?

— Sim, senhor.

— Dizem que você sabe curar as pessoas, prisioneiro. Vá dar um jeito em Romero.

— Vou fugir, Guermantes. Venha comigo.

A conversa em sussurros ainda mais baixos do que o normal.

— Estou aqui há tempo demais, homem.

— Um ano!

— Tempo demais. Tenho uma boa vida. Lá fora, quem pode saber?

Tentou ainda com a mulher que fora estuprada no dia anterior:

— Tem vontade de sair?

— Vou pagar meus pecados. Aprender a não incitar os homens.

Atreu, num quarto, com o paciente e quatro guardas. Quatro guardas não seriam suficientes para detê-lo, é claro, se ele quisesse matar. Todos sabiam. O impossível seriam os outros do lado de fora, e os portões, e os prisioneiros que lutariam para continuar presos, e o deserto, e todo o resto.

Romero estirado na cama. Vestia o uniforme, é claro — nenhum oficial dispensava aquela proteção por muito tempo. Gemia baixinho, segurando o estômago. Ao lado da cama, numa mesinha, as substâncias que Atreu pedira — dissera serem ingredientes para o remédio.

Atreu deu alguns passos, sob as vistas dos guardas, e passou a mexer nas tigelas e frasquinhos. Derramou uma coisa na outra, acendeu o minúsculo fogareiro que tinham-lhe deixado usar. Prendeu a respiração em silêncio. Então ouviu o chiado quando, da mistura aquecida, começou a brotar o vapor inodoro, incolor. E tóxico. Já era difícil segurar o fôlego, quando ouviu os guardas desabando. Um deles tentou cambalear para a porta, Atreu segurou-o até que também desmaiasse.

Apagou a chama, respirou dentro de um vasilhame. Não era completamente seguro, mas era melhor do que inalar o gás. Tinha pouco tempo.

Foi até Romero. Pôs os dedos ao redor de seu pescoço, os polegares na garganta. Apertou. O homem indefeso conseguiu tossir um pouco, engasgou, logo amoleceu. Atreu ainda ficou um tempo apertando, para garantir. Então pôs o ouvido perto da boca, procurando respiração. Nada.

Tirou-lhe o uniforme. Vestiu o cadáver com sua própria túnica, após cobrir-se com os tecidos, as placas e a máscara. Tinham quase a mesma altura, quase os mesmos ombros e peito largo. Eram diferentes pelas sardas e o cabelo ruivo furioso do outro. Mas, sob um uniforme completo, bem parecidos.

Deixou-o no chão. Ajoelhou-se ao lado da mesinha, onde estavam quatro potes de vidro grosso, com diferentes líquidos e mais duas tigelas de barro. Misturou os reagentes na proporção que conhecia da prática, derramou o resultado na cama, na cômoda, pelas paredes de madeira. Derrubou o fogareiro e logo uma chama rugiu. Explodiu em labareda, consumindo o combustível que ele espalhara.

Os guardas acordavam, olhando confusos ao redor.

— Fogo! — gritou Atreu, por trás da máscara.

— Fogo! — repetiram os guardas, despertando para a salinha trancada, enchendo-se de fumaça e calor.

E toda a discrição sumiu, fez-se o pandemônio. Um dos homens correu três passos até a porta, abriu-a de um chute desnecessário, deu um alarme berrado. Outros dois tentavam apagar as chamas de forma desajeitada, abanavam-nas ainda mais, incitavam o incêndio. E o quarto encontrava-se paralisado, ainda tentando entender aquilo. Olhou o cadáver de Romero, sem compreender se era dele ou do prisioneiro, pois já estava ardendo.

Chegavam guardas de fora, o alerta se espalhava de homem a homem, tomando todo o interior dos muros. Atreu — coberto da cabeça aos pés com o uniforme e a máscara — gritou para os recém-chegados:

— Era o diabo no meu corpo! Botou fogo em tudo! O prisioneiro vai morrer, salvem-no!

E, como era um oficial, e santo ainda por cima, foi obedecido.

A figura de uniforme saiu correndo do alojamento, enquanto a gritaria tomava conta da prisão. Num clima seco como aquele, um incêndio era mortal, e os guardas mobilizavam-se com areia e baldes d'água.

— Atreu está morto!

— Atreu está queimando!

— O diabo atacou!

O vento era suficiente para soprar brasas — bastou uma, carregada pelo ar, para que o incêndio se espalhasse. O rugir das chamas atingiu outro galpão, os guardas e os prisioneiros corriam de um ponto a outro, em urgência e incerteza. A loucura dos detentos (dos próprios guardas, talvez) gerou o pânico, e o pânico gerou ainda mais desastre.

O incêndio crescia como uma coisa viva e saudável.

Atreu correu para os fundos de um galpão, viu dois guardas apressando-se com baldes.

— Larguem essa porcaria! — latiu Atreu, de dentro de sua máscara. — É o diabo, estão ouvindo? Tragam-me o pregador!

Ouviu o fogo crepitar no alojamento. Uma explosão: bons reagentes, bom combustível. Correu para parecer ocupado, deu ordens a outro guarda. De relance, viu figuras cobertas dos pés à cabeça, esgueirou-se para evitá-las.

O pregador procurava-o atrás do galpão. Estava sozinho, enquanto todos corriam para algum lugar e lugar nenhum. Até mesmo seus assistentes de palco estavam ocupados com outra coisa. Sozinho e longe da vista, como uma boa vítima.

Atreu correu por trás e saltou, agarrou seu pescoço e forçou o antebraço contra sua garganta. O homenzarrão notou logo o que acontecia, quis gritar, mas o som não saiu. Atreu pendurou-se nele, deu-lhe uma joelhada forte no rim. O gigante caiu.

Montado em suas costas, Atreu segurou-lhe o queixo e a nuca.

— Também sou prisioneiro — disse o pregador. — Também desagradei aos padres.

— Você é o inimigo.

— Sou um bardo. Só isso. Eles disseram que eu ia ser solto.

— Seu crime foi ter sido enganado.

Com um movimento forte e definitivo, Atreu partiu seu pescoço.

O fogo rugia no alojamento, cuspindo fagulhas para telhados próximos, acendendo o que era de madeira e de palha. Os detentos adormecidos haviam acordado, quando as chamas tocaram seu alojamento. A turma que naquela hora trabalhava na mina já corria de volta, guiada pelos guardas, para auxiliar no combate ao fogo. Outros, sem supervisão, corriam em sentido contrário, em direção à mina, buscando a segurança de algo que não ardesse.

Atreu tirou a túnica decorada do pastor. Surgiu de trás do galpão, arrastando o corpo. Aproximando-se do portão. Bastava não ser interpelado por oficiais. A retirada de cadáveres era uma das únicas ocasiões em que as portas externas eram abertas.

— Abram! — rugiu para os guardas do portão. Todos estavam confusos pelo pandemônio. — Abram!

— Esse é o pregador? — O corpo imenso era bastante óbvio.

— Está morto! Está contaminado! *Abram!*

Dos dois lados, puxaram alavancas, e o mecanismo de metal e madeira, simples mas forte, foi destrancado. Os portões se abriram.

Atreu arrastou o pregador para o mundo. Atravessou a soleira, botou-o às costas com um grunhido, começou a correr.

Era um esforço gigantesco, pelo peso e pelo calor, e maior ainda pela fraqueza dos dias de pouca comida, pouco sono, muito narcótico. Então ofegou, chiou para respirar, estava quase ensurdecido pelos próprios pulmões. Achou ter ouvido, ao longe, o nome:

Atreu!

É claro que havia pontas soltas. Era um engodo cheio de buracos. Não precisava durar para sempre; apenas por alguns minutos.

As sentinelas das torres dispararam seus arcos, mas as setas cravaram-se nas costas largas e grossas do pregador. Atreu correu em ziguezague, viu flechas furando o chão ao lado, e então atrás — fora de alcance. Viu uma formação de rochas, finas torres e platôs naturais. Guardas derramando-se para fora da paliçada, em perseguição.

Largou o cadáver e correu mais rápido. E mais. E mais.

E então estava livre.

5

POR UM TEMPO, ESTIVERAM ENTRE OS VIVOS.

Penélope lembrou-se de sofrer, porque lembrou do que havia perdido há tanto tempo. Ela e Ganimedes haviam sido resgatados pelo que parecia um milagre — a fúria da terra e do fogo, das árvores e de criaturas bestiais, meio humanas e meio lupinas, voltando-se contra o exército da Igreja, que os perseguia.

Estavam nas terras do Povo Vivo, a antiga aldeia de Penélope. A guerreira achara que não restava ninguém, depois da invasão insidiosa de Derionde, anos antes. Achara que estavam todos transformados, civilizados, domados. Transformados de Povo Vivo em Povo Morto — como as pessoas que viviam em cidades, veneravam a ideia de um Deus protetor e curvavam-se ao estandarte das três trombetas. Mas estivera errada.

Sobraram vivos. Por isso, ainda existiam aqueles milagres profanos. Apenas ela estava morta.

Foi um tempo estranho, e é difícil exprimir a mescla exata de idílio e decadência que existia ali. Na superfície, era uma versão mais pobre, precária e mambembe da vida civilizada que todos conhecíamos. O Povo Vivo existira em nações nômades, no passado, e isso fora parte do que os tornara diferentes, inquietos, livres. É claro que era uma liberdade nascida do primitivismo, da escassez e falta de soluções. E era uma liberdade que vinha com um preço (morte na infância, doenças, escaramuças incessantes entre aldeias, estagnação cultural). Mas era liberdade. Agora não eram mais nômades, viviam em aldeias de madeira e pedra, em áreas de floresta derrubada e clareiras. Tinham igrejas, feiras, tavernas. Abraçavam o progresso, o que era civilizado e consensual, que todos concordavam ser melhor. Havia um pouco de derrota no simples fato de serem iguais ao resto.

Ganimedes, no início, achou mesmo estar em uma cópia bastante precisa das vilas que pontilham nossa terra por todos os lados. As pessoas trabalhavam de cabeça baixa, conduziam seus animais, bebiam chifres furtivos de hidromel. Tudo um pouco mais esfarrapado — uma bandeira com as três trombetas apresentava-as tortas, fora do padrão normal, em um bordado que se desfazia. Quase ninguém tinha sapatos. Quase nenhuma espada à vista — mesmo os guerreiros usavam lanças, porque o metal era muito caro. Uma orgulhosa carruagem de guerra, que por certo já transportara heróis dos pequenos conflitos tribais, virada em carroça de levar feno, puxada por um pangaré magriço. Na superfície, uma imitação pobre da vida civilizada, e nada mais.

Mas havia algo por baixo. Gente ainda viva.

Passaram pela aldeia, os plebeus saudando os guerreiros e os recém-chegados. Penélope reconhecia muitos ali, mas ninguém fazia questão de cumprimentá-la (talvez reconhecendo nela a alma morta que eles mesmos carregavam). Embrenharam-se de novo na floresta e foram levados a um salão de guerreiros. Aquelas eram construções tradicionais do Povo Vivo, mesmo nos dias nômades. Serviam para que chefes e lutadores deliberassem durante as paradas entre as viagens, acolhiam reuniões entre lideranças de diferentes aldeias.

Os guerreiros que salvaram Penélope e Ganimedes eram liderados por Dragomir, um antigo general da Igreja, entregue como refém ao Povo Vivo (em troca da própria Penélope) e acolhido por seus supostos captores. Ele estava vivo. Abraçara os modos selvagens, escolhera aquele como seu povo. E, quando chegara a hora, lutara contra a Igreja, ao lado de seus novos irmãos.

Ganimedes pensava em tudo isso enquanto deitava-se sob o sol.

Já há alguns meses estava com a tribo, naquele intermediário de civilização e selvageria, vida e morte, miséria e liberdade. Rezara numa pequena igreja, sob um padre que recitara passagens do Discurso Santo com erros crassos. E observara os druidas da aldeia, com seu culto a si mesmos e seus estranhos milagres. Era tentador ficar lá para sempre. Morava com os guerreiros, no salão. Eles eram todos vivos, diziam que ele estava vivo também. Ouvia histórias de caça e de guerras antigas, ficava afastado da capital, dos cardeais e da Voz. Mas, mesmo sendo tentador, ele sabia que era atroz. Não podia ficar ali para sempre, da mesma forma que não podia abandonar Atreu, virar as costas à guerra civil ou esquecer Urag.

E nem esquecer todos os pecados que cometera. Tentou afastar o pensamento, fechando os olhos e concentrando-se no calor do sol.

Penélope fez sombra:

— Não aguento mais.

Ganimedes abriu um olho, depois outro. Endireitou-se sentado na relva. Por instinto, tocou o arco que jazia desencordoado ao seu lado.

— Não posso mais ficar aqui, Ganimedes. Há uma guerra lá fora.

— Ou talvez não. Já se vão quantos meses?

— Se tivermos sido derrotados, é mais uma razão para voltar.

— Você quer vingança?

— Claro.

Ficaram se olhando. Penélope continuava de pé sobre ele. Era irritante, mas Ganimedes aprendera a relevar aquele tipo de postura no tempo em que haviam estado juntos. Penélope era alta e ruiva, orgulhosa e cheia de cicatrizes. Andava armada de lança constantemente.

A bem da verdade, ele também não largava seu arco.

— Já falamos sobre isso muitas vezes — suspirou o arqueiro.

— Talvez Atreu precise da nossa ajuda.

— As coisas são estranhas aqui, Penélope. Eu me sinto estranho. Tenho vontade de ficar.

— Está morrendo, sabia?

Ele se calou por um instante. Podia ser só uma farpa. Ele dormia no salão dos guerreiros. Todos lá eram vivos. Até mesmo Dragomir, nascido no Povo Morto e só mais tarde adotado, tornara-se vivo também. Mas os druidas haviam considerado Penélope morta, e ela não era bem-vinda no salão. Recusava-se a morar na aldeia, então dormia na floresta.

— É assim que começa — disse Penélope. — Primeiro, apatia. Deixar as mudanças para depois. Por que *hoje,* não é? Hoje não é um bom dia, tenho coisas a resolver, meu joelho dói. No dia seguinte, pode estar chovendo. Então passou-se uma semana, e o frio está quase chegando, é melhor esperar o fim da neve.

— Você está simplificando...

— Você não foi criado com os nômades. É assim que começa, mas fica mais grave. Você perde a ferocidade. Passa a aceitar uma violência contra si mesmo, depois outra. Convencer-se de que individualidade é rebeldia sem sentido. É um processo insidioso, Ganimedes, e você não percebe que está acontecendo.

— As pessoas normais chamam isso de amadurecer, sabia? — Ele riu-se.

— E agora está chamando o Povo Vivo, por quem está tão apaixonado, de imaturo. Você ainda está vivo, Ganimedes. Salve-se.

Ele ficou sério.

— Acho que comecei a morrer quando comecei a rezar — disse Penélope. — Não, não foi isso. Comecei a morrer quando parei de blasfemar.

— Eu sei que você não gosta da minha religião. Esta conversa é antiga.

— Quando me levaram para Ruiturus, fui obrigada a participar de missas, é claro. Enfiada em igrejas e capelas todos os dias. Sabe o que eu fazia? Dizia profanidades, baixinho, sob a respiração. Ninguém ouvia. Mas eu falava, apenas para não repetir o que os padres mandavam.

— Isso é bobagem. Se você não acredita em Deus e ninguém ouvia, quem sabia que estava blasfemando?

— *Eu* sabia. Isso é o importante. Eu sabia, e eu me respeitava. Mas isso começou a ser trabalhoso demais. Era mais fácil concordar. Afinal, como você falou, Deus não existe, então não há problema. Depois, para evitar atrair atenção, eu rezava junto. Qual é o problema, certo? Então ficou mais e mais difícil desobedecer aos padres.

— O que eles fizeram com você...

— Eu não notei quando morri, Ganimedes. Nem sabia que estava morta. Dragomir me falou. Pensando agora, é óbvio. E é terrível. Vivo ou morto, você não nota a diferença, até prestar atenção.

Ele se ergueu.

— Como sempre, você é muito radical — disse. — Reconheço que a doutrinação dos cardeais é criminosa. Por isso me rebelei. Mas aqui? Eles não nos obrigam a intimidar aldeões, nem prendem uma garota em uma caixa.

— A questão é o que está por dentro. Dentro de você!

Ganimedes riu:

— Pensei que não acreditasse em alma, Deus, todas essas coisas.

— Existem duas possibilidades, não é mesmo? Ou os padres e os druidas estão certos, e existe alma. Nesse caso, você precisa proteger sua alma, e não pode se deixar levar. Ou eu estou certa, e não existe alma. Nesse caso, eles estão simplesmente enchendo nossas cabeças de mentiras e superstições, matando o que somos.

— Isso parece Atreu falando.

— Talvez, se eu estivesse viva, possuísse minhas crenças de nômade. Talvez Atreu tenha ajudado a me matar. Estou falando de *você*. Você está morrendo.

Ganimedes tocou nos ombros da guerreira, olhou-a com expressão calma, até mesmo doce.

— Penélope, você continua esbravejando contra Deus. Mas *eu* acredito. E dizem que estou vivo. Relaxe. Não fique com raiva o tempo todo.

— Talvez sua religião torne-o vivo. E onde está ela? Você está aceitando virar as costas para Urag. Está aceitando seus pecados.

— *Você* falando de...

— Está morrendo, Ganimedes. Há algum tempo, você não conseguiria viver com seus pecados, procuraria redimir-se. E agora? Onde está sua culpa?

— Eu...

— Você está deixando de ser quem é.

Se estar vivo era uma espécie de adolescência da alma, uma intransigência feroz com os próprios princípios, Ganimedes achou que estaria mesmo moribundo. Então pensou: qual o problema? Nunca dera importância para o que um grupo de druidas pagãos julgara. Por que preocupar-se agora?

O que era mais um sinal da morte próxima, ele sabia. De repente, estava muito ciente de seus pecados. Rebelara-se contra a Igreja, lutara contra os cardeais. Matara sem rezar por perdão, há muito não cumpria nenhum sacramento.

Mas, em época de guerra, isso era compreensível.

Não!

Restava apenas saber se ele desejava estar vivo ou se não havia problema em morrer. Em nossa terra, milhares e milhares de mortos levam suas existências normalmente, todos os dias. Eu mesmo, embora não tenha certeza, acho que morri ao aceitar escrever a primeira profecia para o Cardeal Derionde. Ganimedes precisava decidir se preservar sua identidade era mesmo tão importante.

— Preciso expiar meus pecados.

Decidiu que sim.

Ganimedes levou suas inquietações a Dragomir. O general traidor era um homem alto e largo, como um pedregulho. Músculos sólidos formavam uma cobertura compacta, dando ao seu corpo a aparência de uma estátua simplificada. Sua barriga era arredondada, mas apenas contribuía para seu físico maciço. Os cabelos castanhos recuavam. Costumava usar uma armadura de talas, com saiote metálico e sandálias. Na primeira vez que Ganimedes o vira, tinha a forma de um lobo humanoide. Mas aquela aparência guerreira era produto dos milagres dos druidas, e era reservada às mais cruciais circunstâncias.

— Penélope tem razão — disse Dragomir. — Você está mesmo morrendo. Seu lugar não é aqui.

Ganimedes deixou a cabeça pender. Fora uma ilusão saborosa, a impressão de que poderia existir ali, achando um lugar longe da guerra e de tudo. A morte pode ser agradável. É uma anestesia. Traz menos dor, menos ânsia que a vida.

— Por que não me falaram? — disse o arqueiro.

— Ninguém pode dizer a outra pessoa como estar vivo. Não podemos dar vida a ninguém. Apenas matar.

Dragomir tinha modos secos e curtos, aprendidos em muitos anos como militar. Era também um druida em treinamento, Ganimedes descobrira, e seu jeito direto emprestava uma espécie de sabedoria bruta a seus novos deveres. Seus conselhos de druida eram como golpes de martelo.

— Quero viver — disse Ganimedes.

— Muito bem. O primeiro passo é entender o que é vida. Então decidir o que fazer.

— Minha vida é minha religião. Preciso expiar meus pecados.

— Você é um tolo. Está vivo, mas é tolo.

Ganimedes não demonstrou irritação. Na verdade, não sentiu nenhuma.

— Você deve entender o que está perdendo — disse Dragomir.

Decidiram levá-lo em uma expedição de caça. Penélope mordeu os lábios, não falou que desejava também ser convidada. Ela já presenciara aquilo, na juventude, já acompanhara os caçadores que partiam com os druidas. Para ela, não era um mistério, só uma saudade.

No outro dia, antes do amanhecer, Ganimedes estava pronto, reunido com os outros. Paramentado com seu arco e roupas práticas, boas para andar na floresta. Dragomir desfizera-se de sua armadura e vestia couro macio. Três outros guerreiros tinham vestimentas cerimoniais mais simples, pinturas no rosto que marcavam aquele evento como reverente. Iam acompanhados por cinco druidas.

Eram os últimos cinco. No passado, haviam sido muitos, cada aldeia contando com pelo menos um mestre e um punhado de discípulos. Vários desses ainda circulavam pelas aldeias, mas estavam todos mortos, despidos de todo o poder. Aqueles cinco haviam nascido em nações diferentes. Apenas o fato de estarem reunidos ameaçava tirar-lhes a vida, mas haviam conseguido mantê-la apegando-se aos ensinamentos. Eram velhos, encarquilhados, quebradiços. Dragomir explicara que, de alguma forma, era mais fácil manter a vida quando se é velho. A teimosia é um grande auxiliar nessa tarefa.

Os druidas carregavam seus equipamentos em enormes mochilas e sacolas que tilintavam e chacoalhavam com o barulho de muitas peças. Carregar os próprios instrumentos era parte das atribuições de um druida. E parte do que mantinha aqueles homens vivos era a insistência de cumprir aquele dever, mesmo com o corpo enfraquecido. Eles ostentavam suas pinturas e tatuagens cerimoniais, retratando animais de duas cabeças.

Ganimedes disse que estava pronto. O grupo se embrenhou na mata.

— Que tal lobos, Ganimedes? — sussurrou Dragomir. Para alguém daquele tamanho, era bem furtivo, e sabia deixar a voz baixa.

O arqueiro deu de ombros.

— Lobos, então.

Um dos druidas abriu sua sacola de lona, enquanto o resto do grupo aproximava-se da pequena alcateia. Tirou alguns frascos de bocas largas, tampados por rolhas grandes e chatas. Misturou três ou quatro líquidos de cores diferentes num vasilhame, deixou que fumegasse por um instante. Despejou a mistura na boca, bochechou e cuspiu de novo na vasilha. Estendeu-a a Ganimedes.

— Molhe as pontas de suas flechas nisso. Não mate os animais.

É tentador imaginar os bons selvagens caçando para instruir o recém-chegado, mas não matando sem necessidade. Arrisco-me a dizer que Ganimedes tenha também imaginado isso, embora sua mente fosse de guerreiro e não de escritor. É claro que era uma bobagem civilizada. Os druidas tinham uma extensa lista de espécies de animais que o Povo Vivo extinguira ao longo dos séculos.

O grupo de caça atacou. A maioria usava armas peculiares — varas longas, com dispositivos nas extremidades, feitos para agarrar o pescoço de uma vítima. Dessa forma, imobilizavam os lobos. Outros atingiam-nos com dardos de zarabatana, embebidos na mistura que o druida apresentara a Ganimedes. Dragomir jogou-se sobre uma das feras, dominou-a com as mãos nuas, prendendo suas patas e mandíbula com os dedos, mantendo o antebraço sobre a garganta. Ganimedes disparou uma flecha certeira nas ancas de um deles.

O preparado era um tranquilizante, e os lobos desabaram em sono quase imediato. Aqueles que estavam só imobilizados receberam uma injeção da mistura — um dos druidas tirou de sua sacola uma seringa surpreendentemente refinada para aquela atmosfera rústica, sugou o líquido e inseriu-o com a agulha nas veias dos animais.

Dispuseram os lobos desacordados no centro de um círculo. Os caçadores se afastaram, enquanto os druidas acomodavam-se ao redor das criaturas e tiravam seus aparatos das mochilas. Ganimedes virou as costas, mas Dragomir disse para que ficasse.

— Os rituais são só para os druidas, mas abrimos uma exceção. Para você conhecer a vida e a morte.

— Abrir exceções não é morrer um pouco?

Dragomir sorriu.

Os druidas montavam dispositivos complexos no meio da floresta. Eram armações de madeira, com tubos e frascos de vidro, hastes metálicas e pequenas mangueiras feitas de tripas. Retiraram inúmeros pós, líquidos e pastas das sacolas, derramando-os em diversos recipientes. Acenderam fogueiras, fervendo alguns dos líquidos, produzindo fumaça aromática. Enquanto faziam isso, entoavam baixinho um cântico em alguma língua desconhecida.

— O que significa? — disse Ganimedes.

— Ninguém sabe — Dragomir respondeu. — Mas sempre foi feito assim.

Os druidas então fizeram pequenos cortes no couro dos animais. Derramaram os líquidos nessas feridas, ao mesmo tempo em que encharcavam seus pelos com outras substâncias. Um dos druidas ergueu uma espécie de tenda de couro ao redor de tudo, encerrando lá os vapores de ervas e preparados que eram queimados. Essa fumaça era sugada por tubos, condensava-se em gotas e escorria para dentro de outros frascos, onde outro processo purificava o resultado. Fizeram gestos ritualísticos e processos quase técnicos, com uma precisão de quem não sabe exatamente o que está fazendo. Estavam, em essência, repetindo movimentos e processos decorados, nunca compreendidos.

Depois de cerca de uma hora, depositava-se, em alguns frascos, uma espécie de pasta farinhenta e espessa, de alguma forma destilada de dentro dos lobos. Alguns druidas desmontaram e retiraram os aparatos, enquanto outros ferveram a substância. Depois moldaram-na em tabletes pouco menores que um polegar.

E estava acabado.

— Não entendo — disse Ganimedes.

— Espere eles acordarem.

Os caçadores foram chamados de volta. Um a um, os lobos despertaram. O arqueiro ficou pronto para disparar, mas não havia necessidade. Olharam os humanos com desinteresse. Seus pelos estavam arrepiados e mortiços. Seus olhos não tinham brilho. Começaram a caminhar a esmo, cada um para um lado. Não demonstraram qualquer hostilidade, nem voltaram à alcateia.

— O que — começou Ganimedes.

— Estão mortos — disse Dragomir.

Estavam mortos.

Esse era o segredo dos druidas alquímicos, do Povo Vivo: retirar a vida do mundo ao seu redor. Havia processos específicos para animais, plantas, pessoas, a própria terra. E o resultado era sempre o mesmo: os druidas retiravam do alvo a essência, o que quer que isso fosse.

— O que vai acontecer com os lobos?

— Quem se importa? Já os matamos. A morte de seus corpos não vai tardar. Param de caçar, morrem de fome. Ou são devorados por outros predadores. Já vi um gamo morto ser devorado por corvos enquanto andava.

Não, eles não eram bons selvagens.

Há muitos e muitos anos, houvera grandes felinos naquela região. Foram todos sugados, por sua ferocidade, força e orgulho. Houvera toda uma fauna agigantada, dizimada até o último indivíduo. Existiam grandes áreas de solo onde nada nunca mais brotaria, porque foram usadas pelos druidas em alguma das inúmeras escaramuças entre nações. O Povo Vivo preservava sua própria vida, mas matava tudo ao seu redor.

Dragomir estendeu a Ganimedes um dos tabletes. Já estava seco, tinha uma cor entre o amarelo e o cinzento.

— Coma. Tente não vomitar tudo.

Os druidas distribuíam os tabletes para os caçadores. Eles partiam em dois ou três pedaços, engoliam-nos tentando não mastigar. Ganimedes imitou-os, colocou um pedaço na boca. O gosto era revoltante, um amargo agressivo e gorduroso. Tapou a própria boca contra a ânsia, forçou-se a engolir. Fez o mesmo com os outros pedaços. Logo estava de joelhos, lutando contra engulhos. Vomitou um pouco, mas manteve a maior parte no estômago.

— Agora é o mais importante — disse Dragomir. — Você vai mudar. Mas não deixe a mudança dominá-lo. Seja um lobo.

Sem sentir, o arqueiro começou a rosnar.

— Também não finja! *Seja* um lobo.

A visão de Ganimedes embaralhou-se. Teve alucinações de correr por muitos anos, lembrou do gosto de carne fresca na boca, do instinto de subserviência orgulhosa ao líder da alcateia. Alucinou cheiros, sons que não sabia ouvir, nuances do mundo para as quais fora cego. Alucinou seu próprio passado, viu Penélope e Atreu, Deus flutuando sobre tudo. Percebeu as memórias humanas como lobo, pelo cheiro e pelo instinto. Sentiu o cheiro de Deus, tentou decidir se era predador ou presa.

Olhou para suas patas. Sentiu as almofadas protegendo-o contra a terra fresca. O pelo envolvendo-o de todo, o nariz gelado e úmido captando a realidade. Acima dele, estava Dragomir — não um lobo, mas o híbrido humanoide. Com um rosnado, disse:

— *Vamos correr!*

E correram. Caçaram, dessa vez com os dentes. Cercaram a presa, Ganimedes cortou seus tendões, algum outro dilacerou sua garganta. Ele não sabia o nome do animal abatido, porque não havia nome. Cada coisa no mundo era identificada por um conjunto único de cheiro, instinto e função, tão preciso quanto os sons e imagens dos humanos.

Pareceu ter uma vida inteira assim, mas foram cerca de dez horas. Sentiu-se mudando como uma dormência, ao mesmo tempo em que outras facetas despertavam. Lembrou-se da moralidade humana, que esquecera por completo.

Estava estendido na relva, nu, com a ereção mais rija que já tivera.

— Isso é vida destilada — disse Dragomir, ajudando-o a se erguer. Já era humano também.

Ganimedes não conseguia articular-se. Os pensamentos eram avassaladores, e a linguagem humana ainda não era lembrada de todo.

— Isso é o que se perde ao morrer — continuou o homenzarrão. — Existe isso na terra, no vento, no fogo. Existe isso em você. Mas não existe mais em Penélope, nem na maior parte do Povo Morto.

— Nem na maior parte do Povo Vivo.

— Não, não mais. Depois que Derionde invadiu, quase todos morreram. Somos os últimos druidas alquímicos, alguns dos últimos guerreiros vivos.

Apenas quem estava vivo era capaz de se transformar com a essência retirada pelos druidas alquímicos.

— Se os lobos são abatidos e devorados depois que sua essência é extraída — disse Ganimedes —, como as pessoas mortas continuam existindo?

— Sua civilização é algo estranho. Extrai a vida dos humanos, mas é capaz de mantê-los de pé bem depois de mortos.

Os lobos eram devorados. A terra ficava estéril. O fogo apagava. Mas as pessoas continuavam existindo, sustentadas por algo que não era vida — religião, família, guerra, teatro?

— Agora você sabe o que é vida — disse Dragomir, encerrando a discussão. — Decida se quer viver, e como.

— Preciso expiar meus pecados — disse Ganimedes. — Existe um lugar onde posso obter perdão.

Colina Seca.

6

PARA ENTENDER O QUE JOCASTA FAZIA, PRECISO ME AFASTAR dela própria. O que vou narrar agora é uma colagem. Os dois nobres estavam lá, e eram esses seus nomes, mas os acontecimentos foram montados a partir do que ocorreu com vários convertidos ao seleto grupo que a Voz recrutava em Colina Seca. Em maior ou menor grau, todos os escolhidos passavam por algo assim. Jocasta diz que era típico.

Também me afasto dela para relatar — e entender — como, naquela época, era semelhante a Derionde. Jocasta era inimiga.

Mas não importa, por enquanto. O Conde Enrico e seu amigo de posição inferior, Lorde Vellaro, tinham interrompido seus jogos na cidade pecadora em resposta a um convite do Visconde Ismael. Na verdade, estavam lá graças àquele convite, mas o real propósito de qualquer visita a Colina Seca residia nas marcas entalhadas em dados ou entre as coxas de uma meretriz. Logo antes do crepúsculo, um valete de Ismael lembrou-os com gentileza de seu compromisso, e os dois seguiram para a mansão indicada.

Foram recebidos na porta pelo visconde rodeado de servos, braços abertos e sorriso sob o bigode. Trocaram os cumprimentos usuais, com informalidade calculada, que surgem nas amizades mornas.

— E então? — disse Enrico. — O que é tudo isso, Ismael? Não está tentando me recrutar a uma ordem de cavalaria, está?

— Ou tentando vender alguma coisa? — disse Vellaro.

Os três riram.

— É como as ordens de cavalaria da nossa juventude — disse Ismael.

Vellaro logo deu meio passo para trás, espalmou as mãos:

— Não, não. Não quero mais saber de juramentos, justas, a bobagem toda.

— As ordens de cavalaria *da nossa juventude,* Vellaro. — Ismael piscou. — Desculpas para bebedeiras épicas! Não lembra?

Riram de novo.

— Vocês vão ver — completou o visconde. — Não passa de uma reunião de gente distinta. Longe da arraia miúda.

Entraram.

O salão bem iluminado contava com vários grupinhos de aristocratas — homens e mulheres, até mesmo um punhado de crianças. Todos conversavam, animados. Vinho à farta, circulando em bandejas de criados, comida variada; tudo que se esperaria. Enrico e Vellaro logo foram cumprimentados por conhecidos e estranhos, receberam boas-vindas e cálices cheios. Sem demora, incluídos na conversa. Perguntavam de suas famílias, alguém emendou com uma boa piada e as observações fluíam sem esforço.

Enrico foi chamado por uma condessa que frequentava seu castelo, absorvido em outra rodinha de falatório. Olhou para trás, nem enxergava mais Vellaro. Ele estava absorto em alguma parte do salão, cercado de amizades novas e antigas. Era o jogo normal da corte: manter-se em movimento. Esqueceu-o.

— Mas então, o que fazemos aqui? — disse Enrico.

— Isso. — A condessa entornou seu cálice de vinho, e todos riram.

— Desculpe-me, senhora...

— Por favor! Meu nome é Mitreia.

— Bem, Mitreia, quando os homens se reúnem para beber, as mulheres costumam ficar longe. Quero dizer, pelo menos as mulheres de bem.

— Você vai descobrir que todos aqui são muito mais divertidos do que isso.

E riram de novo.

Alguém chamou-os a um segundo salão, para onde foram confluindo. Os servos abriram a porta, seguiram-nos com a bebida e a comida. Mas, Enrico percebeu, não eram todos: cerca de metade dos convivas rumava para outra porta, outro salão. Mitreia fez-lhe uma pergunta, ele desconsiderou a divisão, pensou que Vellaro devia estar se divertindo tanto quanto ele próprio. Olhou em volta, e o novo salão tinha almofadas e tapetes fofos cobrindo o piso. Nas paredes, mosaicos retratando cenas religiosas e um grande símbolo das três trombetas, feito de bronze, dominando um dos lados.

— Isto é uma missa? — disse o conde, mas Mitreia não pareceu ouvi-lo. Em vez disso, um outro sujeito respondeu que era um encontro religioso distinto, para os mais refinados, e bem mais divertido que as missas normais.

— Afinal, somos nobres — disse o homem. — Por que temos que assistir a uma missa igual à dos plebeus?

Os nobres recostaram-se nas almofadas e tapetes, fazendo um círculo. Continuavam conversando de forma descontraída, sorrindo bastante. Enrico foi ladeado por dois que não conhecia, sentaram-se, ele os imitou. Um servo renovou seu cálice de vinho. Uma jovem de cabelos loiros ocupou a almofada ao seu lado. Cumprimentou-o e então se ajeitou, meio recostada em seu ombro. Era um contato agradável.

Um barão que continuava de pé foi ao centro do círculo.

— Todos prontos para começar?

O terceiro participante dirigiu-se ao centro do círculo, sorriu e agradeceu aos demais. Era uma ótima oportunidade para deixar a alma mais leve.

— Sou Farnale, marquês de Vale da Nuvem — disse. Uma pequena província chuvosa ao oeste.

— Você é bem-vindo, Farnale — disseram todos, em coro. Já era a terceira vez, então Enrico soube o que dizer também.

— Acho que o que dominava minha vida era o medo — começou o marquês. — Minhas terras não são extensas, e nem ricas. Eu vivia com medo de que os bárbaros me atacassem e tomassem tudo que tenho.

Olhou para baixo.

— E também tinha inveja. Muita inveja dos mais ricos e importantes. Passava noites em claro, amaldiçoando os mais afortunados, enxergando inimigos em cada sombra. Fingia ficar feliz pelos outros, mas era mentira. E temia ser descoberto.

— E a Santa Igreja não o ajudava? — disse o barão que presidia o encontro.

— Deus me perdoe, mas não. Sei que era minha culpa, que eu era fraco, e que por isso as missas e confissões não me satisfaziam. Só encontrei a paz aqui, com meus irmãos — sorriu.

Farnale completou sua história: através dos encontros com os demais nobres, através daquela adoração religiosa especial, calara todos os medos. Não temia perder o que tinha, pois sabia que os irmãos iriam ao seu auxílio. Não invejava, pois sabia pertencer a um grupo seleto, onde todos eram iguais — e ligeiramente superiores aos de fora. E não vivia um fingimento, pois podia revelar qualquer coisa aos irmãos.

Foi aplaudido e voltou a sentar-se.

Em seguida, Liviana, prima da Condessa de Lytheria, foi ao centro do círculo, levando seu filho de seis anos pela mão. Contou a história de vergonha que fora sua vida anterior, sem dinheiro e dependendo dos favores de sua parente detentora de alto título.

— Eu não podia casar com um burguês, mesmo se quisesse, pois isso humilharia a família. Mas também não possuía nada meu. Precisava pedir tudo a minha prima, era terrível. Meu marido era enviado para liderar guerreiros nos piores buracos de nossa terra. Meu filho, pobre anjo, sofria com as brincadeiras dos primos. Eu não enxergava solução. Era o inferno.

— E agora? — disse o barão.

— Agora sou feliz! — Seu rosto se acendeu. — Desde que me tornei uma irmã, posso pedir todo dinheiro de que preciso, na casa de empréstimos, e não há vergonha alguma. Moramos com alguns irmãos. Meu filho tem novos e melhores amigos.

— O que você sente sobre sua vida anterior, Liviana?

— Na verdade, sinto raiva! Como pude perder tanto tempo com pessoas negativas? Se soubesse da existência de gente tão acolhedora, nunca teria passado por aquilo. Todos os dias peço desculpas a meu filho, por ter sido uma mãe ruim.

— E sente raiva das pessoas de fora?

— É claro que não. Isso é uma emoção ruim. Sinto pena.

Aplaudida.

— Por que você não vem ao centro, Enrico? — disse o barão, de repente.

Enrico congelou. Todos aqueles rostos sorridentes olhando em sua direção.

— Vamos, não tenha medo.

— Não sei o que falar.

— Fale o que quiser. Fale de sua vida. Você está entre amigos.

Longos momentos passaram-se em silêncio, com atenções voltadas a ele. Enrico levantou-se, foi ao centro do círculo.

— Meu nome é Enrico, sou conde de Issiliatha.

— *Você é bem-vindo, Enrico* — em coro.

Ele hesitou.

— Não sei o que dizer. Sou casado... Tenho minha corte e meu castelo. Procuro servir à Igreja.

Silêncio. Expectativa.

— Preciso falar algo mais?

— O que quiser. Use este espaço para sentir-se mais leve.

Enrico gaguejou. Procurou algum assunto.

— Minhas terras sofreram com a seca. Com a guerra civil.

Silêncio. Sorrisos. Pareciam forçá-lo a continuar.

— Não enviei todos os soldados que podia quando a Igreja convocou-nos.

— Ótimo. Continue.

O alívio daquela aprovação, de ouvir qualquer resposta, foi desproporcionalmente grande. Sem pensar, ele continuou.

— Temia que meu vizinho, o Lorde Rulloume, invadisse meus domínios. Temia que os cardeais me descobrissem, então inventei que havia uma praga em minhas terras, e que muitos de meus homens estavam doentes. Naquele ano, também soneguei impostos.

— Teve mais dinheiro para si mesmo. Sentiu-se bem com isso?

— Não.

— Seu temor diminuiu?

— Na verdade, aumentou.

Então ele parou, notou o que falara. Uma confissão grave.

— Muito obrigado, Enrico! — disse o barão.

Todos aplaudiram. Vários ergueram-se e deram-lhe tapinhas nas costas, apertaram sua mão e parabenizaram-no pela coragem.

— Não se sente mais leve?

Sentia-se. Era bom desabafar.

Foram mais algumas horas de atividades na mansão em Colina Seca. Após as confissões, rezaram por um curto período. Comeram, beberam, conversaram. Houve um pouco de dança. Quase todos foram falar com Enrico. Deram-lhe boas-vindas, disseram como era agradável receber novos rostos, ressaltaram que ele devia se sentir em casa. Não viu mais Vellaro, chegou a esquecer do amigo. Mas, após tudo aquilo, era preciso preparar-se para uma jornada de volta a seu castelo, pela manhã. Desejaram boa viagem e deram-lhe um cavalo.

— É um presente grande demais.

— É um agradecimento por ter vindo — disse Ismael. — Vamos, não me deixe constrangido. Aceite.

Um bom cavalo de guerra, equivalente a vários anos de rendas de um plebeu. Mesmo um nobre possuía poucos daqueles. Enrico encontrou-se com Vellaro. Ambos comentaram as idiossincrasias do grupo e partiram de manhã.

Um mês depois, Enrico recebeu uma carta, convidando-o para mais um encontro em Colina Seca. A viagem era longa demais para ser empreendida repetidamente, e ele recusou com polidez.

Dentro de uma semana, Ismael foi visitá-lo, com Mitreia e Liviana.

— Nós lhe demos um cavalo — disse o homem. — E nem mesmo é capaz de voltar lá?

Enrico voltou. Mais uma vez, ofereceram-lhe comida e bebida, receberam-no com conversas efusivas, ficaram muito felizes com sua presença. Não podia negar: era bom. Em casa, a esposa reclamava de uma coisa ou outra. Os parentes vinham pedir favores, queixavam-se de seus problemas. Ele experimentara apresentar suas dúvidas e temores ao bispo que residia em suas terras, recebera em troca um pedido de doação para a construção de uma catedral.

No grupo, nada disso. Nada de preocupações. Era um alívio.

— O problema é que as pessoas de fora são muito negativas — explicou-lhe alguém.

Depois da confraternização, fizeram o círculo na sala das almofadas e tapetes, decorada com motivos religiosos. Os nobres confessaram seus pequenos e grandes crimes, seus medos e sentimentos feios. Reafirmaram sua crescente satisfação desde que haviam descoberto aquela sociedade.

— Quer compartilhar, Enrico?

Ele hesitou um momento, mas a verdade é que queria.

— Meu nome é Enrico, sou conde de Issiliatha.

— *Você é bem-vindo, Enrico.*

De alguma forma, aquelas palavras colocavam-no à vontade. Era como fazer o sinal da voz elevada antes de começar uma oração. Um começo ritualístico, a marca de que, daquele momento em diante, era permitido confessar qualquer coisa, sem medo.

— Meus parentes não me deixam em paz. Fui abençoado com o título de conde, e por isso todos acham que posso resolver seus problemas. Mas eles mesmos não movem uma palha. Maldizem uns aos outros, transformam minha casa em um ninho de intrigas.

— Continue.

— Minha esposa nunca está satisfeita. Pede mais roupas, mais ouro. Então viajo para supervisionar os impostos, fazer acordos, e ela reclama da minha falta.

— Continue.

— O bispo de minhas terras não me oferece conforto espiritual. Pensa mais no conforto de seu traseiro e seu estômago.

— Continue.

Continuou.

No final, sentia-se oco, mas de um jeito bom. Como se houvesse estado recheado de desgraças, e apenas falar sobre elas, para um público que não julgava, tivesse feito-as sumir. Os aplausos no final coroavam a experiência.

Depois da roda de confissões, rezaram — de novo, uma parte curta da rotina. E então uma nova atividade.

— As missas tradicionais não satisfazem porque são enfadonhas — disse o barão que presidia os encontros. — Aqui, cultuamos Deus com alegria!

Liderados pelo tal barão, os nobres dançaram — não como nobres, mas como crianças. Agitaram os corpos, de um modo que Enrico tinha achado engraçado. E todos também achavam; riram bastante. Então, como numa brincadeira, giraram e giraram, até que ficassem tontos, estacando de repente sob o comando do barão. Se caíam, não havia problema, porque a sala era forrada de almofadas.

Quem imaginaria que a religião podia ser tão relaxante e divertida?

— Vellaro não foi convidado? — perguntou Enrico.

Ismael suspirou.

— Foi, mas recusou. Talvez tenha sido melhor.

Ele quis saber por quê.

— Vellaro criou alguns problemas da última vez. Indignou-se com as confissões de um irmão.

A confissão era um espaço para falar sem ser julgado. Enrico imaginou como iria se sentir se fosse vítima daquela descortesia.

— E outra coisa... — Ismael deixou no ar.

— O quê?

— Vellaro falou mal de você. Disse... — de novo, incompleto.

Mas Enrico exigia saber mais.

— Disse que você é um fraco, que obedece à sua esposa como um escravo. Além de outras coisas que não quero repetir.

Por mais que o conde insistisse, Ismael não revelou.

— Vellaro é uma pessoa muito negativa, Enrico. Você tem amigos melhores, não acha?

No final, conduziram-no para fora, sob abraços e demonstrações de alegria em revê-lo. Ismael entregou-lhe um Discurso Santo.

— Não é o livro completo — explicou. — Apenas partes selecionadas. E tem iluminuras belíssimas. Leia durante a viagem.

— Mais um presente?

— Posso lhe presentear outro, mas este pertence a mim. — Sorriu Ismael. — Foi abençoado pelo Cardeal Derionde. Você pode devolvê-lo da próxima vez.

A reunião seguinte foi em duas semanas. A viagem era custosa. A condessa reclamou; Enrico lembrou-se do que Vellaro dissera, e sua resolução cresceu. Além disso, precisava devolver o Discurso Santo. Não bastasse, recebeu uma carta de Ismael, pedindo o livro de volta.

A reunião foi idêntica. Acolhido com muitos abraços, todos já conheciam-no pelo nome. Fizeram a roda de confissão, então a ligeira reza e as brincadeiras, ficando tontos. Enrico já lamentava o final do encontro, quando Ismael o abordou.

— Estamos muito felizes em ter você aqui.

— Também estou feliz — ainda estonteado.

— Acha que está pronto para dar o próximo passo?

Enrico franziu o cenho. Ia perguntar algo, mas Mitreia tocou-lhe o ombro, deu-lhe um abraço, parabenizou-o pela confissão daquela noite.

— Então? — disse Ismael. — Pronto para fazer o juramento?

— Não sabia que havia juramento.

— Ora, Enrico, somos uma sociedade religiosa. Você já participou do nível inferior, comeu conosco, bebeu conosco, festejou conosco, mas queremos mostrar-lhe o verdadeiro significado. Está pronto para fazer o juramento?

Começou uma pergunta, mas o filho de Liviana puxou seu casaco, então quis brincar um pouco. Enrico ainda estava tonto pela adoração de antes, e um pouco pelo vinho. Voltou-se a Ismael e de novo a pergunta: estava pronto?

— Eu não sei.

— Se não estiver, não há problema. Você pode esperar sozinho naquela sala, enquanto os irmãos passam à próxima fase. Mas vamos lamentar muito.

Todos já se dirigiam a outro aposento.

— Preciso pensar.

— É uma pena. Realmente queríamos que você viesse conosco.

— Eu não disse não...

— Então está pronto?

— Não sei...

— Precisa ser agora, já vai começar.

E, não sabendo o que dizer, Enrico disse sim. Todos voltaram-se a ele e aplaudiram. A bela garota que havia se encostado nele no primeiro encontro deu-lhe um beijo no rosto, e o conde soube que era a coisa certa a fazer. Foi levado para outra sala, onde só havia velas, um símbolo das três trombetas e um genuflexório.

Ajoelhou-se. Esperou.

De outra porta, surgiu uma figura lenta, baixa, envelhecida. Com um sorriso benigno de avô.

Enrico olhou o Cardeal Derionde nos olhos e jurou lealdade aos Irmãos da Última Trombeta.

A Voz de Urag surgiu por detrás da cortina. Enrico viu seu rosto limpo — sem máscara, sem maquiagem — e estremeceu.

Daquela forma, Jocasta tornava-os especiais. Todos os nobres — todas as pessoas de nossa terra — haviam crescido com a imagem da Voz inumana, irreal, uma boneca sagrada coberta de tinturas e adornos, como uma carreta de procissão. Se apenas enxergar Desdêmona de perto fora um crime para Atreu em sua juventude, um verdadeiro devoto ficaria assombrado ao ver a face real da santa. E mesmo sem fé era quase impossível ignorar o carisma de Jocasta. Havia nobres que desprezavam sua origem humilde, balançavam a cabeça para a adoração cega do povo — mas, frente a frente com ela, eram contagiados.

Enrico não sabia como proceder (ninguém sabia). Além disso, era impossível contrariar anos e anos de doutrinação, sob outras Vozes, e a postura maravilhada que todos os outros irmãos adotavam. Todos se curvaram, tocando as testas no chão, e Enrico imitou-os.

— Você acabou de fazer o juramento, não? — disse Jocasta.

Enrico murmurou um sim, olhos no piso.

— Pode olhar para mim. Vamos, não me importo.

Encontrou as pupilas da Voz.

— Bem-vindo aos Irmãos da Última Trombeta, Enrico.

— Obrigado, Santidade.

— Sabe por que estamos aqui?

— Para adorar Deus com alegria?

Jocasta sorriu.

— Quem me segue de perto receberá a verdade, Enrico. Você descobrirá que a fé vai muito além das missas em catedrais, do que os padres comuns conhecem. Apenas eu posso revelar a verdade sobre Urag, e um dia todos irão ouvi-la.

Enrico engoliu.

— Por enquanto, o que todos recebem é paz e felicidade.

Houve uma curta missa alegre, descontraída. Apenas Pugna Marco Segundo, vigilante ao lado da Voz, deixava de sorrir. Então os nobres fizeram fila, e cada um teve a oportunidade de tocar em uma mecha de cabelo de Jocasta. De início, Enrico não entendia o êxtase que aquilo parecia proporcionar. Cada um que tocava os fios chacoalhava de prazer, tornava-se incoerente por alguns instantes, sapateava em graça incontrolável. Todos choravam. À medida que a fila progredia e sua vez se aproximava, a antecipação aumentava: será que havia mesmo um gozo místico? Será que ele veria Deus? Era uma bênção tão maravilhosa assim? Seu coração batia cada vez mais forte, até que dar um passo era difícil, perigava tropeçar. Então, quando esteve de novo frente à santa e estendeu a mão, tocando em sua mecha negra, ele sentiu.

Tudo num instante, mas foi um turbilhão. Primeiro nada, e imaginou por quê. Depois, pensou que havia algo errado consigo — afinal, todos sentiam. Então achou melhor fingir, jogou a cabeça para trás e gemeu com alegria. Logo percebeu que pertencia a alguma coisa, estava lá com todos, e isso era maravilhoso. A experiência coletiva, o privilégio de ver e tocar a Voz, o juramento que acabara de fazer — tudo fazia sentido, tudo se combinava para tornar sua vida completa, criar um ambiente no qual ele se encaixava de verdade.

E chorou, porque esse era o êxtase.

Enrico não sabia que todos lá passavam por uma forma disso. Por um lado, impossível contrariar o grupo. Por outro, interpretavam a sensação de acolhimento e transformavam-na em algo transcendente. Os nobres sorriam muito, falavam é maravilhoso, não?, e ninguém discordava.

Assim, convencendo a si mesmos, convenciam um ao outro. Repetiam a exaltação do momento, e logo ninguém mais lembrava da realidade.

— Urag quer que esqueçam suas vidas profanas — disse Jocasta. — Para que se purifiquem, têm de voltar ao começo. Sejam crianças.

A próxima parte do encontro foi mais uma série de brincadeiras infantis. Como antes, mas ainda mais primitivas. Cantigas, jogos de bater palmas, rodas onde todos davam as mãos e giravam lentamente. Depois, meditação, com exercícios respiratórios que esvaziavam os pulmões e deixavam-no ainda mais tonto. Repetição de frases, até que as palavras deixavam de fazer sentido e viravam apenas sons que induziam a uma espécie de transe.

A Voz abençoou cada um e retirou-se, junto a Derionde e Pugna. O barão conduziu mais uma cerimônia sacra, então uma sessão de correrias, então uma refeição leve. Enrico recebeu livros e pergaminhos exclusivos para os irmãos, contendo parcelas da verdade. Eram reiterações de como a negatividade e a influência do diabo estavam por tudo, e de que apenas com obediência e cerimônias em grupo era possível chegar à iluminação.

Quando abriram as portas, já era manhã. Enrico não vira o tempo passar. Sentia que estivera em outro mundo, e que agora voltava à realidade árida, fria, fútil.

Enxergaram os demais nobres indo e voltando das casas de jogo, dos prostíbulos, do Arco dos Inocentes.

— Tudo parece diferente, não? — disse Ismael.

Enrico procurou as palavras.

— Eles... — hesitou. — Eles... Não sabem. *Não conhecem.*

— E você também não conhecia, até pouco tempo atrás.

Enrico fez uma careta ao lembrar-se de sua vida anterior.

— Agora você deve prestar atenção, Enrico. — Ismael segurou seu ombro. — Os profanos tentarão impedir que você volte. Isso é influência do diabo. Ele tem medo de nós, porque vamos conhecer a verdade.

Passou uma semana em casa antes de rumar à próxima reunião. A esposa estava indignada. Xingou, gritou, fez de tudo para detê-lo. O bispo veio falar com ele, dizendo-se preocupado com as viagens constantes e os gastos. As terras precisavam de atenção, havia movimentações suspeitas dos guerreiros vizinhos, os súditos não tinham a quem apresentar suas queixas. Enrico soube que a condessa ordenara aquilo — ou o bispo estava diretamente sob influência demoníaca. Riu-se, ao perceber que já entendia Urag melhor do que o religioso.

Não se deixou atrasar. Para sair, empurrou a condessa em prantos.

— Estou cansado das pessoas negativas em meu castelo — disse, em confidência, a Ismael.

— Você não pertence mais ao mesmo mundo. Faça o que fizer, não dê ouvidos aos profanos. Se tiver algum problema, venha primeiro falar comigo. Ou com o barão, com Mitreia, com Liviana. Com qualquer um de seus irmãos.

— Foi difícil vir, desta vez. Houve momentos em que achei que seria mais fácil ceder.

— *Não faça isso.* — Ismael segurou-o forte. — Se quiser abandonar seu *juramento* — enfatizou — , fale com um de nós. Essas tentações são comuns, mas os fortes resistem.

O mesmo encontro que já experimentara. Jocasta esteve lá, e também Derionde. Durou a noite toda, e Enrico maravilhou-se com a falta de cansaço, os extremos a que seu corpo chegava quando impulsionado por aquele ambiente. Em casa, sentia-se cansado apenas por passar muitas horas estudando as leituras dos irmãos. O barão veio falar com ele, perguntou sobre seu cotidiano, sua corte (Ismael dissera que ele estava tendo dificuldades). Havia meios de tornar a vida familiar mais harmoniosa.

— A primeira coisa a fazer é livrar-se das ideias negativas. Se houver livros em sua casa, queime-os.

— Acho que só temos uma ou duas coleções de fábulas. Alguns Discursos Santos.

— Queime todos.

— Até mesmo o Discurso Santo?

— Leia as versões que recebe de nós. São muito mais próximas do que Urag realmente quis transmitir. Contêm apenas as passagens selecionadas pela própria Voz.

Fez que sim.

— Permite bardos em sua corte? — disse o barão. — Menestréis?

— Sim — já meio envergonhado.

— Expulse todos. São ferramentas do demônio. Se Urag quisesse que ouvíssemos o som de um alaúde, teria posto cordas em nossos corpos. Se quiser música, cante as que aprendeu aqui.

Confessou seus maus pensamentos, os erros de sua vida anterior, horrorizado com todo o sofrimento que suportava antes de conhecer os Irmãos da Última Trombeta. Aplaudiu as confissões alheias. Pôde tocar nos cabelos de Jocasta.

Antes de se retirar, a Voz transmitiu uma nova recomendação a todos:

— O diabo está sempre à procura de momentos de fraqueza. Não devemos baixar nossa guarda, nem por um instante. Acima de tudo, não podemos nos iludir com prazeres falsos, já que o único prazer real é o êxtase do espírito.

Assim, Jocasta proibiu que todos os homens ejaculassem.

Mesmo com suas esposas, mesmo sozinhos. Se por acaso, durante a noite, seus corpos os traíssem, deveriam confessar a fraqueza no centro do círculo, durante a próxima reunião. Da mesma forma, as mulheres não deveriam ter qualquer contato com o produto do orgasmo profano.

— Se as esposas profanas pressionarem-nos e vocês acharem que vão fraquejar, durmam separados. É importante *nunca* deixar que o fluido saia de seus corpos.

Mais uma semana, e outra reunião. Jocasta deu um novo comando:

— Seus corpos produzem sujeira porque seu espírito é sujo. Devem purificar essa imundície, para que não maculem o mundo de Urag.

Assim, os irmãos receberam a ordem de guardar suas fezes durante uma semana e queimá-las. A urina deveria também ser estocada em jarros, e então derramada em um rio. Era a única forma de purificação.

Na reunião seguinte, Enrico foi considerado um membro avançado, e recebeu a rotina de orações específicas que deveria cumprir ao longo do dia, em horários determinados. Precisava acordar no meio da madrugada, interromper todas as atividades, mas nunca se sentira tão bem. Mesmo no castelo, em meio à histeria de sua esposa e à negatividade de todos, estava protegido. Seu dia girava em torno das atividades ritualísticas, que ocupavam bastante tempo e mantinham a mente focalizada.

Mais uma reunião. Quando voltou ao castelo, encontrou a condessa calma, controlada, serena. Mas séria. Era um alívio: em geral, ela vivia chorando pelos cantos.

— Enrico, gostaria de falar com você.

Sentou na cama e pegou as mãos da esposa. Tinha pena da coitada.

— Por que não me conta o que acontece nessas reuniões?

O conde fechou a cara.

— Você não está pronta! Só os irmãos podem...

— Isso é absurdo, Enrico. Não vê? Se tudo lá é tão maravilhoso, por que não quer me contar?

— Não posso. Se você comparecer às reuniões, aos poucos vai...

— Gostaria muito de acompanhá-lo, mas estou cuidando de nossa terra. De nossa família. Já perdemos um pedaço do condado a um bando mercenário.

— Você está sendo negativa.

— Enrico, ouça o que você mesmo diz. Pare e pense no que faz. *Enrico, você guarda excremento em potes.*

Teve um estalo. *Era* absurdo, não? Era bizarro. De repente, não parecia mais fazer sentido.

— Fique em casa. Por favor, eu imploro. Só desta vez, não vá a Colina Seca.

Por outro lado, fizera um juramento. Os irmãos estavam contando com ele. E se *fosse* verdade? Então estaria condenando sua alma e dando as costas à salvação. A coisa lógica a fazer era óbvia:

— Vou falar com o barão. Se decidir que não vale a pena, volto para casa.

Então a condessa chorou de novo. Podia conversar com os irmãos, todos eram razoáveis. Mas ela era histérica. Se sua esposa tivesse mesmo razão, por que não podia falar civilizadamente?

Mesmo assim:

— Estou tendo dúvidas — disse Enrico, no meio da reunião.

O barão franziu o cenho. Quis saber que dúvidas, ele contou. O barão achou melhor levá-lo à Voz, implorar para que ela lidasse com aquilo pessoalmente.

— Isso é normal, Enrico — disse Jocasta.

— Normal? — aliviado.

— Sua mente está se voltando contra você. É sinal de que o inimigo está aí dentro.

Ele estremeceu.

— Não pode confiar em si mesmo, assim como não pode confiar nos profanos. Não deixe que a maldade que existe em seu interior domine-o.

Enrico sentiu nojo. O mal estava ali, mordiscando sua sanidade. Quis agarrar-se à Voz, segurá-la como uma âncora. Estava à deriva, não podia contar consigo mesmo. Para ajudar no autocontrole, o barão passou-lhe uma lista de comidas proibidas e permitidas. Nenhuma carne. Alguns vegetais também barrados.

A semana que passou em casa foi tormento. A condessa parecia possuída pelo diabo. Falava apenas em guerra, camponeses revoltados. Completa negatividade. Para aliviar o sofrimento, ela não queria uma vida espiritual saudável — queria música cheia de pecados, vis prazeres gustativos, peças de teatro imundas, sexo.

Então, um dia, ela desapareceu. Dois dias depois, voltou, com um bando de guerreiros de aluguel. Os homens ocuparam postos em suas terras e seu castelo. Em sua obsessão por conflito, a condessa contratara uma companhia mercenária — com o dinheiro de Enrico. Ele sentiu-se sufocado, o ultraje era demais. Tentou imaginar o que fazer, mas não conseguiu tomar a decisão. Melhor perguntar aos irmãos.

— Isso acontece muito — disse Ismael.

— Como assim?

— Os profanos, intimidados por aqueles que conhecerão a verdade, começam a atacar-nos diretamente. Ela está roubando de você, Enrico.

Gelou. Era verdade. Sua própria esposa estava roubando seu ouro.

— O que faço, Ismael?

Havia uma solução simples. Óbvia, até. Enrico riu-se, de alívio e de se achar bobo, quando aquilo foi apresentado. Devia apenas transferir legalmente, através de contratos e juramentos, todo o seu ouro e suas propriedades aos Irmãos da Última Trombeta. A casa de empréstimos de Colina Seca podia se encarregar da burocracia. Maravilhoso como, junto aos irmãos, o mundo era simples, cheio de soluções. Não havia dúvida, não havia tormento. Em casa, só negatividade.

Sim: em casa, negatividade. A condessa enlouquecera. Acusou-o de traidor, quando era ela a traidora suja. Repetia que as terras estavam sendo invadidas. Mas Enrico não temia: os irmãos cuidariam de tudo.

— Não esqueça — ele disse, sem erguer a voz. — Você foi a culpada de tudo isso. Você me roubou.

Descontrolada, ela o atacou. Típico de profanos desequilibrados. Ele nem gritara.

No próximo encontro, numa das sessões de meditação, sentiu-se tomado por um vazio. Uma sensação de desespero. Olhou aquelas pessoas e tentou lembrar-se de pelo menos *uma* conversa verdadeira que tivera com elas. Qualquer coisa não relacionada aos Irmãos da Última Trombeta. Visualizou a memória distante de seu casamento, a alegria que experimentara com a condessa. E agora, um grande nada.

Apresentou suas inquietações ao barão.

— Isso é muito bom. — Sorriu o homem. — É sua mente expulsando a maldade.

— Estou sofrendo.

— Sempre há dor com o crescimento. Vou lhe passar mais orações.

Sem ouro, viu seus cavaleiros desertarem. Viu saques em seus celeiros. Conflito em suas fronteiras, aproximando-se cada vez mais do castelo.

— Nós vamos morrer, Enrico! — berrou a condessa. — É isso que você quer?

Sempre obcecada com a morte. Em Colina Seca, só vida:

— Por que você não se afasta disso tudo? — disse Ismael. — Por que não vem ficar conosco?

Era sublime. Sempre soluções tão fáceis! Sempre resolvia-se tudo!

Enrico mudou-se para o casarão dos Irmãos da Última Trombeta. Soldados da Igreja, leais aos irmãos, ocuparam seu castelo e suas terras. A condessa foi expulsa, junto ao que restava da corte.

Enrico nunca perguntou o que aconteceu com ela. Por certo não sobreviveu muito.

Então, o conde nomeou a Voz de Urag como única herdeira de seu título, seu brasão e toda a sua linhagem. Num juramento solene, presidido pelo Cardeal Derionde e registrado por um juiz, deserdou todos os membros de sua família. Finalmente, sentia-se parte de algo eterno. Sentia-se seguro. Protegido.

— Você acaba de descobrir a segunda parte da verdade — disse Jocasta. — A libertação do egoísmo.

— Obrigado, Santidade.

Mitreia trouxera para a reunião dois rapazes de sua família. Os irmãos receberam-nos rindo, ofereceram bom vinho e comida incessante.

Enrico chamou um dos dois, perguntou sobre o clima em suas terras. Foi conduzindo-o a um grupinho de conversa, separando-o do outro novato. Posicionou-se para bloquear sua visão, Ismael fez-lhe outra pergunta. Antes que os rapazes notassem, já não podiam enxergar um ao outro no salão. Era importante separar os candidatos. Conversas com profanos alimentavam a dúvida, o questionamento, a negatividade.

— Venha conosco — disse Enrico, tocando de leve nas costas do recém-chegado, levando-o à outra sala, junto ao vagalhão sorridente.

O Cardeal Barsoom tinha sua face pétrea, como sempre, sobre o pescoço taurino e os ombros largos, em forma de tijolos.

— Você tem que me ouvir — disse Melquíades. — Ela está poderosa demais. Poderosa demais.

7

Nada para manter os pensamentos sob controle, exceto ele mesmo. Atreu sabia que, numa situação como aquela, o isolamento era seu inimigo. Não conhecia todos os efeitos do minério divino, o quanto iria prejudicá-lo a longo prazo. Podia estar louco. O fato de não detectar nenhum pensamento intruso, não notar coisa alguma que parecesse não fazer sentido, não era um alívio total. Podia ser até mais preocupante.

Depois de correr para fora do alcance das flechas, deixar para trás os perseguidores imediatos, Atreu encostou-se em uma elevação de pedra, que fazia uma sombra larga e fresca no chão plano. Sombra era importante. Sabia que não deveria ficar em contato com o solo (que exalava calor e iria desgastá-lo ainda mais), então retirou algumas partes do uniforme de oficial, fazendo um pequeno tapete onde repousar. O uniforme era bom para o deserto: cobria o corpo todo, mantinha o suor em contato com a pele. Atreu não tinha cantil, não levava água. Mas o mais importante no deserto não era conservar água: era conservar suor.

Já suara muito ao correr. A próxima parte da fuga seria uma caminhada deliberada.

Esperou passar o dia. O sono distorcido pela rotina da prisão chamava-o. Devia descansar à sombra, enquanto o sol brilhasse — seria quente demais para viajar, ineficiente, gastaria suor. Dormir era arriscado, os perseguidores sempre poderiam fazer a coisa insensata e partir de imediato e sem disciplina. Provavelmente morreriam, mas também podiam matá-lo — e quem pode dizer se não fariam exatamente isso, sendo homens de fé?

Pensando na irracionalidade humana, Atreu fechou os olhos.

Não é difícil imaginar o que ocorria na prisão. Atreu fizera sua fuga a partir de uma série de suposições. Deveria ter agido com mais informação, mas a necessidade imediata impedira. A primeira suposição era a inexperiência dos guardas e oficiais no deserto. Aqueles não eram caravaneiros, viajantes, exploradores — eram pessoas que viviam numa comunidade civilizada, cercada por terreno inóspito. Numa situação como essa, a maioria não se prepara para o pior, para realmente viajar na desolação. Apenas se preocupa com as melhores maneiras de manter seu conforto e segurança. Mesmo que algum prisioneiro escapasse, não sobreviveria. Não havia necessidade de persegui-lo. Atreu achou que era uma boa hipótese.

A segunda suposição era que, em seguida à fuga, haveria uma perseguição em disparada. Efetivamente houve: as flechas e os guardas correndo pelos portões, atrás dele. No entanto, apesar de tudo, aqueles homens provavelmente não eram *estúpidos*. Por mais que seja tentador pensar assim, raras pessoas são realmente imbecis — apenas medianas. Após notar que não conseguiam alcançar o fugitivo, os guardas não continuaram correndo até desabar de exaustão. Desistiram temporariamente e voltaram. Então era provável que fosse organizada uma expedição de caça. Desta vez com água, com preparação, com mais chances de alcançar o prisioneiro.

A terceira suposição dizia que, embora mais organizada, essa caçada não seria perfeita. Era a maior aposta, da qual dependia todo o plano. Para que tudo funcionasse, os perseguidores precisavam da combinação certa de fé e prudência, preparação e inabilidade. Atreu esperava que suas observações fossem suficientes para prever aquele comportamento. Esperava que tudo não estivesse baseado nas superstições e expectativas fantasiosas de sua sanidade minguante.

Acordou no lusco-fusco. A temperatura caíra de maneira drástica, e seguia caindo em velocidade alarmante. Estava com sede, o que era sinal de que já estava desidratado. A sede não era uma boa medida de necessidade, ele deveria estar consumindo água a intervalos regulares.

Atreu levantou-se. Deixou para trás placas de armadura e demais pesos desnecessários. Fez uma trilha proposital com os objetos. Então caminhou devagar, em passos deliberados, respirando pelo nariz. Assim fugia-se no deserto: com calma.

Atreu não fora treinado para aquilo. Suspeito de que pouca gente em nossa terra receba esse tipo de instrução — afinal, uma ilha não tem desertos. Havia, é claro, terrenos desolados, elevações inóspitas. A própria falta de chuva fora um problema em muitas épocas, inclusive logo antes da guerra civil. Alguns tinham noção sobre o que fazer num ambiente de privações. Mas, e aqui fico maravilhado, Atreu não precisava de treinamento específico. Conhecia a medicina, as reações do corpo e da mente, e aplicava o que sabia àquela situação nova. Acho que esta é a diferença entre os variados tipos de instrução. O conhecimento sobre medicina podia ser aplicado — já eu poderia discorrer sobre dramaturgia e narrativa, mas dificilmente encontraria uso para o que sei fora de meus palcos e pergaminhos. É, suspeito, a razão pela qual guardamos tanta reverência por certos ofícios. E a razão pela qual a Igreja achava a educação tão perigosa. Não havia mal em aprender o funcionamento do corpo — mas quem podia imaginar as implicações? Conhecimento era imprevisível, alastrava-se como fogo, impregnava outras áreas da vida, e isso era um risco.

Atreu viajava à noite, porque assim gastaria menos água. O grande perigo — o frio — era contrabalançado pelo movimento constante. Havia lua e a visibilidade era alta.

Andava rumo a um grande platô recortado, feito de camadas como uma torta. Era um bom ponto de referência e um bom primeiro destino. Assim Atreu estabelecera um objetivo para proteger-se contra o pânico e conseguir pensar com clareza.

Afinal, estava fugindo, mas não sabia para onde.

Noite alta, encontrou um tufo de capim. Indicava que havia água no subterrâneo, mas ele sabia que gastaria muito mais suor cavando do que seria capaz de repor ao beber. O mais importante era que a região dava sinais de ficar menos árida. Arrancou todo o capim (bem seco) para usar mais tarde. Remexeu um ajuntamento de pedras e achou um lagarto. Agarrou-o, mas não o matou — não tinha como conservar a carne naquele momento, e não queria comer. A digestão utilizava água, e ele sabia que poderia ficar sem comida por muito mais tempo. Assim, manteve o animal vivo, preso num pano enrolado, pendurado ao ombro. Se precisasse mais tarde, iria matá-lo e comê-lo.

Quando julgou que faltavam poucas horas para amanhecer — pelo menos mais um dia para o platô — escolheu uma formação rochosa onde descansar. Usou o capim, uma pedra e a última peça de metal da armadura: faísca, e então uma fogueira pequena e rápida. O fogo era útil para manter-se aquecido, agora que precisava ficar parado, e também para atrair seus captores. Mais arriscado era usar pedaços de tecido como combustível, mas achou que valia a pena. Garantia um pouco mais de durabilidade ao fogo e uma boa fumaça, visível de longe.

Urinou. Pouca quantidade, cheiro forte. Mau sinal. A dor de cabeça também indicava desidratação. Antes que os sintomas ficassem mais fortes, esperava que a armadilha funcionasse.

Assim que a luz surgiu de novo, escolheu uma pedra e rabiscou no chão. Sentia-se ficando ansioso, uma suave tontura ao virar a cabeça. Mais sinais de desidratação, aliada à tensão. Não devia entrar em pânico, e por isso começou uma atividade familiar, quase ritualística, que lhe trazia calma: números. Desafiou a si mesmo com alguns problemas e sentiu o coração voltando ao ritmo normal.

Manteve-se acordado durante o dia, a espada que roubara do oficial nos joelhos. A fogueira já se apagara há muitas horas, antes mesmo de amanhecer, mas a trilhazinha de fumaça durara muito. Logo que o sol raiou, avistou pássaros. Mais indícios de que havia água não muito longe, e fez uma anotação mental sobre a direção para a qual voavam, o terreno que circundavam.

Ouvidos atentos. Horas. A manhã passou, o sol escalou ao topo do céu. Começou a descida, e então Atreu não acreditou na própria sorte.

Longe, baixo, escutou homens bufando, ofegando.

Movimentou-se na formação rochosa que escolhera, espiou os perseguidores. Vários minutos de distância. Esperou, ergueu-se, tomou a espada. Respirou fundo, fez-se visível.

— Ali! O herege!

Eram seis.

A hipótese se confirmara: despreparados, aqueles guardas haviam viajado durante o dia. Então, atraídos pela fumaça, haviam forçado a marcha. Agora Atreu estava à sua frente, parado. E eles correram.

O fugitivo sorriu por trás da máscara.

Esperou, esperou, a respiração controlada à força, mantendo-se imóvel mas querendo agir. Eles chegavam mais perto, até que restavam poucos metros — e então Atreu saiu em disparada, fugindo.

Os homens, é claro, aceleraram para alcançar o fugitivo. Espadas em punho, e mesmo eles notavam que Atreu estava bem desgastado. Mas ignoraram o óbvio: pessoas diferentes correm em velocidades diferentes.

Assim, ao acelerar, separaram-se. Atreu de repente estacou, girou o corpo, braço estendido com a espada, e cortou a garganta do primeiro. O sangue esguichou longe, em um arco. Correu de novo.

O berro do primeiro caído, o gorgolejar sangrento e as pragas dos outros quebravam o silêncio seco. Atreu parou de novo, e vieram dois.

Estavam exaustos. Impossível correr tanto assim no deserto e no sol. Uma espada passou ao largo, o golpe enfraquecido e estonteado pelas condições, e Atreu acertou um chute na virilha do inimigo. Derrubou-o. Outro veio com uma estocada — certeira, mas fraca — de um corpo exaurido. Atreu desviou a lâmina com a sua própria, golpeou com a mão esquerda, dedos juntos e estendidos, contra o pescoço do oponente. Ele engasgou e cambaleou. Atreu atravessou seu peito com a espada, pisou na garganta do que estava caído e ouviu um estalo de morte.

Os três restantes chegavam. Atreu correu mais uma vez, mas sabia que estava em seu limite. Os músculos das pernas e dos braços contraíam-se em cãibras, reclamando da falta de água. Conseguiu que a corrida separasse o primeiro dos três, e encontrou-o com um soco no queixo. O homem saiu do chão com o impacto, Atreu perfurou seu estômago com a espada. Sobravam dois, que logo chegaram. Tentaram cercá-lo, Atreu deixou. Quase cambaleavam, davam passos longos e incertos. Quando a primeira espada ergueu-se, ele pulou ao lado, sentindo o músculo da coxa repuxar em uma dor lancinante. Sabia que não conseguiria se erguer de pronto, mas o ardil dera certo: o guarda atingira seu próprio companheiro, incapaz de se esquivar. O homem caiu gotejando vermelho.

O último preparou sua espada sangrenta para cortar o fugitivo, e Atreu ficou parado. O golpe veio — um arco vasto, comprido, lento, cansado — e ele se abaixou. Agarrou o antebraço do inimigo, torceu seu pulso, fez com que derrubasse a arma. Para evitar que o braço quebrasse, o guarda se jogou no chão. Atreu então tomou uma pedra e bateu com ela atrás do crânio do homem. Um som seco, logo molhado, e morreu.

Meu amigo levantou-se com dificuldade. Tudo funcionara.

Examinou as sacolas dos guardas: cantis, rações. Pegou tudo, e também boa parte das roupas, foi até uma sombra. Tomou um gole grande. Enxergou um besouro que caminhava nas proximidades, decidiu usar sua trajetória como marcação do tempo. Arrastou os cadáveres para junto de si, colocou-os deitados bem próximos, como um colchão. Estendeu os tecidos que tirara deles sobre os corpos. Afrouxou suas próprias roupas, respingou água em seu corpo e deitou sobre os tecidos. Os cadáveres formavam um estrado macabro, mas útil — mantinham-no longe do solo.

Desta forma, descansou. Observou o besouro, bebeu goles quando achou que era o momento. Sentiu o corpo acostumar-se de novo à umidade, as cãibras diminuírem.

Agora, apenas perdido.

Lúcido, deliberado, alcançou o platô. A água constante deu-lhe condições para comer. Matou o lagarto e consumiu as rações dos guardas. Observou os pássaros mais vezes, notou a direção onde se concentravam. Estava indo rumo a uma fonte de água, com certeza. Mas isso era apenas sobrevivência. Precisava retomar a missão.

Retomar a guerra.

Atreu agora não tinha muitas dúvidas da própria mente. O isolamento provoca alguma instabilidade, mas ele achou que resistia bem. Manteve objetivos. Quando chegou ao platô, determinou outro acidente geográfico na direção dos pássaros e fez daquilo seu destino. Manteve atividades normais, capazes de acalmá-lo. E encontrou mais vegetação, embora esparsa, e outros animais, ainda que raros e esquálidos.

Mas havia algo que Atreu não fora capaz de prever, com que não contara. Traçara uma rota à luz do dia, mas, durante o dia, o deserto forma miragens.

O ar fervente próximo ao solo distorcia as imagens à distância. Fazia parecer existir uma folha de água à frente (algo que a mente lógica de Atreu podia supor ser um truque óptico) mas, mais perigoso, escondia a topografia. Ele montou a rota sem enxergar elevações baixas, ignorando alguns marcos no caminho. Assim, encontrando geografia inesperada, achou que estava perdido. Nem mesmo Atreu conhecia tudo. Tinha as estrelas para guiá-lo, mas gastou muito tempo circundando os acidentes que não pareciam estar lá antes.

E tempo era, na verdade, o único recurso em jogo ali. Representado pela água, pela comida e pelo suor, mas era o tempo. Com tempo suficiente, esgotaria os cantis. Com tempo suficiente, perderia qualquer rastro dos outros rebeldes. Com tempo suficiente, a jovem fanática chamada Jocasta estaria estabelecida como Voz, mais poderosa e firme do que Desdêmona jamais fora.

Pela segunda vez, Atreu tentou traçar uma rota. Seu objetivo era claro: uma espira de pedra natural, formada por camadas de rocha de cores diferentes. De dia, estabeleceu o caminho. À noite, viu que enganara-se de novo. Perdera mais tempo. Não insistiria no erro uma terceira vez, e escalou uma encosta íngreme, de pedra firme, para ganhar altura e ter uma visão melhor. A escalada foi desgastante. Chegando ao topo, pôde ver com clareza a vastidão desértica. Miragens, explicou-me depois, não afetam o observador situado a uma determinada altura do chão.

Desceu. À noite, viajou.

A água escasseava. Atreu sabia que, por mais que fosse tentador, não deveria racionar água. Existem histórias de vítimas encontradas mortas com água ainda no cantil, pois tentavam resistir à natureza com estoicismo puro. Ele continuou bebendo seus goles regulares, sem deixar-se ficar com sede.

Chegou à espira. Escalou uma elevação para planejar o rumo a seguir.

Os pássaros mais perto. E algo inconfundível: restos de três paredes. Uma construção em ruínas. Sinal de vida humana.

Atreu retomou a jornada à noitinha. O último cantil secou.

Amaldiçoou-se por ter perdido tempo com os truques de óptica do deserto. Achava que poderia chegar à ruína na marcha daquela noite. Se não tivesse desperdiçado tempo, não teria ficado sem água.

Obrigou a mente a se calar. Conjecturas daquele tipo, acusações contra si mesmo, apenas aumentariam a tensão. Além de distraí-lo, deixariam seu coração mais rápido, o que era um desperdício.

Atreu chegou à ruína sentindo a cabeça doer. Já ultrapassava a sede: boca seca e lábios gretados. Por baixo do uniforme, a pele estava fria — outro sinal de desidratação.

E a fonte de água não estava ali. Mas estava perto, viu de novo os pássaros. Examinou a tapera: não restava muito mais, além das três paredes. O chão teria sido elevado (talvez como proteção contra o calor?), pois havia alguns blocos de pedra e um resto de lajes. Estilhaços de cerâmica, fragmentos indistinguíveis pelos cantos. Mas qualquer coisa de valor já fora levada há muito. Também não parecia uma construção dos antigos; carecia do engenho, do cuidado, do refinamento. Bom: mesmo que fosse uma ruína, significava que nossa própria civilização já estivera ali.

Não ousou fazer uma escalada para determinar seu caminho. O esforço era demasiado. Conseguiu divisar algo que não reconheceu: com certeza uma construção, mas com função que não sabia definir. Talvez um monumento. Os pássaros circundavam. Seria sua salvação.

À noite, empreendeu viagem. Os músculos dos braços e pernas contraindo-se. A cabeça em agonia, como um torno apertando mais e mais. E, vagamente, sentiu-se oscilar. Estava tonto. Suas pegadas ziguezagueavam.

— Tão perto.

Tão perto. Sabia que a água estava lá, logo fora de seu alcance.

Mas, tão perto, desabou.

Atreu disse-me que ouviu o som de galope, mas não sabia se era dia ou noite.

Acordou sem sede.

Estirado sobre um colchão. Nu. Cheiro de álcool. Lembrava o que usavam para limpar os instrumentos médicos, na Academia. As paredes ao seu redor eram de um verde esmaecido. Ao lado da cama, uma mesa baixa. Um lampião aceso, dois pergaminhos, um pequeno vidro de tinta, duas penas. Uma porta pesada, de carvalho, com uma enorme cruz metálica rebitada reforçando-a, atravessando-a de um extremo ao outro. Testou: trancada. Parecia impossível derrubá-la, e não havia janelas.

Estava preso.

Notou mais um detalhe: o que parecia uma portinhola de metal, no centro inferior da porta.

— Quem está aí? — gritou, mas ignorado.

Antes que alguém respondesse, começou a sentir fome. Então, muita fome. Esmurrou a porta. Sentou-se na cama de novo e ouviu um rangido: a portinhola se abrira.

Atreu mergulhou no chão, para enxergar lá fora e enfiar o braço, agarrar quem quer que estivesse do outro lado. Viu só escuro, sentiu uma picada na mão, recolheu-a. Notou uma dormência instantânea, tentou abrir e fechar o punho. Era difícil, tinha a sensação de que os dedos inchavam. Também um calor espalhando-se até o antebraço: recebera alguma espécie de anestésico.

Duas tigelas e um pergaminho escorregaram pela portinhola. Então, fechada de novo.

Ele perdera o movimento da mão direita, que fora picada. Desenrolou o pergaminho com a esquerda e a boca.

Você não vai morrer.

Também não vai fugir.

Coma.

Escreva quando achar que deve.

— Não vou comer, desgraçados! — rugiu. — Digam a Simas que desta vez prefiro morrer. Estou cansado de ser seu joguete!

Jogou as duas tigelas contra a porta. Uma continha um líquido esverdeado. A outra, uma grossa pasta cinzenta.

Horas depois, a portinhola se abriu. Ele já recuperara o movimento da mão direita, mas não quis enfiar o braço. Só tentou enxergar, e viu escuro. Entregaram-lhe uma pequena bacia vazia.

Atreu urinou na bacia, grato por aquela pequena parcela de dignidade.

O processo se repetiu mais duas vezes. Pela portinhola, escorregavam-lhe comida e bebida. Ele debatia consigo o que fazer. Se quisesse mesmo morrer, poderia improvisar armas ali.

Adormeceu.

Acordou com tiras de couro prendendo pulsos e tornozelos. Homens metidos em uniformes brancos completos, tapando cabeça e rosto e mãos, segurando-o. Puseram um funil em sua boca, despejaram a pasta cinzenta. Era muito doce. Despejaram também o líquido esverdeado: uma espécie de chá.

Aquilo tudo era familiar. Parecia um batismo.

Apagou de novo. Acordou sem poder se mexer, sem enxergar. Teve alucinações. Sentiu de novo e de novo a comida e a bebida sendo-lhe forçadas goela abaixo.

Então, depois de um tempo indeterminado, despertou com todos os sentidos. Sem tiras de couro amarrando-o. Tocou o rosto e a cabeça: barba farta, cabelo de alguns centímetros.

Na mesinha, o pergaminho que haviam lhe dado: *Escreva quando achar que deve.*

Ele olhou os pergaminhos em branco, as penas e a tinta.

Escreveu:

Nada no céu.

Deram-lhe a pasta e o chá, pela portinhola. Ele relutou, mas comeu e bebeu por vontade própria. Afinal, seria obrigado de qualquer jeito.

Despertou de novo com tiras de couro, com gente coberta de branco. Falavam em seus dois ouvidos, um monte de palavras desconexas, ao mesmo tempo. Confuso, como se estivesse bêbado, ele não conseguia identificar o que diziam. Então, de novo um funil. Um líquido de gosto muito azedo, diferente do chá que bebera.

Atreu dormiu, despertou num mundo de alucinações. Pessoas de sexo indefinido, vestidas de preto, faziam cabriolas à sua frente. Notou que outros dois falavam-lhe aos ouvidos, as mesmas palavras desconexas. Estava sob um alucinógeno poderoso. O teto piscava em diferentes cores. Os lençóis enrodilhavam-se em suas pernas e sua pélvis, as dobras adquirindo feições — Jocasta, Benedict, Derionde, Ganimedes, eu.

Acordou: livre. Mais um pergaminho no chão.

Escreva.

E ele escreveu:

Meu nome é Atreu. Fui general da Igreja, depois fiz guerra contra Deus. Não matei a Voz. Não consegui matar uma garota que se tornou a Voz. Se alguém lembrar de mim, que seja por quem não matei.

E tudo repetiu-se. Alucinações, palavras desconexas, homens de branco e outros fazendo cabriolas. Despertares paralisados, despertares cegos, surdos. Seus cabelos cresciam, sua barba estava cheia.

Sob efeito de narcóticos, ouviu duas figuras de branco entre si:

— Ele está resistindo muito.

— Se tudo for verdade, não é de admirar.

— E se não der certo?

— A cirurgia, é claro — apontando para a própria testa, entre as sobrancelhas.

— Coitado.

— Melhor do que deixar um deles entre nós.

— Droga, está acordando!

Uma picada de agulha. Dormiu.

Pergaminho no chão: *Escreva.*

E ele escreveu:

Meu nome é Atreu. Gostaria de saber o que aconteceu com meus amigos.

Um dia, duas tigelas diferentes. Não uma pasta, mas vegetais bem coloridos, cozidos de leve, e grandes nacos de carne. Não o chá, mas água.

Comeu e bebeu. Não apagou.

Logo, escorregou pela portinhola um frasco de vidro translúcido, com dois goles de uma solução rósea e leitosa. Ele não sentia fome, não sentia sede. Se tomasse o preparado, seria de vontade própria.

Bebeu tudo numa talagada. Desfaleceu, viu os homens de branco e as alucinações, ouviu as vozes falando dos dois lados. Isso repetiu-se muitas vezes. A comida era maravilhosa, sabor pronunciado. O narcótico era enjoativo, mas ele não queria mais relutar.

Mensagem dizendo que escrevesse.

Encheu dois lados de um pergaminho em branco com cálculos e um mapa do que lembrava do deserto. E escreveu:

Quero mais penas, mais tinta e mais pergaminhos.

Ao beber a substância leitosa, apagou, como sempre.

Acordou ao lado de uma pilha de roupas: túnica, calças, botas. Vestiu-se. Uma bacia com água, sabão, uma navalha de barbear, um espelho de prata. Escanhoou o rosto.

Testou a porta: aberta.

Caminhou por um corredor longo, verde como era seu quarto. Três portas como a sua, todas fechadas.

No final do corredor, portas duplas de carvalho, ele puxou e abriu. Uma claridade estonteante preencheu seus sentidos, ele apertou os olhos como proteção.

Um vulto:

— Bem-vindo, Atreu.

8

— Estou usando o nome de Deus em vão — disse Jocasta.

Benedict riu.

Ela permaneceu séria, olhando-o, com as mãos inquietas sob a estola que acompanhava seu hábito. Depois de um tempo, encostou-se de costas nas grades, deixou-se escorregar e ficou sentada no chão, como uma criança.

Benedict chegou perto. Passou as mãos por entre as grades, roçando no pescoço de Jocasta. Seus dedos se tocaram sobre a garganta da Voz.

— Eu poderia matá-la agora.

— Mas não vai.

— Se você morresse, seria o fim. Não existe paraíso. Urag não vai acolhê-la.

— Urag não vai me acolher porque estou mentindo.

Desvencilhou-se das mãos do cavaleiro. Ele podia ter apertado. Mas não apertara.

As visitas de Jocasta ao calabouço eram diárias. Ausentava-se apenas quando estava em Colina Seca, presidindo sobre os Irmãos da Última Trombeta. Podia ouvir os gemidos dos prisioneiros, os gritos ocasionais de alguém purificado a ferro. E aqueles sons haviam se tornado reconfortantes, porque eram os barulhos do único lugar onde ela podia sentar no chão e fazer confidências, baixar a guarda e expor seus medos ao homem que tentara matá-la. Ouvindo Jocasta contar-me sobre essa época, meu desejo é ter estado lá. Só para que ela não precisasse depender de Benedict. Mas não foi assim que aconteceu, então não adianta lamentar.

Como muitas vítimas de brutalidade no começo da vida, Jocasta fugira de uma situação horrenda e encantara-se por outro selvagem. Não importava o quanto Benedict a houvesse traído, não importava que ela mesma o houvesse aprisionado. Continuava por perto.

— Estou usando o nome de Deus para mentir — ela retomou, ajoelhada no chão, de frente para o prisioneiro. — Tomo para mim o ouro, as terras, a vida de outras pessoas, em nome de Urag.

— Está sendo tola. Sabe que Deus não existe. Eles lhe revelaram o segredo.

— Como você pode ter certeza?

Benedict ficou calado.

— Talvez eles tenham provas — disse Jocasta. — Mas você está apenas acreditando, e eu também. É pura fé.

Quando Derionde e os outros cardeais confiaram-lhe o segredo, apresentaram todo um rol de mentiras que a Igreja havia contado ao longo dos séculos. Milagres forjados, facínoras beatificados, profecias inventadas. O convento onde meninas eram preparadas como candidatas a Vozes — derrubando os mitos de que Deus escolhia Sua representante de forma mística e imprevisível. Fora uma boa forma de trazê-la para perto, acabar com quaisquer ilusões que a nova Voz pudesse ter sobre seu papel. Desdêmona rebelara-se por fé. Agora desejavam uma santa cínica, que não fosse causar problemas.

Mas nada daquilo realmente provava que Deus não existia. Apenas que os cardeais eram mentirosos.

— Acha então que Derionde enganou-a? — riu Benedict. — E que os padres comuns e miseráveis sabem mais do que a Voz de Urag?

— Acho que a Igreja está escondendo Deus.

Ele parou de rir.

— É a cobertura perfeita para todas as mentiras — disse Jocasta. — Eles estão escondendo Deus, afastando-nos de nosso Senhor. Talvez estejam mantendo-O prisioneiro.

— Você é louca.

— No mundo lá fora, faz sentido que Deus não exista. Quando estou em Colina Seca e vejo os nobres rastejando e falando idiotices. Quando estou com Derionde. Mas aqui. — Engasgou. — Aqui, e quando estou sozinha... *Posso sentir a divindade.*

— Você é louca. Todas as Vozes são.

— Por que quase todos acreditam em Deus? Por que sempre houve religião? Por que tanta gente tem tanta certeza, vivem e morrem por Urag?

— Porque as pessoas são idiotas e precisam de conforto. Porque passaram a vida toda escutando mentiras, e porque são loucas.

— Enganar tanta gente por tanto tempo? Isso é absurdo!

— Muito bem — disse Benedict, de repente intenso. — Tire-me daqui, e descubro a verdade para você.

Jocasta calou-se, ergueu as sobrancelhas.

— *Não pode deixar a Santa sozinha no meio da escória.* — As palavras ecoaram de súbito no calabouço.

Jocasta endireitou-se de um pulo. Deu um passo para trás e aproximou-se de Pugna Marco Segundo. Logo, a figura magra e ágil do Cardeal Simas surgiu em passos rápidos na luz bruxuleante dos archotes. Vinha acompanhado por alguns guardas e trazia Melquíades arrastado pela orelha. Jocasta podia ver o rosto do cardeal gorducho contorcendo-se numa miríade de desconfortos. Nauseado pelos cheiros da masmorra e os gritos dos torturados. Envergonhado por ter sido apanhado em sua fraqueza. E, humilhado, as lágrimas enchendo os olhos, por ser reduzido daquela forma, na frente de todos.

Simas largou a orelha do outro, prostrou-se em respeito à Voz. Melquíades não quis esfregar a área dolorida, tentando demonstrar alguma dignidade, mas sua recusa deixava-o rijo de dor e chamava ainda mais atenção a seu rosto escarlate. Os cachos de seus cabelos colaboravam para lhe emprestar um ar de bebê, que tornava impossível o respeito. Parecia uma criança fantasiada de adulto.

Simas tinha uma aparência afiada e dura. Seu rosto era delgado e anguloso, com queixo proeminente e olhos atentos. Por baixo dos robes de cardeal, seu corpo era magro e coberto de músculos finos e compridos, como uma armação de fios de aço. Jocasta sabia que Simas era responsável e afeito a operações secretas, agia fora do Palácio Eterno e das catedrais. Fora ele quem encontrara Atreu, em sua adolescência, e arrastara-o de volta aos colégios da Igreja.

— Peço perdão pela negligência de Melquíades, Santidade — disse Simas.

— Erga-se. — Jocasta retomou o ar superior. — O cardeal não fez nada errado.

— Ele deveria estar com Vossa Santidade, e será punido.

— Estou segura, com Pugna Marco Segundo.

— Os santificados pés não devem tocar...

— *Erga-se e esqueça isso, Eminência.*

Simas ergueu-se com uma última mesura. Roubou um olhar discreto para Melquíades. Por um instante, a masmorra pareceu silenciosa. Até mesmo os torturados calaram-se, como se em respeito à reação enérgica da Voz.

— O Cavaleiro Imaculado deve ser libertado — disse Jocasta.

Simas deu um passo à frente, os olhos baixos em reverência.

— Santidade, Benedict revelou-se um traidor. Não é o Cavaleiro Imaculado, assim como o vil Atreu não era o Guerreiro do Povo.

— A Voz diz que ele é imaculado, Eminência.

— Santidade...

— Ousa me contradizer na frente do povo? — Indicou os guardas.

Jocasta mordeu a bochecha, preparando-se por um momento para o que deveria fazer. Um gesto para Pugna, e o bizarro general sacou sua enorme espada, avançando como um relâmpago. Simas pulou para o lado, revelando sua agilidade, e Melquíades ergueu os braços para se proteger. Então, Pugna estava sobre os guardas. Num corte fluido e rápido, destroçou os pescoços dos carcereiros. Banhou-se de sangue, que também foi esguichar sobre os cardeais. Melquíades deixou um ganido sair, teve uma ânsia de vômito seca. Pugna tomou a roupa de um dos cadáveres e limpou sua lâmina.

— Veja o que me fez fazer — disse Jocasta. — Esses homens morreram por sua causa, Eminência. Não podemos tolerar que alguém ouça a Voz sendo questionada.

Posso apenas imaginar o que passou pela cabeça de Simas. *"Veja o que me fez fazer"* — uma frase bem típica de tiranos. Jocasta tinha aprendido rápido, assim como aprendera rápido tudo na vida. Já sabia justificar seus próprios crimes, voltar a culpa para os outros. Era uma frase dita desde sempre por pais violentos, guerreiros sádicos, governantes brutais. Pela Voz de Urag.

— Solte Benedict. E acostume-se a chamá-lo de Cavaleiro Imaculado.

— Vamos discutir isso, todos juntos. Chamaremos Barsoom e Derionde.

— Derionde vai concordar comigo. Preciso de um cavaleiro protetor.

— Você já tem Pugna.

— Não se faça de idiota, Simas. Pugna nunca foi usado como ícone porque não conquista o amor do povo. Solte Benedict.

Nada.

— *Agora.*

— Preciso das chaves.

— Agora, Simas.

Pugna deu um passo à frente. De repente, os cardeais estavam numa situação muito real e muito física. Frente a frente com um guerreiro de força miraculosa, que obedecia somente à garota.

Simas foi até a cela. Fez um gesto com a mão, revelando uma pequena ferramenta de aço. Inseriu-a na fechadura, mexeu-a um pouco, houve um estalo metálico. A porta se abriu. Ter um de seus truques expostos daquela forma era uma desvantagem.

Benedict olhou nos olhos de Simas e abriu um sorriso de lobo. Esticou--se, alongou os tendões sem pressa, saiu da cela. Ajoelhou-se frente à Voz.

— Veja, Santidade. Não esqueci de como me portar.

Muito hesitei antes de incluir a passagem anterior. Afinal, Jocasta matou inocentes. Acredito nela, sem qualquer reserva, quando diz que eram aqueles os momentos em que tinha certeza da inexistência de Deus. Apenas quando não sentia o peso divino sobre sua cabeça era capaz daquilo. Atreu fala que a verdadeira bondade vem do descrente — que é bom por caráter, não por pressão sobrenatural. Seja como for, a fé tirava de Jocasta sua capacidade para a frieza.

Até mesmo a libertação de Benedict, motivada pela dúvida, fora resultado de cinismo. Quando acreditava sem questionar, Jocasta considerava-o um herege que se interpusera entre ela e seu objetivo sagrado.

Mas era necessário tirar todos os pensamentos sobre Deus da mente, agora que estava cercada pelos cardeais.

Não era incomum que aquela cúpula se reunisse — embora fosse cada vez mais frequente confabular apenas com Derionde. Nunca deixava de ser um momento tenso, mesmo quando Jocasta nada tinha a esconder e planejava às claras seu próximo movimento, em conjunto com os príncipes da Igreja. Agora que devia manter fachada, era como uma batalha.

— Por que Benedict, Santidade? — Sorriu Derionde, os olhos quase fechados.

Tomou um gole de chá, fazendo a xícara e o pires tremerem. Era raro que deixasse de chamá-la de Santidade, mesmo em particular. Estavam numa sala privativa, que já vira conspirações por muitos anos. Cada um tinha sua poltrona fofa. Como era o hábito no Palácio Eterno da Voz, planejavam coisas sinistras acompanhados por bolos e docinhos.

— As pessoas são simples — disse Jocasta.

Os quatro cardeais mantiveram os olhos nela. Derionde pediu que continuasse.

— Já conquistamos o povo, desde o início. Vocês pediram que eu conquistasse a nobreza...

— O que fez com êxito fenomenal.

— Então, eu...

— Realmente, foi algo maravilhoso. Muito mais do que qualquer um de nós poderia esperar, e certamente acima de nossas capacidades.

— Obrigada, cardeal — depois de hesitar.

Derionde sorriu.

— Mas apenas impostos e leis não conquistam os corações — Jocasta retomou. — Podem mantê-los felizes por algum tempo, mas as pessoas só amam algo concreto. Por isso os Irmãos da Última Trombeta.

Simas, Melquíades e Barsoom trocaram um olhar.

— E por isso Benedict. Ele será meu cavaleiro andante. Alguém para ser amado e temido.

— As pessoas devem amar e temer Urag — disse Simas.

— As pessoas não veem Urag.

— Nosso foco deveria ser a Igreja, não uma ou duas figuras — insistiu o cardeal.

— Se não quer rebeliões, precisa de uma liderança forte.

Derionde acrescentou, engolindo um pouco de chá:

— E essa força está na Voz, meus amigos.

Silêncio.

— Seria bom que nós participássemos dos Irmãos da Última Trombeta — disse Simas.

— Oh, não. — Derionde parecia estar falando com um neto. — Os irmãos sentem-se especiais porque têm contato direto com a Voz. E porque nem todos participam.

— Pare de sorrir para mim! — Simas fechou o punho.

— Ora, estou feliz.

Melquíades interrompeu:

— Mesmo assim, há uma falha. — Ergueu um dedo rechonchudo. — Com todo o poder na Voz, o que acontecerá daqui a cinquenta anos? Daqui a um século? Uma rebelião maior ainda? A Igreja ruirá?

— Venho pensando nisso. — Jocasta levantou-se. — De tempos em tempos, a Igreja precisa começar tudo de novo. Outra Voz. Outra origem. Criar um novo amor. Isso é ineficiente.

Simas ia falar algo, mas Derionde deteve-o com uma mão trêmula. Inclinou-se um pouquinho para Jocasta, sinalizando interesse.

— Por que a Voz não pode se casar? — continuou a garota.

— A Voz é noiva de Urag, Santidade — disse Derionde.

— Mas talvez pudesse haver uma Família Santa. A Voz poderia ter filhos. Uma dinastia, que mantivesse o amor do povo sem necessidade de...

— Não, Santidade — Derionde, com o mais suave dos tons.

— Poderíamos escolher um consorte apropriado. O poder da Voz seria eterno. As pessoas iriam se identificar, esforçar-se para imitar a Família...

— Não, Santidade.

— Eu poderia desposar Benedict.

Simas, Melquíades e Barsoom entreolharam-se. Uma dinastia. Poder supremo em torno da Voz. Seria uma rainha. Não precisaria de cardeais.

— Não, Santidade — disse Derionde.

Silêncio.

— Sente-se, Santidade.

Ela obedeceu.

— Vossa Santidade não deve se preocupar com isso. — O cardeal idoso bebeu um gole de chá. — A Igreja é eterna. E Vossa Santidade está fazendo um ótimo trabalho. É amada por todos.

— Como posso ser noiva de Urag? Urag não existe.

— Da mesma forma como pode ser a Voz de Urag, Santidade. — Sorriu. — Voz de Urag. Pense nisso.

Voz do nada.

Sei o que houve ali por histórias de terceira mão, então minha certeza tem limites. Acho que isso é inevitável, à medida que esta história se desdobra, os personagens que eram quase figurantes tornam-se ativos. Na verdade, boa parte foi assim — quando comecei a falar de Benedict, por exemplo. Mas agora vejo-me mais escrupuloso, mais preocupado, enquanto tudo chega a seu ponto culminante. Também fico cheio de desculpas, implorando algum perdão, quando narro a atrocidade de uma amiga.

Como se, por duvidar de detalhes, eu pudesse questionar a culpa de Jocasta.

O convento era isolado. Impressionante como há lugares ermos em nossa terra. Não temos muitas pessoas, não há gente para preencher cada espaço, transformar cada planície em lavoura, civilizar cada pedaço de mato. Com exceção dos soldados, menestréis, mascates e outros insensatos, as pessoas também não costumam viajar. Ficam entrincheiradas e aglomeradas, contando com a segurança dos terrenos desbravados e dos números, tolerando as doenças que vêm com esse ajuntamento. Assim, havia muitos lugares onde ter privacidade, e o Convento da Voz Rebecca erguia-se sozinho em uma colina, ao lado de um bosque esparso de pinheiros. Não havia grandes estradas que passassem lá perto — ou mesmo médias. Só uma trilha estreita, marcada mais pelo pisotear repetido e pelas raras rodas de carroça do que por esforço deliberado.

Também me ocorre que, pela primeira vez, chamei Jocasta de amiga. Estranho o que se faz para postergar o horrendo.

Ninguém tinha muita razão para visitar o convento. Freiras são o grau mais baixo da hierarquia eclesiástica, não têm dinheiro e muito menos prestígio. O convento tinha pouco a oferecer a quaisquer invasores. No inverno, as freiras precisavam quebrar o gelo no poço para obter água. No verão, sentiam-se cozinhar dentro dos claustros. É claro que eventuais bandidos, mercenários desocupados ou selvagens de oportunidade poderiam saquear o convento em busca daquele bem mais precioso de todos, que transforma os homens em animais: vaginas. Se havia de quando em quando ataques brutais e estupros em massa — bem, o que se havia de fazer? Os cardeais, bispos e mesmo padres ordinários eram rápidos em apontar que, de alguma forma, as freiras deviam estar provocando seus algozes. Sempre era possível ter um pouco mais de modéstia.

Seria de pensar que aquele lugar fosse guarnecido. Afinal, além de vaginas, abrigava outro recurso precioso — meninas que, um dia, poderiam se tornar a Voz de Urag. Eram criadas desde bebês no convento, vindas das mais diversas casas de enjeitados, orfanatos, mercadores de escravos e outras origens. Mantidas no ambiente santo e controlado, aprendiam desde cedo os fundamentos do ofício sagrado. Quando se tornavam velhas demais (digamos, aos doze anos) eram descartadas como futuras messias, e seu destino então era o hábito de freira, para treinar as próximas gerações de candidatas. Assim, como o lar de tanto potencial, seria lógico que o Convento da Voz Rebecca possuísse guardas. Mas guardas são homens, e guerreiros — e homens, principalmente guerreiros, não deixariam em paz as virgindades.

Assim, o convento só contava com freiras.

Eram mulheres endurecidas, várias abrutalhadas. Mais semelhantes a frades e monges do que aos sacerdotes letrados e cheios de teorias que habitavam as cidades. Menos afeitas a oferecer conforto espiritual do que a plantar, colher, derrubar árvores, cortar lenha, construir novas alas do prédio, reformar carroças danificadas. E várias aprendiam a manejar armas, sendo assim capazes de defender — mesmo que precariamente — o depósito de possíveis santas.

Benedict aproximou-se com um grupo pequeno, apenas cinco, numa noite sem lua. Gostava de liderar homens de novo, mesmo que agora não estivessem a cavalo. Gostava de ser chamado de Dragão de Deus pelos comandados, de ordenar que alguém matasse ou morresse. Era divertido.

Quando recebera a instrução de Jocasta, Benedict pensara em matar a saudade dos velhos tempos, vestir armadura e montar, empunhar lança e fazer carga contra o inimigo. Um de seus homens apontou que, mesmo sendo mulheres plebeias, as freiras podiam ter escudos, e teriam corredores onde se enfurnar.

— E nenhum cavalo avança contra uma parede de escudos — completara o soldado.

— Talvez. — Benedict riu, instigado. Mas optou por outra tática.

Mandou que os cinco ficassem escondidos entre os pinheiros, avançassem apenas no momento combinado.

Então, vestindo apenas roupas leves, esgueirou-se colina acima, pulou o muro, testou a primeira porta. Trancada. Circundou o prédio, achou uma entrada apenas encostada. Entrou, esperou seus olhos acostumarem-se à escuridão. Ouviu passos, ficou rente à parede. Uma freira passou ao seu lado, ele agarrou-a num bote, tapou sua boca. Hábil, apertou a traqueia e sufocou-a. Então arrastou o cadáver para fora, tirou-lhe o hábito e escondeu-o sob um monte de feno. As roupas que as freiras usavam eram pesadas, deixavam apenas o rosto de fora. Benedict vestiu o hábito sem constrangimento. O mais desconfortável era a camisa de pelo que a mulher vestia por baixo de tudo. Espetava sua pele, numa forma de autoflagelação quieta.

Benedict voltou a entrar no convento, agora disfarçado. Seu rosto delicado não iria denunciá-lo, principalmente na meia escuridão dos lampiões.

Fez sua ronda do prédio, cumprindo o dever: derramou óleo em lugares estratégicos, formou pequenos montes de palha. Trancou todas as saídas, fechou janelas. Notou que aproximava-se do alojamento das meninas, ouviu choro e palavras de adulta, atrás de uma porta. Meio por segurança e meio por curiosidade, quis ouvir.

— O que está acontecendo, madre? — gemeu uma garota. — O que é esse sangue?

— É o sangue da vergonha — disse uma voz envelhecida. — Se você fosse boa, não sangraria.

Ele ouviu os soluços da garota aumentarem.

— A menstruação é o choro de um útero vazio.

— Faça parar!

— Vai parar se você for mãe, ou se for boa e inocente. Se for uma rameira, continuará sangrando para sempre.

Benedict notara a horrível mutilação genital quando tirara a roupa de sua vítima. O sexo da mulher fora retalhado de tal forma que mal lembrava o que deveria ser. É claro que aquilo não detinha a menstruação, mas mostrava o modo como as freiras viviam. O sangramento mensal era sinal da desaprovação de Deus.

O cavaleiro não podia deixar de achar graça.

Trancou as portas daquela ala, prosseguiu em seu caminho. Depois que já tinha boa quantidade de combustível e material para espalhar as chamas, derrubou um lampião. O fogo correu pelo chão, encontrou um monte de palha, lambeu uma cortina. Benedict correu, ateou mais três focos, então escapou pela única porta que deixara aberta.

Quando ganhou a colina, seus homens já subiam, alertados pela fumaça e pelo fogo. Lá dentro, berros agudos. O incêndio tomava o convento. Freiras e santas mirins descobriam que todas as saídas haviam sido trancadas, e que não havia como escapar.

Quando as primeiras encontraram a única porta aberta, os açougueiros estavam esperando.

Benedict e seus cinco homens avançaram contra duas freiras que levavam crianças nos braços. Retalharam com suas espadas, e os gritos não duraram muito. As chamas se alastravam, outras descobriam a saída e se deparavam com os algozes. Algumas gritavam por Deus, outras ofereciam favores sexuais em troca da vida.

— As pessoas nunca mudam! — Divertiu-se o cavaleiro.

E matou e matou até que não restasse mais ninguém. As últimas preferiram morrer nas chamas, rezando de mãos dadas, a encontrar as lâminas do lado de fora.

— Está feito — disse Benedict, sobre um só joelho, como o mais perfeito cavaleiro de armadura brilhante.

Jocasta fez com que se erguesse.

— Nenhuma pista sobre Deus lá? — disse.

— Nenhuma. Mas também não há mais nenhuma candidata a Voz — ele sorriu. — Mesmo que os cardeais resmunguem, você agora é a única opção.

9

GANIMEDES VOLTOU AO POVO MORTO.

Viajaram só os três — ele, Penélope, Dragomir — das aldeias até nossa terra, e para ele foi uma peregrinação. Fez com que parassem num mosteiro de frades pobres, que faziam voto de silêncio. Lá, por uma semana e um dia, Ganimedes trabalhou calado, rachando lenha e carregando feno, entrando em comunhão com Urag. Pararam em igrejas abandonadas e outras ativas, em aldeias esquecidas e locais sagrados. Ouviram o nome de Jocasta, a felicidade trazida pela existência da nova Voz.

Souberam de Atreu e do fim da revolução. Da derrota.

— A luta não acabou — disse Penélope.

Ganimedes, reencontrando Deus e sua própria essência, experimentou um curto debate interno. Devia lutar de novo contra a Igreja, ou aquilo era uma mentira? Mas logo decidiu que a luta era contra os cardeais. E, agora, contra aquela Voz subitamente poderosa.

Acho que não há, dentre todos nós, quem não inveje um pouco Ganimedes. Era quem tinha os princípios mais claros, a maior certeza. Vi Ganimedes sereno, quando seguia sua fé e seus companheiros, e ouvi muitas histórias que confirmavam isso, contadas por Atreu. Quem mais poderia afirmar estar em paz consigo mesmo? Ganimedes sabia que era um pecador, aprendera a aceitar aquilo, só precisava expiar seus pecados ao invés de ignorá-los, e iria se manter vivo.

A jornada não deixava de ter perigos, é claro, em especial para criminosos como eles. Viajavam encobertos por mantos, na estrada sob chuva e evitando todas as paradas que o arqueiro não considerava espiritualmente essenciais. Usavam armas evidentes perto de plebeus, afastando suas curiosidades. Escondiam-nas ao cruzar com algum batalhão ou patrulha. Dragomir corria mais perigo que os outros dois. Não que fosse mais notório, ou mesmo que sua traição fosse conhecida; corria o perigo de perder a vida que encontrara na aldeia. Era um druida alquímico, embora aprendiz, e não tinha mais lugar no Povo Morto. Por isso, toda noite realizava curtos rituais, adorando o chão e uma planta e um bicho e a si mesmo. Duas ou três vezes, retirou seus aparatos e sugou a essência de coisas vivas pelo caminho — uma encosta, um córrego, um cavalo selvagem.

Compreendi mais tarde (ao menos parcialmente) o que era aquela essência, como era perdida; sua relação com a Magia Conceitual dos antigos e o minério divino. É claro que não entendo os processos que os druidas realizavam para extrair aquilo. O importante era reconhecer o que estava vivo e o que estava morto. Penélope entrara em um estado que poderia parecer tranquilidade, mas era um tipo de apatia. Acompanhada por dois vivos, era a única morta no grupo, e não havia o que fazer. Também não sabia reconhecer o que estava vivo — só os druidas eram treinados nessa capacidade. Então perguntava:

— Aquele bosque?

— Morto — respondia Dragomir.

Aos olhos de qualquer pessoa, um bosque normal, bem verde, cheio de vida. Mas, para um druida, algo mortiço, sem essência. Talvez ainda não estivesse estéril, mas a passagem dos homens, a transformação do mundo ao redor, até mesmo o desejo de protegê-lo e preservá-lo, como se fosse algo domesticado, faziam com que ficasse morto.

— O brejo?

— Vivo.

— Os bois naquela fazenda?

— Mortos, é claro.

Ao longo de muitos dias.

— Aquela ruína?

— Ah, está viva. — Dragomir ergueu as sobrancelhas. — Ah, está bem viva.

Era a ruína de uma igreja, só uma tapera de três paredes carcomidas pelo tempo, com os restos de três trombetas feitas de pedra fincadas no chão. Por certo fora um prédio vivo, e ainda restava vida em suas ruínas. Eram raros os prédios vivos nas terras do Povo Morto.

Tudo aquilo era uma tortura doce para Penélope, pois ninguém sabia se realmente era possível recuperar a vida. Só mais tarde descobririam.

Avistaram Colina Seca enfim, e uma quantidade anormal de entra e sai. Havia pequenos acampamentos de comitivas nobres do lado de fora, carroções e tendas com estandartes aguardando os senhores que divertiam-se lá dentro. A guarda nos portões fora redobrada. As rotas até lá mostravam sinais de uso repetido e recente, e inúmeros aproveitadores de beira de estrada — taverneiros, mascates, assaltantes — haviam se estabelecido pelo caminho. Os três souberam evitá-los, mas surpreenderam-se ao ver que a situação era a mesma em todas as estradas. O fluxo de nobres era constante.

— Isto é um sinal — disse Ganimedes.

Penélope bufou.

— Algo está acontecendo — o arqueiro insistiu. — Pode ser importante para a revolução.

— Não é um sinal de Deus, Ganimedes — disse Penélope.

— Se isso puder ajudar Atreu, você se importa com a fonte da informação?

Sem resposta.

De qualquer forma, ele não desistiria, ela sabia disso, e não havia razão para tentar impedi-lo. Fizeram um plano para entrar em Colina Seca, um palpite de como descobrir o que queriam. Apenas Ganimedes e Dragomir, e Penélope fingiu a si mesma não se importar.

Capturaram dois pássaros, o aprendiz de druida retirou-lhes a essência. Escondido num bosque, fabricou os tabletes. Ingeriu um, Ganimedes engoliu o outro. Ambos experimentaram as alucinações, então assumiram a forma dos pássaros e voaram para a cidade.

Imagino que qualquer um vá perguntar por que esses milagres nos eram tão desconhecidos. Dragomir e Ganimedes usaram as técnicas dos druidas para entrar em Colina Seca — por que ninguém as havia usado para entrar em Ruiturus? No Palácio Eterno da Voz? Para penetrar nas câmaras dos cardeais e cortar-lhes as gargantas? Como o Povo Vivo não venceu a guerra contra a Igreja, dispondo daquilo?

O costume de mentir — e de ouvir mentiras — leva a esse tipo de pensamento. Esse tipo de lógica. Mas a verdade não é lógica, na maior parte das vezes. Bastaria organização, estratégia, táticas precisas, e o Povo Vivo teria vencido com facilidade. Bastaria deixar de ser quem eram.

Ninguém pensara naquilo — ou, se pensara, deixara-se levar por outras coisas. Usara como chantagem, nunca botando em prática, ou fora traído, ou desistira porque era complicado demais. Olhando para trás, é fácil notar estratégias que seriam vencedoras, mas poucos têm tal discernimento no caos da emergência.

O Povo Vivo não era bondoso e puro, como os poetas civilizados imaginam, mas tinha conhecimentos com que nem sonhamos, e há uma tentação enorme em achar que a inteligência, o conhecimento superior, vence todas as batalhas. Mas a verdade é que a Igreja ganhava sempre, com bastante ignorância e força bruta. Esse era seu horror. Acho que, quanto mais conhecimento, cultura, instrução, mais difícil é usá-lo em conjunto com outras pessoas. Unir-se a uma causa. Os guerreiros religiosos nunca foram atrapalhados por excesso de intelectualidade.

Enfim, nada disso importa. Ganimedes e Dragomir pousaram num beco. O arqueiro precisou de um tempo para se recuperar, e o outro cuidou dele durante esse período, mantendo ambos escondidos. Estavam nus, e Dragomir roubou roupas de uma casa nas proximidades. Então ganharam as ruas, observando o movimento.

— Para o Arco dos Inocentes — disse Ganimedes.

Mas Dragomir estacou. Deteve-o com uma mão e apontou um pequeno grupo de aristocratas.

— Ali. — De olhos arregalados. — Não acredito.

Estavam vivos.

Observaram os nobres vivos, viram-nos entrar em uma mansão. Então outros, todos vivos, e todos rumavam para a mesma casa. Quando avistaram mais um, esperaram que passasse perto de um beco. Ganimedes segurou-o, com a mão sobre a boca. O nobre ia acompanhado por guardas, mas todos receberam adagas rápidas nas gargantas, antes que pudessem fazer um som. Ganimedes e Dragomir arrastaram os cadáveres e o corpo desacordado, esconderam-nos sob um monte de entulho. Então o druida descobriu uma casa fechada — por certo moradia secundária de alguma família nobre — e invadiu-a discretamente. Lá dentro, longe das vistas, realizou o ritual e extraiu a vida do prisioneiro.

Estendeu o tablete a Ganimedes.

— Não sei lidar direito com a mudança — objetou o arqueiro.

— Precisa ser você. Esta busca não é minha. Esta terra não é mais minha. Não vou comprometer minha vida, consumindo a vida de um deles.

Ganimedes pegou o tablete. A verdade estava dentro da mansão, isso era bem claro. E ali estava sua vida: na terra onde fora criado, lutando e tentando não matar sem necessidade, à procura de uma resposta no meio das mentiras. Era isso que sempre fora, desde a Escola Marcial, desde o tempo como general da Igreja, desde a rebelião.

Ingeriu o tablete.

Consumir a vida de um humano era muito diferente. Os sentidos eram os mesmos, as emoções eram parecidas, as experiências eram iguais — apenas em contextos diferentes. Foi através da morte daquele homem, digerindo sua essência, que Ganimedes entendeu o quanto somos a mesma coisa. Soube seu nome: Lorde Vittorio, filho de Adamastor e marido de Ullina. Conheceu seu estandarte e sua história e seus amigos. Havia análogos de sua própria vida por toda parte: alguém que tinha sido para Vittorio como Atreu fora para ele, situações como a escola e o dilema de juntar-se ou não aos rebeldes. Era um lorde, mas guardava certas invejas até mesmo dos plebeus. A fragilidade era a mesma, as dúvidas, tudo idêntico.

Ganimedes tinha a aparência de Vittorio, e as duas personalidades se embaralhavam. As lembranças foram misturadas. E, como tinha uma missão, não bastava aprender a ser o lorde e correr, como fizera quando fora um lobo.

— Esqueça todo o resto — disse Dragomir, segurando-o e olhando bem em sua cara. — Não importa seu nome, sua família. Não importa quem é o nobre e quem é o ex-general. Mantenha em mente apenas seu objetivo.

Ganimedes/Vittorio engoliu e concordou. Confundia-se com todo o resto, mas sabia que devia entrar na casa, descobrir o que estava acontecendo e voltar.

Vestiu as roupas do lorde e ganhou a rua. Foi cumprimentado, reconheceu o amigo, devolveu o cumprimento. Rumou para a mansão num caminho automático, que seus pés lembravam sozinhos, sem que ele mesmo percebesse. Chegando lá perto, sentiu uma ansiedade boa, uma sensação de felicidade antecipada, já entrando num estado de graça, preparando-se para uma acolhida.

— Veio sem guardas hoje? — Sorriu alguém, apertando sua mão.

— Não quero atrair atenção — disse Ganimedes, surpreendendo-se por saber a resposta certa. — Há muitos profanos por aqui.

Estava, embora soubesse apenas vagamente, no meio dos Irmãos da Última Trombeta.

Entrou, e é claro que os procedimentos foram os mesmos. Havia a confraternização, então o recolhimento para os salões onde rezavam e compartilhavam experiências místicas. Rezou, confessou-se e ouviu confissões. Girou e brincou como uma criança, de repente percebeu que haviam se passado muitas horas. Fora tomado pelo espírito coletivo e envolvido pelo bombardeio de amor.

O Visconde Ismael tomou a palavra no centro do grupo. Exaltou a Voz Jocasta, seus atos de sabedoria. Lamentou que ela não estivesse presente.

— Mas é porque a Voz enfrenta os profanos na capital — disse Ismael. — O barão também está em Ruiturus. Com inimigos por todos os lados, eles precisam estar na linha de frente.

Alguém ergueu a mão, como uma criança no colégio:

— Quem são nossos inimigos na capital?

— Você está perdoado, Collimo, porque ainda é novo em nossa congregação, mas deveria saber. Quem não faz parte dos Irmãos da Última Trombeta não é confiável. De um momento para o outro, pode se tornar um inimigo.

Todos concordaram. Collimo pareceu dar-se conta de algo. Ismael adiantou-se:

— Sim, é exatamente o que você está pensando. Até mesmo os cardeais podem ser nossos inimigos. Apenas entre os irmãos estamos em segurança. Não podemos confiar em ninguém.

Aos poucos, com as lembranças de Vittorio e as palavras dentro do grupo, Ganimedes montou a verdade. Tinha imagens claras de Jocasta, das iniciações, do mergulho nos Irmãos da Última Trombeta. Soube do poder crescente da Voz, da sociedade secreta, com segredos proibidos até mesmo à nobreza e ao mais alto clero.

Mas não sabia a razão.

— Hoje tenho muito a agradecer — disse Ismael. — Como Sua Santidade, o barão e até mesmo o Cardeal Derionde estão em Ruiturus, cabe a mim revelar a boa nova. Em breve, nossos líderes revelarão isso ao mundo todo, e já existem preparações para que todas as cidades e aldeias, todas as abadias e fortalezas, ouçam o chamado. Mas, antes de todos, nós ouviremos.

Os irmãos inclinavam-se para a frente, sentados no chão, tomados de expectativa. Ganimedes sentiu a garganta apertar.

— Nossa missão, enfim, irmãos. A razão pela qual estamos reunidos.

Deixou o suspense no ar um instante. Então:

— A Voz Jocasta nos mostrou o caminho até o paraíso. Até Deus. E nós vamos encontrá-Lo.

A congregação foi tomada de êxtase. Abraçavam-se, choravam. Enfim, tudo revelado! Ganimedes sentiu: sempre soube que era diferente, especial, um pouco separado dos demais, e agora estava claro. Era um dos escolhidos para a mais sagrada tarefa. Encontrar o próprio Urag.

Não!

Aquela era a personalidade de Vittorio infiltrando-se. Ele experimentara em primeira mão como todos eram iguais, como todos achavam-se diferentes do resto, deslocados. Aquela era uma doutrinação, uma lavagem na mente, e Ganimedes devia manter-se focado para escapar dali, avisar Dragomir e Penélope, fazer algo.

Um pensamento intruso: e se realmente pudessem achar Deus?

Servos entraram, carregando túnicas brancas. Eram bordadas com um brasão especial, o símbolo das quatro trombetas. A marca dos escolhidos, daqueles amados pela Voz acima de todos, destinados a cumprir a missão.

— A mensagem está sendo transmitida a todos — dizia Ismael, em meio ao frenesi de alegria, enquanto os irmãos aceitavam as túnicas. — Os profanos também estão sendo convocados. Cada homem, mulher e criança.

Ergueu um dedo severo e continuou:

— Mas apenas porque também devem receber a chance de salvação. Os Irmãos da Última Trombeta são os predestinados, cabe a nós o sucesso! Será nossa última prova. Estaremos separados dos demais, não devemos confiar neles. E devemos mostrar a Urag que somos mesmo dignos de Sua preferência. Não podemos ser derrotados! Não devemos fraquejar!

Ganimedes pegou uma túnica e vestiu-a. Raciocinou, num instante, o tamanho e as conotações daquilo tudo. Jocasta tinha o povo, a nobreza. Tinha um sem-número de propriedades, títulos e brasões, herdados dos irmãos, e riquezas incontáveis, extraídas deles. Teria a lealdade da terra inteira, unida em uma busca santa.

E teria Deus?

O que o Cardeal Derionde faria com Deus?

Se capturassem Deus, não haveria diferença entre religião e Igreja.

Não sabia quais pensamentos eram seus e quais eram de Vittorio.

Agora os servos distribuíam mapas. Os nobres, é claro, não sabiam lê-los — eram cartas náuticas — mas seriam entregues a servos e capitães contratados. Ganimedes pegou um. Para navegar em alto mar, é preciso conhecer rotas — correntes, pontos por onde passam certos ventos, lugares que simplesmente permitem a navegação. Desviar-se das rotas é como tentar conduzir uma carroça por um deserto, sem estradas e sem mapas. E ali estava uma rota mapeada. Até o paraíso.

Ganimedes precisava entregar aquilo a Dragomir. Fazer com que chegasse a D'Agostini, onde quer que estivesse. O ex-almirante era o único deles seguramente capaz de encontrar qualquer rota marítima, seguir qualquer carta náutica.

Pediu licença a um dos irmãos, precisava se ausentar um instante.

— Mas agora vamos dançar e comemorar. Vamos rezar.

— É a latrina, sabe...

— Permita que um servo o acompanhe.

Apressou-se, seguido por um criado. Um minuto sozinho, fechou a porta. Pelo menos havia ligação do quartinho com o exterior da casa. Ganimedes rezou para que Dragomir estivesse vigiando a propriedade, em busca de qualquer coisa anormal ou emergência. Se fosse o caso, poderia notar a mensagem.

Não tinha tinta ou pena. Mordeu o canto de uma unha até que sangrasse. Virou o pergaminho onde estava o mapa, conseguiu escrever, em vermelho:

Até Urag
Chegar antes
D'Agostini

Jogou o pergaminho por uma fresta que dava para a rua. Rezou para que fosse lido, compreendido, obedecido. Pois não sabia se conseguiria sair dali.

— Tudo bem? — Não era o servo, mas um dos irmãos, batendo à porta.

De repente, Ganimedes notou que havia luz do sol pela fresta. Sabia que perdera a noção do tempo, pelos ritos, atividades e cerimônias. Mas não notara que já era manhã.

Quanto tempo mais duraria a transformação?

Avistou os corredores da Escola Marcial, a Voz Desdêmona, Atreu e Penélope — estava alucinando consigo mesmo. Um enjoo forte: o efeito do tablete estava acabando.

Tocou em seu próprio rosto, que modificava-se. A metamorfose reversa, ele voltava a ser Ganimedes.

A porta foi arrombada.

— Não sei que bruxaria é esta — disse Ismael. — Mas você não é o Lorde Vittorio, e sua ilusão se desfez.

— Glória a Deus! — recitou o ajuntamento de irmãos armados logo atrás.

— E agora verá o que fazemos com bruxos.

10

TENTO ENCAIXAR AS PEÇAS DESTA HISTÓRIA QUE NÃO VI, COM personagens que mal conheci, para entender o que se passou com Melquíades. Esses eventos definiram todo o resto, mas ninguém os testemunhou. Enquanto isso acontecia, eu estava em um ponto ou outro do mar.

Posso adivinhar a reação de Melquíades. Arrogante como todo escritor, tenho certeza de que aconteceu assim, ou de forma bem parecida. Melquíades foi o primeiro avisado da destruição do convento, porque era o único que tinha-lhe amor, e era esse o maior amor que experimentava. É claro que os demais também ficaram sabendo, e não havia dúvida sobre todas as implicações. Mas, enquanto Simas e Barsoom perderam uma ferramenta e Derionde perdeu um trunfo, Melquíades perdeu suas meninas queridas, suas visitas periódicas e seu orgulho. Ele mantivera o convento. Era uma responsabilidade séria, quase a única. Melquíades, nesse aspecto, era como uma criança, tendo recebido da mãe uma tarefa e tomando-a como ponto de honra. Durante suas visitas ao convento, ficava isolado de todo o resto. Sozinho, longe das preocupações de Ruiturus, do gigantismo enigmático de Barsoom, da astúcia maliciosa de Simas, da tirania doce de Derionde. No convento, era supremo, tratado com as maiores honrarias. Dormia na única cama fofa e larga, em oposição aos catres de palha desgrenhada que cabiam às freiras e internas. E sempre escolhia um punhado de garotas para acompanhá-lo no sono. Gostava de ver o privilégio disputado a tapas (era algo santo, e também uma noite de conforto) e interrogava as crianças para ter certeza de que a cama ficara intacta em sua ausência. Quando voltava à capital, sentia-se renovado. Triste por retornar à realidade, mas fortalecido por todas as memórias. Com a certeza de que, em algum lugar, era superior a todos.

Mas isso era passado.

Melquíades ordenara, em primeiro lugar, que não tocassem em nada. Então apressou-se ao Convento da Voz Rebecca, juntando uma escolta improvisada, sem nem mesmo avisar os outros. Ao chegar, pulou da carruagem, tropeçou na batina, em sua ânsia para ver tudo de perto. Estavam lá os cadáveres, já muito apodrecidos, exalando fedor horrendo, pretos de moscas, embranquecidos e pululantes de vermes.

Ele se ajoelhou frente ao primeiro que viu — uma freira com duas meninas, os olhos já consumidos, a pele dos rostos já quase toda arrancada. Abraçou-se aos corpos, a freira se partiu em uma golfada de gás fétido e uma onda de larvas. Melquíades não se conteve e vomitou junto com as lágrimas. Soluçou ainda mais forte, porque macular a dor com náusea.

Entrou no convento, movido pelo desejo mórbido de confirmar a tragédia, a esperança imbecil de que houvesse uma sobrevivente. Enxergou as cinzas de tudo, identificou o que fora o trabalho de sua vida e sentiu-se avassalado pelo desespero. Pelo menos acho que foi isso que aconteceu. Mas, sendo Melquíades humano, não posso imaginar outra reação. Foi assim que me senti ao saber que Lubna morrera, que nossa companhia teatral fora destruída e que não existia volta, nada seria como antes. A percepção da mudança definitiva, da dor que nunca será aliviada — anestesiada pelo tempo, talvez esquecida, mas nunca curada — se abate como o ar ficando mais apertado ao nosso redor, competindo com uma pressão que sobe do esôfago. Melquíades apertou os dentes o máximo que podia, viu-se paralisado, agitando os braços em movimentos espasmódicos. Todos os seus esforços eram necessários apenas para não gritar. Então gritou, e notou que não adiantava nada, não oferecia alívio.

Nada oferecia.

Melquíades tocou nos restos carbonizados das tapeçarias. Nos ossos das freiras e das meninas. Nos destroços de móveis, nos cadáveres de animais, nos restos de tudo que construíra. Não tinha mais sua grande responsabilidade, seu amor. Sua primeira, principal e talvez única razão para ter ascendido a cardeal.

Só depois de percorrer cada corredor, deixar-se levar pela melancolia em cada sala, atendeu aos apelos dos homens, de que aquilo era perigoso, o prédio poderia desabar. Só depois de beijar cada cadáver, sujando os lábios de podridão e cinzas, sem nojo algum, permitiu que fossem enterrados. Isso demorou o dia inteiro, sua escolta aguardando com as pás. Também os estômagos roncando, pois ele impusera um jejum em respeito à tragédia. O trabalho de cavar os túmulos varou a noite, acompanhado pelos uivos de choro do cardeal. Vez por outra, Melquíades tentava ajudar, punha-se a manejar uma pá, mas atrapalhava os demais e logo se exauria ou desabava em soluços. De manhã, rezou uma missa para os trabalhadores exaustos e famintos, falando durante horas sobre a santidade e inocência das mortas.

Quando acabou, entrou na carruagem e começaram o caminho de volta. Então, tendo acabado a parte prática da morte, viu-se mais uma vez tomado pelo vazio, pela realidade do que ocorrera.

Deixou-se cair no piso do veículo, engasgando de tristeza.

— Tome seu remédio, Santidade — disse Derionde.

Além dos dois, apenas um servo no quarto, levando a bandeja com uma jarra cheia de água e a caneca com o líquido azulado. E Pugna Marco Segundo, eterno e imóvel ao lado de Jocasta.

— Talvez fosse bom que eu continuasse doente — ela disse. — Plebeus ficam doentes o tempo todo. Poderiam se identificar comigo.

Derionde continuou sorrindo, os olhos quase fechados.

— Além disso, os Irmãos da Última Trombeta poderiam gostar de me ver sendo tomada por Urag, falando a língua dos anjos. Seria útil.

— Vossa Santidade já conquistou o amor de nobres e plebeus. Não precisa desses artifícios.

— Mas se eu mostrasse...

— É uma doença, Santidade. Convulsões. Quem sabe os perigos que pode acarretar?

Ela ficou quieta.

Desde que fora iniciada, passara a tomar o remédio. Uma vida de ilusões sobre ser especial, sobre ouvir Urag e ser avassalada pela divindade, fora explicada como uma prosaica condição médica. Eram convulsões. Ninguém queria uma Voz doente, e os sintomas precisavam ser combatidos. Remédio todos os dias.

— Também não queremos que Vossa Santidade volte a acreditar em bobagens, não é mesmo?

Derionde pediu que o servo trouxesse a bandeja, por favor. O homem derramou a água dentro da caneca, junto ao preparado azul, depois mexeu a mistura com uma colher de prata. Entregou a caneca à Voz de Urag, com uma mesura.

— Agora beba tudo, Santidade.

Derionde observou a garganta de Jocasta, prestando atenção aos movimentos de engolir. Quando ela devolveu o vasilhame, o cardeal examinou-o, para garantir que não houvesse um resto no fundo. Satisfeito, virou-se para Jocasta.

— Diga "ah".

Jocasta abriu a boca e pôs a língua para fora, mostrando que realmente engolira.

— Agora descanse, Santidade. Nosso próximo compromisso é à noitinha.

Deixaram-na à sós com Pugna.

Jocasta então ajoelhou-se, debruçada sobre um vaso ornamental. Enfiou dois dedos na garganta até que vomitasse, rezando para expelir toda a substância. Depois, ergueu-se meio trôpega, mas Pugna ajudou-a a ficar de pé.

— Eu sei que estão escondendo Deus — disse, embora não esperasse resposta. — Mas não vão afastá-Lo de mim com seu veneno.

— Foi ela, tenho certeza — disse Melquíades, limpando os olhos e o nariz.

Barsoom não movimentou o rosto pétreo. Simas ergueu uma sobrancelha. Derionde continuou sorrindo.

— Não há problema em ter raiva e desabafar nesta hora de luto — disse Derionde. — Pode botar tudo para fora.

— Foi ela! — gritou o outro.

Derionde franziu o cenho, em uma preocupação doce, e deu tapinhas delicados na mão de Melquíades.

— Não estou delirando. Jocasta destruiu o convento. Tenho certeza.

— Não há problema em ter raiva, mas não vamos falar coisas de que possamos nos arrepender depois.

Melquíades rilhou os dentes, sentindo outra onda de soluços se aproximar.

— Digamos que ela tenha feito isso — interrompeu Simas. — O que há de errado?

— Era *o convento!*

— Esse convento era uma bobagem. — O cardeal magro deu de ombros. — Melhor a Voz matando enjeitadas e achando que é poderosa do que tendo poder real.

— Elas eram candidatas a Vozes, Simas.

— Posso sair na rua agora mesmo e arranjar meia dúzia de candidatas tão boas ou melhores. Filhas de prostitutas, meninas abandonadas, órfãs.

— Ela está destruindo tudo ao seu redor. No final, só vai sobrar a Voz. Então, *nós* seremos os rebeldes.

Derionde tocou com carinho em seu braço:

— Não se preocupe. Eu a mantenho sempre sob vigilância.

— E quem disse que podemos confiar em você? — disse Simas.

Derionde sorriu.

— Vocês todos estão cegos — disse Melquíades. — Ela está nos dividindo. Nunca lutamos entre nós antes. O problema não é Derionde, é Jocasta.

— Ciúmes — falou Simas.

— Ela tem o amor de todos. Tem Pugna. O que pretendem fazer contra Pugna?

— Ora, não se preocupe — disse Derionde. — Eu sei como contornar o problema do general. Quando chegar a hora, ele será nosso amigo.

— Talvez *seu* amigo — falou Simas.

— Parem! — Melquíades bateu na mesa, mas o golpe foi amortecido pela fofura da mão. — A ameaça é a Voz.

— Se você teme mais uma aldeã do que um cardeal, está mesmo tomado pela histeria — disse Simas.

— Ele só está triste — disse Derionde.

Melquíades fechou os punhos gorduchos com força.

— Barsoom, fale algo!

O enorme cardeal ficou um tempo em silêncio. Depois:

— Se acha que ela matou suas freiras, mate os Irmãos da Última Trombeta.

— Ele não tem coragem. — Simas riu-se.

— Eu os mato, então — continuou Barsoom. — É uma mensagem clara, e não perdemos nada importante.

— Boa ideia. — Derionde balançou a cabeça, aprovando. — Por isso gosto de nosso pequeno grupo. Cada um vê um ângulo diferente.

Simas disparou-lhe um olhar afiado. Pouco adiantava matar os nobres — a Voz era herdeira de seus títulos e propriedades. Isso apenas aumentaria o poder da santa.

— O problema é mais profundo — disse Simas. — Ela ainda acredita.

Derionde desprezou o comentário com um gesto da mão.

— Ela ainda acredita — repetiu o outro. — E acha que está fazendo o trabalho de Deus.

— Apenas um tolo pensaria isso — disse Derionde. — Pode acusar a Voz de qualquer coisa, exceto estupidez.

— A menos que *você* a tenha convencido. Não seria a primeira vez.

— Ora, Simas, você me lisonjeia.

— Iago é só um exemplo. Preciso continuar?

— *Ela está nos dividindo!* — guinchou Melquíades.

Silêncio. Naquele momento, todos os três tinham alguma forma de desprezo pelo cardeal mais jovem. Simas olhava para cima e bufava de leve, como se falasse com um deficiente. Derionde tratava-o como uma criança tristonha. Barsoom tinha um pouco de asco por seu descontrole.

— Se quiserem, podem me interrogar — disse Derionde. — Falarei a verdade no fogo e no potro. Todos os dias lembro a Voz de que Urag é uma bela ficção. Proíbo-a de rezar.

Simas examinou-o por alguns instantes. Julgava-se um entendedor supremo do comportamento humano, capaz de notar quaisquer mentiras. Derionde parecia estar falando a verdade — e, naquele caso, estava mesmo.

— Então temos que manter a garota sob vigilância, e só — disse Simas.

— Funcionou, não é mesmo? — Derionde voltou a sorrir. — A nobreza e a plebe estão em nossas mãos. Não há mais revolta. A Voz não tem remorsos.

— Temos que vigiar a garota, e também vigiar você.

— Minha vida pertence a vocês.

— *Ela massacrou o convento!* — gritou Melquíades.

— Esqueça essa porcaria — disse Simas.

— Se a Voz foi mesmo a responsável, tanto melhor — disse Derionde. — Afinal, que tipo de santa faz isso?

Tomou um golinho de chá.

— Ela não acredita, senhores.

Melquíades estava em seu quarto, sozinho, estirado na cama. Só uma vela acesa, deixando o ambiente lúgubre de propósito. Gritara com o servo que viera lhe trazer a ceia. Pelo menos *alguém* tremia ao ouvir sua ira.

Não conseguia esquecer a freira se partindo em duas. Era algo tão absurdo, tão longe da vida normal. Ao redor daquele momento tétrico, giravam todas as lembranças tristes, e ele voltava repetidamente ao cadáver quebrado. Tentara mergulhar os pensamentos ruins em vinho, mas não tolerava o gosto do álcool. E nem mesmo doces traziam alívio. Perdera todo o apetite.

Ouviu batidas na porta, disse vão embora. Um tempo, e então o som da maçaneta girando, as dobradiças rangendo de leve. A raiva ferveu num instante, erguendo-se dentro dele e derramando. Virou-se, a boca retorcida para berrar um impropério. E não importava quem fosse, mesmo que Simas ou Derionde, ouviriam...

Era Benedict.

Melquíades estremeceu. De repente, achou-se muito frágil, deitado daquela forma. Levantou-se num pulo, manteve os olhos no cavaleiro.

— O que você quer? — gaguejou.

Benedict trazia uma bandeja com um jarro e dois cálices. Pousou-a numa mesinha (atrapalhado e gracioso na medida certa com as mãos ocupadas), fechou a porta atrás de si.

O cardeal recuou um passo.

— O que está fazendo aqui?

— Trazendo uma bebida. — Benedict deu um sorriso triste.

Melquíades balbuciou alguma objeção, mas nem ele próprio estava dando ouvidos. Benedict serviu o líquido nos dois cálices (fumegava e exalava um cheiro bom), entregou um ao cardeal. Melquíades encolheu-se, como se fosse uma ameaça, mas o outro manteve o braço esticado. Sem saber o que fazer, o cardeal aceitou. Benedict puxou uma cadeira e sentou, pegando o outro cálice para si e bebendo um gole.

— Meus pêsames — disse Benedict.

Foi como estourar um balão. O sentimento simples, óbvio, que lhe fora negado. As lágrimas explodiram para fora de Melquíades. E, à medida que saíam, ele se sentiu esvaziar do horror. Como precisara ouvir aquilo! A mais leve conexão com outro ser humano trouxe o inesperado — alívio.

Uns instantes, e Benedict levantou-se e chegou perto do cardeal. Pousou a mão em seu ombro, com a firmeza certa para demonstrar sinceridade, puxou-o de leve para si. Melquíades chorou em seu ombro.

Depois de um longo tempo, emergiu.

— Foi horrível. Todas, todas mortas.

— Pode me contar, se quiser.

O cardeal contou uma versão desencontrada da história. Benedict ouviu, consternado.

— Beba isto — disse o cavaleiro. — Vai ajudar.

— Eu não bebo.

— É minha receita especial. Só vai sentir gosto de mel.

O cardeal experimentou um gole recalcitrante, surpreendeu-se com a doçura da bebida. Entornou o cálice.

— Por que veio aqui? — disse Melquíades.

— Achei que você precisava de alguém com quem conversar.

— Você nunca...

— Não. Nunca. Mas há pouco eu era prisioneiro. Preciso de todos os amigos que puder conseguir. — Sorriu, dando de ombros. — E acho que você também.

— A garota ordenou que viesse?

— Jocasta não sabe que estou aqui. Se você acha que eu e ela somos aliados, está bastante enganado. O único aliado de Jocasta é Derionde.

Melquíades aceitou mais vinho adocicado. Sua expressão conspiratória falava sobre confirmação de suspeitas e certeza de que não estivera fantasiando.

— Eles acham que tenho uma crise de histeria — disse o religioso. — Mas é verdade. Eles estão juntos.

— Fale mais.

Melquíades falou. Explicou suas teorias, reclamou do tratamento que lhe davam os outros três, voltou de novo e de novo ao massacre no convento. Como se abrisse as comportas de uma represa, deixou sair tudo que estivera guardado. Aos poucos, Benedict estava mais perto. Quando percebeu, estavam ambos sentados na cama.

— Às vezes fico cansado da intriga e da política — disse o cavaleiro. — Parece que somos peões, não pessoas. Parece que não temos sentimentos.

Melquíades concordou, secou mais um cálice.

— Como você se sente, Melquíades?

Pausa.

— Sozinho.

— Eu também.

Benedict escorregou um pouco mais para perto.

— Vamos ficar sozinhos — aproximou o rosto — juntos.

Seus lábios tocaram os do cardeal.

Melquíades pulou para trás, gaguejando, gesticulando sem saber o quê. Derrubou os cálices.

— Calma — disse Benedict.

— Os cálices, eu...

— Não importa. Nada importa. Esqueça os cálices, a Igreja, a Voz.

Aproximou o rosto de novo.

— Lembre apenas de você, Marion.

Então segurou seu ombro e sua nuca com firmeza, e beijou-a. No início houve resistência, mas logo entrega. Benedict desfez os botões da batina e revelou os seios por baixo.

— Como... — A religiosa não conseguiu completar a frase.

— Apenas um cego não enxerga a mulher em você, Marion. Mesmo que se cubra com estes mantos, mesmo que finja, mesmo que tente negar a si mesma. Eu sempre soube.

— Mas meu nome?

— Eu fui atrás.

— Por quê?

— Porque queria saber, é claro. — Beijou-a. — Saber sobre você.

E de novo, e então a batina aberta, e depois a batina no chão. Os lábios desceram pelo pescoço, até os mamilos, as mãos viajaram por todo o corpo intocado. Houve dor, mas a ternura era muito maior, a conexão com um ser humano, enfim com um homem. Um homem que a visse como mulher. Ela chorou, mas eram lágrimas boas.

Benedict ficou um tempo infinito abraçando-a, depois. Marion tentou se cobrir, envergonhar-se, mas ele se deleitava nas dobras de sua gordura. Envolveu-a toda com seu corpo rijo. E não fez menção de sair, de ignorar, de tapar os olhos e os ouvidos.

Repetiram de manhã. Marion hesitou, mas andou nua na frente de Benedict. Ele a admirou, embevecido, sorrindo muito. Conversaram — sobre sua vida, sobre coisas bobas e cruciais.

— E Deus? — disse Benedict. — Não existe mesmo?

Ela riu:

— Vai virar devoto agora?

— Vamos, não seja má. Fale. Vocês O inventaram?

— Existe um paraíso.

Benedict levantou as sobrancelhas.

— Sério?

— Aqui mesmo neste mundo. Deus está lá.

— E onde fica?

Jocasta, na sacada do Palácio Eterno da Voz, frente a sua multidão fiel. Usava a maquiagem pesada, o cabelo esculpido, mantido por uma armação de madeira. Um cetro na mão. Parecia mais do que nunca a Voz de Urag. Os devotos aguardavam suas palavras. As aparições e pronunciamentos eram mais frequentes do que com qualquer outra Voz na história, e povo e nobreza já antecipavam aqueles momentos. Um pouco atrás, Derionde. Ao lado, Pugna.

Derionde sussurrou pela última vez as palavras, repassando o texto decorado. Às vezes imagino que Derionde tenha me escolhido como marionete porque se identificava comigo. Sua profissão era parecida com a de dramaturgo. Naquela época, Jocasta era sua atriz principal.

— Eu sei o que falar, Eminência.

Derionde sorriu.

Porque ele sorria, Jocasta ficou apreensiva. Talvez ele notasse os irmãos no povaréu abaixo. O cardeal afetava fragilidade extrema pela velhice, mas era impossível saber o que era real e o que não passava de fingimento. Talvez seus olhos ainda fossem aguçados.

Jocasta pensava nisso e tomou fôlego, quando foi interrompida pelo próprio Derionde, baixinho:

— Por que há Irmãos da Última Trombeta no palácio, Santidade? Precisamos conversar depois.

E não havia como postergar: ela precisava falar ao povo, ignorando o que o cardeal dissera. Derionde sabia disso. Desconcertando-a daquela forma, quando não podia se defender, deixava-a mais frágil. Ela preocupara-se com os irmãos na multidão, mas o cardeal sabia dos irmãos dentro do Palácio Eterno.

Que fosse, era impossível voltar atrás.

— Povo de Urag — começou Jocasta, ante os aplausos. — Até hoje vim lhes falar de sacrifício, de fé. Pedi-lhes que lutassem pela Santa Igreja.

— Santidade — sussurrou Derionde, mas ignorado.

— Hoje trago algo diferente. Não mais pedidos de sacrifício; uma boa nova! A melhor notícia que um fiel poderia escutar.

Derionde olhou para trás, viu um grupo de Irmãos da Última Trombeta bloqueando a passagem. Pugna Marco Segundo deu um passo em sua direção.

— Nós descobrimos onde está Deus. E eu conclamo todos os fiéis de nossa terra a empreender a busca mais santa, a peregrinação mais importante. Nós encontraremos Urag! Vamos até Ele, para purificar nossas almas e nossa terra.

Derionde esqueceu a velhice, correu da sacada, para dentro do palácio. Interceptado pelos irmãos, Pugna veio logo atrás. Enfiaram-lhe um saco na cabeça.

— Não mais imploraremos para que Deus venha até nós. Não mais vocês ouvirão Suas palavras distorcidas pelas bocas dos mortais. Todos aqueles com fé, amor e coragem devem me seguir até o paraíso.

Ergueu os braços:

— *Até Urag!*

Seus olhos rolaram para cima. Ela sentiu cheiro de álcool, notou as pernas começando a dançar a melodia inaudível. Então expeliu espuma pela boca e começou a falar na língua dos anjos.

Porque mesmo os cardeais subestimavam Jocasta. Mesmo Derionde.

Naquele instante, menestréis espalhavam a boa nova por toda a terra. Arautos gritavam a conclamação, exigindo de nobres e plebeus empreender a mais santa das viagens. Mapas com as rotas marítimas até o paraíso foram espalhados em cada porto. Capitães da marinha e mercadores e até mesmo piratas receberam grandes somas para que aceitassem peregrinos em seus navios. Canções sobre a terra de chuva e sol, que só conhecia primavera e verão, já haviam sido compostas, e circulavam pelos salões, tavernas e praças. Os nobres e guerreiros em peregrinação tinham o direito de costurar ou pintar um símbolo sagrado sobre seus estandartes.

Uma quarta trombeta.

Toda a terra começou a mover-se em direção ao paraíso, pelas rotas náuticas que só o mais alto escalão da Igreja conhecia.

Sempre fico surpreso com a mente daquela garota. Jocasta beirava a presciência.

A Igreja estivera mesmo escondendo Deus.

— É verdade — soluçou Melquíades, deixando baba grossa escorrer pelo queixo. — Eu contei. Fui eu.

Simas arreganhou os dentes, agarrou-lhe a batina, puxou o outro braço para trás. Com um movimento do pulso, fez surgir uma lâmina saindo da manga. Melquíades rastejava no chão, em meio a pratos semidevorados de bolos e pudins, e protegeu o rosto com as mãos, no aguardo do aço.

Mas Barsoom deteve o golpe, segurando o antebraço de Simas.

— Matá-lo não resolverá nada — disse o gigante, com sua voz de trovão.

— Será satisfatório.

— Somos apenas três agora. Contra Derionde e a Voz.

Melquíades aproveitou a distração e partiu pedaços de bolo e pudim com as mãos, enfiando-os na boca em meio às lágrimas.

— Pare de comer! — gritou Simas, chutando os pratos.

Melquíades rastejou até a comida no chão, continuou a estufar as bochechas.

— Pare de comer — disse Barsoom, sem alterar-se.

Parou.

— Por que revelou a rota a Benedict? — falou o gigante.

Melquíades desabou mais uma vez, incapaz de articular-se.

— Por que você acha? — disse Simas. — Porque Benedict a fodeu.

Choro.

— Bastava isso? Bastava isso para você nos condenar, Marion?

— Cale-se — disse Barsoom. — Ele é um homem. Seu nome é Melquíades.

— Ela é...

— Todos os cardeais são homens — decretou o imenso cardeal.

Calou-se.

Era o que Melquíades — ou Marion — desejava, mas não era verdade. Marion nascera no convento, e seria uma forte candidata a Voz. Um pouco mais velha que Desdêmona, poderia ter conquistado o posto. Mas Desdêmona era mais bonita. Disseram-lhe isso repetidamente, na infância.

Sua inteligência não passara despercebida. Teria capacidade para um alto cargo — se fosse homem. Como mulher, ficaria relegada ao convento, onde por certo iria se tornar madre superiora. Marion queria mais. Fugiu, disfarçou-se e conseguiu ordenar-se padre. Depois de um ano mantendo a farsa, voltou a apresentar-se aos cardeais, e foi aceita.

Aceito.

Como homem, como cardeal.

Tomou as rédeas do convento onde crescera. Sabia que a feminilidade excessiva era origem de diversos males e inconveniências. Assim, instaurou a mutilação genital das meninas. Não precisavam daquelas abas de pele indecentes entre as pernas, ou da protuberância que só servia para pecar. Fez o trabalho de Deus.

E soube que nunca era vista como igual, mas mesmo por isso tentava cada vez mais. Agora amaldiçoava seu próprio nascimento, amaldiçoava ser mulher. Simas copulava com incontáveis servas e prostitutas, e nunca houvera reclamações.

— Tem ideia do que fez? — disse Simas.

— Sim — Marion respondeu, como uma criança.

— Se Jocasta e Derionde encontrarem Deus. — Deteve-se, assustado com a mera possibilidade. — Se fizerem um *milagre* como esse, à vista de todos...

Silêncio.

— Não seremos nada — disse o cardeal magro, recolhendo a lâmina do pulso. Já não tinha forças para a fúria.

— Errado — disse Barsoom. — Nós negamos a existência de Urag. Seremos hereges.

Já no navio.

— Por que trazer o velho? — disse Benedict.

— Eu não deixaria *minha* capital sozinha sob Derionde — disse Jocasta.

O cavaleiro ergueu uma sobrancelha, mirou-a por um instante.

— Isso não é tudo.

Não era. Jocasta devolveu o olhar, com a intensidade da fé:

— Quero confrontá-lo com Deus.

11

— Por que está aqui? — disse Ismael, segurando o queixo de Ganimedes.

— Vim expiar meus pecados.

Era seguro por um grupo dos irmãos, os pulsos amarrados atrás das costas, uma corda retesada ao redor do pescoço. Mal mantinha-se em pé, meio sustentado pelos captores, e tinha uma boa ideia do que viria a seguir. Mas a religião não está preparada para a pronta confissão de seus supostos inimigos, e assim Ismael não soube como reagir.

— Admite ser pecador?

— É claro — disse Ganimedes.

Ismael, Enrico, Mitreia, Rodmilla e os outros olharam-se um instante. Do fundo, alguém teve um lampejo:

— Não podemos confiar na palavra dos profanos!

Os rostos se iluminaram com sorrisos. Ali estava a solução. Mesmo que o intruso confessasse a própria impureza, não era digno de confiança. Quem saberia quais outros crimes estariam em seu passado?

— A única forma de descobrir com certeza é pela dor — sentenciou Ismael.

E assim foi.

Por vezes já fui acusado de crueza excessiva. É fácil e barato arrancar a simpatia do leitor através do puro sofrimento. E, de fato, o relato da violência pode se tornar pouco mais que uma lista ordenada mas vazia de significado, como os gastos e tarefas de um comerciante. Uma escrita feita para atrair sentimento do público. Ou fazê-lo sentir-se culpado, caso não haja a reação prevista. É como se o escritor canhestro falasse *você é um monstro, não se apieda do sofrimento de meu personagem?*

Mesmo assim, sigo aqui de forma honesta, pois foi o que aconteceu. Não foi o pior, nem mesmo de longe, e por isso não peço simpatia alguma. Desnudaram Ganimedes, levaram-no à parte traseira da casa. Não havia os uivos de felicidade, o êxtase do espetáculo que existe quando plebeus testemunham uma execução. Os irmãos levavam a cabo seu dever porque era dever, não gerava alegria.

Mantiveram os pulsos do prisioneiro amarrados atrás das costas, ataram uma corda comprida ao nó. Jogaram-na por cima de uma viga no teto do salão semiescuro, repleto de cadeiras cobertas de pontas metálicas, camas de madeira sinistras, pinças de ferro dispostas em ordem macabra. Ismael disse:

— Por que está aqui?

— Vim expiar meus pecados — repetiu Ganimedes.

O nobre não alterou a face. Chegou um pouco mais perto e pronunciou as palavras devagar e ostensivamente:

— Esconder é o mesmo que mentir, forasteiro. Por que está aqui, em nossa casa?

— Notei que algo diferente acontecia. Quis saber o que era.

De novo, a prontidão da resposta era surpreendente.

— Qual é o seu nome?

— Ganimedes. Fui general da Igreja. Fui general dos rebeldes.

Leve zumbido de vozes pequenas. Conheciam-lhe a fama, é claro. Conheceriam seu estandarte, se o tivesse — Ganimedes entrava em batalha sem brasão algum, ou com um escudo branco simbolizando sua humildade e entrega a Deus.

— Quem está com você?

— Não vou revelar isso. Não posso trair meus amigos.

Ismael sorriu. Agora estavam chegando a algum lugar.

— Sei como isto funciona — disse Ganimedes. — A dor não vai me levar a nada, então revelo tudo que posso. Mas não vou falar sobre os meus companheiros. Não me importo que me mate.

— Por quê?

— Quase já estive morto.

Pausa.

— E tenho certeza de que vou ao paraíso.

A confiança nos olhos cinzentos intimidava. Mesmo preso, nu e amarrado, mesmo prisioneiro, aquele era um general, e sua presença era avassaladora. A fé impressionava — mas, decidiu Ismael, a teimosia dos profanos podia muito bem simular a fé verdadeira.

— Suspendam-no.

Puxaram a corda, suspendendo Ganimedes da viga alta. Ficou ali, pendendo pelos pulsos. Não parece uma tortura muito impressionante, até ser experimentada. Permaneceu assim por uns dez minutos, o peso do corpo forçando os músculos e tendões, e então foi solto. Desabou, subiram-no de novo. Algumas vezes, e a dor era intolerável. Ele grunhia, rilhava os dentes.

— Confesse seus crimes. — Enrico chegou mais perto.

— Quando os cardeais traíram Deus e o povo, lutei contra eles. Matei muita gente. Levantei armas contra a bandeira das três trombetas.

— E o que mais?

— E fiz guerra contra os soldados da Igreja. Fui aliado daqueles considerados inimigos da fé.

Ismael cortou:

— Suspendam-no de novo. Amarrem um peso nos pés.

Uma pedra foi atada nos tornozelos de Ganimedes. O corpo esticava-se, forçando as fibras dos músculos, desprendendo as cartilagens. Ele se sentia estalar, sentia o corpo querendo desgrudar de si mesmo. Foi largado, caiu no chão sobre a pedra, ferindo as canelas. Então erguido de novo. Cutucaram-lhe as pernas com hastes afiadas, fazendo buraquinhos que sangravam. Ganimedes apresentava-se longilíneo, esticado como uma tripa de boi já ficando transparente, prestes a romper. A corda solta de novo, ele gritou — um de seus ombros fora deslocado.

— Não queremos machucá-lo. Conte tudo.

— Querem, sim. Apenas a confissão sob dor é confiável.

Ismael entortou o rosto frente àquela lógica.

— Que bruxaria usou para assumir a forma de um dos nossos?

— Não foi bruxaria — gemeu Ganimedes. — Milagres vindos de muito longe.

— Isso parece bruxaria. Você é um bruxo?

— Não!

Suspenso. Chegou a deslocar o outro ombro, mas depois ajeitaram ambos.

— Confesse, intruso.

— Discordei da Igreja, achei que os cardeais não conheciam Deus. Lutei contra as três trombetas, fiz parte de uma conspiração.

— Fale sobre seus cúmplices.

— Nunca.

Ismael suspirou. Fez um sim com a cabeça, Enrico deu a ordem:

— A jarra.

Soltaram o prisioneiro, mas ataram-no de novo, dessa vez a uma cadeira. Braços atrás do encosto, tornozelos amarrados às pernas de madeira. Seguraram sua cabeça para trás, fazendo com que mirasse o teto. Então botaram um pano sobre seu rosto. Passos chegando perto, o som de água dentro de um jarro.

— Confesse todos os seus pecados.

— Sou pecador! — disse Ganimedes, abafado pelo tecido. — Duvidei dos cardeais, lutei contra a Igreja, aliei-me a seus inimigos.

Uma ordem muda, e despejaram água sobre seu rosto.

A sensação era de afogamento. Ganimedes lembrava de soslaio, com as memórias enevoadas de Vittorio, que o interrogatório deveria derramar a menor quantidade possível de sangue. Assim, aquele método que parecia leve, quase não agressivo, era um dos favoritos. A água entrava pelo nariz e pela boca, numa torrente desesperadora — mesmo que viesse de um mero jarro. O líquido enfrentava o ar que tentava sair, impedia que ele inspirasse. Era como se afogar — mas ainda pior, porque a água fazia força contra. Uns buracos nas pernas, como haviam feito quando ele estava suspenso, parecem mais dolorosos e invasivos, mas essa é a ilusão causada por tudo que tira sangue. A humanidade é criativa para encontrar maneiras de evitar restrições à violência.

— Confesse.

— Usei milagres dos inimigos da Igreja. — Ganimedes tossiu, engasgou, com o pano longe do rosto encharcado. — Matei soldados sob o estandarte das três trombetas.

— Você é teimoso. De novo.

O tecido e o jarro. A água queimava nariz adentro.

— Conte-nos tudo.

— Desobedeci os cardeais. Juntei-me aos rebeldes. Achei que conhecia Deus mais do que os líderes da Igreja.

— Seus companheiros.

— *Nunca.*

— Você faz isso consigo mesmo, intruso.

Enrico, Mitreia e outros examinavam-no de perto. Estava vermelho, olhos injetados, jeito abatido de tanto tossir. Voz rouca dos gritos, corpo trêmulo de dor.

Mas firme.

— E se...? — Enrico deixou a frase no ar.

— Você pensa mesmo isso, irmão? — disse Ismael.

— É o que parece.

Mas só havia um jeito de ter certeza. Ismael decretou:

— O potro.

Muitos puseram as mãos sobre a boca, mas ninguém cogitou desobedecer. Tiraram Ganimedes da cadeira, levaram-no a uma mesa. Havia instrumentos metálicos, roldanas com correntes sobre a superfície. Uma roda com uma espécie de manivela ocupava uma das extremidades. Prenderam seus pulsos e tornozelos em algemas de ferro.

— Fale o resto, intruso.

— Meu nome é Ganimedes, e eu já disse tudo.

— O nome de seus comparsas.

— Isso nunca. Prefiro dor do que deslealdade.

Um gesto, e giraram a manivela.

O potro, como era chamado aquele instrumento, puxava dos dois lados. O princípio era semelhante ao procedimento de suspensão e queda, mas mais brutal. Distendiam o corpo do arqueiro, forçando as juntas. Cada pedaço parecia prestes a descolar, desmontar a vítima por dentro. Ganimedes berrou, berrou, até sua voz sumir.

— Conte o resto.

— Lutei contra a Igreja — num sussurro roufenho. — Fui aliado de seus inimigos. Julguei conhecer o divino acima dos cardeais.

Giraram a manivela.

— Os nomes, Ganimedes. Os nomes.

— Nunca.

Giraram.

Ganimedes não soube dizer o tempo que passou assim. Pareciam horas, mas acho que não teria sobrevivido, se fosse o caso. Eles examinavam-no, olhavam seu rosto com interesse genuíno. Lágrimas corriam, as palavras ficavam mais fracas, a expressão se contorcia, mas os olhos eram iguais. O cinza pétreo, firme, na mesma história, as mesmas palavras.

— Apenas confesse — disse Ismael. — Diga que você odeia Deus e é um bruxo. Diga que você trabalha para o diabo. Diga que você quer ver a Igreja em ruínas.

Ele chegou a abrir a boca.

— Apenas fale isso. — Ismael tinha um tom suave, doce. — Fale isso e o sofrimento acaba.

Era instigante. Tentador. Ganimedes não conseguia pensar em nada que desejasse mais do que alívio. Uma faca na garganta, uma morte rápida, *fim.* Qualquer coisa além parecia fantasiosa. Qualquer coisa a menos, insuficiente. O grande objetivo era o esquecimento, o sono.

Melhor confessar.

— Eu — deteve-se.

Estaria traindo. Traindo a si mesmo. Fizera tudo aquilo para estar vivo. Se renegasse sua essência, admitisse aquelas mentiras, estaria se matando. Talvez boa parte fosse verdade para Atreu — mas não para ele. Ele era Ganimedes. Não queria ver a Igreja em ruínas, mas em esplendor. Não odiava Deus — amava-O acima de tudo.

— Nunca — ele disse. Desfiou mais uma vez o rosário de crimes que cometera. — Meus pecados foram esses, e mais nenhum.

Um gesto de Ismael, e a roda começou a ser girada.

— E se for verdade? — disse Enrico.

Abriram-lhe a boca à força, derramaram um preparado de cheiro intenso. Ganimedes sentiu a cabeça nadar, a realidade líquida. Notou que colocavam-no em outra cadeira. O polegar esquerdo encostado em algo metálico, então outra superfície de metal chegando-se por cima. Era um torno, e começou a ser apertado. Ele deu um grito mudo. O preparado obscurecia o pensamento, mas não mascarava a dor.

— Quais foram seus crimes?

— Rebeldia. Aliar-me aos inimigos da Igreja. A presunção de saber mais que os cardeais.

— Irmão! — disse Enrico. — Ele está falando a verdade.

— Os nomes de seus cúmplices — insistiu Ismael.

E Ganimedes esteve com os sons na língua — *Penélope, Dragomir.* Não havia filtro entre o cérebro e a fala, a informação queria saltar livre. Mas:

— Não. Não posso traí-los.

— Ele está mentindo — disse Ismael.

— É impossível mentir sob o efeito do óleo santo — disse Enrico.

— Não revela os nomes.

— Isso não é mentira, irmão. É lealdade.

Pausa.

— Se for mesmo sincero, vai aguentar mais um tempo no potro.

E de volta à cama de madeira, às algemas de ferro.

— Confesse.

— É isso. — Ganimedes não gemeu, não berrou. Falou como o fato mais simples. Como a verdade. — É apenas isso.

Tiraram-no do potro. Carregaram-no a uma sala vazia, sob uma escada. Seus pés arrastavam no chão, porque as pernas estavam feridas demais para funcionar. Jogaram-no no quartinho, fecharam a porta.

Perdeu a consciência. Depois de um tempo, acordou com a fresta de luz pela porta. Era Ismael:

— É verdade, não?

Ganimedes respondeu qualquer coisa.

— É verdade. Você notou que havia algo de errado com os cardeais. Julgou conhecer Deus melhor do que eles. Lutou contra suas injustiças.

Sorriu, e então completou:

— Assim como nós.

O nobre foi até ele, afagou-lhe o ombro. Olhou em seus olhos cinzentos.

— Você não é nobre, mas é um general. É um de nós. Bem-vindo aos Irmãos da Última Trombeta, Ganimedes.

Nem mesmo os fanáticos encontravam nele a maldade. Havia nos Irmãos o desejo genuíno de redenção, de fazer o bem, e isso impedia que executassem-no por conveniência. Talvez por isso estivessem vivos — distorcidos que fossem seus princípios, apegavam-se a eles até a última consequência.

— Vamos encontrar Deus, Ganimedes. Você vem no nosso barco.

Se Atreu me ouvisse, ficaria decepcionado, acharia que a religião ainda me domina. Mas é essa minha impressão: Ganimedes era puro.

E como se encontraram?

Encontraram-se porque aquela rota continha todos os barcos do mundo. Era uma peregrinação em massa, e via-se naus o tempo todo, não existia oceano vazio. Penélope e Dragomir haviam fugido de Colina Seca, afastado-se e reunido uma tripulação para percorrer o caminho até o paraíso.

Tinham achado D'Agostini, porque D'Agostini quisera ser achado. Topara com marinheiros levando o mapa, recebera-o como se fosse um panfleto religioso, em um porto esquivo onde fazia parada. Vira a carta náutica com piratas, como aqueles com quem eu navegava, e com desesperados e náufragos e gente em uma canoa inconsequente enfrentando o mar bravio. Idiotas de fé completa agarravam-se a tábuas meio podres, restos de embarcações mortas, ainda segurando o mapa na boca. O almirante careca e bigodudo, o senhor dos mares, sabia que encontraria os rebeldes naquele percurso, e assim foi. Na verdade, precisara esquivar-se para não ser ele mesmo encontrado por quem não queria. Penélope e Dragomir e D'Agostini estavam juntos, quando encontraram Ganimedes.

Mas não é possível confiar tanto em mim, nem na veracidade da minha história. Não sou puro como Ganimedes, certamente não estou acima da mentira.

Encontraram um navio à deriva. De médio porte, as velas de qualquer jeito, meio rasgadas. As cordas cheias de nós, indo a lugar nenhum. Acharam estranho e abordaram. Lá estava o arqueiro, sozinho, de joelhos, no convés. Rezando.

D'Agostini foi até ele, mais rápido que todos. Então Penélope, e Dragomir ficou para trás. Os guerreiros de mar e terra de D'Agostini compunham a tripulação dos rebeldes, e guarneceram as duas naus.

Mas não havia o que guarnecer: além de Ganimedes, só cadáveres.

— O que aconteceu? — disse o almirante, chacoalhando o arqueiro pelos ombros.

— Precisei — disse Ganimedes. — Não havia escolha. Foi preciso.

Enrico tinha a garganta cortada. Ismael fora atravessado por uma espada. Mitreia jazia com duas flechas nas costas. E assim com todos os nobres, com toda a tripulação de servos.

Eram loucos. Eram um grupo de fanáticos.

— Eu os traí.

E, para garantir que fosse resgatado por seus amigos, Ganimedes rezara.

Dragomir e Penélope chegaram perto. Agora eram os quatro, com uma tripulação guerreira, rumo ao paraíso.

— Eu os matei — disse Ganimedes. — Matei todos.

— Não se preocupe — disse Dragomir. — Pelo menos, estiveram vivos até o fim.

12

Se estivesse escrevendo outra história, eu diria que Atreu julgou ter morrido, estar no paraíso. Não desci (ainda) a algo tão prosaico, e também não é nada próximo da realidade. Atreu não pensou em recompensa eterna, em paraíso ou Urag, não só por causa de si mesmo.

Também porque estava livre.

O clarão que o recebera com a porta aberta foi o sol. Estava no deserto, ainda, embora já não tão inclemente. E o vulto tomou forma e mostrou sorrir, era um homem forte e amistoso, de ombros largos, queixo quadrado, cabelos encaracolados muito negros, reluzentes. A barba por fazer dava um toque de desleixo à beleza clássica, encimada por olhos bem azuis. Quando ele deu as boas-vindas, foi sem reserva alguma.

As portas do mundo se abriram para Atreu, mais uma vez, e ele estava livre. Finalmente.

Passando ao lado de fora, viu o exterior do prédio. Pouco mais que um galpão, embora reforçado. Lembrava uma prisão em miniatura, uma construção retangular quase sem janelas, com paredes de pedra, cercada por uma grade alta e pontiaguda. Havia um curioso gramado em volta, contradizendo o deserto, e esse era só um dos prodígios. A grama era dura, resistente, cercada por pedrinhas decorativas. O homem que o recebera tinha os pés descalços, flexionando os dedos para aproveitar a textura do gramado. Também havia uns guardas. Tinham uniformes, mas nenhum que Atreu reconhecesse: armaduras de inúmeras placas, que se encaixavam de formas engenhosas, cobertas por roupas fechadas, de andar no deserto. Carregavam escudos sem brasão e lanças que sugeriam algum mecanismo em suas hastes — Atreu ainda não entendia.

— Por que não tira as botas? — disse o homem de cabelos negros.

— Que lugar é este?

— Aconselho aproveitar um pouco. Não há muitos outros jardins em Contago. Parece fazer muito bem aos pacientes que recebem alta.

Atreu hesitou. Tirou as botas, esfregou as solas dos pés na grama. Era uma sensação agradável.

— Que lugar é este?

— Contago — disse o estranho.

— O que é Contago?

— É melhor que você veja por si.

E é claro que Atreu não concordou. Fugira de uma prisão para acordar em outra, e não tinha respostas, nada que garantisse segurança. Ele não seguiria aquele desconhecido até lugar algum e, só depois de saber detalhes, aceitou ir. Mas não é assim que vou contar a história, pois diminui o impacto. Atreu ouviu sobre Contago e depois viu o povoado, mas apresentarei tudo de uma só vez.

— E quem é você?

— Meu nome é Heron — estendendo a mão, ainda sorrindo.

Foi um caminho comprido até a cidade. Atreu viu o sol descer na borda do mundo enquanto viajavam. Pararam para comer, trocaram comentários meio inócuos.

— O que era aquela prisão? — disse Atreu, no acampamento.

Heron mastigou e engoliu uma bocada de ração seca.

— Não é uma prisão. É um hospital.

— Conheço hospitais. Não vi nenhum barbeiro de avental ensanguentado, ninguém aplicando sanguessugas.

— É um hospital diferente. Você estava infectado, Atreu, mas acho que conseguimos purificá-lo. Pelo menos não deve estar contagioso.

— Infectado com o minério divino?

— Não se preocupe, vou explicar tudo mais tarde.

Era enervante, mas a razão logo ficou clara: por algum motivo, Heron não podia falar na frente dos guardas. Eles, por sua vez, mantinham-se alheios às perguntas, conversavam de assuntos banais.

Dormiram a maior parte da noite, chegaram pela manhã. Atreu viu primeiro a espira, despontando no horizonte.

— Vamos para aquela formação rochosa?

— Não é formação rochosa, meu amigo — riu Heron. — É um observatório.

Mas como podia ser tão alto? Ou os olhos pregavam peças? Atreu chegou a Contago e entendeu. Era uma cidade murada. Torres de vigilância em pontos estratégicos, e um reluzir das guaritas altas revelava que, em cada uma, havia uma luneta. Eram instrumentos raros, em geral usados apenas por oficiais navais. No entanto, ali, por quaisquer sentinelas. E a torre que era um observatório erguia-se muito alta, no meio da cidade, mas era só a maior dentro de uma floresta de prédios ambiciosos. Cruzaram os portões e Heron foi saudado por guardas. A primeira coisa que Atreu notou foi um aqueduto. De pedra esbranquiçada, alto sobre colunas, fazia parte de algum engenho que trazia água de fora da cidade — de longe, do subterrâneo, vencendo o deserto.

A segunda coisa que notou foi com o nariz:

— O cheiro... — começou meu amigo.

Heron abriu de novo o sorriso.

— É o que geralmente ouvimos — disse ele. — Cheira a quê?

— Não cheira a nada.

Não fedia. Não havia o odor de fezes, animais e podridão que se acumulava em qualquer cidade, principalmente por trás de muros. Mesmo em Sudário do Louco e mesmo na luxuosa Colina Seca confirmava-se a regra: onde havia ajuntamento, havia disenteria. Mas aquele cheiro de nada traía algo a mais.

Os olhos de Atreu se afogaram. Imediatamente, o olfato transportou-o a sua infância, à Academia. Sentiu a mão larga de Heron em suas costas.

— Vamos. Há muito mais para você ver.

Na manhã da cidade de Contago, o povo saía de suas casas, dando início ao trabalho. Eram gente alta, forte, bem nutrida. Não se via marcas de varíola, nem o acinzentado de uma vida inteira na beira da enfermidade. Ao sorrir para Heron, os cidadãos mostravam ter todos os dentes. As janelas se abriam no segundo, terceiro, quarto, quinto andares. Crianças andavam em grupo, rumo a uma escola. Cada prédio tinha sinalização escrita indicando sua função — não as tabuletas desenhadas que conhecemos em nossa terra. As lojas começavam as atividades, e logo Atreu viu uma tenda que vendia livros — *livros* — e outra que oferecia esculturas, quadros, peças de cerâmica. A música de um saz remeteu-o às lições com seu mestre, Aquelau. Parecia uma cidade comum, mas idílica. Limpa, letrada, saudável.

Que lugar era aquele?

— Contago — foi a resposta óbvia de Heron.

Uma patrulha de guardas aproximou-se deles. Liderada por um homem que parecia ser um oficial, um sujeito de pele bronzeada e elmo adornado por asas empalhadas. Sua armadura ostentava dragonas e distinções. Cumprimentou Heron:

— Bom dia, burgomestre.

— Bom dia, capitão — sorrindo.

Os dois trocaram um beijo carinhoso nos lábios. Então o capitão da guarda voltou-se para Atreu:

— Este é o recém-chegado?

— O próprio — respondeu Heron. — Ainda está confuso. Vou levá-lo para tomar desjejum e se lavar.

— Lave-se você também. — O oficial sorriu debochado. — Está fedendo.

Como se fosse estúpido, Atreu só conseguia formular um pensamento: *Não, ele não cheira a miséria.*

— Vejo você em casa, Askel.

Despediram-se com outro beijo. Então Heron levou meu amigo a uma casa enorme, perto do centro da cidade, passando por uma clepsidra e uma praça cheia de esculturas perfeitamente realistas. Apresentou um quarto de hóspedes e uma latrina, disse que iria esperá-lo na cozinha.

— Bem-vindo a Contago, Atreu.

Sei o quanto isso parece ridículo, mas Atreu conseguiu ordenar os pensamentos apenas na latrina. Porque estava sozinho e porque ficou examinando o mecanismo. Estavam em terreno árido, mas não faltava água. Os dejetos eram tragados por uma espécie de tubo, então empurrados por água num engenho simples e brilhante, que funcionava pela gravidade. Parece risível, é claro. Até que se perceba o que Atreu notou logo de início: aquelas pessoas não conviviam com os próprios excrementos. Somente por isso já eram mais fortes, mais saudáveis, mais limpas.

Saiu do quarto e passou por uma sala repleta de livros. Na cozinha, havia uma mesa farta esperando por ele.

Atreu sentou-se e começou a comer. O burgomestre informou uma das regras básicas de Contago:

— Sirva-se do que quiser, mas não desperdice. Nunca.

Meu amigo concordou.

— O que quer saber primeiro? — disse Heron.

— O que é este lugar?

O outro voltou a sorrir.

— Esta é uma cidade de renegados, Atreu. Renegados e seus descendentes. Aqueles que são considerados indesejáveis pela terra do outro lado do mar. Foi fundada por nossos antepassados.

— Como têm tudo isso?

— Indesejáveis, hoje e outrora, são aqueles que pensam demais. Nossos patriarcas construíram uma cidade inteira a partir desse crime.

Contago, assim conhecida porque fora fundada por hereges e criminosos, perto do local de grande contágio com o minério divino. Uma cidade projetada, planejada por mentes brilhantes — brilhantes demais para nossa terra. Onde o conhecimento podia ser transmitido, preservado, ampliado.

Atreu tinha mais perguntas, mas algumas eram difíceis de formular. Pedaços de sua própria vida pareciam distantes, absurdos.

— Sei o que você está sentindo — disse Heron. — Mas algumas perguntas só poderei responder fora da cidade.

Nada se encaixava direito.

Comeram e voltaram às ruas. Heron era abordado por todo tipo de pessoas, em busca de ordens e aprovação. Sabiam que escoltava um novato, então levavam a ele só o que era mais urgente.

— Você é o lorde? — disse Atreu.

— Aqui não há lorde.

— Burgomestre, que seja. Mas é o líder?

— Até ano que vem. Então, elegeremos outro.

Atreu piscou. Contago elegia seus líderes, segundo a vontade da maioria.

— Mas isso ainda não é perfeito — disse Heron. — Nossos estudiosos trabalham em um sistema melhor. Em algumas gerações, não precisaremos de governo.

Atreu demorava a entender. Como escolhiam o burgomestre? Como aquilo se originara? Uma garota de cerca de doze anos passava perto, carregando uma braçada de livros, e Heron chamou-a. Ela se aproximou, cordata, respeitosa.

— Níria, responda-me algo.

A menina fez uma mesura.

— O que acha da ideia de alguém governar para sempre, simplesmente por causa de seu nome?

Ela riu.

— Que absurdo! — disse Níria. — Quem daria a alguém esse direito?

— E se essa pessoa fosse um guerreiro muito forte?

Ela não parecia entender.

— Digamos que, por sua força, ele tomasse o poder — explicou Heron.

— Por que faria isso?

— Não importa. Digamos que acontecesse.

— Não duraria muito — disse Níria. — Todos juntos seríamos ainda mais fortes.

O burgomestre mandou-a voltar a seus afazeres.

Enxergar o mundo por outro ângulo é sempre desconcertante. O governo absoluto, derivado de uma linhagem, parece mesmo absurdo quando submetido a escrutínio. Mas uma parte do enigma faltava. Algo não se encaixava, e Atreu não conseguia precisar o quê.

Visitaram outras partes de Contago. Um hospital — este dentro dos muros da cidade, onde cirurgiões costuravam pacientes feridos, usando anestésicos poderosos. Heron explicou sobre como evitavam várias doenças, extraindo raspas de pele, feridas ou fluidos infectados e inoculando pessoas saudáveis. Há algumas gerações, haviam descoberto que a doença era causada não por maldições ou desequilíbrio de humores, mas por organismos minúsculos, invisíveis a olho nu. Era possível preparar o corpo para combater os invasores. Algumas pestes haviam sido erradicadas, pois toda a população desenvolvera resistência.

Entraram no observatório. Era a torre alta que Atreu vira de longe. Continha um aparato imenso com uma série de lentes, que permitia divisar corpos celestes impossivelmente distantes. Lá também eram conduzidos estudos ópticos de todo tipo — estavam em processo de desenvolver um aparato que permitisse enxergar coisas minúsculas, confirmar com observação as teorias médicas.

— Todos são... — Atreu começou, mas não conseguiu formular.

— Sim?

— Fortes. Saudáveis.

— É a ciência, meu amigo.

Heron explicou sobre como haviam descoberto que características físicas e mentais eram passadas de geração em geração — por processos previsíveis e bastante simples. Desencorajavam pessoas muito doentes de ter filhos.

— Cruel — disse Atreu.

— Mas necessário. É impossível proteger um povo em crescimento desenfreado, e mantemos a população numa quantidade viável. Há muitos métodos pelos quais é possível fazer sexo e não procriar.

Aquilo também chamara a atenção do recém-chegado. Casais de todos os tipos — pares de homens, de mulheres ou mistos — circulavam pela cidade. Ninguém parecia prestar qualquer atenção especial.

— E por que seria diferente? — disse Heron.

Visitaram um museu, uma biblioteca e um mercado. Um quartel da guarda, onde os soldados treinavam com pequenos canhões portáteis e experimentava-se um protótipo de veículo blindado, como uma carruagem de metal. Mas havia poucos soldados nas ruas.

— Não é muito necessário — esclareceu o burgomestre.

— Sempre é.

— Garantimos que todos tenham o que comer, que conheçam desde cedo seu papel na comunidade. Por que seriam criminosos? Poucos cometem o crime pelo crime, a violência pela violência.

— O que acontece com esses?

— São mandados para o hospital onde você esteve.

— E se não forem curados?

— Morrem. Não os queremos.

Falta de caráter ou competência, não importava: o imperfeito não era encorajado.

A sujeira não manchava as ruas de Contago, como acontecia em qualquer outra cidade que Atreu conhecia. Não só porque não se jogava o conteúdo de penicos janela abaixo — também porque não parecia haver depredação, desenhos obscenos nas paredes, vandalismo. Atreu indagou também sobre isso, e Heron explicou em termos simples, quase condescendentes: por que alguém destruiria sua própria casa? Todos em Contago entendiam seus direitos e privilégios, e seriam responsabilizados por suas falhas. Por que depredar à noite o que deveria ser consertado na manhã seguinte?

Algo ainda não se encaixava.

— Eliminamos a principal causa da violência, Atreu. Mas isso você só poderá entender fora da cidade.

Voltaram ao deserto. Atreu pensava em sua vida pregressa, aquilo por que lutara. Tudo parecia tão absurdo. Não fazia sentido.

— Não vê o que está faltando? — disse Heron.

Não.

— Deus, Atreu.

Urag faltava. O forasteiro vira museus, hospitais, bibliotecas, escolas, quartéis, lojas, oficinas, livrarias. Mas nenhuma igreja.

— Contago não conhece a religião. Por isso temos paz.

Era evidente. Mas Atreu esquecera-se de Urag — porque, no hospital, fora libertado.

— Eu estive num lugar assim — disse meu amigo. — A Academia, onde fui criado. Não havia doutrinação, mas não era como aqui. Nunca chegamos perto deste nível.

— Você está enganado. Até onde sabemos, Contago é única. A questão não é acreditar ou duvidar, ter ou não fé. *Ninguém em Contago conhece a ideia de Deus, Atreu.*

Devagar, a compreensão.

— Não basta duvidar — disse Heron. — Somente conhecer o conceito, cogitar a possibilidade, já é daninho. Gerações atrás, descobrimos como a religião funciona. No momento em que uma comunidade é infectada, a religião começa a se espalhar. Então dificilmente há volta. A religião distorce, provoca ódio. Seja contra ou a favor.

Guerreiros lutavam pela Igreja, lutavam contra a Igreja. Mas lutavam. Matavam, queimavam, destruíam.

— Você diz que foi criado sem religião. Mas a conhecia?

Sim.

— E o que aconteceu?

Desastre.

Atreu lembrou-se de Derionde chegando nos navios da Igreja. Na Academia, eles aprendiam Urag, como uma opção. Houvera uma capela no castelo principal. E seu amigo, Abranto, traíra-os, em nome de Deus. A ideia fora inserida, e tomara a mente do garoto em pouco tempo. Como...

— Como uma doença — disse Heron.

Silêncio. Atreu digeria o conceito.

— Deus é uma doença.

Assim como uma praga, explicou o burgomestre, a religião se alastrava. Era tentadora demais, atraente demais. Sugeria que a morte não era morte. Que, apesar da pobreza e da infelicidade, a vida era apenas um prelúdio — sugeria que o sofrimento era bom, que havia recompensa na eternidade.

— Lutei contra a Igreja — disse Atreu — e não cheguei longe.

— É impossível lutar. A infecção é invencível. Você viveu em torno de Deus, mesmo dizendo não acreditar. Você é motivado pelo ódio. Se nunca tivesse sido infectado, consegue imaginar como seria sua vida?

Visões da Academia. Ele achou que choraria de novo.

— Por isso não podemos falar de Deus em Contago — disse Heron. — A ideia não pode ser inserida, ou começará a contagiar nosso povo. Nunca houve um Discurso Santo na cidade, e nunca pode haver. Ninguém pode se revoltar contra a religião. Ninguém pode *cogitar* o sobrenatural.

— Isso é um dogma. Isso é proibir o pensamento.

— É a única forma de combater. Você viu Contago, e viu as terras da Igreja. O que escolheria para si?

Sem religião, nenhum estudioso era queimado como herege. Sem religião, a ciência não era considerada ameaça. Sem religião, nenhuma forma de amor era banida. Sem religião, não havia um poder absoluto para condenar quem era diferente e perdoar atrocidades dos fiéis. As pessoas não viviam sob intimidação, não aderiam a um certo comportamento por medo do inferno.

— Você entende o que fizemos? — continuou o burgomestre. — Retiramos a ideia do *absoluto*. Crentes podem acreditar na própria bondade, não importa o que façam, porque acham que Urag está a seu lado. Se não houver o bem absoluto, se tudo for pensado em relação aos seres humanos, poucos têm coragem de ferir outra pessoa.

Pausa.

— Você é um guerreiro, Atreu. Se não tivesse *fé* em sua própria causa, conseguiria matar um inimigo?

Não sabia.

Sem religião, não havia guerra santa. Sem religião, não havia governos arbitrários ou líderes sem mérito. Sem religião, não havia rituais sem sentido. Em Contago, as pessoas faziam o que era produtivo ou o que dava prazer — nada que só servia para agradar a uma suposta divindade.

Contago era um lugar pacífico porque havia a verdadeira moralidade. Não a bondade artificial, advinda do medo, mas a compreensão de consequências.

— Como você conhece Urag? — Atreu sentia-se tonto.

— Sou um dos poucos. Apenas um punhado conhece o inimigo. Temos o dever de manter a comunidade limpa. Quando meu tempo como burgomestre acabar, passarei uma temporada no hospital. Lembrarei de algo, mas serei purificado da infecção.

O burgomestre compreendia rudimentos da doutrina macabra do mundo exterior. Detalhes suficientes apenas para proteger o povo, num conhecimento secreto e codificado que era passado sucessivamente a quem desempenhava a função. Heron era incapaz de infectar com aquelas noções nebulosas.

— Nunca ninguém *criou* a religião?

— Pense, Atreu. Uma figura que tudo sabe, tudo vê, tudo pode, no céu. Uma criatura que criou o universo, toda-poderosa, mas que se preocupa com a posição das velas num altar ou com as palavras de uma litania. Um ser mágico bondoso, mas que exige sofrimento e adulação. Um criador que ama Seu mundo, mas que irá vingar-Se pela eternidade se for desobedecido. Faz sentido?

Não.

— Perguntaremos a qualquer criança que se voluntariar a depois ser purificada, e ela dirá que é absurdo. Ninguém inventa Deus espontaneamente. Todas as crianças nascem sem Deus. Só com o convívio são infectadas.

Em Contago, não havia vergonha do sexo. Ensinava-se como evitar filhos e como se portar, como evitar doenças. Por alguma razão, a Igreja temia o sexo — talvez porque é algo libertador, que empresta poder a qualquer um, e que todos têm a seu alcance. Sem a vergonha, criava-se uma população orgulhosa, que nada tinha a esconder, que não temia a si mesma.

Atreu sentou-se à sombra de uma rocha para raciocinar. Uma sociedade que vivia por aquilo em que ele acreditava. Um povo que não precisava ser salvo, não exigiria que ele fosse um guerreiro. Havia escolas, centros de pesquisa, hospitais, conservatórios. Ele poderia se dedicar à matemática, à engenharia, à música. Havia bibliotecas.

Não havia Deus. Não havia por que lutar.

— Esta é Contago, Atreu. Você é bem-vindo a ficar.

Não havia ideias proibidas, exceto uma. Não havia livros profanos — exceto o Discurso Santo. Apenas um dogma a ser seguido.

— Se aceitar, você precisa deixar para trás o que conhece — disse Heron. — Esqueça sua luta, esqueça seus inimigos. Esqueça a Igreja. Não há espaço para odiar Deus em Contago.

Deixar tudo para trás e viver na utopia.

— E então, Atreu? Qual é sua resposta?

13

PELAS AÇÕES DE JOCASTA, HAVÍAMOS ENCONTRADO O RUMO ao paraíso. A mentira de Pharoux provara-se verdade involuntária; por intervenção divina, se me permito o termo, por intervenção da Voz de Urag, chegáramos à praia mais santa. Entre minha última participação nesta história e o que narro agora, nada acontecera, ou tudo. O mundo estivera em navios, na mesma rota de nosso barco. Não fomos os primeiros a enxergar a morada de Deus.

Mas era linda.

Nossa nau de assassinos efervesceu ao primeiro terra à vista. Os piratas, convertidos improváveis a uma religião tardia e compreendida pela metade, adquiriram um renovado fervor, e ocuparam os remos sem precisar ou aceitar ordem, disputando cada espaço. Remaram como uma tempestade, esquecendo o próprio cansaço. Faziam os braços arderem e então eram substituídos por outros voluntários. Eu nunca vira tal demonstração de desprendimento em meio a tão baixo caráter.

O Bispo Calímaco ensinou-lhes uma canção de trabalho, que ditou o ritmo até o fim.

Então entramos em uma baía de águas turvas por tamanho movimento. Três navios ancorados, deixados à própria sorte e em estado de lástima. Marinheiros não deixam um navio sozinho, mesmo preso por âncora, mas qualquer bom senso fora abandonado há muito naquela peregrinação. Havia destroços flutuando nas ondas, testemunhas dos desastres de grande parte dos viajantes. Havia corpos boiando, em variados estados de decomposição, e tubarões rondavam, atraídos pela carne.

Nosso navio baixou âncora a uma distância segura, os marujos desceram os escaleres. Amontoavam-se em cada barquinho, querendo ser os primeiros a chegar. Alguns despencavam lá embaixo e não perdiam um momento em começar a nadar. Vi pelo menos dois dando um ganido curto de terror, sumindo na água subitamente vermelha, quando tubarões morderam-nos e arrastaram-nos ao fundo. Os outros não pareciam notar. Gritavam *Deus! Deus! Já chegamos espere por nós espere por mim onde estão minhas virgens?*

O bispo passara a viagem tecendo histórias sobre as maravilhas do paraíso. Eram contraditórias entre si, mas os piratas não reclamaram. As recompensas aos justos (e todos que chegassem ao paraíso eram justos, por definição) variavam de uma existência eterna e pacífica, ao lado de Deus (algo que não se mostrara atraente ao público), até um suprimento cada vez maior de donzelas puras, mas muito dispostas a perder sua pureza.

— Faremos o jogo das palhinhas para escolher quem fica para trás, cuidando do barco — disse Pharoux. — E essas são palhas santas, usadas na fogueira que martirizou uma Voz da antiguidade, então escolherão com sabedoria.

Abriu um de seus sorrisos enormes, imitando os tubarões lá embaixo. Mas, num fenômeno raro, ninguém lhe deu atenção.

Todos estavam ansiosos por desembarcar.

— Bispo, meu bom bispo, cuja beatice é rivalizada apenas por seu estômago. — Pharoux envolveu Calímaco com seu braço comprido. — Diga a meus ingratos filhotes que seu papai dos mares precisa que fiquem aqui.

— Ah, capitão, não posso fazer isso. Acho que eles não perderiam o desembarque no paraíso por nada!

— Diga-lhes então que minha espada dará a ordem por mim.

— Ninguém aqui tem medo da morte, meu capitão. Afinal, todas as almas sabem nadar, e veja como estamos perto da salvação eterna.

E foi assim que Pharoux perdeu o controle de seu barco. Todos abandonaram o navio. Até mesmo ele, até mesmo eu. E, é claro, Calímaco, que irradiava alegria ante a perspectiva de rever sua amada Felícia.

Entramos no último escaler. Os piratas mais devotos saltavam antes de chegar à areia e chapinhavam até a terra seca. Então saíam correndo, perdendo-se como desvairados na natureza luxuriante.

O paraíso começava no cheiro. Ao salgado do mar, juntava-se um aroma forte, intoxicante, de frutas preenchendo cada galho. Porque o paraíso era uma floresta. Uma mata densa, bem verde, com árvores de todos os tipos. O chão, depois da estreita faixa de areia amarela, era atapetado com frutas caídas por maduras demais, contribuindo com o perfume muito doce. Quando nosso barquinho encalhou na praia, ergui-me e logo fui saudado por um zumbido múltiplo, de incontáveis insetos. O paraíso tinha mosquitos gordos, e logo senti uma picada no braço.

Não sei se foi a dor aguda e súbita, mas pareci acordar. Eu não fazia a menor ideia de onde estava. O único homem ao meu redor que não era um assassino tinha um sorriso besta estampado no rosto, uma satisfação antecipada em reencontrar sua esposa morta. E a floresta estaria cheia de peregrinos, fanáticos e outros que eu não podia supor. Ri sozinho do absurdo.

Calímaco ergueu as saias da batina, ajoelhou-se e beijou a areia da praia. Então seguiu determinado, rumo à floresta.

Fomos atrás. O que mais havia a fazer?

Além de frutas, havia flores. Dezenas, centenas, milhares de flores. Era uma abundância que eu não conhecia, duvido que qualquer um em nossa terra conhecesse. Aquela fartura excessiva, que tornava possível simplesmente estender o braço e tocar em algo belo, perfumado ou doce, era-me alienígena. Sons estranhos, de animais que eu não conhecia, preenchiam o ar, sobre o tapete de zumbidos de inseto. Pássaros que cantarolavam com assobios quase humanos, lamentos contínuos e roucos, batidas ligeiras e rítmicas que quase lembravam tambores marciais.

Uma borboleta do tamanho do meu rosto passou bem à minha frente, exibindo asas rosadas, azuis e negras. Notei uma revoada de cores fortes, primárias, à minha esquerda. E, por toda a volta, árvores, árvores em número infinito. Eu não sabia como a Voz descobrira aquele lugar, ou quem o escondera, mas era fácil imaginar por que achavam ser o paraíso. O paraíso é o diferente.

Calímaco era o único que não parecia assombrado com nossos arredores. Erguendo a batina, liderava o percurso, com uma expressão determinada que era cômica em sua cara redonda e bonachona. Suava como uma fonte, bem vermelho no calor abafado, mas não se deixava abalar. Era como se conhecesse o caminho. Liderava uma comitiva desencontrada — eu, Pharoux, dez ou doze piratas. O resto da tripulação espalhara-se, já nem lhes ouvíamos mais os uivos de louvor. O paraíso era grande e labiríntico, engolia os homens sem deixar rastros.

Avancei para emparelhar com o bispo.

— Aonde estamos indo?

— Até Deus, é claro.

Sem querer, lancei um olhar para Pharoux. Ele não parecia mais confortável com a situação do que eu, mas tinha uma espada, o que fazia toda a diferença.

— Bispo, como sabe...

— Eu não sei, jovem Iago. É preciso ter fé. Se for nosso destino chegar até Urag, então chegaremos.

— Não acha que devíamos ter um plano?

— A providência divina nos trouxe até aqui. Duvidar agora seria quase uma heresia.

De repente, sorriu:

— Além disso, estou indo encontrar meu amor. O amor é sempre espontâneo, não?

No Farol dos Órfãos, eu alternara entre julgar Calímaco um louco ou um velho libidinoso. Acho que ele mesmo não tivera certeza do que era, mas a viagem dera-lhe um empurrão definitivo.

Andamos por horas. Mesmo os marujos estavam cansados, com pés sangrando. Eu, ainda que estivesse quase recuperado dos ferimentos e endurecido por meses de jornada, fuga e quase-morte, já estava à beira de cair. Tinha entrado numa espécie de transe, no qual caminhava no passo dos demais, sem perceber. Caso eu prestasse atenção às minhas sensações, notaria a dor extrema nos músculos das pernas. Então afundei numa dormência de pé, cheguei a sonhar alguma coisa, tendo consciência vaga dos arredores. Os piratas começaram a reclamar. Não obtendo permissão para um descanso, rebelaram-se e pararam. Mas Calímaco continuou, sem lhes dar importância, então mudaram de ideia e continuaram a marcha. Um deles fez um rápido estoque de frutas gordas e roxas, estourando de tão maduras, do tamanho de um punho. Guardou-as numa espécie de trouxa que fez com o tecido da camisa. Durante o caminho, foi devorando-as, deixando o suco colorido escorrer pelo queixo.

Eu perdera a noção do tempo, mas não estava sozinho. Outros diziam que já deveria estar escuro, o dia tinha horas demasiadas.

— Não deve anoitecer no paraíso — disse alguém.

Mas provou-se errado. A despeito da demora, o sol começou a descer. No lusco-fusco, Calímaco concordou em interromper a marcha. Vi algo, notei que Pharoux também vira.

No chão, muito perto de uma raiz saliente, algo confundia-se com as pedras. Estava coberto de limo, cogumelos e outras coisas da floresta, mas sua forma se traía para os atentos. Era uma pedra, mas diferente — esculpida por mãos humanas. Pouco menor que a cabeça de um homem, um restolho de ângulos retos, encravado no solo. Devia ter feito parte de alguma construção. Abaixei-me para olhar, e lá estavam os padrões visuais entalhados. As decorações espiralantes e abstratas que protegiam contra as emanações do minério divino.

Pharoux encontrou meus olhos. Eu não esperava nenhuma cumplicidade, mas não evitei um pequeno susto com o que notei. Ele me olhou com o ar sinistro e pragmático dos predadores. Em um instante, pude ver que me avaliou como um objeto, um pedaço de carne, então disparou a mesma olhadela ao bispo.

Eu e o capitão víramos o fragmento de uma ruína dos antigos. Talvez aquele fosse o primeiro sinal, ou talvez tenha sido o grunhido do marujo: um dos homens despencou no chão, logo começou a vomitar. Duas, três, quatro golfadas, seu corpo ainda corcoveava, querendo expulsar algo, então expeliu sangue. Ficou assim por um tempo, e seus companheiros afastaram-se instintivamente. Parou de convulsionar e prostrou-se nas poças de nojeira, incapaz de se mexer. Ficou ali, tremendo, emitindo gemidos fracos. Seu queixo todo babado de sumo roxo.

— Não comam as frutas do paraíso — disse Calímaco, dedo em riste. — Não sabemos o que Urag deseja que provemos.

Pharoux já reunira os piratas em torno de si.

Eu queria um sono sem sonhos, só descansar por tantas horas quanto pudesse, mas fui assaltado por uma miríade de imagens conflitantes. E não só imagens: impressões vagas, uma inquietação por conceitos abstratos, medo de um tamanho ou uma textura. Uma saudade difusa de alguém que eu não conhecia.

Fui acordado às sacudidas pelo Bispo Calímaco. Mal amanhecia. Pharoux também já estava de pé.

— Cuidado com ele — falei ao bispo, ainda grogue.

— Cuidado com quem, jovem Iago?

— Pharoux.

— O que ele pode fazer? Estamos tão próximos de Deus!

— Aqui não é o paraíso, bispo. São ruínas dos antigos. Assim como o Farol.

Deu um sorriso de quem tudo sabe, sabendo nada:

— Ou ruínas dos anjos.

Afinal, para ele, tudo fazia sentido. Eu tinha alguma ideia do que era o minério divino, por minhas visões de Ashcroft e Azabeth e pelo que testemunhara quando vi a cirurgia de Pugna Marco Segundo. Mas, para um homem qualquer — e ainda mais para um religioso —, o minério era a logofania, a encarnação do Verbo divino. A palavra de Urag feita matéria. Encontrar as ruínas associadas ao minério era a prova de que estávamos perto de Deus. Cada vez mais, eu compreendia Atreu: pessoas religiosas eram assustadoras.

Levantei-me com dificuldade, a sensação de que havia repousado poucos minutos. Os piratas gemiam e reclamavam, mas notei que havia entre eles um ar conspiratório. O homem que passara mal ainda estava vivo, mas prostrado. Ninguém fez menção de erguê-lo.

Seguimos marcha, e ele foi deixado para trás.

— Precisamos saber aonde vamos, Calímaco — insisti.

— Isto é um novo batizado. — O bispo mantinha os olhos à frente, limpando suor das pálpebras gordas. — Aceite estar cego, surdo, mudo.

— Mas Pharoux...

Emudeci.

Não posso dizer que não esperava algo assim. Meu pensamento torto de escritor presumia que algum sinal ou augúrio fosse se apresentar, mas julguei que a única testemunha seria o bispo.

Mas eu também vi.

Vi Felícia.

Eu não a conhecera, somente ouvira a ladainha de seu saudoso marido e vira o retrato desbotado e rústico em seu salão. Mas enxerguei uma jovem à frente, olhando-nos, no meio da floresta. Ela estava sorrindo, e era evidente que seus traços, seus cabelos crespos em uma juba larga, seu pescoço comprido, eram a expressão refinada e real da pintura de tempos atrás. Mais ainda: havia uma impressão de Felícia, de sua personalidade e sua presença, mesmo que eu não tivesse parâmetro de comparação. Naquele sorriso, pude notar tudo que o Bispo Calímaco falara de sua amada, o tempo de separação dos dois, o afogamento.

É claro que seria uma alucinação, um tipo de truque daquele lugar. Calímaco disparou rumo a Felícia, acompanhei sua correria. Claro que seria ilusão, ele nunca chegaria. Mas então chegamos, ela estava ali mesmo, a meio metro de nós, e Calímaco estendeu a mão. Obviamente seus dedos passariam através, seria algo etéreo, mas ele a tocou e o tecido de sua manga se enrugou. O bispo abraçou-a e ela abraçou de volta. Eu também estiquei o braço e senti a resistência muito real de sua bochecha, cutucando-a com um dedo como uma criança estúpida. Ela se virou para mim, contrariada.

Então, pisquei, e não estava mais lá.

Os piratas nos alcançaram.

— Era Felícia — disse Calímaco, as íris se afogando. — Era ela, jovem Iago.

— Eu sei.

Não duvidei mais do caminho, embora não soubesse qual seria o destino. E, se fosse mesmo Deus, eu já não ficaria tão surpreso.

Temerosos de comer as frutas, contávamos com as provisões que trouxéramos do navio. Achei que Pharoux fosse nos proibir de comer, mas ele ordenou que as rações fossem repartidas entre todos. Dois dos homens foram caçar, contrariando a sensatez, e voltaram com um animal deformado. Parecia uma ratazana, mas bem maior, do tamanho do tronco de um homem. A coisa estava viva, mas mal conseguia se mexer. Sua espinha projetava-se sob o couro, e era partida em duas, formando um vão meio repugnante no centro. Desprovido de qualquer coordenação, o animal debatia-se e gemia. Tentava morder um dos homens, mas seu palato também era bifurcado, tornando sua boca bem inútil. Saliva escorria constantemente da fenda.

Ninguém quis comer aquilo.

No meio do terceiro dia, vimos uma muralha quase inteira. Erguia-se por cerca de dois andares, estendendo-se vinte metros ou mais do nada a lugar nenhum. Era grossa e não parecia ser feita de tijolos ou blocos, mas de pedra lisa e homogênea, como se fosse moldada assim. Coberta por um mosaico de ladrilhos, que no passado deveria ter mostrado o mesmo padrão visual conhecido, com motivos florais. No entanto, apenas umas poucas áreas ainda ostentavam a decoração; o resto da parede estava nua, coberta de trepadeiras e limo. Notei que duas silhuetas negras estavam marcadas na muralha, por trás do verde que a recobria, como sombras impressas.

No quarto dia, um grupo de peregrinos.

Primeiro ouvimos os gritos. Era um misto de júbilo selvagem e canto marcial, como a plateia fervorosa que assiste a uma luta em um torneio. Palavras rítmicas, retumbando em muitas gargantas, num frenesi mal contido. Calímaco seguiu inabalado, e seu caminho invisível levou-nos para mais perto do bando. Ouvimos as gargalhadas antes de enxergá-los.

Eram uns trinta. Homens, em sua maioria, e plebeus pelas roupas e pelo jeito. Estavam bastante esfarrapados, traziam as marcas de uma viagem como a nossa, pela floresta inclemente, talvez sem um guia inspirado. Reuniam-se em torno de uma espécie de poste, um fino cilindro de pedra, claramente obra dos antigos. Ao cilindro, estava amarrada uma mulher nua, que era quem gargalhava. Os homens tinham tochas.

— Queimem! — gritou a mulher, em um guincho agudo. — Queimem, porque mereço!

Eles se aproximaram, mas não havia palha, nenhum combustível. Apenas estenderam as tochas, para que o fogo tocasse os seios desnudos, a barriga, o rosto.

— Queimem! Tirem o diabo de mim!

Então os cabelos se incendiaram. Ela berrou, mas sorria. Da barriga, brotou um vagalhão de sangue, como se algo dentro dela estourasse. Pude ver pedaços do que julguei serem órgãos escorrendo do interior da mártir, e ela seguia gritando em êxtase. Mas não havia combustível, o êxtase era prolongado, repetitivo nas tochas lambendo-lhe o corpo todo.

Comecei a sentir dor nas têmporas. Talvez só pelo choque, mas talvez pelo minério divino. Esperava que aquela atrocidade fosse fruto da loucura do minério. A alternativa era repugnante demais.

Encontramos sinais da passagem de outros grupos, mas nenhum parecia ter um rumo certo. Mais de uma vez, cadáveres frescos, deixados para trás. No mar, soubéramos que muitos navios nunca completariam a viagem. Aqui, os peregrinos pareciam igualmente perdidos. Talvez fôssemos nós mesmos os que tivessem mais certeza.

Encontrávamos mais ruínas, mais fragmentos da civilização antiga — ou dos anjos. E, notei, as árvores ficavam cada vez maiores. Outros não davam atenção. Afinal, toda aquela fauna já era exuberante demais. Mas as mesmas plantas que víramos perto da praia ali repetiam-se agigantadas. Com a mesma forma, mas em dimensões expandidas. Inchadas, altas demais para sustentar a si mesmas. E era só o começo das estranhezas: uma parte da floresta parecia chamuscada, mas só de um lado. Como se uma onda de fogo houvesse passado por ali e deixado uma face intacta. Não parecia algo recente: o negrume não desprendia nos dedos, já era entranhado na casca das árvores. Os pedregulhos e elevações de terra também mostravam a queimadura.

Notei uma revoada de pássaros, mas dessa vez não eram coloridos e extravagantes. Pelo contrário: todos brancos, as penas quase translúcidas, de uma palidez doente. Comecei a notar um fungo negro grudando-se em raízes e perto do solo. Alastrando-se bem, prosperando.

Então, entramos na floresta vermelha.

Se digo vermelha, é um exagero, mas não era menos impressionante. Folhas marrons e alaranjadas, num tom quente homogêneo. Nada tinha a ver com outono, e nem era a mesma tonalidade. Como se, aos poucos, a floresta houvesse decidido mudar de cor, a princípio de forma sutil, depois por completo. Era abundante, viva como o resto, mas seus galhos mostravam-se retorcidos. Não se erguiam ao céu, apontavam para direções aleatórias, contrariando leis da natureza ou de Urag.

E então a floresta vermelha acabou, subitamente. Era um descampado, com grama escassa.

À frente, a fortaleza.

— Estamos chegando — disse Calímaco.

— É ali — entusiasmou-se Calímaco. — Felícia, estou indo!

Havia esqueletos de animais pontilhando o caminho, mas o bispo não dava atenção. Eram ossos mais semelhantes a pedras, endurecidos e por alguma razão não dissolvidos ao longo de sabe-se lá quantos séculos. Ossinhos ocos e delicados de pássaros, caveiras lupinas cheias de dentes, vastas carcaças de ruminantes.

A fortaleza erguia-se, com algumas torres e espiras, mas boa parte estava oculta por uma espécie de muro. Então vi: não era muro, mas uma cerca viva. Lembrava pouco a sua origem, pois crescera desordenada com o tempo de abandono, e ainda havia uma qualidade compacta, ajardinada, que traía o que fora originalmente. Fechara-se em si mesma, é claro, não deixando entrada, no entanto, os piratas cortaram um caminho, e então penetramos no jardim.

Que já era uma selva, porém reconheci sua função original. Havia uma mureta baixa, na altura dos joelhos, fazendo um labirinto complexo. O labirinto cercava a fortaleza por todos os lados, em um perímetro circular, e já estava coberto de gavinhas, vegetação, raízes teimosas. Em algumas partes, podíamos simplesmente levantar as pernas e passar por cima do murinho, mas, em outras, a vegetação trancava a passagem, e devíamos acompanhar o labirinto. Quase sempre havia um cipó ou galho trancando a passagem, e era preciso desbastar, como se estivéssemos em um mundo perdido.

O que não deixava de ser a verdade.

Comecei a sentir dor de cabeça. Pulamos por cima de mais uma seção do muro, quando segurei o ombro de Pharoux, sem pensar nas consequências.

— Precisamos acompanhar o labirinto.

O pirata me deu um risinho condescendente. Falou com sua voz de ovo cozido que eu estava inventando desculpas para postergar o encontro com meu Criador, que julgaria meus pecados e minha masturbação excessiva.

— Você não entende — eu disse. — O labirinto não está aqui por nada. É um padrão visual. Protege contra o minério divino.

— Nada vai protegê-lo contra o julgamento de seu papai do céu, Iago!

— Nós vamos morrer, seu animal. Se tivermos sorte. Este local está emanando a energia do minério. Se ignorarmos a proteção...

Comecei a ouvir tambores ritmados. Uma batida, depois outra, deliberada, lenta. Primeiro achei ser algo militar, mas a impressão que me veio foi fúnebre. Então uma trombeta comprida. Vinha de trás: alguém entrava no labirinto.

— Sigamos — disse Pharoux, em seu vozeirão empolado. — Pois as hostes do inferno estão atrás de nós! Não há nada que os diabos gostem mais do que almas e esfíncteres. Protejam ambos, rapazes!

Os piratas levaram a sério.

Eles seguiam cortando caminho, passando por cima da mureta. Calímaco à frente, alegre, cego para o que não fosse seu objetivo. Virei-me para dar meia-volta. Melhor ficar sozinho e arriscar a morte do que acompanhá-los e garanti-la. Além disso, vinha gente atrás — mesmo que fossem loucos, eu poderia me enquadrar em outro grupo, que provavelmente não seria tão cheio de ameaças quanto aquele.

Mas o sabre de Pharoux me deteve.

— Você é um menino fujão, Iago? Terei de botá-lo na coleira, levá-lo por aí para passear, deixar que mije em árvores e cheire o rabo de outros escritores?

Engoli.

— Você não vai a lugar nenhum, seu peralta. Vai ficar comigo. — Cutucou-me com a lâmina. — Ou pelo menos deixar um pedacinho seu aqui, para fazer-me companhia.

— Não sirvo para nada, Pharoux, você mesmo disse isso. Vocês vão morrer. Deixe-me ir embora.

— Ah, mas eu menti, porque tinha vergonha do forte sentimento que nutro por você, meu efebo saltitante. Você *tem* utilidade.

Aumentou a pressão pontiaguda.

— Preciso de ouro, sabe. Para minha avózinha doente. Depende de mim, coitada.

— Você tem o saque dos peregrinos — falei, como um palerma. — Tenho certeza de que já chega para sua avó.

— A velha tem hábitos caros! Está arruinando as finanças da família. Você vai ajudar minha avózinha, Iago.

Aproximou a lâmina do meu nariz.

— Ruínas dos antigos estão cheias de tesouros, e não vou arriscar minha pele tão bem decorada ali dentro. Você vai entrar e trazer coisas preciosas para mim.

A trombeta soou de novo às nossas costas.

Assim, eu não tinha escolha, e acompanhei-os. Notei que os piratas mantinham olhos vigilantes em mim. Pharoux portava-se como um palhaço, mas não era bobo: eles podiam ser devotos de Deus, mas eram ainda mais devotos do saque, e ali apresentava-se a mãe de todas as chances de pilhagem. Eu poderia tentar fugir, e morrer com certeza, ou acompanhá-los e morrer com quase a mesma certeza, muito mais dor e maior lentidão. Ou, com muita sorte, alcançaria quem quer que viesse por trás e poderia torcer para que não me queimassem vivo.

Ah, a vida de aventureiro explorador.

Os piratas tinham espadas, o que tornava toda argumentação fútil. Ao longo dos anos, descobri que as armas, e mais ainda a disposição de usá-las, raramente vêm acompanhadas de grande raciocínio — talvez porque tornem-no obsoleto. Assim, não adiantava repetir que eles estavam condenando todos nós, que seria melhor seguir o labirinto. Piratas gostam de atalhos. Aparentemente, bispos também, pois todos seguíamos Calímaco.

— Ah, mais um beco sem saída! — lamentou-se o religioso. — Alguém seja caridoso e abra um caminho para nós, sim?

Foram a ele com seus cutelos. Acompanhei, com a cabeça latejando. Calímaco não demonstrava nenhum desconforto.

— Não está sentindo? — eu disse.

Ele me olhou sorridente, como se esperasse o resto.

— Sentindo dor — expliquei. — Sentindo a proximidade do minério divino. De Deus, que seja, bispo, não está sentindo? Nós vamos morrer.

— Tenha fé, jovem Iago.

Comecei a tremer sem controle. Meus dentes batiam. Eu estava *realmente* só.

— Eu não tenho fé, Calímaco. Não adianta ter fé.

— Faça como eu. Estou pensando em Felícia.

Limpou o suor de sua careca. Podia ser absurdo, mas ele não sentia o mesmo que eu, ou ao menos não demonstrava.

Seguimos pela passagem aberta. Ouvi mais uma trombeta — o som era abafado pela vegetação, tornava-se confuso. Era difícil determinar a distância. Mas uma reverberação suave, um tremor de leve, sugeria que muita gente estivesse já dentro do labirinto, andando atrás de nós.

Foi então que vimos os primeiros esqueletos.

Eram humanos. Houvera restos mortais na planície lá fora, mas aqueles eram os primeiros dentro do labirinto. Nada restava de suas roupas, mas fragmentos de peças metálicas, quase totalmente corroídas pela ferrugem, sugeriam que fossem gente de nossa civilização — não os antigos. Ao vermos isso, notei os piratas fechando o cerco ao meu redor. Se precisavam de confirmação, ali estava — aquele lugar era perigoso, era necessário um boi de piranha.

Trombeta. Também um vozerio, mas a distorção da distância, do som absorvido pelas plantas — talvez da confusão que eu já sentia — não permitiu que discernisse o que era.

— Sempre em frente, menino preguiçoso. — Pharoux incentivou-me com seu sabre.

Comecei a enxergar embaralhado. Apoiei-me em um dos piratas. O tempo parecia transcorrer lentamente, mas com rapidez redobrada fora de minha atenção. Os minutos demoravam uma eternidade, mas notava que havíamos feito muito progresso de repente — as horas voavam.

Um pirata desabou, ficou para trás. Pelo menos eu não era o único.

Senti algo no rosto, passei os dedos, vi que uma espécie de flocos esbranquiçados, como uma neve seca, havia voejado em nossa direção, vindo da área em frente. Tentei limpar-me.

Minha coordenação se esvaía, os movimentos mais simples eram um desafio. Calímaco seguia inabalado, focado em Felícia. Para imitá-lo, tentei pensar em Lubna.

Minha visão clareou. Eu ainda sentia dor de cabeça, mas pelo menos conseguia pensar direito. Um dos bandidos cutucou o fundo da boca e retirou um dente. Examinou-o com surpresa.

Os tambores funéreos continuavam. Mais e mais próximos. O vozerio já se distinguia como algum tipo de canção.

— Estamos chegando perto! — disse Calímaco.

Eu não sabia se o grupo que vinha atrás de nós seguira o labirinto ou cortara caminho, mas ganhavam terreno rapidamente. Talvez, mesmo tentando ser diretos, tivéssemos andado em círculos. A vibração característica de muita gente marchando em uníssono reverberava nas muralhas de vegetação.

De repente, distingui as palavras:

— Toquem algo mais alegre.

E o ritmo dos tambores acelerou. As trombetas acompanharam, num tom crescente, do grave ao agudo, vitorioso. A cantoria se seguiu, harmoniosa como se advinda de bastante treino. Reconheci: cantigas religiosas infantis, mas entoadas por gargantas adultas. Só o que quebrava a harmonia era o fervor excessivo. Aquela gente queria berrar sua devoção.

— Isso mesmo! — disse alguém atrás. — Fiquem felizes, pois é nosso o Reino dos Céus. Agora é muito tarde para todos os outros se arrependerem. Os justos finalmente chegaram.

Quem falava era uma mulher.

— *É Jocasta!* — Agarrei a batina de Calímaco.

Pharoux não ficou impassível. Alguns de seus homens olharam para trás, instintivamente. Ouro ou a Voz, o que seria melhor?

— Mais rápido, bispo — disse o capitão pirata.

— Ora, não se pode acelerar...

Pharoux meteu o sabre em seu rosto, abrindo um talho na bochecha.

— Vamos chegar a esse lugar antes da vadia, bispo. Pharoux nunca sai de mãos vazias, entende?

Acima da religião, acima do amor, o metal afiado emprestava uma perspectiva muito clara a qualquer situação.

E as trombetas chegando mais perto.

Um pirata cortou a última passagem por cipós e gavinhas, e a fortaleza revelou-se à nossa frente. Meu nariz sangrava, minhas unhas estavam amolecidas, mas eu sobrevivera. Havíamos perdido alguns homens no caminho, mas estávamos lá.

— Na casa de Urag — disse Calímaco.

Era uma fortaleza magnífica. Maior que o Palácio Eterno da Voz, muito mais elaborada. Não era só a mais impressionante ruína dos antigos que eu já vira (que qualquer um já vira), era a visão que mais se destacava em minha vida toda. As torres eram altíssimas, recobertas de detalhes artísticos. Cada metro quadrado era decorado. Notei que mesmo os pontos mais altos apresentavam-se muito claros à nossa visão, sem distorções — sua arquitetura compensava o ângulo e a imperfeição dos olhos humanos. Janelas coloridas resistiam à passagem dos séculos, mostrando cenas magníficas de alguma guerra do passado. Arcadas e pórticos eram esculpidos na forma de ondas, nuvens, grinaldas de flores. Colunas imensas tinham a aparência de lindas jovens, tão semelhantes à realidade que pareciam prestes a piscar para nós. Outras colunas eram finíssimas, mais esguias do que meu pulso, mas sustentavam blocos imensos, por algum milagre de engenharia. Seções inteiras da parede externa eram feitas de algum tipo de cristal, refratando a luz do sol e espalhando-a em múltiplos arco-íris. Fontes — agora secas — brotavam das quinas, na forma de bocas de dragões, jarros carregados por sereias, taças colossais seguras por ninfas. A fortaleza atacava a visão. Convidava a uma vida toda examinando suas belezas. E era só o lado de fora.

No centro de tudo, imensas portas duplas. Entreabertas, como se chamassem os temerários. Pude ver sua grossura — um metro e meio, mostrando camadas sucessivas de metal, pedra e o que parecia ser diamante. Cobertas dos padrões visuais contra o minério.

Já era possível notar a movimentação nas folhagens, atrás de nós. Ouvi passos pesados, que reconheci como pertencendo a Pugna Marco Segundo. A parte mais alta de um estandarte espiava por cima da vegetação, oscilando com a marcha.

Voltei a olhar a fortaleza. Com todo o fulgor artístico, eu ignorara os dez ou doze esqueletos dispostos ao redor dos portais.

— Já para dentro — Pharoux cutucou-me.

De repente, um pirata gritou:

— Deus! Ouro! O que seja, estou indo!

E correu para o interior da construção. Desapareceu portas adentro, e então houve silêncio.

Um momento, dois, e ouvimos um berro. O homem voltou, como se fugisse de algo. Senti meu estômago revoltar-se: sua pele derretia, sua carne desfolhava, desprendendo-se dos ossos. Um olho caiu, solto, e espatifou-se no chão, como se feito de vidro. O pirata despencou junto aos esqueletos.

Vi uma lâmina cortar a folhagem, atrás de nós. Em nossos calcanhares. Ouvi o timbre distinto de Benedict:

— Santidade, alguém já está aqui.

Até mesmo Calímaco embranquecera com a morte do primeiro explorador.

— Vocês me arrastaram até aqui — rosnou Pharoux. — Agora entrem. E tragam-me tesouros.

Para reforçar, espetou a virilha do bispo.

— Santidade, alguém já está aqui!

Os piratas nos empurraram ao interior da fortaleza, com as mãos e as lâminas. Apesar da espessura, as portas eram levíssimas — uma folha moveu-se na dobradiça com um leve toque de meu ombro.

— Boa sorte, anjinhos — disse Pharoux, com seu sorriso dourado de tubarão.

E fechou as portas atrás de nós.

A origem da doença

1

A PORTA SE FECHOU ATRÁS DE NÓS. POR ENQUANTO, TUDO AINDA estava escuro. Por enquanto, tudo ainda era real.

O alarido que vinha de fora cessou. As paredes grossas da fortaleza isolavam todo o som, e foi como se eu e Calímaco estivéssemos mesmo em outro mundo, um paraíso feito de silêncio. Sem sentir, agarrei a manga da batina do bispo. Ele devia estar acostumado àquilo com sua paróquia simplória no Farol dos Órfãos, porque deu tapinhas na minha mão e deixou que eu ficasse ali, segurando-o como uma tábua flutuante após um naufrágio.

Dor de cabeça. Mais e mais forte.

— Precisamos sair daqui — eu disse. — Vamos morrer trancados.

— Tenha fé, jovem Iago.

Eles já deviam ter chegado, a Voz e os soldados da Igreja. Eu só podia imaginar o que acontecia atrás da porta, um combate entre piratas e fiéis de Jocasta. Um massacre, pela lógica, com Pugna Marco Segundo de um lado e bandidos esfarrapados de outro. Eu não sabia o que Jocasta pensaria de mim ou de nós, o quanto ainda restaria da garota louca, mas bem intencionada, o quanto dela já se transformara em mais uma arma dos cardeais. Como eu, como Atreu. Dependendo da resposta, sair da fortaleza poderia ser uma nova sentença de morte, sob espadas santas. Mas ao menos eu conhecia espadas. Fui tomado por tremores, a morte ali na fortaleza seria dolorosa e lenta, desconhecida e anônima. Naquele momento, trocaria tudo por meio metro de aço no bucho.

Larguei a manga de Calímaco e me debati um pouco contra a porta. Havia uma espécie de maçaneta, mas não era nada que eu conseguisse compreender. Um mecanismo oculto, com um pequeno orifício onde talvez se encaixasse uma chave. Dei um chute na estrutura impassível, para poder dizer que fizera alguma coisa, já sabendo como era patético.

— Venha comigo — disse Calímaco, muito sorridente, e andou.

Ensaiei uns passos na direção dele, voltei e esmurrei a porta. Minha preocupação era morrer da forma mais digna possível. Não queria que, no futuro, alguém visse meus restos e dissesse que no final eu acompanhara um bispo e tentara chegar até Deus.

Acho que já estava louco.

— Venha comigo, jovem Iago.

— Este lugar está impregnado de minério divino. Nós vamos morrer.

— Você repete isso desde que chegamos à praia, e não parece muito morto. Não tenho a mínima intenção de morrer, e me entristece que você se entregue com tanta facilidade.

Olhei-o por um tempo. Ele retomou a caminhada, às cegas, falando as últimas palavras para o corredor à frente, o som ecoando para mim.

Algo surpreendente aconteceu: à medida que o bispo avançava, sua presença parecia ser notada, porque houve luz. Globos de cristal acenderam-se como se houvesse lampiões em seu interior, e exalaram uma luz branca e pura. Algo semelhante ao que eu já vira nas lembranças do passado, no túnel abaixo do Farol dos Órfãos. Alguns globos estavam rachados ou quebrados, e ignoravam Calímaco. A maior parte acendia-se em sucessão, logo à sua frente, como arautos que o anunciassem.

Era mesmo um milagre. Eu estava errado o tempo todo, e era mesmo um milagre — mesmo que eu, talvez mais do que ninguém, tivesse conhecimento de que era só magia dos antigos. Naquela hora, tinha certeza de que era um milagre. Eu estava mesmo louco. Corri para alcançar Calímaco.

O corredor era extravagante. Largo como a maior de nossas estradas, botava vergonha mesmo no Palácio Eterno da Voz. Nossas canções e histórias falam de castelos maravilhosos, com corredores onde quatro homens podem ficar ombro a ombro — mas isso é mentira de escritores e bardos, um artifício para que vários personagens possam estar na mesma cena. E também, suspeito, ocorre porque a maioria dos que escrevem nunca esteve nos castelos dos maiores nobres, e imagina algo muito mais superlativo do que a realidade. Nossos castelos, com exceção do Palácio Eterno da Voz, têm corredores estreitos onde dois adultos espremem-se para passar lado a lado, mas aquela fortaleza da civilização antiga equivalia a nossas histórias. Talvez superasse-as. Uma procissão poderia passar dentro do corredor sem problemas, e tenho noção de quanto é tacanho maravilhar-me por um corredor. Isso só ilustra como somos limitados, como o passado foi superior.

As paredes estavam cobertas dos padrões visuais abstratos e florais que, eu sabia muito bem, protegiam contra o minério divino. As inúmeras rachaduras talvez fossem responsáveis pelas falhas na proteção, ou talvez fosse o que vimos mais adiante. Além dos padrões, havia altos-relevos nas paredes, cenas magníficas de homens e mulheres vestidos em roupas exóticas e elaboradas, navios de muitos mastros sobre mares esculpidos. Flutuando sobre os navios havia objetos que reconheci como semelhantes à insígnia de Pugna Marco Segundo — eram como navios, mas em forma de charutos, cilindros de nariz arredondado com mastros, voando entre as nuvens. A pedra era esculpida com tal perfeição que parecia algodão transformado em mármore, uma delicadeza estonteante que me dava vontade de chorar.

Calímaco seguia em seu rumo à frente, como se fosse puxado por linha e anzol. Mantinha-se focado, enquanto eu tinha olhos por todo o arredor. E a dor de cabeça aumentou, senti uma pontada forte que veio acompanhada de um clarão e então um escuro que durou duas respirações. Segurei meu crânio, senti algo úmido. Quando consegui enxergar de novo, vi sangue.

Eu sangrava da borda do couro cabeludo. Alarmado, cutuquei a área, tentando avaliar o estrago. Só mais umas gotas, e o sangramento parou. Então fiquei ainda mais horrorizado, pois notei que meu escalpo descolava sem sangrar. Se eu empurrasse com o dedo, a pele se desprendia facilmente, e isso foi muito mais enervante.

— O que vamos fazer, Calímaco? — berrei.

— Eu já lhe disse há bastante tempo, Iago. Concentre-se. Pense no que você quer.

— Quero viver.

— Mas que péssimo objetivo! Só viver? Quer apenas acordar outro dia com remelas nos olhos e defecar e achar algo para comer e ter dor de dente? Esse é o limite de suas ambições?

Tudo aquilo me parecia delicioso. Bom demais, até.

— Eu quero Felícia — disse o bispo. — E você viu que ela está aqui, tivemos provas. Estamos muito perto de Deus, jovem Iago, não decepcione-O com seu pensamento tacanho.

Lubna.

Eu tentara antes, e achara que havia funcionado. Lubna. Eu queria, mais do que tudo, mais do que viver, Lubna de volta. Porque ela fora minha atriz principal e eu a havia amado, e mais importante — ela havia me amado. E mais importante, eu a condenara à morte e nunca me despedira. Eu queria que Lubna voltasse para me dizer que eu era bobo e que, se continuasse me lamentando, ela iria me deixar choramingando e ir fazer outra coisa. Eu queria que ela dissesse que era bobagem, que eu não era culpado. Porque, eu secretamente achava, ela não diria nada disso. Diria que não gostou de ser torturada e morrer.

— Felícia, estou chegando! — disse o Bispo Calímaco.

O corredor se abriu em um vasto salão, do tamanho da praça de uma aldeia. Eu não conseguia imaginar qual seria a finalidade de um lugar tão imenso no interior de um prédio, mas os antigos achavam uso, porque podiam. O teto decorado com afrescos abstratos e figurativos era sustentado por colunas finíssimas, esculpidas como renda. Feitas de mármore, mas tão delgadas que pareciam translúcidas. O salão abrigava estátuas (algumas quebradas, outras intactas) mostrando figuras imponentes em uniformes galantes e vestidos magníficos. O que suspeitei ser uma fonte dominava o centro — mas já estava seca, e os peixes, dragões e sereias que deveriam despejar água apenas ficavam imóveis em sua futilidade rachada. Escadarias levavam para cima e para baixo. Mas algo chamou minha atenção acima de tudo:

Logo atrás da fonte, suspensa em uma estrutura de bronze na forma de homens e mulheres, uma gigantesca escultura de três trombetas.

Calímaco se aproximou da coisa e tocou-a, ficando nas pontas dos pés e estendendo bem o braço. Era também feita de bronze.

— É quente — ele disse, alegre. — É quente, aquecida pelo amor divino!

Olhei para trás e vi que eu deixava um tênue rastro de cabelos. Mexi nas pontas dos dedos e uma unha se descolou. De repente, o salão se embaralhou. Vi as esculturas ficarem menores que Calímaco, vi-as muito perto de mim e a quilômetros de distância ao mesmo tempo. Tentei tocar meu próprio rosto e achei que minha mão demorava horas para chegar.

Senti uma dor aguda no lado do rosto e demorei um tempo para perceber que eu caíra no chão, e meus dentes haviam cortado minha bochecha por dentro. Tentei apoiar-me nas mãos, mas meus pulsos estavam fracos, não sustentavam o peso enorme de meu corpo.

— Seu maior desejo, Iago. Vamos, um pouco de esforço, você consegue.

— Lubna. Lubna. Lubna.

Mas havia um problema, é claro.

Eu não conseguia lembrar do rosto dela.

Fora assim desde meus dias preso. Lubna tornara-se uma memória vaga, uma deusa que eu meio criara, e não havia ninguém que a conhecesse. Os outros membros de nossa trupe haviam sido mortos junto com ela. Eu nunca conhecera sua família, não sabia onde procurá-los ou mesmo se existiam. Há anos não havia ninguém com quem pudesse falar de Lubna, ninguém que compartilhasse uma memória ou pudesse oferecer algum detalhe. Eu não tinha, segundo o raciocínio mais frio, nem mesmo muitas provas de que ela existira.

Eu não mais conhecia Lubna.

Calímaco me ajudou a levantar. Fora os olhos muito arregalados, ele não demonstrava nenhum sinal de loucura. Só sua própria loucura de sempre.

— Vou morrer, bispo.

— Talvez.

Arrastou-me em direção a uma escadaria que levava para baixo.

— Como sabe para onde...? — tentei.

— Sei porque Felícia me chama, porque Deus me chama e porque Deus é bom. Ora, Iago, já sou velho. É difícil para mim subir longas escadarias. Por que Urag botaria uma enorme escadaria para cima em meu caminho? Para me torturar? Não seja ridículo!

Começamos escada abaixo. Não era, nem de perto, tão larga quanto o corredor. Comportava nós dois, mas não muito mais. Meus tornozelos estavam molengos, meus pés viravam constantemente. Eu tinha dificuldade de me manter em pé. Perdi o equilíbrio, tentei me segurar em Calímaco, mas meus dedos fraquejaram. Rolei pelos degraus de pedra.

Pelo lado bom, quase não senti dor. Todos os meus sentidos estavam embotados, e avaliei o estrago pela trilha de sangue. Notei algo logo acima, enquanto tentava me erguer. Estendi a mão para tocar: era como teia de aranha, mas os fios eram mais grossos. Como se alguém houvesse espalhado cola de uma parede a outra, e os fios pegajosos formassem barreiras frágeis para nossa passagem.

Mas a cor era azul. Azul bem forte, manchado de laranja que parecia ferrugem. Toquei na coisa, e o fio se partiu instantaneamente. A textura era esponjosa.

Era a substância que eu vira no interior do crânio de Pugna Marco Segundo.

Notei também um brilho forte vindo de baixo.

Atrás, Calímaco parecia estar rezando, repetindo a mesma ladainha de novo e de novo. Mas era só o nome de Felícia. O som silenciou de repente, foi substituído por estrondos horríveis, ruídos de uma batalha. Do nada, o brado de um homem:

— *Venham, desgraçados! Por Nungaland!*

Imaginei se estavam ali, se ainda havia os antigos, se eles iriam me curar com sua mágica e impedir que eu morresse. Então pensei por que estava tão difícil levantar.

A carne de minha mão borbulhava. Já quase não lembrava uma mão. Dois dedos juntavam-se num arremedo de apêndice, que convulsionava involuntariamente. As costas da mão inchavam em uma espécie de bolha. Entre o polegar e o indicador, a pele se abriu. Carne espumosa vazou para fora, mas não houve sangue. Fiapos de nervos emergiram, livres, como minhocas na terra depois da chuva.

Era o minério divino. Eu experimentara, até aquele momento, seus efeitos mais leves, mais inofensivos. Mas aquele era seu perigo real, seu pleno horror. Capaz de transformar homens em monstros, como Atreu encontrara muitos anos atrás. Com minha atenção desconectada do momento, observei as paredes. Elas escorriam, como se derretessem, e eu já não sabia mais o que era alucinação e o que era a distorção do minério. Pequenos pedaços do ar transformavam-se em faíscas ou punhados de areia. Era o minério divino — a Magia Conceitual, como os antigos falavam. Eu ainda não compreendia aquilo (nunca cheguei a compreender por completo), mas sabia que eram os efeitos mais poderosos, capazes de obliterar um enorme pedaço de terra, como acontecera em volta do Farol dos Órfãos.

Ao meu redor, vi Pugna Marco Segundo, vi vários Pugna Marco Segundo. Com o mesmo uniforme azul, o mesmo bigode fino. Avançavam em marcha numa linha ordenada, por uma planície cercada de árvores, enquanto fantásticos cilindros voadores flutuavam sobre suas cabeças. Apontavam seus rifles e disparavam, numa cena empolgante, colorida.

Minha mão contava com apenas um dedo. Meu anelar agitava-se, tremendo, tentando ficar livre da maçaroca de carne borbulhante que engolfava o resto. Notei que minha roupa estava apertada. Em meu peito e meu ombro esquerdo, um fenômeno semelhante ocorria. Meu corpo inchava, distorcia-se ante o minério.

Senti falta de ar. Lembrei das elucubrações de Atreu sobre o corpo humano, do pouco que eu mesmo conhecia. Meus pulmões estavam sendo esmagados por dentro, pressionados pela carne rebelde.

— Por Nungaland! — diziam os soldados na minha alucinação.

— Oh, Iago — disse Calímaco, ao me ver. Então, seu rosto encheu-se de pequenas pústulas vermelhas. De imediato, ele fechou os olhos e continuou sua litania: — Felícia. Felícia. Felícia.

As pústulas retrocederam, dando lugar à pele quase normal.

Tamboretes tocados por garotos marcavam o compasso da marcha dos Pugna.

— Felícia. Felícia. Felícia.

Eu não tinha mais Lubna. Estava prestes a morrer — e, mesmo que não morresse, estava no meio do caminho até algo que não era humano.

Entreguei-me àquelas memórias que não eram minhas. Fechei os olhos e deixei-me ser invadido pela civilização antiga, pelo passado que havia me condenado.

2

Ele era Stephen Icarus Ashcroft, brigadeiro do Segundo Regimento da Real Cavalaria Celeste de Nungaland. Aqueles eram seus homens.

Apenas vinte, e a ilha estava tomada por inimigos — mas um soldado de Nungaland valia por cem rufiões com mutações fenotípicas. Não temiam porque não haviam recebido ordem para tanto, e sequer haviam considerado falhar. Aquela era uma missão de extração rápida, e seu país contava com eles. Pela rainha e pelo dever, que nunca chegasse o dia em que um bravo de Nungaland desse um passo para trás ante as dificuldades.

Aqueles modos furtivos não lhes agradavam. Cada um dos homens, Ashcroft sabia, estava ansioso para erguer as cores da nação e puxar o sabre contra os ratos de Taransilla. Era impossível, porque a guerra não fora declarada. Já há vinte anos ou mais existiam naquele clima de paz fingida, agressão dissimulada, bloqueando rotas comerciais entre as colônias e fazendo movimentos belicosos sem nunca um enfrentamento honesto. A guerra engessada, a paz teatral, era tudo que aqueles jovens conheciam, mas Ashcroft ainda lembrava do início, como grumete na Real Cavalaria Celeste. Achava-se então que uma declaração de guerra viria a qualquer momento, que um enviado estrangeiro chegaria com um documento polido, endereçado ao rei, informando que a situação por fim tornara-se insustentável e que os dois países fariam o que cavalheiros rivais fazem ao se encontrar: duelariam, e que vencesse o melhor.

Nunca aconteceu. Em vez disso, ambos prepararam-se com avanços cada vez maiores na Magia Conceitual. A Magia Conceitual estragava tudo.

Não era hora para conjecturas, e Ashcroft retornou ao presente. Atrás de uma casa — a bem da verdade, uma cabana com teto de palha, típica de uma ilha colonial primitiva — podia avistar seu esquadrão aeroanfíbio, todos escondidos na aldeia, em grupos de três. Ergueu a mão enluvada, fez o sinal para que esperassem. Iria sozinho. Não esperou resposta, pois sabia que fora compreendido e seria obedecido.

Ah, como amava aqueles garotos! Cada um deles! Haviam caído em suas mãos há cerca de um ano, já os conhecia e tinha-lhes uma confiança implícita. O brigadeiro era o mais exigente, cruel e prestigioso comandante dos céus; servir sob ele era tortura e medalha de honra. Antes de partirem, fora exigido tanto memorizar as táticas quanto polir cada botão dourado de seus uniformes. Tanto conhecer o terreno (na medida do possível, pois era uma colônia inimiga) quanto escanhoar o rosto à perfeição. Nada justificava o desleixo e a falta de brio; a Cavalaria Celeste deveria ser o exemplo para todas as forças armadas.

Ashcroft saiu de seu esconderijo, deslizou como uma sombra até um casulo cirúrgico automático, que o deixou oculto mais uma vez. Era uma estrutura tubular com cerca de dois andares, feita de metal. Decorada com os ângulos retos, o preto e vermelho de Taransilla. Algum artista havia pintado um belo mural patriótico no casulo, retratando o povo em marcha, sorrisos e expressões determinadas, liderado por nobres, políticos e oficiais. O brigadeiro sabia apreciar a beleza da arte inimiga, mesmo que seu objetivo fosse fomentar a morte de soldados de Nungaland. Contudo, por trás do prodígio de engenharia e decoração, havia um sinal preocupante: se Taransilla instalara um daqueles aparelhos na ilha, planejavam ocupação a longo prazo.

Ashcroft observou a passagem de um grupo de soldados, aproveitou quando viraram as costas e progrediu ao centro da aldeia. Um grande contingente de recrutas modificados ocupava o vilarejo: os soldados da patrulha tinham fuzis acoplados aos membros, substituindo mãos e, em um caso, a boca. Outros com braços e pernas radiais, alternando-se como as hastes de uma roda de carroça e deixando-os semelhantes a veículos.

E havia as naves, é claro. A ilha estava cercada por três naves de linha (embarcações de grande porte tripuladas por duzentos ou trezentos homens), flutuando em um bloqueio vigilante. Daquele ponto, Ashcroft podia divisar com clareza a *Valorosa*, a maior das três, com sua pintura esmerada, seu nariz arredondado, suas muitas janelas iluminadas, suas linhas de canhões e sua bandeira tremulando ao vento. As velas de probabilidade estavam recolhidas, deixando a nave estática no ar. Além das três, um sem-número de naus menores — brigues ligeiros, transportes de suprimentos, corvetas de escolta e reconhecimento — voejavam de um lado a outro, por cima da ilha. Um contingente grande demais para proteger apenas uma pessoa, mesmo que fosse um cientista renomado.

A missão adquiria importância redobrada: estava claro que Taransilla planejava usar o estudioso na exploração dos ricos recursos da região.

Um indício de guerra próxima.

Bem no centro da aldeia, o inimigo havia erguido uma de suas indefectíveis fortalezas cúbicas. Desagradava ao senso estético do brigadeiro, mas ele precisava reconhecer o brilhantismo e funcionalidade. Tudo feito de cimento orgânico — animais desconstruídos até suas células básicas, unidos a voluntários submetidos ao mesmo processo. Os humanos usavam seu sistema nervoso central (o único deixado quase intacto) para coordenar a massa viva em uma forma coerente. Estimulantes de crescimento eram adicionados à fórmula, fazendo com que as paredes vivas se erguessem em poucos dias. Então, com a estrutura pronta, uma saturação química e a intervenção de magos conceituais garantiam solidez e resistência. Naquele momento, os artistas militares ainda terminavam os últimos retoques no padrão visual das paredes externas. Mas já havia atividade do lado de dentro.

Era uma noite de lua minguante. Os nativos estavam confusos. As tatuagens e escarificações em seus corpos (um padrão tão elaborado quanto o dos países civilizados) protegiam contra as emanações do ambiente, mas não contra aquele súbito interesse de sua metrópole. Embora não conhecesse os detalhes, Ashcroft podia adivinhar como se dava aquela relação. A ilha era rica em cana-de-açúcar, tabaco e outros produtos exóticos. Taransilla mantinha lá um governador e um pequeno contingente de soldados, apenas para garantir a paz, e as naves de transporte chegavam periodicamente, para recolher a mercadoria e entregar o parco pagamento. Talvez o cientista que pretendia desertar tivesse demonstrado interesse pela colônia, por ter achado que seria um ponto de encontro fácil com Nungaland, ou talvez tivesse sido enviado para lá por iniciativa da coroa. Fosse como fosse, aquela ocupação maciça mudara drasticamente o cotidiano dos nativos.

Era como se a metrópole houvesse descoberto, de súbito, o real valor da ilha. Mas isso não era verdade, é claro. Taransilla apenas decidira descumprir sutilmente alguns tratados internacionais. Cana-de-açúcar e tabaco eram os recursos menos interessantes que a ilha oferecia. Muito mais importante era o mar lá embaixo.

O cientista estaria na fortaleza central, disso o brigadeiro estava bem certo. Havia só dois guardas no portão da frente. Ashcroft sacou sua pistola.

Os relâmpagos azulados cortavam os corredores. Ashcroft encontrou abrigo, mergulhando por uma porta aberta, aterrissou de costas no chão de mármore polido.

Girou a cabeça, enxergando os ocupantes daquela sala — quatro soldados, dois deles com modificações pesadas. Apontaram os rifles para o brigadeiro. Enquanto isso, os perseguidores chegavam, ele podia ouvir seus passos. Mas não importava: do outro lado da sala, uma porta ornamentada, ferro fundido e vitrais coloridos, mostrava uma silhueta atarracada. Lá estava seu alvo.

O brigadeiro rolou para o lado quando os rifles atrás dele dispararam. Os relâmpagos lamberam o chão, deixando marcas negras. Os dois soldados tinham a mesma alteração: eixos no lugar dos ombros, com uma série de rifles dispostos radialmente, proporcionando fogo contínuo e recarga rápida. Além disso, de suas têmporas saíam pequenos para-raios, que atraíam a energia dos tiros inimigos e dispersavam-na em algum reator dentro de seus corpos.

— Diversão, enfim! — sorriu Ashcroft.

De pé em um salto, desembainhou o sabre. A lâmina reluziu forte, fez um som agudo ao cortar o ar. A reflexão da luz dos candelabros era perfeita, bela, calculada — tudo que se poderia esperar de uma espada nobre. Os soldados arregalaram os olhos.

Os relâmpagos explodiram ao redor dele, e Ashcroft saltou pela sala para esquivar-se. Era o escritório do comandante: contava com uma pesada mesa de madeira trabalhada e tampo de mármore, pinturas elegantes retratando a idílica vida nos campos, uma prateleira com algumas dezenas de livros, um balcão com uma seleção razoável de licores e uma mesinha com uma vitrola. Os guardas faziam parte de algum destacamento de honra: seus uniformes vermelhos e negros tinham decorações douradas, tilintavam de medalhas. Ashcroft alcançou o primeiro dos soldados não alterados e, com uma estocada elegante, atravessou-lhe o peito. O homem grunhiu e despencou, morto na hora. Os perseguidores entraram no escritório, atirando.

Ashcroft saltou para trás do outro soldado não modificado, usou seu corpo como escudo. Então agarrou o fuzil do homem e disparou, acertando dois inimigos. Eles voaram para trás, fulminados.

Os homens modificados disparavam uma barragem elétrica. Em ziguezague, Ashcroft avançou, evitando por pouco cada disparo. A vitrola no canto da sala chamou sua atenção de novo.

— Música! — ordenou, no idioma do inimigo.

Como previra, a vitrola começou a emitir som. Uma marcha grave, séria, carrancuda, típica de Taransilla. Mas bonita. Ashcroft gostava de lutar com música.

Já perto dos guardas alterados, brandiu seu sabre com selvageria. Aquele era um palpite, mas provou-se certo. Faíscas começaram a brotar dos para-raios, e os inimigos ficaram confusos.

— Faz bem estudar, rapazes — disse o brigadeiro. — O que seu mecanismo atrai não é eletricidade. É a energia conceitual dos rifles. E é possível sobrecarregá-lo.

Desferiu um golpe forte num dos para-raios. A coisa não se partiu. Nem mesmo houve um clangor: era como se todo o impacto tivesse sido absorvido. Mas, logo, o soldado babou sangue, então houve um estouro em seu peito, e ele caiu.

Porque aquele não era um sabre comum. Era uma espada conceitual. Um dos mais notáveis avanços da magia bélica, e talvez o preferido do brigadeiro. A espada não era feita de aço, nem de qualquer composto físico. Era a *ideia da guerra,* o conceito de arma, o ideal de agressão, condensado do campo das possibilidades e materializado. Era tanto um objeto quanto um pensamento, uma ilustração, um som ou a palavra "espada". Carregava todo o poder que a ideia continha em si. Frente a toda essa carga, o reator dentro do inimigo não foi capaz de se equiparar: em vez de converter a possibilidade em energia, foi avassalado. Foi transformado de reator em arma. E, ao detonar, matou seu usuário.

Quando o segundo soldado modificado caiu, Ashcroft apontou a pistola para os que acabavam de entrar.

— Rendam-se e serão tratados com cortesia — falou, no idioma inimigo. — Existe aqui um cavalheiro para negociar em seu nome?

A porta atrás dele se abriu, e veio a resposta:

— Aqui estou, brigadeiro.

O oficial vestia o uniforme completo, formal. Calças elegantes até os joelhos, sobre meias brancas e sapatos reluzentes com fivelas douradas. Sua casaca cobria uma imaculada camisa branca com gravata de renda. Tirou seu chapéu alto e cilíndrico, com aba curta e uma elegante pena adornando a fronte. Falava na língua de Nungaland, sendo educado com o brigadeiro, e apresentou seu sabre e sua pistola.

— É uma cortesia desnecessária — disse Ashcroft. — Estou em sua casa. Devo falar sua língua.

— Gosto de praticar seu idioma, e tenho raras oportunidades. É um favor que o senhor me faz.

Ashcroft fez uma mesura, enquanto mandava um dos soldados amarrar os demais. Não precisava fazer aquilo com o comandante da guarnição; confiava em sua honra.

— O senhor tem ótimo gosto musical — disse o brigadeiro. — Embora eu deva confessar que não conseguiria ouvir sua música exclusivamente. É muito intensa.

— Ah, mas também tenho meus prazeres levianos. Logo abaixo dos cristais de marchas patrióticas, há uma bela seleção de quartetos de cordas. Melodias suaves e primaveris, bem apropriadas às colônias.

— Todo homem com alma precisa escutar o som de um violino ocasionalmente.

— Aceita uma bebida, brigadeiro?

— Não, muito obrigado.

A polidez do enfrentamento entre cavalheiros.

— O senhor entende, é claro, que isto é um ato de guerra — disse o oficial inimigo. — Se estivesse em companhia mais baixa, eu diria até mesmo um ato de traição.

Terminando de amarrar o último soldado, Ashcroft ergueu uma sobrancelha.

— O senhor se engana — disse. — Ninguém aqui viu um alto oficial da Real Cavalaria Celeste. Da mesma forma, ninguém viu o início de uma operação em grande escala para estabilizar o mar de possibilidade abaixo de nós.

A ilha era colônia de Taransilla, mas o mar era — segundo os tratados — território neutro. Era um recurso precioso demais, considerado de importância vital para o desenvolvimento do mundo como um todo. Não um oceano de água, mas uma região de caos completo, possibilidade crua, sem forma e sem propósito. As grandes mentes especulavam que desvendar os segredos dos mares de possibilidade era a chave para entender o funcionamento e a origem do universo. Sua exploração era uma das únicas ocasiões em que os dois impérios colaboravam, estabelecendo bases temporárias e enviando os raríssimos probabilinautas em rápidas incursões. Aquela ilha flutuava bem acima do mar, mantida em suspensão por forças que ninguém entendia por completo. A terra e seu espaço aéreo pertenciam a Taransilla. Mas o oceano pertencia à ciência.

— Temos um acordo, então? — disse Ashcroft.

— Com prazer — respondeu o comandante, e ambos apertaram as mãos.

O brigadeiro entrou pela porta de ferro e vitrais, e enfim viu seu alvo. O homem era calvo e baixo, secava o suor das bochechas e da testa com um lenço branco. Havia pequenos buracos cercados de chumbo em seu crânio, e ele desconectava cabos orgânicos de cada orifício. Sua cabeça era tatuada com padrões visuais de ângulos retos. Quem experimentava em si mesmo precisava de algum tipo de proteção.

Os outros extremos dos cabos ligavam-se a um imenso mecanismo de carne e metal, com diversos cérebros flutuando em líquido translúcido, dentro de tubos de cristal. Ashcroft não sabia dizer o que era aquilo, mas fazia parte dos primeiros estágios do lançamento de uma sonda de hipóteses ao mar abaixo, para decantar as possibilidades em certezas.

— Doutor Lugus, eu presumo.

O homenzinho não tinha tempo para cordialidades. Tremia e retorcia o lenço.

— O quanto antes, brigadeiro, o quanto antes me tirar daqui.

— Por que tanta pressa? É tratado com crueldade?

— De forma alguma! — protestou o comandante da guarnição.

— É que estou incompleto — explicou o cientista. Seus olhinhos dardejavam para todos os lados, como se pudesse encontrar o que lhe faltava nos cantos do escritório. — O quanto antes, brigadeiro, o quanto antes.

— Seus colegas estão à sua espera.

— Então as outras partes do doutor Lugus eram mesmo desertores? — disse o comandante.

— A vida em Nungaland é mais atraente, meu senhor. Talvez por isso seus sábios queiram vir para nós.

— Taransilla está unida por um ideal — devolveu o outro. — Pode afirmar o mesmo de sua nação?

Ashcroft não respondeu. Seria desconfortável mentir para um cavalheiro tão correto.

— Tenho mais um favor a lhe pedir — disse o brigadeiro.

— É uma honra.

— Não soe o alarme até que o restante da guarnição saiba de minha presença. Pretendo tomar atitudes bastante enérgicas, mas derramamento de sangue desnecessário é juvenil.

— É um grande favor que me pede.

— Como alternativa, eu teria de amordaçá-lo, o que acho acintoso. Ou então matá-lo, o que seria desperdiçar um futuro oponente de valor.

O comandante olhou-o por um tempo.

— Tem minha palavra, brigadeiro.

— Muito obrigado.

— Mas não gostaria de me despedir sob esta música militar e agressiva. Deixe que eu troque o cristal da vitrola. Saia sob a vivacidade de um bom alegro.

De fato, não houve alerta. Assim são os homens de palavra. Ashcroft deixou a fortaleza sob a cobertura da noite, o doutor Lugus em passinho rápido atrás. Sabia ter poucos minutos antes que, de qualquer forma, a operação fosse notada.

Uma nave de suprimentos ancorava numa das bordas da ilha. Chamava-se *Orgulho Alado.* Era pequena, carregaria uma tripulação de não mais de trinta. Suficiente para seus vinte fuzileiros aeroanfíbios, suficiente para o que ele queria. Ashcroft calculava que a tripulação não começaria a descarregar os suprimentos até que todas as formalidades fossem concluídas, o que lhe garantia alguns minutos. Os homens já estavam nas proximidades, ocultos como gatos, mesmo sob o peso das mochilas completas. Por isso o brigadeiro exigia um esquadrão humano para operações como aquela: embora os autômatos fossem confiáveis, e até mesmo vitais na linha de frente, quando se exigia iniciativa, nada superava a mente dos homens.

— Terá de correr um pouco, doutor — sussurrou Ashcroft.

— A vida de um desertor é correr, brigadeiro.

Ele capturou o olhar de um dos fuzileiros. Fez o sinal. Em menos de um minuto, já começavam a abordagem furtiva.

Pobre tripulação, não exigiu ou mereceu combate. Homens simples, rudes, de camisas listradas, forçados a se juntar às naves por grupos de recrutamento. Acostumados a carregar sacas de grãos e conduzir as galinhas, vacas e cabras de bordo, não a lutar contra a elite inimiga. Todos se renderam, e foi difícil achar um cavalheiro que pudesse negociar pelo grupo. Mas o capitão estava presente. Era um homem experiente dos ares, instruiu seus comandados a obedecer.

— A Real Cavalaria Celeste de Nungaland assume o comando da *Orgulho Alado,* sob a autoridade do Brigadeiro Stephen Icarus Ashcroft — recitou um fuzileiro, pistola apontada para o capitão.

Ashcroft começou a distribuir ordens, enquanto os prisioneiros eram levados para as galés. Permitiu que o capitão e seus dois oficiais permanecessem presos em suas cabines, embora amarrados e amordaçados. Um pequeno grupo de fuzileiros trocou o orgulhoso uniforme azul, dourado e branco de Nungaland pelas rudes roupas dos aeronautas, e pôs-se a cortar os cabos, permitindo que a nau zarpasse. Ashcroft destacou um homem para o timão e enviou outros para cuidar dos cordames, posicionar as velas. Os dois oficiais matemáticos do destacamento foram designados para o instrumento de conversão e computação, ligado às velas. Os demais permaneceram em prontidão de batalha, próximos aos canhões — sendo uma nave abastecedora, a *Orgulho* tinha apenas uma linha de três canhões em cada flanco, mas deveria ser suficiente. Um último fuzileiro recebeu o dever mais nobre de todos:

— Deixe a bandeira de prontidão, senhor Carl.

Reverente, o homem abriu sua mochila e retirou a flâmula cuidadosamente dobrada, impecavelmente limpa. Ashcroft posicionou-se na ponte, perto dos transmissores.

As velas se desfraldaram, o tecido começou a captar e interpretar os impulsos probabilísticos do ambiente. Eles partiram. Na ilha, começava a agitação: aquilo era muito irregular, a *Orgulho Alado* não descarregara seus suprimentos e nem concluíra as verificações de rotina.

— *Orgulho Alado*, volte ao ancoradouro — disse a voz de lata vinda do receptor.

Ashcroft apenas sorriu.

Para quebrar aquele bloqueio, deveriam passar pelas naves de linha e por inúmeras pequenas outras. Sem dúvida, a maior e mais temida era a *Valorosa*. Um homem prudente tentaria passar pelo meio das outras duas, ao invés de sujeitar-se à canhonada da gigante.

— O que acha de seus companheiros, senhor Carl? — disse o brigadeiro.

— São o grupo mais detestável de bastardos que já pisou nas terras da rainha, brigadeiro.

— Tem plena confiança neles, então?

— Absoluta, senhor.

— Muito bem, Carl. Eu apenas desejava uma segunda opinião.

Tudo que faltava era um pouco de música, Ashcroft pensou, enquanto a *Orgulho Alado* aproximava-se da *Valorosa*.

— *Orgulho Alado*, responda — disse a voz metálica. — Sua posição é irregular.

— Devo responder algo, brigadeiro?

— Vá ao mastro e prepare-se para a troca das cores, senhor Carl.

O fuzileiro sorriu.

De repente, a voz metálica mudou:

— *Orgulho Alado*, aqui é a *Valorosa*. Você está se aproximando demais. Repito, está se aproximando demais. Retorne a sua posição designada.

Ashcroft não respondeu. Em vez disso, deu a ordem:

— Todas as mãos, prontidão total de batalha. Preparar para engajar o inimigo!

Nos céus acima da ilha colonial, a pequena *Orgulho Alado* chegava perto da *Valorosa*. O transporte de suprimentos ganhava altitude e logo estava na altura dos mastros da nau capitânia.

— *Orgulho Alado*, aqui é o Capitão Gorian, da *Valorosa*. Afaste-se de nossa posição. Isto é uma ordem, repito, isto é uma ordem.

Ashcroft sacou seu relógio de bolso, ordenou que os oficiais matemáticos avisassem-no exatos duzentos segundos antes do impulso probabilístico exato de que ele precisava. Colocou todos de prontidão, aguardou mais um instante.

— *Orgulho Alado*, prepare-se para ser abordada. Repito, prepare-se para ser abordada.

— Brigadeiro, duzentos segundos até o impulso.

— Obrigado, senhor Corthese. Agora, senhor Carl! Troque as cores!

O fuzileiro obedeceu, e rapidamente a bandeira de Taransilla deixou o mastro. Em seu lugar, o orgulhoso pavilhão azul, amarelo, vermelho e branco de Nungaland.

Porque, sendo homem honrado, o Brigadeiro Stephen Icarus Ashcroft jamais atacaria uma nau usando as cores de outra nação.

— O que significa isso? — disse a voz de lata.

— Agora, homens! Fogo!

Os três canhões de estibordo da *Orgulho Alado* dispararam em rápida sucessão, atingindo o mastro principal da *Valorosa*. A viga começou a cair lenta, depois com mais rapidez, derrubando as velas.

— Longa vida à Rainha Azabeth! — disse Ashcroft, no transmissor.

Os canhões da gigante inimiga já se preparavam, e apenas uma saraivada seria suficiente para destroçar a nave capturada.

— Homens, executem a manobra!

De acordo com as instruções anteriores do brigadeiro, seus aeroanfíbios posicionaram as velas no ângulo exato e, um segundo depois, o impulso probabilístico que ele esperava soprou. Ashcroft segurou-se num corrimão, enquanto a *Orgulho Alado* girou selvagemente. Era uma manobra arriscada, dependia de precisão absoluta dos homens e podia romper o velame. Mas foi executada com perfeição — a nave tinha virado por completo, e agora seus canhões de bombordo encaravam a *Valorosa*.

— Fogo!

E os canhões dispararam. As bocarras de ferro cuspiam bolas de plasma iridescente contra a nau inimiga. Mais um mastro tombou, as velas estavam em farrapos. Mas a *Valorosa* já preparara seus canhões, e em segundos dispararia.

— Altitude, tripulação! Altitude!

Treinados, os homens empurraram os canhões para fora, despejando o enorme peso. Enquanto isso, os timoneiros e engenheiros ajustavam os motores para que a *Orgulho* subisse. Todos sentiram um violento empurrão para baixo, enquanto a nau saltou verticalmente. As bolas de plasma dos canhões inimigos passaram bem abaixo.

— Piloto, dê-me o timão — disse o brigadeiro.

— Sim, senhor! — com alegria.

Assumindo a grande roda de madeira que controlava o leme, Ashcroft olhou para o cientista desertor:

— O senhor está prestes a conhecer o melhor país do mundo, doutor Lugus.

Já se iam duas horas de perseguição. O dia amanhecera, e estavam em território neutro. Pelos Estatutos da Guerra, Taransilla não podia perseguir o brigadeiro naqueles ares, mas pouco importava. Alcançando-o, seria um simples caso de abater a nau capturada, e então não sobrariam testemunhas vivas. A *Orgulho Alado* contava com dois furos em seu casco, fruto de tiros certeiros do inimigo, mas tinha a vantagem da velocidade e da determinação — não parava para posicionar os canhões e disparar, apenas seguia em frente.

— Imagino que tenha um plano, brigadeiro — disse o doutor Lugus.

É claro. Ele sempre tinha.

Por trás de uma nuvem, despontou a mais bela visão que poderiam enxergar. O nariz orgulhoso reluziu ao sol da manhã, e logo a bandeira surgiu contra o azul. A linda bandeira de Nungaland, voando sobre uma grande nave de linha. E o nome pintado em letras esmeradas, belas como flores:

Solitária.

— Você sabe fazer uma entrada, seu bastardo — disse Ashcroft, para si mesmo, com um sorriso lupino.

O receptor chiou:

— *Orgulho Alado*, identifique-se.

Os transmissores e receptores eram máquinas muito limitadas, de alcance curto. Àquela distância, mal eram capazes de se comunicar entre si, o som era entrecortado e nebuloso. Para comunicação precisa e em grande escala, os oficiais do ar contavam com seus códigos visuais e bandeirolas.

Ashcroft deu ordem para que um dos homens assumisse os procedimentos no transmissor.

— *Orgulho Alado*, precisamos que confirmem algo — insistiu a voz metálica do receptor.

— Prossiga, *Solitária*.

— Confirme se há a bordo um maldito rufião incapaz de vencer uma só partida de uíste.

Ashcroft riu e assumiu a máquina:

— Albrecht, seu canalha. Nenhuma pressa, imagino?

— Tenho uma surpresa para você, Stephen.

De repente, a voz no receptor foi substituída por um afinado quarteto de cordas.

— Mas, se me dá licença — disse o Capitão Albrecht —, acho que estão abrindo fogo contra você.

As naves de linha inimigas tinham grande alcance de tiro e posicionavam-se de lado para disparar suas saraivadas contra a *Orgulho Alado*. Enquanto isso, as naves menores, mais rápidas, devoravam a distância, com tiros exploratórios periódicos.

— Homens! — rugiu Ashcroft. — Preparar para abandonar a nave. Motores de distorção atrativa a postos! E libertem os prisioneiros.

Afinal, não havia razão para condenar à morte aquela gente.

Os rudes aeronautas foram libertados, mas mantidos na mira das pistolas. Os oficiais continuavam amarrados. Os fuzileiros prenderam seus motores às costas, então todos ganharam o convés.

Ashcroft também carregava o seu — compunha a maior parte da mochila de equipamento. Dois tubos cilíndricos de bronze, presos às costas por tiras de couro. Ashcroft pôs o capacete com uma grande aleta no centro. Deu a ordem e todos ligaram os motores: a parte inferior dos cilindros começou a emitir um brilho azulado.

— Será uma jornada curta, mas emocionante, doutor.

O cientista agarrou-se a ele, e então todo o esquadrão saltou.

Impulsionados pelos motores em suas costas, voaram livres, entre uma nave e outra. A *Solitária* posicionava-se para recebê-los, enquanto a *Orgulho Alado* recebia os canhonaços. Os aeronautas de Taransilla, agora libertos, correram ao convés, balançando panos brancos, implorando para que seus aliados parassem de disparar.

Os fuzileiros aterrissaram um a um no convés da *Solitária*. Um quarteto de cordas aguardava-os, tocando uma sonata ligeira. O violoncelista era muito bom.

— O mesmo exibido de sempre — disse o Capitão Albrecht, recepcionando Ashcroft com uma saudação aérea.

— Bem-vindo a Nungaland, doutor Lugus — disse o brigadeiro.

E as naus de Taransilla se aproximavam. Mas Albrecht deu a ordem, e a *Solitária* posicionou-se de lado, mostrando suas três linhas de canhões como os dentes de uma fera. Talvez as naus inimigas conseguissem vencer a batalha — mas não sem baixas. A nave de Albrecht era pesada e feroz, líder de esquadra, contava com uma tripulação de centenas. Tinha muitos rifles, plasma e até mesmo algumas armas conceituais a bordo.

— Venham, desgraçados — disse Albrecht, baixinho.

Se o inimigo optasse pela batalha, não seria execução sumária ou uma escaramuça leve. Seria uma declaração de guerra.

A *Orgulho Alado* desfraldou, mais uma vez, a bandeira de Taransilla.

Então lentamente virou-se e começou a recuar. Os brigues, as corvetas também. Por fim, as naves de linha deram meia saraivada de advertência, errando de propósito. E iniciaram o caminho de volta.

— *Nungaland!* — gritaram os homens. — *Viva a rainha! Viva o Brigadeiro Ashcroft!*

— Silêncio, seus cães! — rugiu o brigadeiro.

Albrecht já esperava aquilo dele. Mas Carl, o fiel Carl, seu homem de confiança, não entendia.

— Se você deixar que eles o saúdem — explicou Ashcroft — também estará dando permissão para que o vaiem.

E assim, em silêncio e vitoriosos, os fuzileiros aeroanfíbios recolheram-se ao interior da *Solitária*. O renomado cientista, doutor Dmitri Lugus, era oficialmente um desertor, acolhido como exilado político em Nungaland. Em breve, estaria reunido com o rei e a rainha.

Ao lembrar de Azabeth, Ashcroft sentiu a garganta apertar.

3

— Para quem está dando ordens? — disse Calímaco.

E, distraindo-se por um momento de sua falecida, seu nariz começou a sangrar.

Eu não soubera que estava falando como o Brigadeiro Ashcroft, encenando as batalhas dos antigos. Eu era um péssimo ator.

— Sua mão está melhor — sorriu o bispo.

Olhei para baixo — eu estava de pé, sem saber quando tinha me erguido, acho que porque um brigadeiro não podia dar ordens de combate deitado no chão — e vi minha mão quase perfeita de novo. Mas foi o mais fugidio dos alívios: quando a notei, esqueci os Pugna Marco Segundo que marchavam por entre a floresta, disparando seus fuzis e defendendo algum lugar que eu ainda não compreendia. Voltando a mim mesmo, senti uma dor lancinante, e minha mão distorceu-se ante os meus olhos, virando um amontoado de carne disforme.

— Não estou aqui, Calímaco.

Ele não disse que eu estava louco. Só ficou sorrindo de um jeito benigno e meio tolo.

— Sinto que estamos perto, Iago. Perto de Felícia.

— Perto de Deus. — Porque, de alguma forma, eu sabia que era aonde aquela lembrança e aquele caminho estavam me levando.

A escadaria continuava espiralando para baixo, sempre estreita. As paredes eram trabalhadas com os padrões visuais que (agora eu estava descobrindo) eram de Nungaland — porque a arte de Taransilla era diferente, mais angulosa e agressiva. Mas aquelas paredes eram também as mais maltratadas dentro da fortaleza. Rachaduras cruzavam-se por tudo, grandes pedaços do reboco haviam caído. A pedra por trás variava de cor, apresentava tonalidades muito vivas. Apoiei-me numa dessas áreas nuas, sem querer, e senti minha pele queimar de imediato. Era material impregnado de Magia Conceitual e, quando puxei a mão de volta, ela mais uma vez estremeceu, incerta da realidade a que pertencia. As partes desprotegidas das paredes, dos degraus e do teto também adquiriam formas inesperadas: pisei numa área mole, notei que era ouro puro. A Magia Conceitual lidava com a própria realidade, com o conceito do que era cada objeto, pessoa, planta ou animal — e essa energia, fora de controle, podia causar transformações imprevisíveis.

Eu estava aprendendo tanto, e tão rápido. Era só o início.

Enquanto a escadaria chegava ao final, mostrava-se coberta de um emaranhado de fios de espuma. Bastava um toque e aquelas coisas se quebravam, espalhando partículas esponjosas no ar. Aspirávamos os pequenos fragmentos pelas narinas, alguns grudavam-se em nossos lábios. E eu me sentia cada vez mais cheio de memórias que não eram minhas. Tentava deixar de ser eu mesmo, deixar de ser Iago — a concentração inflexível era a única coisa que parecia ser capaz de proteger contra a Magia Conceitual, o minério divino, afora os complexos padrões visuais que os antigos criavam. Era como Jocasta havia tirado seus fiéis do Farol dos Órfãos, através do túnel contaminado, e era como eu e Calímaco estávamos enfrentando a fortaleza no paraíso. A vontade sobre aquela energia implacável, sem fraquejar um minuto.

Desci o último degrau, pisei no chão inesperadamente, achando que viria mais e mais escada, até o fim dos tempos. Calímaco passou por mim sem se abalar, e acho que já não me enxergava mais, ou tinha esquecido de minha presença. Eu mesmo via aquele novo salão — aquele novo e inacreditável salão — como um sonho, uma imagem vaga no olho de minha mente. Porque o que estava à minha volta, o que era real e tangível e claro, era Ashcroft na colônia e nas naves, conversando com Albrecht e acariciando o rosto de Azabeth. Eu era quase só um espectador, minha própria vida era secundária.

Mas pisquei, e por um instante notei o salão.

Chorei, porque era lindo.

— Deus — disse Calímaco.

— Deus — concordei.

Uma luz dourada, imaculada, mais forte do que tudo que eu já vira, dominava o ambiente. Não consegui precisar as dimensões do salão; era grande demais e desafiava uma estimativa exata. Era circular, ou assim parecia, e toda uma aldeia de pequeno porte caberia em seu interior. Diferente das outras construções dos antigos, não era coberto de rococós elaborados. Apenas coisas simples, majestosas, refletindo aquela luz deslumbrante. Colunas brancas sem adornos. Ornamentos de prata nas paredes. O padrão visual, sim, cobrindo cada superfície, mas mais sóbrio, mais contido. Ou talvez só parecesse assim, tornado humilde pela beleza da luz. Nada era tão belo, nada podia ser. O rosto de Lubna, fosse como fosse, não se comparava. A luz convidava à paixão, a ser idolatrada. Parecia absurdo amar qualquer coisa acima da luz dourada.

Parecia blasfêmia.

Senti-me estremecer todo, nas partes mais fundamentais de meu corpo, onde eu nem sabia ter sensação. Senti minha mente tentar se desprender, despedaçar-se em um milhão de fragmentos, incapaz de compreender a magnitude. Era o sentimento que a luz inspirava, e era também a Magia Conceitual. Ela existia ali, mais forte do que em qualquer outro lugar. E eu soube que cada partícula do salão, fosse ou não coberta de padrões visuais, era minério divino. Tentei me fortalecer contra aquilo, para não morrer ou ser transformado ou ambos. Mergulhei ainda mais fundo no passado. Ashcroft brandindo seu sabre. Seu sabre conceitual.

A luz parecia vir de lugar nenhum, mas era só uma impressão insidiosa, aumentada por seu brilho cegante. Ela vinha de uma porta entreaberta. Notei que o salão tinha fim e, na parede oposta, havia um portão espesso, uma passagem. De lá vazava a magnífica luz dourada.

E notei que eu estava enredado em fios de espuma, quase coberto da substância. No chão, havia dezenas de cadáveres — não, não cadáveres. Havia homens artificiais, como Pugna Marco Segundo, e muitos eram Pugna Marco Segundo. Seus crânios estavam abertos. De suas cabeças brotavam os fios de espuma que espalhavam-se como teia por todo o salão e escadaria acima. Alguns estavam meio derretidos, meio deformados — como eu estivera, como ainda corria o risco de estar. A Magia Conceitual descontrolada, agressiva, fizera aquilo com eles, distorcera-os e espalhara suas mentes esponjosas por tudo.

Afundei mais em Ashcroft. Não sei quanto tempo fiquei ali parado, esquecido do que era real, mas meu corpo resistia. Emergi para perceber mais detalhes: à frente da porta, como uma guarda de honra, várias cópias de Pugna Marco Segundo. Eles faziam um corredor, imóveis e em posição de sentido, com os rifles nos ombros e baionetas preparadas. Seus uniformes estavam em perfeito estado. Eram uns dez, mas havia buracos em sua formação — talvez alguns dos cadáveres no piso. Olhei aquilo, e prestei atenção demais: fui inundado por um sentimento de reverência. Eles eram os guardiões da luz. Os últimos soldados separando os mortais daquilo que exigia ser adorado.

Caí de joelhos e senti o chão queimar minha pele. Era minério divino.

Lembrei de novo: tudo ali era minério divino.

Assim como o sabre de Ashcroft.

Então compreendi, e acho que fui o primeiro homem a compreender. Entendi o que era o minério divino. Num instante, todo o salão piscou, transformou-se em outras coisas e em coisa nenhuma. Banhado pela Magia Conceitual, aquele não era mais um salão, e aqueles Pugna não eram mais soldados, nem mesmo homens ou autômatos. O salão era uma catedral, uma Catedral. Era uma construção e era a palavra, e era a ideia. Impregnado pela magia, era o conceito de igreja, de templo, o ideal de um lugar de adoração. Os Pugna não mais eram guerreiros: eram a ideia, o conceito materializado de anjos.

E o minério divino nada mais era do que aquilo: fragmentos de objetos conceituais. O minério divino era uma ideia em forma material. Por isso uma muralha com minério divino protegia mais do que qualquer coisa — continha a *ideia* de proteção, o *conceito* de defesa. Se um pedaço do sabre conceitual do Brigadeiro Ashcroft viesse parar em uma espada, emprestaria poder que os religiosos atribuem às maiores relíquias.

Eu afundava na compreensão, na loucura e no passado. Não pensava mais em viver, não lembrava de mim mesmo.

— Estou indo, Felícia! — ouvi o Bispo Calímaco dizer, em outro mundo, em outra vida, a três ou quatro metros de mim.

Ele puxou a batina para cima, pelo pescoço, e jogou o amontoado de tecido no chão. A coisa chiou e fumegou, incendiou-se sob a luz dourada. Ele estava nu, de braços abertos e um sorriso enorme no rosto.

— Estou aqui, Felícia!

A luz bruxuleou. Da porta entreaberta, surgiu uma figura que bloqueou uma fração do dourado por um momento. A garota emergiu da luz, do que quer que houvesse detrás da porta, e caminhou até o bispo. Também nua, também de braços abertos. E sorria até mais do que ele, se fosse possível.

Encontraram-se e abraçaram-se.

— Estamos ambos aqui — disse Felícia.

— No paraíso.

Ela o tomou pela mão e virou-se. Puxou-o, enquanto ele chorava e ria ao mesmo tempo. Em direção à luz.

— É Magia Conceitual! — Ainda consegui dizer. Mas, naquela hora, não acreditava nisso.

Eles sumiram no meio da luz, passando pela abertura.

Eu estava sozinho, com Deus e com o Brigadeiro Ashcroft.

Então, não mais:

— Avante, peregrinos! — disse, ao longe, a Voz de Urag.

4

OS MAIS MUNDANOS DEVERES, AS TAREFAS MAIS PROSAICAS, NUMA felicidade doméstica e absoluta. Incontáveis matronas ou jovens esposas, nos campos e nas cidades, lamentavam aquilo todo dia. Incontáveis maridos trabalhadores resmungavam dos afazeres ao acordar cada manhã, e todos desejavam uma coroa, um sabre, um título comprido e o comando de um regimento inteiro. Mas Azabeth e Ashcroft já tinham palácios e medalhas. Tudo que queriam era uma rotina de doçura entediante. O que, para eles, era a maior utopia, o sonho inalcançável. Como eram felizes aquelas esposinhas, aqueles pais de família! E sonhavam com as alturas vazias, as honrarias insípidas!

Azabeth arrumava a cama. Esperava-se que uma rainha nada soubesse disso, ficasse confusa com os lençóis e fizesse uma grande bagunça. Mas Azabeth crescera arrumando a cama, prima menos nobre de alguém importante. Desempenhava a tarefa com a precisão de um aeronauta ajustando o velame, fazia os vincos exatos no linho engomado. Ashcroft olhava de soslaio, sorrindo. Apreciava em iguais partes a agilidade da rainha e seu traseiro, mal oculto pela camisola. Sua tarefa não era menos importante, nem menos prosaica: já tendo passado por todos os modelos Pugna Marco Segundo postados no quarto real, prosseguia aos Fâmulos, às Áulicas, à Diva.

O brigadeiro posicionou a jarra sob a boca de uma Áulica, falou a frase em código. Os olhos da mulher giraram para trás e as íris sumiram nas pálpebras. Ela emitiu alguns ruídos e abriu a boca, derramando a espuma azulada. Não era preciso uma caixa de prata, porque aquelas memórias não seriam preservadas. Na verdade, a intenção era destruí-las, então ele apenas despejava a espuma neural de todos os autômatos no mesmo jarro. Usou um lenço para limpar os lábios da Áulica, que permaneceu estática, tronco rijo e braços moles, com expressão vazia. Aquele modelo era normalmente extravagante e chamativo, com lábios bem vermelhos e uma pinta sedutora logo abaixo do nariz. Mas Azabeth mandara construir versões mais modestas, simples, adequadas aos aposentos reais. Aquelas Áulicas pareciam adolescentes bonitas, nascidas em alguma fazenda, metidas em vestidos de corte.

Era o fim de uma ilusão que se estendera por meses. Não menos irreal que uma dupla de crianças brincando com uma casa de bonecas.

Azabeth suspirou.

— Não fique assim — disse o brigadeiro. — Nós sabíamos que duraria pouco.

— Não torna menos triste.

Foi até ela e abraçou-a. Trocaram o mais carinhoso, mais suave beijo, e passaram um instante com os olhos travados um no outro.

— É melhor não se distrair — disse Azabeth. — Você não pode esquecer nenhum.

Se esquecesse de destruir a memória de apenas um dos autômatos que haviam testemunhado sua vida clandestina, Nungaland podia ruir. Nenhum servo humano trabalhara naquelas alas do Palácio de Fosternwell desde que o rei partira, para evitar boatos.

— Você deve sentir falta dele — disse Ashcroft, enquanto recolhia a espuma de outra Áulica. — Pelo menos um pouco.

— Ah, Stephen, é claro que sinto. — Ela acabara o trabalho na roupa de cama e parou um momento para avaliar o resultado. — Estou feliz por Edgar voltar. Apenas...

Apenas não gostaria que ele fosse seu marido. Mas não completou.

Viviam ainda mais em sonho porque o Príncipe Nathanael fora tirado da capital quando as tensões aumentaram. Temia-se um ataque de Magia Conceitual em larga escala pela Rainha de Taransilla, e o garoto havia sido levado para um abrigo em local secreto, onde ficaria em segurança. Há tempos Azabeth não era esposa nem mãe, apenas amante.

E rainha.

Ashcroft terminara com o último autômato. Prosseguiu despejando espuma neural nova boca adentro de cada um.

— O que acha que vai acontecer? — disse Azabeth.

O brigadeiro coçou o queixo por um tempo. Seu desejo era oferecer palavras de conforto, mas respeitava-a demais. Também não era sábio enganar a maior arma da nação justamente sobre seu possível uso.

— Não acho que eles vão nos atacar, pelo menos por enquanto. Mesmo enfraquecidos, nossa retaliação destruiria Taransilla. As colônias podem estar inquietas, mas ainda temos a Magia Conceitual mais poderosa.

— Não sabemos disso. Taransilla pode...

— *Não, Azabeth.* Eu não mentiria, e você sabe que não pode duvidar de si mesma. É a pessoa mais poderosa do mundo.

Ela mordeu a bochecha.

Há anos — uma vida inteira atrás — os cientistas calculavam o poder de Azabeth comparando-o com barris de pólvora. Logo ela superou a escala, e tornou-se cada vez mais difícil medir suas capacidades. Atualmente, a única forma de expressar seu potencial era em milhões de mortes.

Um pensamento de Azabeth, focalizado através do Aparato Monárquico de Grundenwild, era capaz de matar doze milhões de pessoas, devastando por completo uma área de oitenta quilômetros de raio. Os efeitos colaterais nessa escala incluíam mais seis milhões de mortes ao longo do ano seguinte, com o ambiente afetado tornando-se letal por pelo menos um mês. A previsão de retorno da vida vegetal depois de um ataque de Azabeth era calculada em alguns séculos. Não se sabia se os resíduos mágicos desapareceriam. Talvez, mesmo depois de milhares de anos, a terra continuasse venenosa, emanando energias capazes de distorcer a mente e o corpo.

Azabeth era a maior das Grandes Rainhas. Talvez a maior maga de todos os tempos. Essa era sua prisão.

— Nungaland está segura, por enquanto — Ashcroft retomou o raciocínio. — Pelo menos de um ataque mágico. Destruição Mútua Assegurada não é o objetivo de ninguém. Nossa preocupação está nas colônias.

E aí entrava o Rei Edgar. Os dois imaginavam qual teria sido o resultado de sua longa viagem pelas colônias, territórios aliados e teatros de comércio. As notícias haviam sido poucas e infrequentes. Os transmissores mágicos não funcionavam a distâncias tão grandes, e havia grande medo de que qualquer carta fosse interceptada por espiões inimigos. O rei viajara sob o disfarce perfeito, mas isso deixara sua esposa e seu homem de confiança no escuro com relação aos resultados.

— Por enquanto, eles não pensam em nos matar com magia, Azabeth — disse o brigadeiro. — Querem nos matar de fome.

Mas Edgar chegaria — oxalá com boas notícias. Se sua volta era realidade gelada sobre o sonho confortável dos amantes, também era o potencial alívio para uma nação inteira. Ashcroft realizara a extração do doutor Lugus, que já estava reunido com suas contrapartes. O rei, a rainha, o brigadeiro e os sábios estariam juntos numa sala de guerra em breve, para estudar as opções da maior nação do mundo frente àquela guerra de subterfúgios.

Azabeth retornou a sua rotina inclemente, conectada ao monstruoso Aparato Monárquico de Grundenwild. Assim passava seus dias: presa à imensa máquina, monitorando todo o território de Nungaland em busca de sinais de Magia Conceitual, ao mesmo tempo vasculhando o inimigo e pronta para contra-atacar, se fosse necessário.

Seu vestido de rendas, adornado com fios de ouro e pedras preciosas, era o mesmo que um par de algemas. O salão decorado e perfumado, com suas colunas elegantes e seu teto pintado pelos maiores artistas da atualidade, era uma prisão tão lúgubre quanto um calabouço ordinário. Os cientistas, generais, oficiais do Almirantado, cortesãos e autômatos eram seus carcereiros. Ela era uma Grande Rainha, e não era propriedade de si mesma. Pertencia a Nungaland.

Ashcroft sabia que nada podia fazer para aliviar o sofrimento de Azabeth. Decidiu-se por um passeio longo pelas ruas da capital.

Vonticern era uma cidade magnífica. Erguida às margens de um lago que circundava e abraçava, ferindo-o e exaltando-o em iguais partes. Em quase todas as áreas, a água estava horrivelmente poluída, mas ainda existiam seções de limpeza total, reluzente, perto dos clubes náuticos. As ruas de Vonticern podiam ser estreitas, mal suficientes para dois homens ombro a ombro, ou largas e convidativas. Havia jardins bem cuidados atrás das casas burguesas e pontilhando as áreas públicas. Casas de chá, cafeterias, bazares, oficinas, padarias, teatros, bibliotecas, museus, alfaiatarias e todo tipo de comércios e estabelecimentos enchiam cada quarteirão com uma variedade colorida. Carruagens apressavam-se pelas ruas calçadas de paralelepípedos, enquanto os pedestres saltavam para evitar atropelamento. Violinistas de rua praticavam seu ofício em troca de escassas moedas, autômatos acompanhavam seus senhores em incursões pelas mais diversas lojas. Cavalheiros checavam o estado de seus investimentos nas companhias de comércio internacional, bancos recebiam seus clientes com sorrisos e juros.

E Vonticern era uma cidade horrenda. Crianças trabalhavam presas a máquinas mágicas. Engenheiros e matemáticos desenvolviam aparatos tão sofisticados que dispensavam quase todo o trabalho especializado, restando aos operários apenas girar manivelas, carregar sacas de carvão e puxar cordas durante treze horas por dia. Ladrões de todas as idades espreitavam nos becos, olhos acendendo-se de ganância e fome. As crianças abastadas preferiam ter animais de estimação artificiais, pois qualquer cachorro ou gato verdadeiro corria sério risco de ser roubado e devorado. Há muito Nungaland dependia das riquezas das colônias, e a recente escassez tinha efeitos profundos. A discórdia também podia ser sentida no ar: em palanques improvisados, jovens cheios de ideais e raiva faziam discursos contra a monarquia e pregavam a revolução armada, afirmando que nobres e oficiais viviam na fartura. Saíam correndo quando chegava a polícia, deixando um rastro de desconfianças. Havia até mesmo aqueles que insistiam que Taransilla era uma sociedade utópica e igualitária, e que toda a guerra dissimulada era causada pelos ricaços que temiam algo assim em Nungaland.

Ashcroft passou por um garotinho que vendia jornais aos berros. Cara suja, rosto marcado, acostumado a trabalhar. Não necessariamente algo ruim: com aquela idade, ele mesmo estivera embarcado em uma nave aérea, aprendendo as lidas e racionando pão. Leu as manchetes:

Sua Majestade retorna hoje!

Leia tudo sobre a turnê do Rei Edgar pelos mais belos e exóticos destinos do mundo.

As melhores praias, cortes e salões que nosso Império tem a oferecer.

Um homem carrancudo parou ao seu lado. Leu aquilo e cuspiu no chão, maldizendo o nome do rei. Ashcroft sentiu-se ferver por dentro, mas não fez nada quanto ao desrespeito. O disfarce para a longa missão real, tentando angariar apoio financeiro e apaziguar as colônias, fora uma temporada de turismo. A população suspirava por batatas cozidas enquanto lia sobre seu governante esquiando, dançando e banqueteando-se em locais idílicos, nadando em praias cristalinas e provando vinhos raros. Melhor do que falar a verdade e pintar um alvo na testa real — talvez. Aquele embuste podia custar-lhes mais uma parte da já desgastada lealdade de Nungaland.

Um casal passou de braços dados, escoltados por um Fâmulo e um Áulico armado com um sabre. Vestidos de forma elegante, pareciam alheios ao lixo na sarjeta, aos escritos rudes nas paredes, ao povo magro olhando-os com rancor. E logo o brigadeiro viu a razão: suas pupilas eram levemente avermelhadas. Usuários das lentes-filtros. Brinquedo muito em voga entre a elite, eram lentes postas diretamente sobre os olhos, que distorciam e modificavam a maneira como a realidade era percebida. Havia vários modelos, mas os mais populares eram o *Sonho Bucólico* (uma atmosfera campestre, que substituía montes de lixo por arbustos floridos, prédios cinzentos por grandes árvores ocas e moradores de rua por alegres faunos) e o *Luxo Exigente* (que trocava o mundo por um infindável palácio, completo com pinturas, servos, vasos de flores e cristaleiras).

Ashcroft seguiu andando, meio a esmo, meio com destino certo. Os cartazes anunciando a próxima apresentação da senhora Sapristi Laganne estavam em cada muro, e os pés do brigadeiro involuntariamente aproximavam-no da casa de espetáculos. Podia ouvir a voz magnífica da cantora a qualquer momento — sendo popular ao extremo, Sapristi Laganne assinara um contrato com as grandes indústrias mágicas e cedera sua voz ao mais novo modelo Diva. No entanto, ele acreditava que o canto da própria artista tinha algo de especial. Além disso, especulava-se que Sapristi fosse vender sua voz por completo aos fabricantes de autômatos, ficando impossibilitada de cantar de novo, e talvez aquela fosse uma das últimas oportunidades de ouvi-la.

Passando por um beco, Ashcroft escutou um grito.

Saltou sobre os montes de lixo e enxergou três homens curvados sobre uma garota de no máximo treze anos. Dois deles seguravam seus pulsos, enquanto o terceiro tentava ao mesmo tempo abrir as pernas da menina e suas próprias calças.

Ashcroft puxou o sabre e o relógio de bolso.

— Têm quinze segundos para sumir da minha frente, senhores. Depois disso, fingiremos que são cavalheiros, para que possam provar de minha lâmina.

Não era a espada conceitual, é claro. O brigadeiro não sairia com aquela arma letal na rua, assim como não vestia seu uniforme.

— Não adianta — choramingou a garota. — Só tenho a carta fundamental.

Ashcroft grunhiu.

— Dez segundos, senhores.

— Você ouviu a menina! — protestou um dos rufiões. — Só a carta fundamental. Ela tem direito à vida, mas não à própria boceta.

Era necessário um vocabulário tão rude?

— Cinco segundos.

— Nós também temos a carta fundamental! — disse um outro. — O senhor não pode nos matar.

— Possuo, pela graça do rei, a carta suprema coroada — disse Ashcroft. — Tenho direito ao silêncio e à tranquilidade. Também tenho direito a tirar satisfações quanto à minha honra. E digo que, neste momento, o barulho que os senhores fazem me ofende.

Fez um movimento com o sabre e olhou o relógio:

— Ora, vejam só. Acabou-se o tempo.

Os três preferiram fugir.

Ashcroft ajudou a menina a erguer-se. Deu-lhe umas moedas, sabendo que era um gesto fútil. Quis comprar-lhe uma carta de direitos mais avançada — pelo menos a de cidadão pleno — mas também era inútil. Ajudar uma garota, e quantas outras havia? E seus pais, seus irmãos, seus vizinhos?

O povo de Nungaland pagava por seus direitos, adquirindo cartas progressivamente mais abrangentes. Enquanto todos, sem custo algum, tinham a carta fundamental (garantindo direito à vida e à propriedade), os ricos possuíam mais direitos do que eram capazes de enumerar. Com sua carta, Ashcroft poderia exigir um cumprimento de cada pessoa com quem cruzasse e um pedido de desculpas do dono de qualquer cavalo que defecasse em suas imediações, além de outras extravagâncias. Também tinha o direito de portar armas e desafiar cavalheiros para duelos. Todo oficial de alta patente recebia uma dessas, e alguns chegavam a utilizá-las.

Mesmo sabendo que era bobagem, comprou para a garota uma carta de cidadão pleno. Então era hora. Os vivas e vaias por todo lado informaram-no de que a nave do rei acabara de chegar. Não conseguiria comprar os ingressos para o concerto de Sapristi Laganne. Mas não importava, já que também não teria tempo de comparecer.

— Ainda pior do que esperávamos — disse Sua Majestade.

Já se haviam desfeito de toda a pompa excessiva. A nave aérea que transportara o rei pelas colônias aportara em Vonticern, no lago guarnecido por duas outras naves. O povo reunira-se para assistir ao monarca bronzeado e reluzente descer por um escaler flutuante e abanar. Houvera vaias, insultos, ameaça de jogar vegetais podres, mas a polícia e os soldados haviam reprimido maiores exaltações. E houvera também festejo. Alguns ainda confiavam no governante e acreditavam na pureza de Nungaland. Na verdade, poucos desconfiavam do país ou das más intenções do inimigo; apenas viam-se desesperados e achavam que o governo devia ter algum plano melhor.

Edgar também já fora recebido por sua corte e seus generais, havia agradado todos os principais duques, garantindo seu apoio continuado e reforçando a própria fama de parvo adorável. Já houvera o banquete de boas-vindas, sob as vistas de repórteres, com artistas contratados para retratar a nata da sociedade recebendo seu líder. Houvera um curto tempo, curto demais, em que ele ficara às sós com Azabeth, abraçara-a sem preocupação com o protocolo e perguntara sobre Nathanael.

Agora podiam conversar como adultos, sem fantasias e sem fingimentos. O Almirantado seria trazido à reunião depois, sob a mentira de que faziam parte da cúpula mais interna. Mas, para as verdadeiras decisões, para a discussão sem política ou meias palavras, admitiam só os três: Ashcroft, Azabeth, Edgar.

— Teremos uma guerra civil? — disse o brigadeiro, sorvendo aos poucos um cálice de licor.

— Acho que sim — respondeu Edgar.

Azabeth passara poucas horas daquele dia presa ao Aparato Monárquico de Grundenwild, pois os deveres de corte exigiam sua presença. Logo deveria voltar à clausura da segurança nacional, então tratava de aproveitar aquela meia hora de conversa, na antessala dos aposentos reais, sem nem mesmo um servo, nem mesmo um autômato. Estava jogada num sofá, a cabeça no colo do marido, que acariciava seus cabelos distraidamente.

Ninguém é capaz de descrever com exatidão os sentimentos do Brigadeiro Ashcroft.

— Talvez seja melhor abrir mão de Ulluanth — disse o rei. Era uma colônia tropical rica, que fornecia a Nungaland boa parte de seus alimentos.

— A fome vai aumentar — disse Azabeth.

— Vai aumentar muito mais se a população da colônia pegar em armas — disse Ashcroft. — Então haverá ódio, e nem mesmo venderão seus produtos a nós. Possivelmente farão acordo com Taransilla.

— O Almirantado terá uma resposta pronta — disse Edgar. — Mandar alguns batalhões para lá. Reprimir.

— Tirar homens de onde são necessários, intimidar pobres coitados. — Ashcroft de novo. — Sim, essa será a sugestão deles.

— Mas — disse Azabeth —, se concedermos independência a Ulluanth antes que isso aconteça, seremos heróis. Poderemos fazer um acordo com o novo governo.

Os dois também pensavam o mesmo. A situação da colônia de Ulluanth era apenas uma entre as incontáveis outras. Edgar vira aquilo em repetição infindável, quase idêntica. Povo inquieto, governadores incertos, oficiais de mãos atadas. O Império estava quase a ponto de ruir. A guerra estática consumia recursos e boa vontade de militares, nobres e plebeus. A população estava desunida, exigia direitos básicos e privilégios fantasiosos.

— Isto não é natural — disse Ashcroft. — Esta guerra de paralíticos. Se declarássemos guerra oficialmente, o Império teria um inimigo em comum. Venceríamos ou perderíamos, mas seguiríamos adiante.

— Guerra não é solução para tudo — disse Azabeth.

— Mas é para a maior parte das coisas. A guerra é o estado natural do homem.

— A guerra é impossível — cortou o rei. — Destruição Mútua Assegurada, Stephen. Um ataque direto nosso, e Taransilla usa Magia Conceitual em larga escala. Então Azabeth revida, e o mundo acaba em menos de um dia.

Silêncio. Era uma conversa antiga, e os três apenas reviam os argumentos, para certificar-se de que nada mudara. Era frustrante. Ashcroft e Edgar não haviam treinado para aquilo, no Colégio Bélico. Não haviam preparado-se para essa escala de ameaça, para esse poder que engessava, quando eram grumetes em naves aéreas sob capitães idiossincráticos. Talvez não houvesse lugar para a linha de fogo, as capturas de naves inimigas, o deslocamento cuidadoso por água e ar, num mundo em que um pensamento matava doze milhões, mais seis ao longo de um ano.

Um mundo com Azabeth.

— Estamos pensando no problema — disse a rainha. — Deveríamos pensar na solução. No passado, Nungaland sempre esteve disposta ao sacrifício. As pessoas não hesitavam em lutar pela pátria. Por algo maior que elas mesmas.

— A pátria está as decepcionando — disse Edgar. — Precisamos que acreditem em Nungaland.

— Elas acreditam em Nungaland — disse Ashcroft.

— Então não acreditam em nós.

— Não, não. — O brigadeiro balançou a cabeça. — Elas *querem* amá-los. Mas não têm certeza do futuro. Passam fome hoje, e amanhã talvez sejam aniquilados por um ataque conceitual de Taransilla. Não há espaço para amar o rei e a rainha quando não há esperança. Só há espaço para o hedonismo.

— Talvez se transformássemos Taransilla em verdadeiros vilões — disse Edgar. — Podemos unir o povo em ódio.

— Então estaremos dependendo de Taransilla para sempre. Nunca poderemos vencer. Porque, se vencermos, teremos uma nação formada em torno do ódio, sem inimigo. Nungaland vai se voltar contra si mesma.

Parecia um quebra-cabeças insolúvel. Havia as peças — nobreza, forças armadas, povo — e elas precisavam se unir em torno de algo maior que elas mesmas. A peça fundamental, que fora Nungaland, estava faltando.

— O que pode fazer alguém se sacrificar? — disse Edgar.

— Crianças — disse Azabeth. — As pessoas estão dispostas a morrer pelo futuro de seus filhos.

Mas, se os filhos morressem junto com os pais, junto com doze milhões e mais seis em um ano, a motivação desaparecia.

— Estamos novamente pensando no problema — disse Azabeth.

Os dois olharam-na.

— Nenhum de nós consegue achar a solução — ela explicou. — Mas temos um novo elemento, que não é o Almirantado ou os nobres. Temos o doutor Lugus.

— Uma decisão estratégica nas mãos de um cientista? — disse Edgar.

— Isto não é estratégia. Estamos tentando entender o mundo. Isto é filosofia.

E, além de estudioso da magia, da mecânica, da biologia e de tantas outras disciplinas, o doutor Lugus era um dos maiores conhecedores de filosofia do mundo. Sua extração fora importante por causa daquela qualidade única, da versatilidade extrema que só alguém com aquela história — nascido e criado em Taransilla, formado pelas universidades inimigas, mas com mentalidade de desertor — poderia possuir.

— Bem, eles estão quase todos juntos — disse Ashcroft, já prevendo mais uma missão de extração. — Não acho que exista mente mais poderosa na atualidade.

Depois de uma semana, o doutor Lugus mandou um valete até o rei. Ashcroft estava a dois dias de viagem, metido em reuniões estratégicas com o Almirantado — brigando sem cessar com os velhos marinheiros — e foi chamado de volta à capital. Por necessidade, em caráter não oficial, ou teriam de incluir muitos militares e nobres supérfluos, ou arriscar-se a ferir suscetibilidades. Por fim, de novo os três juntos, e viram o cientista entrar.

O homem que Ashcroft tirara da ilha estava em meio a seis outras pessoas, todos andando no mesmo passo, com a mesma postura, piscando ao mesmo tempo. Um jovem alto e descabelado, uma matrona séria de cabelo puxado para trás, uma garota sardenta e voluptuosa, um gordo suarento, um sujeito grisalho e robusto, uma mulher com óculos grossos e aparência sensata.

— Acho que tenho a solução — disseram todos, em uníssono.

5

AS PALAVRAS DAQUELA GAROTA FORAM A COISA MAIS ATERRORIZANTE que já ouvi.

Era o som da fé, o ruído que a mente faz quando para de funcionar. Era a música da obediência cega, o comando que não pode ser questionado. As palavras que nem mesmo se cogita ignorar. Jocasta disse:

— Avante, peregrinos!

E não havia um tom imperativo, nem uma tentativa de inflamá-los. Era um fato. Ela dizia avante e eles avançavam, e isso era tão certo quanto a chuva na primavera ou o gelo no inverno, era muito mais real do que o mundo selvagem, desordenado, que rugia ao meu redor.

Jocasta adentrou a câmara, precedida por Pugna Marco Segundo e Benedict. Mantinha a cabeça erguida, os cabelos negros puxados bem para trás, a face altiva e o queixo majestoso de uma rainha. Olhava à frente, sem verificar se era seguida ou não, porque sabia que era. Seus mantos eram uma versão mais simples do hábito cerimonial que a Voz de Urag sempre usara; roupas de governante e de messias, de santa e de líder. Jocasta não fora criada numa caixa, e não usava a pompa que impedia os movimentos, como todas as Vozes haviam feito antes dela. Era uma santa que precisava caminhar, que desbravava o paraíso.

Logo atrás vieram seus fiéis, em enxurrada. Usavam armaduras ou túnicas bordadas, casacas com fios de ouro ou vestidos tingidos de púrpura. Carregavam o estandarte das quatro trombetas, ou então exibiam-no nos escudos e no peito. Eram nobres — ostentavam roupas nobres e usavam armas nobres.

E a energia da luz dourada não os atingia. Nenhum deles estava distorcido ou mesmo sangrava.

Em seguida, vieram os prisioneiros. Era como uma procissão, e era bem apropriado que seu destino fosse aquele — a catedral quintessencial, o local sagrado definitivo. Era uma procissão e chegava até Deus, finalmente. O novo estágio do cortejo, como uma nova ala de fantasiados atravessando uma aldeia em um desfile, vinha em correntes. O primeiro prisioneiro a cambalear escadaria abaixo foi Derionde.

Surpreendi-me, sob a névoa densa de lembranças e guerra no passado, ao enxergar a fisionomia do cardeal. Derionde estava envelhecido, muito mais do que eu lembrava. Se antes eu questionara o que era sua fragilidade real e o que era fingimento, agora tinha certeza de que ele era mesmo só um avô, e ainda por cima um avô sem netos. Cada ruga era bem funda, marcava o rosto e a testa. As bochechas tinham sido sugadas para dentro da face, marca de privações em contraste com o cotidiano farto a que ele estava acostumado. A careca estava ainda mais acentuada, talvez porque os poucos cabelos estivessem desgrenhados, cada fio bem nítido e melancólico, isolado dos demais. Derionde tinha olheiras escavadas sob as pestanas, andava recurvado. De imediato vi que estava sendo empurrado pelos nobres que vinham atrás, e que seus pulsos eram mantidos juntos por algemas.

Só mais tarde notei que o tropeço com que ele entrara não fora provocado por um empurrão, mas por uma noção muito pronunciada de teatralidade. E os pulsos não estavam restritos, ele só os mantinha juntos, e talvez até mesmo seus captores tivessem esquecido de que nunca o haviam algemado, simplesmente aceitando aquela visão estereotípica de um pobre prisioneiro enfraquecido. Derionde tinha um hematoma no lado do rosto. Derionde era um ótimo ator.

Quem exibia ferros eram os piratas. O bando vinha arrastado aos trambolhões, unidos por correntes. Atados uns aos outros pelos elos metálicos, pulsos com pulsos ou com pescoços ou com tornozelos. Desabaram escada abaixo, e notei Pharoux no meio deles, caindo de propósito, chorando e lamentando-se, afetando não conseguir se erguer. Então os últimos nobres, com espadas para as costas dos bandidos, e acabou a procissão.

Jocasta me dirigiu um olhar, mediu-me de alto a baixo, então virou-se. Não parecia ter ficado surpresa, não parecia poder ser surpreendida por nada.

Já Benedict deu meio passo para trás ao me notar. Riu alto, então puxou a espada.

— Vossa Santidade quer que eu o mate? — disse o Cavaleiro Imaculado.

Ele apertava os olhos contra a luz magnífica, falava com esforço. Eu podia ver o suor reluzindo em seu rosto, pingando de seu nariz pontudo, encharcando seus cabelos longos. Benedict não sofrera nenhuma distorção, mas a Magia Conceitual atacava-o também.

— Não cabe mais a nós julgar — disse Jocasta. — O único juiz está aqui.

Pugna Marco Segundo, logo atrás da Voz de Urag, perdera sua impassividade, pelo menos por um momento. Seus olhos dardejavam aos cadáveres no chão, aos outros como ele. Ao corredor de suas cópias exatas, postadas como uma guarda de honra na frente da porta que despejava luz.

Jocasta deu um passo, depois outro na direção do brilho. Como um só, os Pugna imóveis giraram, ficando de frente para ela.

— Eis o que você é, Pugna! — disse a Voz de Urag. — Eis sua resposta, ou você já sabia desde o começo? Você é meu guardião, Pugna, você é meu anjo. E aqui estão seus iguais.

Tentei dizer não, ele não é um anjo. Ele é um homem artificial, chamavam-no de autômato, e o Brigadeiro Stephen Icarus Ashcroft preferia o modelo Marco Segundo ao seu sucessor, o Marco Terceiro. Cheguei a abrir a boca, mas não produzi nenhum som. Eu estava ali, e estava em Vonticern, preocupado com a desunião do povo de Nungaland e a revolta nas colônias. Estava ali e estava cruzando os ares, sobre o mar e a floresta, enfrentando um ataque de naves aéreas.

Acho que, se fosse possível um autômato chorar, Pugna teria derramado uma lágrima.

De repente, Jocasta se virou para seus fiéis.

— Não veem o que está acontecendo? Não percebem onde estamos? Estamos na presença de Urag! Não sentem a divindade preencher cada parte de vocês? Por que permanecem assim, desafiantes e orgulhosos? Aqui somos os mais humildes, aqui vemos que somos reles! Não há nenhum senhor aqui, exceto Ele. E os Irmãos da Última Trombeta não se prostram?

Até mesmo eu estava ajoelhado, embora fosse muito doloroso.

Os fiéis deixaram suas armas e estandartes caírem no chão, com um clangor estrepitoso. Então desabaram de joelhos também. Quase todos choravam, alguns tinham uma expressão de êxtase puro, estremeciam de prazer místico. Alguns beijavam o piso, outros arranhavam o próprio rosto, em uma tentativa desesperada de autoflagelação.

Derionde também se prostrou.

Eu não conseguia entender: como estavam todos vivos? Os fiéis, eu notava, tinham a mesma obstinação de Calímaco, talvez até maior. Protegiam-se da Magia Conceitual apagando a própria mente, entregando-se a Urag e a Jocasta. Mas e os piratas? Sua conversão desajeitada no Farol dos Órfãos fora tão eficaz assim? Os meses de pregação marítima com o

Bispo Calímaco haviam sido tão marcantes? Pharoux sobrevivia apenas concentrado em sua ganância?

— Onde está seu orgulho agora? — disse Jocasta, chegando perto do Cardeal Derionde. Tocou o queixo do velho e fez seu rosto se erguer para mirá-la. — Onde está sua certeza? Como pode dizer que Deus não existe?

Derionde engasgou, e então:

— Eu errei, Santidade. Por favor, me perdoe. Eu errei.

— A Igreja escondia Deus! A Igreja ocultou o paraíso!

— Pensei que não passassem de histórias. Parábolas. Pensei que fosse tudo superstição e minério divino, que escavamos para nosso próprio uso egoísta.

Jocasta hesitou um instante.

— Então você...

— Estou arrependido! — o cardeal esganiçou. — Não tenho justificativas, não há atenuantes. Usei o nome de Deus para pecar, menti sobre Sua existência. Sou um pecador, e assumo toda a culpa.

— Sim. — Foi tudo que Jocasta conseguiu dizer. — Sim, esse é o caminho.

— Perdoe-me, por favor, Santidade.

— Apenas Deus pode perdoá-lo, Derionde.

— Sei agora o quanto estive errado, e não tenho a presunção de falar com Urag. Sei que só existe uma Voz. Eu imploro, perdoe-me.

— Estamos todos aqui para pedir perdão.

— Diga que me perdoa, Santidade!

— Eu o perdoo, Derionde.

Ele desabou em choro.

E eu pensava: *como os piratas continuavam vivos?*

Minha pergunta foi respondida com um guincho. Um dos malfeitores começou a convulsionar, então sua língua ergueu-se meio metro para fora da boca. Pequenos tentáculos de pele brotaram de seu corpo todo, rasgando suas roupas. Como uma onda, os outros ao seu redor foram tomados pelo efeito horrendo. Tentavam levantar braços e pernas, mas os ossos mostravam-se moles, e os apêndices pendiam inúteis. Fiapos de carne e pele dardejavam para todos os lados, e tentavam encontrar-se no meio do caminho, como se farejassem um ao outro. Vi os primeiros encostando-se e fundindo-se, puxando dois piratas para que ficassem juntos, então mesclando-se num só corpo distorcido. Os berros tomaram conta do salão, e parecia que a luz sagrada amplificava-os. Eu não sabia se era o puro medo que os mantivera concentrados, ou se a obstinação dos fiéis em vigiá-los os havia protegido de alguma forma. Talvez fosse apenas a certeza de que tudo ficaria bem, como já ficara ao atravessar o túnel sob o Farol dos Órfãos. Fosse como fosse, quando os nobres desviaram sua atenção e prostraram-se, foi como se o escudo protetor se quebrasse ao redor dos piratas. A Magia Conceitual atingiu-os de uma só vez, arrancando sua humanidade.

A primeira das coisas feitas de carne e correntes arremessou um tentáculo contra um nobre. Enroscou-se no pescoço da vítima, que mal teve tempo de gorgolejar antes que se ouvisse um som de estalo, o pescoço partindo, e ele fosse arrastado para a massa de corpos.

— São as forças demoníacas! — bradou Benedict.

Se Jocasta não usava um tom imperativo ou inspirador, somente factual, o Cavaleiro Imaculado falava como um orador. Imerso na luz dourada, espada em riste, precisou de apenas uma frase para inflamar os corações daquelas pessoas, que se apressaram em catar do chão suas armas e atacar.

Um rugido emergiu das gargantas distorcidas dos piratas. E a distorção não cessara: seus corpos moviam-se como água sendo chacoalhada dentro de uma bacia, adquiriam novas formas, borbulhavam. Um tentáculo chicoteou perto de mim, eu me mexi um pouco para tentar me esquivar. Não fui atingido por sorte, mal conseguia me mover. Na verdade, era muito difícil lembrar que eu estava lá, sob a luz de Urag e ao lado de Jocasta, enxergando a Magia Conceitual transformar bandidos em monstros. Isso tudo era absurdo, improvável. Muito mais verossímil era lembrar da beleza de Vonticern, das preocupações sobre a guerra que não estourava e não arrefecia.

Benedict atacou com sua espada. O desgraçado era um demônio no combate, e não se deixava abalar pela visão horrenda. Cortou um braço meio transformado em tentáculo, que brotava do peito de um humanoide feito de três piratas. Em seguida, girou o corpo, dando as costas ao inimigo, mas adquirindo impulso, e usou essa força para cortar uma das cabeças. O sangue esguichou alto, a coisa gemeu como uma criança, e as outras criaturas gemeram também, em compaixão. Um pseudópodo encimado por uma boca circular, cheia de dentes quadrados, projetou-se na direção do cavaleiro, mas ele foi mais rápido: ofereceu o ombro à criatura e foi atingido na sólida armadura de placas. O metal foi amassado, mas ele não se feriu.

Os Irmãos da Última Trombeta batalhavam contra os monstros — que, ao mesmo tempo em que lutavam, tentavam se unir em um só. Vi alguns daqueles nobres fanáticos saltarem como loucos, girando espadas acima da cabeça, num ataque selvagem cheio de fervor religioso. Não podiam perder para o diabo, pois estavam frente a Deus. Porém, esses ensandecidos tiveram vida curta; seus golpes eram fortes e cortavam fundo, mas as coisas sobreviviam, e então engolfavam-nos em lençóis de pele, para que afundassem e fizessem parte. Outros nobres tinham melhores noções de combate, ou não estavam tão tomados pelo espírito santo. Fizeram pequenas paredes de escudos, tentando proteger-se da enxurrada de golpes bizarros, avançaram passo a passo com as espadas. Os escudos pouco faziam, vi dois serem arrancados por fiapos de carne sanguinolenta que se enroscavam ao seu redor e puxavam. Mesmo assim, os irmãos mais prudentes causavam mais estrago, golpeavam de novo e de novo com as lâminas, retalhavam grandes partes dos horrores, que uivavam de dor. As mulheres, sem treinamento de guerra, não fugiam à luta. Atacavam com armas descartadas ou deixadas pelos mortos, ou com as próprias mãos e dentes. Arranhavam as coisas, seus pulsos eram engolidos pela carne em ebulição, então o braço inteiro começava a ser sugado para o interior.

E eu notei: Pharoux não estava no meio das monstruosidades. Pharoux rastejava sorrateiramente, sob a luz dourada, na minha direção.

Derionde foi agarrado por um tentáculo fino, que se enroscou em seu tornozelo. Ele tentou se segurar no chão, ficando sobre os joelhos e as mãos, mas foi levado sem esforço. Julguei ver terror genuíno na face do cardeal: suas unhas raspavam no piso, tentando evitar a morte, mas seus dedos só deixavam rastros de sangue.

Então, o tentáculo que o prendia foi cortado por um golpe monumental, que deixou uma rachadura na pedra. Pugna Marco Segundo brandia sua espada gigantesca com força inumana.

— Afaste-se, Eminência — disse o general autômato.

Derionde se apressou, cambaleando, erguendo-se e correndo tão bem quanto podia, para longe das coisas monstruosas. Para perto de Jocasta e da luz.

Um pirata distorcido, pouco mais que uma bolota de carne com braços e pernas emergindo dos lugares errados, começou a avançar na minha direção. Eu sabia que devia levantar e correr, até porque meus joelhos ardiam pelo contato com o minério divino no piso. Mas também sabia que aquilo era uma necessidade distante, como a vontade de fugir de um perseguidor invisível em um sonho. A vaga apreensão que resta quando se acorda e percebe-se estar em segurança. Sabia que, na verdade, não estava lá. Muito mais urgente era a ameaça de Taransilla e a chegada do Rei Edgar.

Benedict atravessou com a espada a coisa que me ameaçava. Girou a lâmina para que não ficasse presa e puxou-a, e o sangue jorrou pelo rombo aberto. Ele me dirigiu um rápido olhar de soslaio, um riso com o canto da boca, então atacou outro inimigo.

Pugna cortava três ou quatro de cada vez, mas as coisas continuavam atacando. Ele estava coberto de sangue. Vi dois tentáculos enrolarem-se em seus braços, mas um puxão vigoroso fez com que se rasgassem, deixando um rastro de carne esfiapada.

Derionde chegou perto de Jocasta. Ela observava tudo como se não estivesse ali, tão distante quanto eu. Vi sua mandíbula ficar tensa, os dentes bem juntos. Um pé agitando-se. Então os tendões do pescoço surgindo, proeminentes, e ela ficou esticada, como se um fio puxasse-a de cima. As íris rolaram para trás, deixando os olhos brancos, e ela estremeceu uma vez, depois outra. Começou a convulsionar violentamente, caindo no chão. Espuma brotava de sua boca, ela falava numa língua incompreensível. O cortejo de autômatos que guarnecia a porta se moveu em uníssono, formando uma barreira ao redor da Voz de Urag. Todos tinham os rifles de prontidão, seguros com as duas mãos, as baionetas a postos.

Pugna virou-se de onde estava, deixando um pseudópodo enroscar-se em seu pescoço. Um pirata deformado pendurou-se em suas costas. A boca do monstro dilatava-se, tentando abocanhar a cabeça inteira do general. Jocasta estava no chão, tomada por Deus, falando na língua dos anjos. Pugna hesitou um momento, fez menção de ir até ela.

Mas viu que estava cercada por outros como ele. Cercada por ele, pois eram iguais. Eles eram, todos, os guardiões da Voz. Olhando com orgulho o cordão protetor, Pugna Marco Segundo golpeou para trás com a espada, atravessando a testa do monstro que tentava engoli-lo.

Derionde estava ajoelhado. Chamou Jocasta.

A Voz de Urag repousava no chão, já livre do êxtase, alheia à luta e ao horror.

— Santidade, me proteja — disse Derionde.

— Você não pode me seguir até onde estou indo. Esta é minha missão. Só minha, e eu sempre soube.

— Proteja-me, por favor. Sou fraco, sou um pecador, e preciso que me proteja.

— Eu não pertenço aos mortais, Derionde. Pertenço a Urag.

Abriu um sorriso de felicidade, fechou os olhos. Abriu os braços, deitada no chão. Como se ouvissem um comando, os Pugna ao seu redor largaram os fuzis, abaixaram-se e ergueram-na. Com delicadeza suprema, deixaram-na suspensa no ar, e ela mantinha-se estirada, os braços abertos. Eles giraram, ficando de frente para a luz. Deram o primeiro passo.

— Santidade, não vou sobreviver aqui! Posso ainda fazer o bem, tenho certeza.

— Não posso protegê-lo, Derionde. Não sou mais do mundo. Estou indo rumo a Deus.

— Permita que um de seus anjos fique aqui, Santidade. É só o que peço. Um de seus anjos, para que eu possa me redimir de todo o mal que fiz. Peço apenas a proteção de Pugna Marco Segundo.

Pugna, no meio da matança, olhou de repente para trás. O cardeal ajoelhado, as mãos postas, implorando à santa que era carregada.

No frenesi da batalha, houve quase um silêncio. As palavras do Cardeal Derionde pendiam, cheias de implicações. O imortal e milagroso Pugna Marco Segundo, dedicado a protegê-lo.

— Assim será, meu filho — disse Jocasta. Então dirigiu-se a seu guardião: — Pugna Marco Segundo, general da Igreja e por tanto tempo protetor da Voz de Urag. — Os demais autômatos pareciam saber que as palavras se destinavam ao outro. — Quando o Cardeal Derionde necessitar, você irá até ele, para protegê-lo. Que assim seja, porque a Voz determina.

Pugna travou por um instante. Recebeu uma enxurrada de golpes. Tive a impressão de que sua mente se rearranjava. Quando ouvi a descrição de quando ele fora liberado de seu juramento a Desdêmona, a imagem foi semelhante. Os parâmetros rígidos que governavam aqueles pensamentos artificiais estavam mudando, e era como se toda a personalidade do general tivesse de mudar um pouco.

— Obrigado, Santidade! — Derionde em lágrimas. — Obrigado!

Jocasta não falou mais nada. Seus anjos deram mais um passo, então outro e outro. Marcharam em direção à luz, até que suas silhuetas desapareceram frente ao brilho dourado.

Carregaram Jocasta para dentro da abertura. Um último virou-se e empurrou a pesada porta, diminuindo a luminescência mais e mais.

Com o clangor da passagem se fechando, o brilho cessou.

6

ERA UMA VERSÃO PASSÁVEL DE *A LUA DOS ABANDONADOS*, APRESENTADA por uma companhia de ópera que há anos não deixava a ilha de Mozerine. A companhia era natural de Nungaland, que contava com ótimos conservatórios e uma boa tradição na formação de cantores líricos e atores. Após aceitar um convite para se apresentar em Mozerine, a companhia fora declarada inimiga do Estado e culpada de traição e colaboração com o inimigo. Exageros, é claro. Arroubos dos velhos do Almirantado, que não entendiam nada de música ou de política. Mozerine não pertencia a Taransilla, da mesma forma como não pertencia a Nungaland. Pertencia a si mesma. Na pior (ou mais realista) das hipóteses, pertencia à Companhia de Comércio Trioceânica, com quem os reis da ilha mantinham acordos dinásticos.

Se houvera oficiais de Taransilla na plateia tantos anos atrás, quando a companhia se apresentava, era porque Mozerine permanecia neutra. E a Companhia Trioceânica não tinha ideologia, desde que o ouro fosse abundante. Nungaland e Taransilla eram bem-vindas lá, desde que se comportassem. Era por isso que o Brigadeiro Ashcroft assistia à ópera naquela noite, com um olho na soprano e outro nos camarotes.

— Ele já nos notou, Stephen — disse Albrecht.

Ashcroft acenou com a cabeça, fingindo interesse no palco.

O último doutor Lugus — ou, talvez, a última parte do doutor Lugus — estava num camarote quase de frente àquele ocupado pelos dois. Era um homem velho e recurvado, muito magro, com nariz adunco e larga calva pontilhada de manchinhas. Ia acompanhado por três soldados de Taransilla: uma escolta bem leve, típica de quem não espera problemas. Por um lado, isso tornaria a extração muito mais fácil. Por outro, era sinal da dificuldade que seria sair de Mozerine sem despertar suspeitas. A ilha não contava com um ancoradouro aéreo, e suas formações montanhosas dificultavam a aproximação de quaisquer naves. Na verdade, isso era uma grande desculpa da Companhia Trioceânica para criar impedimentos burocráticos à aproximação de transportes voadores. A grande maior parte da frota da Companhia viajava por mar, e o processo de substituição era longo e custoso, ainda muito longe de estar completo. De qualquer forma, chegava-se a Mozerine de navio, saía-se de lá de navio, sempre sob os olhos atentos dos oficiais portuários e dos batalhões de soldados da Trioceânica. Talvez fosse fácil agarrar o cientista, mas seria difícil passar pelos impedimentos e colocá-lo num barco discretamente.

— Fomos notados por mais alguém — disse Ashcroft.

Na plateia abaixo, um homem largo e bigodudo virara-se, dirigindo um olhar inconfundível ao camarote dos dois. Trajado com as cores de Nungaland, mas isso não era um alívio. Aquele era um capitão do mar. Havia rivalidade histórica entre a marinha e a Cavalaria Celeste, e qualquer oficial procurando inflar seu orgulho podia criar problemas. Ashcroft e Albrecht deveriam estar ali incógnitos — não sob disfarce, apenas comuns, insignificantes perto de todo o resto. A última coisa de que precisavam era alguém gritando seus nomes e postos.

— O que um marinheiro está fazendo aqui? — disse Albrecht.

— Assistindo à ópera, é claro.

— Acha que alguém no Almirantado sabe da missão e quer nos sabotar?

— Acho que marinheiros ficam inquietos nessa paz de mentira — disse Ashcroft. — O capitão deve ter aportado para deixar seus homens deitarem com meretrizes e brigarem com soldados da Companhia por uma ou duas noites.

— Um belo azar.

— Bem, agora que ele já nos viu, será recrutado para o serviço do rei. Já temos nosso meio de transporte para fora daqui.

Albrecht grunhiu e abanou-se com o leque. Incluir marinheiros em trabalho de aeronautas era sempre um risco.

Então, após uma nota longa e alta, o pano fechou à frente dos atores. A orquestra fez silêncio e pequenos lampiões a gás acenderam-se ao longo do salão. O primeiro intervalo.

— Agora? — disse Albrecht.

— Esperar mais seria temerário.

— Eu falo com o marujo. Você pega o cientista.

— Ele vai criar problemas com você — objetou o brigadeiro.

— Mas você é o melhor para matar gente de Taransilla em silêncio. Não se preocupe. Nada vai dar errado.

Mas Ashcroft se preocupava, porque era Ashcroft. Caminhando pelos corredores da casa de ópera, pensava em como os oficiais da marinha costumavam ser tacanhos e obstinados. Rejeitavam qualquer coisa relacionada a Taransilla, mesmo que nada tivesse a ver com a guerra. Por exemplo, uma apresentação de cantores com oficiais inimigos na plateia. Por exemplo, o Capitão Albrecht.

Naquele dia, Albrecht usava sua forma feminina. Alternar entre os sexos era uma extravagância cara, mas compensadora — fundamental, até — para alguns. Num ambiente como aquele, os traços mais suaves, que sugeriam menos ameaça, eram mais apropriados, e não seria a primeira nem a última vez em que Albrecht usara sua idiossincrasia a serviço da nação.

O problema era a origem daquela tecnologia. Quase toda modificação corporal provinha de Taransilla.

Um patriota como Albrecht nunca viajaria até uma colônia inimiga para se submeter ao procedimento, nem mesmo deixaria que um cirurgião estrangeiro chegasse perto de si. Mas a técnica provinha de Taransilla, e isso era suficiente para angariar inimizades. Havia, dentro do Almirantado, quem desaprovasse transplante de órgãos ou regeneração de membros perdidos, apenas porque eram criações do inimigo. Havia quem tentasse proibir até mesmo a música de Taransilla em solo de Nungaland. Seriam manias de velhos, não fosse o Almirantado a mais alta autoridade militar da nação. O próprio rei viajava por nave aérea, mas as naves aéreas — por uma tecnicidade arcaica — entravam na jurisdição do Almirantado, um grupo empoeirado que entendia dos céus tanto quanto um bacalhau. Assim, a Cavalaria Celeste, embora independente na maior parte dos assuntos, ainda devia respeito à marinha. Assim, Albrecht dificilmente progrediria além de capitão.

Será que o marinheiro poderia chegar a prejudicar a missão? Apenas porque Lugus era um cientista de Taransilla? Ashcroft recusava-se a pensar que fosse o caso; nenhum filho de Nungaland teria mente tão limitada.

E foi pensando nisso, num corredor traseiro da casa de ópera, seus passos mal fazendo barulho sobre o tapete fofo, que viu a mulher loura. E soube que tudo seria muito, muito complicado.

Estava sozinho naquele corredor. A maioria do público saíra do salão principal pela porta da frente, em busca de espaço para fumar ou comprar um pacote de docinhos a preço abusivo. Aqueles que ocupavam os camarotes tinham tomado os corredores laterais — como o próprio Albrecht — e estariam circulando pelo terraço ou aguardando que seus servos ou autômatos levassem a eles taças de vinho, espumante ou sucos de frutas exóticas. Uns poucos estariam tentando subornar contrarregras e seguranças, para que buquês e propostas indecorosas chegassem às atrizes (uma lamentável falta de elegância, já que o momento para isso era, todos sabiam, o final do espetáculo). Ninguém usava os corredores traseiros. E era para isso que serviam: para serem usados por quem não era ninguém. Para servir de palco a transações ilícitas, ou quase, para encontros clandestinos entre condessas e cavalariços, para que jovens lordes consumissem frasquinhos de livinistra leitosa. Para que informações delicadas fossem transmitidas. Os empreendedores da ilha de Mozerine, guiados pela Companhia Trioceânica, sabiam atender às necessidades da clientela. Naquele lugar, boa parte da clientela eram oficiais e espiões das duas potências, e suas necessidades incluíam discrição.

Sempre havia corredores desertos nos teatros, palácios e casas de ópera. Fazia parte da etiqueta.

Ela se virou devagar, saboreando cada pedaço do movimento. Nunca vulgar, mas com a sugestão certa dos volumes sob o vestido. A saia derramou-se para um lado como se seguisse uma coreografia, quase desafiando a gravidade, para realçar a forma da coxa. O ombro desnudo prometeu, provocou; depois escondeu e por fim mostrou o decote generoso. A linha divisória entre os seios era uma ravina que conduzia a mistérios. O cabelo platinado, bem preso para trás, contrastava com a languidez do corpo. Nada nos olhos sob pálpebras pintadas, na boca bem vermelha, sugeria algo além de sexualidade, a ponto de torná-la fraca, frágil, vulnerável. Mas havia mais, havia muito mais, e o brigadeiro sabia.

— Boa noite, Gogol — ele disse.

Ela sorriu como só ela sabia. Um leque largo na mão esquerda, como ditava a moda. Abanou-se devagar.

— Boa noite, brigadeiro. Nunca esperei encontrá-lo aqui.

Estendeu a mão direita, enluvada, para que fosse beijada. Como um cavalheiro, Ashcroft chegou perto, fez uma mesura e tomou os dedos dela nos seus. Deu o mais leve toque de seus lábios no tecido fresco e macio.

Metal contra a testa.

— Duvido que tenha vindo até aqui apenas pela ópera, meu senhor.

O grande leque estava na moda, e servia para esconder uma pistola. Gogol era uma dama, sabia que deveria estender a mão direita para um cavalheiro beijar. Mas também era ambidestra, e manipulava perfeitamente uma arma com a esquerda. Engatilhou, e um pequeno arco voltaico formou-se entre o cão da pistola e a câmara de tiro.

— Onde mais eu poderia assistir a *A lua dos abandonados*, senhora? Esta companhia foi banida de Nungaland, e ninguém mais está interessado em montar apresentações de tragédias românticas.

— Não me tome por tola, brigadeiro. Há poucos meses eu estava em sua capital. Após roubar alguns documentos confidenciais, assisti a uma bela apresentação de *A lua*.

— Bela bravata — sorriu Ashcroft. — Mas eu conheço o compositor, e acompanho de perto sua carreira.

Ela riu.

— O senhor me pegou.

— Permite que eu me erga?

— Oh, não, brigadeiro. Gosto do senhor assim, abaixado. Primeiro jogue sua pistola e seu sabre no chão. Então conversaremos.

Ashcroft obedeceu.

— É o cientista? — disse Gogol.

— Meu objetivo aqui é a ópera.

— Sei que é o cientista. O Alto Comando é estúpido, mas nem tanto. Notamos quando a principal mente múltipla paralela de nosso país some aos poucos.

— Bem, um cavalheiro nunca divulga suas conquistas. Tenho certeza de que a senhora é muito grata por essa regra.

— Conquista? Não se iluda, brigadeiro.

Olhos nos olhos, um instante. Pistola na testa. Ele ainda curvado.

— Tem duas opções, senhor Ashcroft. Pode me contar o que planejam com o doutor Lugus. Ou pode morrer.

— Eu nunca morro, Gogol.

Então ela puxou o gatilho.

A pistola disparou um relâmpago azulado, e o crânio do brigadeiro se espatifou. Uma modificação mágica abafou o barulho, mas o corredor ficou todo sujo.

De espuma neural.

— Stephen, seu cínico.

O som de uma pistola sendo engatilhada. Ela se virou.

— Por favor, Gogol. Um cavalheiro nunca viria até aqui sem um valete.

O brigadeiro surgira atrás dela, já com a pistola apontada para sua cabeça. O autômato (semelhança total) ficou estirado no chão, vazando a substância colorida do rombo na cabeça. Ashcroft ergueu uma sobrancelha, e foi ordem suficiente: Gogol pousou a pistola no chão e ergueu as mãos. Lânguida, deu um passo na direção do brigadeiro.

— Parada, senhora.

— O senhor não vai matar uma dama indefesa, vai? Fui vencida, admito. Não é assim que vocês, cavalheiros, se portam? Estou em seu poder.

Mais um passo.

— Parada, Gogol.

— Apenas me deixe ir.

— Parada.

— Eu posso fazer valer a pena.

Deu um passo.

E ele disparou.

A cabeça de Gogol estourou em contato com o relâmpago. A pistola do brigadeiro não fora modificada para ser silenciosa, mas o espetáculo já recomeçara. Os primeiros acordes da orquestra mascararam o som estrepitoso da energia deixando o cano, indo destruir o crânio metálico e espalhar espuma neural no chão e nas paredes, misturando-se com a do outro autômato.

— Quando percebeu? — disse a voz feminina, vinda de trás de Ashcroft.

— Quando ela falou tão explicitamente. Reclame com seus cientistas, Gogol. Sua cópia está vulgar demais.

Ele se virou, ela sorriu. Não tinha leque.

Brigadeiro e espiã passaram um momento estáticos.

Então beijaram-se com sofreguidão, as mãos por toda parte. Assim, deselegantes, aos trancos, alcançaram um banheiro, onde ele meio pousou-a, meio jogou-a sobre um balcão de mármore. Ela lutou com os botões da calça, ele puxou as saias para cima. Ele descobriu-lhe os seios, ela guiou-o até encostar na abertura, os tornozelos cruzados atrás de suas costas.

— Conte, Stephen. Qual é o plano com o doutor Lugus?

— Ambos sabemos que nada disso tem valor aqui.

Ela sorriu, como só ela sabia.

Não falaram mais nada, até o final.

Albrecht já conduzia o doutor Lugus. Ao seu lado, o marinheiro de fartos bigodes retorcidos. Cara de poucos amigos.

— Não pude — começou Ashcroft.

— Eu sei — disse Albrecht. — Gogol está aqui. Ela é muito mais perigosa do que três soldados, meu amigo. Você tinha de neutralizá-la como pudesse.

O capitão da marinha olhou para Ashcroft como se fosse algo que houvesse grudado na sola de seu sapato após uma visita ao galinheiro de bordo. Mas, em terra, Ashcroft era seu superior. Prestou-lhe toda a deferência protocolar, deixando bem clara sua opinião.

— Capitão Lucian Winscott, do *Vingança da Rainha* — apresentou-se o homem. — Ao seu dispor, brigadeiro.

Bateu continência, Ashcroft respondeu.

— À vontade, capitão. Presumo que a esta altura já saiba que precisaremos do *Vingança da Rainha* para transportar nosso passageiro. Espero que meu colega tenha lhe instruído de forma apropriada.

— Certamente — como se Albrecht exalasse mau cheiro.

O capitão aéreo ajustou seu vestido. O doutor Lugus tinha expressão ausente, não se preocupou com apresentações, e Ashcroft achou melhor que fosse assim.

— Estou sob a impressão — disse Lucian Winscott, subitamente — de que a notória espiã conhecida como Gogol está neste local, brigadeiro.

Ashcroft franziu o cenho.

— Por isso nossa partida com a maior rapidez é imperativa, capitão.

— Também não pude deixar de ouvir o capitão Albrecht dizer que Gogol foi neutralizada pelo senhor.

O brigadeiro grunhiu um sim.

— E como está viva, se me permite a curiosidade?

— Capitão Winscott, temos de partir imediatamente. Os oficiais portuários tornarão nossa vida um suplício, não precisamos que descubram três corpos de soldados de Taransilla, para que nos importunem ainda mais.

— Gostaria apenas de dizer que é um alívio servir em tão distinta companhia, brigadeiro. Tanto o senhor quanto o capitão Albrecht parecem conhecer bem nosso inimigo. É raro que nossos oficiais tenham tanta intimidade com Taransilla.

Ashcroft e Albrecht trocaram um olhar.

— Já é suficiente, capitão — disse o brigadeiro. — Seu comentário foi reconhecido.

— É uma segurança saber que, em terra, o senhor é meu superior.

Em terra.

— Vamos, senhores — disse Ashcroft.

O segundo intervalo já se aproximava.

Já estavam no mar, e os marujos tentavam ver um sinal do enjoo que o Brigadeiro Ashcroft estava sentindo. Não era um estranho total às ondas, mas nunca adquirira com elas a intimidade que tinha com as nuvens. Seu estômago se revoltava com o balanço, a movimentação contradizendo o que seus olhos enxergavam como um horizonte plano. Enfim, não importava. Importava que se mantivesse estoico, disfarçando a náusea com lábios apertados e não deixando que nenhum sintoma transparecesse além de sua compleição esverdeada. Ficava posando como um manequim, no convés, pés separados e mãos para trás, examinando tudo como um estudioso interessado. O Capitão Winscott retirara-se para seus aposentos, mas seus oficiais de bordo espiavam o brigadeiro de quando em quando, em busca de fraqueza.

Mais do que isso, importava que o doutor Lugus estivesse em uma cabine de passageiros, em segurança, e que a ilha de Mozerine se afastasse cada vez mais. Já estavam no rumo de Nungaland, para começar a executar o estratagema que fora planejado naquela reunião com cientistas e monarcas, na capital.

Ashcroft recordava e não podia deixar de pensar que era loucura. Lembrava-se da expressão incrédula do rei, ao ouvir:

— Vamos criar uma doença.

O doutor Lugus começara falando coletivamente, todas as suas bocas em coro perfeito. Mas isso enervava quem não estava acostumado, então escolheu apenas um porta-voz. A mais jovem de todos, a garota ruiva que, antes de ingressar na mente coletiva de processamento paralelo, fora uma estudante de biologia abstrata — péssima aluna, pois invariavelmente corrigia seus professores e instruía-os sobre o assunto.

— Armas infecciosas vão contra os Estatutos da Guerra — dissera o Rei Edgar.

Azabeth argumentou que, para proteger o povo e evitar o desmoronamento do Império, as regras podiam ser reformuladas. Tanto Edgar quanto Ashcroft refutaram. Afinal, se Nungaland desprezasse as leis da guerra, a fibra moral que compunha o coração do país estaria desmoronando de qualquer jeito.

— Na verdade, não — disse o doutor Lugus. — É ilegal usar doenças como armas *contra o inimigo*.

— E contra quem mais iremos usar? — disse o brigadeiro. — Colônias? Forças neutras? Seu plano é infectar população inocente e exigir aliança em troca da cura?

— Não há cura. Este é um dos fundamentos da estratégia.

— Seja mais claro, doutor. Todos estamos cansados de falatório.

— Infectaremos nossa própria população, brigadeiro. Infectaremos Nungaland.

Então explicaram o que seria a doença. Algo tão esquisito que os três demoraram para compreender o conceito. Como algo assim poderia dar certo? Como qualquer pessoa racional poderia ser suscetível àquela invenção?

Mas o doutor Lugus era um gênio, e seu intelecto superior era a razão pela qual fora extraído de Taransilla. Ashcroft julgava que sua incompreensão era uma medalha de honra para o sábio. Se ele conseguisse pensar da mesma forma, Lugus não seria necessário. Seria o mesmo que exigir que o cientista soubesse atirar e comandar uma nave.

Ashcroft despertou do devaneio quando notou uma extrema quietude no navio. O mar e o ar eram diferentes, mas havia pontos em comum. Nunca existia silêncio em um navio ou nave aérea. Marujos e aeronautas estavam sempre recebendo ordens, dizendo sim senhor, gritando instruções. O brigadeiro agarrou o cabo do sabre e correu para a cabine de passageiros.

— As crianças estão dormindo, querido — disse Gogol. — Podemos ficar à vontade.

Os corpos dos marujos estavam estirados por toda parte, mas respiravam. Pelo menos não fora um massacre. Lugus continuava impassível, meio sentado em sua rede de dormir, olhando o cano da pistola apontada para seu rosto.

— Como entrou aqui? — disse Ashcroft.

— Importa-se mesmo com isso?

— Vá embora, Gogol. As regras para tratamento de prisioneiros são bem pouco específicas em se tratando de espiões.

— Já está tudo perdido, Stephen. Eu conheço o plano. Sua missão falhou. Venha comigo e aproveite a vida. Nada pode salvar Nungaland.

Ashcroft mantinha os dedos ao redor do cabo do sabre. Tentou determinar se, daquela vez, era ela mesma ou um autômato. As palavras eram um pouco vulgares demais, mas algo na postura, no brilho dos olhos, fazia crer que fosse mesmo Gogol. Estava tentando enganá-lo: mesmo com toda a tecnologia que Taransilla roubara de Nungaland (que a própria Gogol roubara de Nungaland), um autômato nunca seria tão rápido e imprevisível quanto uma agente treinada. Ela queria que ele a subestimasse.

— Se conhece o plano, sabe que já está em andamento. O canhão terá alcance para atingir qualquer nave de Taransilla perto de nosso espaço aéreo, senhora. Mesmo que você capture ou mate o cientista.

A mais deslavada das mentiras. O plano não estava em andamento, e não envolvia canhão algum. Ashcroft tentou captar algum sinal de que ela acreditasse.

— Se me permite, o senhor está enganado, brigadeiro. O doutor Lugus acaba de me relatar as limitações técnicas do canhão. Nossos cientistas saberão como...

Ashcroft sorriu.

— Oh, Stephen. — Gogol ergueu uma sobrancelha e lambeu os lábios. — Oh, Stephen, você é impiedoso. Não tem escrúpulos de se aproveitar de uma dama. Belo blefe.

— A senhora não sabe de *nada*. Não tem nenhum poder de barganha aqui. Permita que eu a acompanhe para fora do navio, ou até uma forca.

— Sei que não planejam construir um canhão.

— A tripulação vai acordar, Gogol. Vá embora.

— Ainda posso matar este traidor.

Ashcroft saltou. Puxou o sabre no ar, um brilho metálico cegante refletiu os lampiões. Era o sabre conceitual, a arma rara e suprema dos mais distintos guerreiros, e em um segundo estava na garganta da espiã. Mas Gogol também possuía seus truques: falou uma palavra de comando e um de seus olhos se acendeu. Um campo de disrupção probabilística se expandiu ao redor dela. Durava apenas três segundos, mas era suficiente para evitar o golpe. Ashcroft viu seu braço em centenas de pontos ao mesmo tempo — exceto no local onde deveria estar. Era um gambito arriscado, já que a manipulação da realidade eliminava apenas o resultado primário — ou seja, funcionava apenas se o inimigo houvesse *acertado* um golpe mortal. O dispositivo concedeu à mulher tempo suficiente para saltar, batendo com as solas dos pés numa parede e ficando atrás do brigadeiro.

— Até breve, Stephen.

E correu.

A tripulação acordava, os oficiais vinham descobrir o que estava acontecendo. Ashcroft corria atrás de Gogol. Do lado esquerdo, viu Albrecht e o Capitão Winscott chegando, a tempo de enxergar o final da fuga.

Gogol soprou um beijo para Ashcroft e pulou no mar. Não emergiu.

— Mergulhadores! — rugiu o Capitão Winscott. — Atrás da espiã! Um prêmio de duzentos soberanos para quem capturá-la!

— Não adianta, capitão — disse Albrecht. — Ela já está fora de alcance.

— Duzentos soberanos! — repetiu o marinheiro.

— Nenhum de seus homens conseguirá capturá-la — disse Ashcroft, guardando o sabre. — Gogol deve ter alguma modificação fenotípica que permita que respire debaixo d'água. Eu não ficaria surpreso se possuísse algum dispositivo probabilístico que aumentasse seu peso, puxando-a para o fundo do oceano.

Estavam resignados. Fosse como fosse, nenhum mergulhador conseguiria chegar aonde Gogol estava.

— É um privilégio ter em meu navio alguém com tanta intimidade com o inimigo, senhor! — vociferou Winscott.

Não foi o único insulto sutil de Winscott para com Ashcroft e Albrecht. Esgrimiram daquela forma durante toda a viagem, mas de que importava?

Naquele momento, importava apenas o país e o rei.

E a rainha.

Sobre as ondas e sob o enjoo, Ashcroft levou o doutor Lugus, o último doutor Lugus, até Nungaland, para salvar o Império.

7

Senti a ausência de Deus como falta de ar. De repente, não só o brilho dourado sumira: a presença que englobava tudo, a sensação da divindade em cada centímetro do salão apagou-se. E, eu soube, também apagara-se a Magia Conceitual. Meus joelhos ainda ardiam por encostar no chão, meu corpo ainda formigava por inteiro pela proximidade com o minério. Mas a onda avassaladora fora contida quando a porta se fechou. Eu sentia dor, mas não sentia meu corpo prestes a se desmanchar.

Jocasta passara pela porta, entrara na câmara que nenhum de nós vira, carregada pelos ancestrais Pugna Marco Segundo e rumo a um Deus que ela sabia existir. Na mesma passagem sumira o Bispo Calímaco, junto à sua amada Felícia.

Eu não sabia, ninguém sabia, o que aconteceria aos que se aventuravam tão perto da fonte da divindade.

Mas agora a Magia Conceitual fora contida, o brilho dourado não cegava mais. Pude notar que globos de cristal iluminavam aquele salão, assim como eu vira no resto da fortaleza. Perto da luz magnífica, eram patéticos, quase negrume total, formando uma atmosfera tristonha.

Eu estava no salão, assistindo a Derionde ajoelhado, ainda de mãos postas para a santa que sumira. Vendo as monstruosidades que eram os piratas agonizando ante as lâminas de Pugna e de Benedict e dos Irmãos da Última Trombeta. Eu estava numa casa de ópera, enfrentando uma espiã de Taransilla.

Uma forma retorcida, feita de braços, pernas e intestinos, saltou sobre Benedict. A coisa mostrava tubérculos de carne viva pulsando por entre sua pele rasgada, berrava tanto de raiva quanto de dor. Atacou com as mãos em garras, mas o cavaleiro dançou para o lado e deu um corte fundo com sua espada. Pugna estava preparado e estocou com sua imensa lâmina, afundando o aço na criatura, que estrebuchou. Os nobres lutavam, sangravam e faziam sangrar. Os monstros morriam.

E notei: eles paravam de borbulhar, não mais buscavam fundir-se uns aos outros nem mudavam de forma constantemente. Recebiam golpes de espada e paravam de se mexer. O poder furioso, a mutação frenética, advinha da Magia Conceitual, e agora aquelas coisas eram só dignas de pena e nojo. Pugna dividiu o último em dois, provocando uma garoa vermelha. Os guerreiros pararam para examinar os frutos de seu trabalho de açougueiro.

Eu tinha consciência de que estava lá, embora a casa de ópera fosse muito mais real. O presente era algo atazanando o fundo do meu pensamento, como uma tarefa tediosa que pode ser adiada. Mas eu tinha consciência. Então apoiei-me sobre as mãos, para me erguer.

Não consegui.

— Eles estão mortos? — disse Benedict.

Pugna Marco Segundo não respondeu. Começou a andar entre os corpos distorcidos, estocando cada um metodicamente.

— Onde está o líder dos piratas? — insistiu o Cavaleiro Imaculado.

Nisso, Derionde levantou-se e bateu a poeira inexistente dos joelhos. Foi até os Irmãos da Última Trombeta em passinhos mansos, com uma mão nos quadris, como se sentisse dor ao caminhar.

— Ajudem-me, sim? — disse o cardeal.

De novo, tentei me erguer. Eu fazia força para prestar atenção no momento, porque, se me concentrasse, notava que meus joelhos ainda ardiam, podiam estar sofrendo estragos irreparáveis. Mais uma vez, dei a ordem a minhas mãos para que me apoiassem, dei a ordem a minhas pernas para que se empertigassem.

Nada. Imóvel.

Eu tinha sensação, mas meu corpo não respondia.

Os nobres foram acudir Derionde, talvez mais por instinto do que por raciocínio. Sem o brilho dourado, sem o imediato da luta, pude ver: eram uns trinta. Outros dez ou doze jaziam em pedaços, vítimas da batalha contra os piratas. Homens e mulheres de todas as idades; músculos e vigor e também cabelos brancos. E havia um punhado de crianças. Pelo menos duas eram agora manchas gosmentas no piso, mas restavam várias. Os irmãos começaram uma reza. Um deles fez sinal com as mãos, movendo-as para cima, e o resto respondeu rezando mais alto. A oração subiu de volume e transformou-se num hino sacro, que eles cantavam em bocas sorridentes.

— Porcaria, onde está o capitão pirata? — vociferou Benedict.

— Ajudem-me, meus filhos, vamos todos agradecer por termos sobrevivido — disse Derionde.

Cada vez mais nervoso, tentei mexer alguma parte do corpo. Qualquer parte. Os dedos de uma mão. Não pude; estava paralisado. Via meus olhos piscando, mas não podia controlar o movimento. Sentia meu coração batendo, mas não podia nem mesmo engolir saliva. Minha mente começou a girar, um pavor fundamental foi se alastrando por mim. Mas eu não dava sinais físicos daquele pânico, não sentia meu coração acelerado, não podia morder os lábios ou respirar mais rápido. O desespero obscureceu tudo que eu pensava, e senti-me tombar para frente, de cara no piso. Minha bochecha começou a arder.

— O que vamos fazer agora? — perguntou um dos Irmãos da Última Trombeta.

— Ora, vamos esperar a Voz — disse Derionde. — Sua Santidade está onde apenas ela pode estar, desfrutando do privilégio que só é concedido à maior das santas. Todos temos que esperar a morte para encontrar o bom Urag, mas Sua Santidade foi encontrá-Lo em vida, e voltará com a mais suprema verdade para nós.

— Então nossa missão foi cumprida? — disse alguém. — Encontramos Deus?

— Sua missão foi cumprida. — Derionde sorriu, então andou devagar e ergueu a mão, tocando a testa do fiel. Fez uma leve pressão com as pontas dos dedos, e foi como uma bênção, um carinho. Provocou lágrimas.

— Vossa Eminência ainda é um prisioneiro aqui — rosnou Benedict.

Derionde tinha os olhos meio fechados, e voltou o sorriso de avô para o cavaleiro.

— Sou prisioneiro e agradeço por isso, Benedict. Não quero mais a soberba, a presunção de me julgar superior. O maior presente que você pode me dar é me fazer prisioneiro, o mais reles entre os mortais, finalmente me libertar de meu pecado. Sou prisioneiro, sou seu lacaio; entrego-me a você, como Cavaleiro Imaculado e representante da Voz, para decidir meu destino.

Benedict ergueu uma sobrancelha. Ele conhecia Derionde. Vi algo muito sutil: o cavaleiro moveu a mão da espada um centímetro, aproximando-a de uma posição de ataque. Em resposta, Pugna também moveu sua lâmina imperceptivelmente, ficando só um pouco mais pronto para a violência. Benedict relaxou, e Pugna também. Um diálogo inteiro entre dois guerreiros, travado através de movimentos minúsculos, compreensível apenas para os olhos treinados — ou para quem, como eu, estava paralisado e só podia mesmo olhar.

E o diálogo foi: Pugna Marco Segundo agora estava jurado a proteger o Cardeal Derionde.

— O que aconteceu com esse? — Benedict mudou sua atenção, virando-se para mim.

Ouvi seus passos e vi suas grevas chegando cada vez mais perto de meu rosto. Então, em meu ombro, a ponta de seu pé, movendo-me de um lado para o outro.

— Está morto? — disse Benedict, cutucando-me de leve com a espada.

— Este é o senhor Iago, um dramaturgo que já serviu à Igreja — respondeu Derionde.

— É um traidor? — disse uma irmã. — Um herege?

— Não quero julgar ninguém como traidor, muito menos herege — disse o cardeal. — O julgamento pertence a Urag, e à Sua única Voz.

— Está morto? — insistiu um irmão.

Benedict virou-me, examinou meu rosto e meu corpo. Decidiu que não, eu ainda vivia. Agora minha nuca e minha cabeça ardiam, em contato com o piso.

— Vamos matá-lo! — sugeriu alguém.

— Talvez — disse o cavaleiro.

Pugna chegou perto, e tive esperança de que falasse algo. Eu ajudara Atreu a realizar uma cirurgia em Pugna. Eu convivera com Pugna, quando éramos ambos rebeldes. Mas é claro que Pugna não falou nada, ele tinha seus deveres e seu pensamento fabricado e incompreensível, e só me observou.

— Onde está o capitão pirata? — disse Benedict, de repente.

Afastou-se de mim, e eu quis suspirar de alívio, mas não pude. Queria poder dizer que Pharoux estivera se aproximando de mim, ao menos virar-me e olhar ao redor, para procurá-lo. Mas só conseguia ficar deitado, olhando para o teto.

Os irmãos reviravam os cadáveres de piratas e de seus próprios companheiros, em busca do capitão. Dois passaram por mim, foram mexer em uma pilha de corpos que eu não enxergava.

— Aqui! — disse um deles.

Benedict se voltou.

— Está morto — decretou outro dos irmãos.

Mas então Pharoux saltou, e notei isso como um borrão logo fora de minha vista. Em um instante ele estava sobre mim, com uma adaga encostada em meu pescoço. Pharoux estivera se fingindo de morto, mas sua farsa durara pouco.

Senti a ponta da arma contra minha garganta, vi o pirata agachado sobre meu corpo. Mas não pude nem me debater.

— Essa sandice já foi longe demais — disse Pharoux, com sua voz empolada. — Deixem-me ir embora, ou mato o pequeno bardo.

Quis dizer que não era um bardo, e que era um refém horrível. Quase qualquer um ali seria uma vítima melhor. Mas Pharoux não desejava, suspeito, arriscar-se com alguém que pudesse revidar.

E, de qualquer forma, eu não conseguia falar coisa alguma.

Benedict deu uma risada.

— Ele? — disse. — Mate-o. Estará me fazendo um favor.

Os nobres começaram a vir na nossa direção, ele por instinto aumentou a pressão da adaga no meu pescoço, mas Derionde falou:

— Não! Não mate Iago. Vamos conversar.

Os irmãos pararam, a adaga parou. Eu sentia a picada na pele, uma cócega lenta se arrastava pelo meu pescoço. Devia ser uma gota de sangue, escorrendo viscosa do pequeno corte que já fora feito.

— Por quê? — disse Benedict.

— Iago já foi nosso aliado. Deixou-se levar pelas más companhias, mas quem aqui não é culpado disso? Eu mesmo sou um pecador, como a Voz deixou bem claro. Iago deixou-se levar pelo vil Atreu, assim como se deixou levar por uma mulher imoral no passado. Isso acontece.

Ele estava falando de Lubna. O desgraçado estava falando de Lubna. A raiva tomou conta de mim, mas era um sentimento estranho, porque não se alastrava da mente para o peito, não me deixava engasgado, como seria o normal. Era raiva ainda mais impotente do que se eu estivesse apenas calçado por uma faca. Nem meu organismo podia responder.

— E porque o escritor já foi seu aliado você vai deixar esse desclassificado nos chantagear? — disse Benedict.

— Oh, ele não está falando sério. Está apenas confuso. Não esperava ser confrontado com seus pecados hoje, não é mesmo?

Pharoux, talvez pela primeira ocasião em sua vida, não disse nada.

— O senhor não vai matar mais ninguém. Como é seu nome, se me perdoa a desatenção?

— Pharoux.

— O senhor Pharoux não vai matar mais ninguém. Não queremos mais sangue na casa de Deus. O senhor quer sangue, senhor Pharoux?

— Sim!

— Não quer, não. Se quisesse, já teria matado Iago. O senhor não é um sanguinário; ninguém é. Todos somos bons, no fundo, porque é assim que Urag nos criou.

O discurso mudava para se adequar à situação, isso não era novidade. Com frequência alarmante a religião alterava sua postura, entre condenatória e maternal, punho fechado ou carícia. Como uma trupe de humoristas, respondia ao que o público aplaudia mais.

— Vou matar o bardo, seus alucinados sem mãe! — disse Pharoux. — Não pensem que não vou. Deixem-me sair daqui. Se não gostam do escritor, não é problema, há muitas outras gargantas pedindo a minha faca. Vocês todos são lentos como velhotes.

Pugna deu um passo à frente. Benedict também, mas na diagonal oposta. Aos poucos, cercavam o pirata.

— O cardeal está montando uma boa fachada — disse Benedict. — Mas isso não é tão importante, você sabe. Ele afirma não querer que você mate Iago porque deseja parecer um santo. Mas há outras formas de adquirir santidade.

— Meu desejo pela vida de todos é genuíno — protestou Derionde.

— Ele não se importa com o escritor, Pharoux. Se o bastardo morrer, vai ser só mais um exemplo das vicissitudes do mundo, contra as quais só a Santa Igreja pode proteger.

Eu conseguia enxergar parte do rosto de alguns nobres na minha visão periférica. Eles pareciam confusos. Benedict falava às claras o que muitos ou todos ali questionavam. Afinal, Derionde era um prisioneiro, mas tomara a liderança da situação. Estaria mesmo querendo enganá-los? Parecer um santo para poder manipular melhor?

— Entenda isso, seu idiota — bufou o cavaleiro. — Ele só precisa *dizer* que quer poupar uma vida.

— Deixem-me ir embora, bando de eunucos gritalhões. Vocês estão todos aqui unidos em sua sandice, e minha mãezinha não me criou para morrer com uma cáfila de fanáticos. Não faço diferença para vocês, para o que quer que pretendam fazer neste lugar esquecido por Deus.

— Deus não esqueceu, Pharoux — disse Derionde. — Quem esqueceu fomos nós.

— A menininha maluca disse que você escondeu...

— Nós esquecemos Deus, mas já lembramos, não é mesmo? Estamos aqui para lembrar de nosso Criador. Por isso vamos seguir todos os Seus preceitos enquanto estivermos em Sua casa. Ninguém vai matar.

O cardeal havia desviado habilmente o comentário de Pharoux. Talvez poucos ali ainda lembrassem que, segundo a própria Jocasta, Derionde havia escondido Deus. Derionde havia ajudado o povo a esquecê-Lo.

Derionde estava sorrindo.

— E você também esqueceu Urag, Pharoux. Não é como se nunca O tivesse conhecido. Imagino que, quando era apenas uma criança, conhecia nosso Pai.

— Nunca conheci meu pai, velhote.

— Todos conhecemos nosso Pai de verdade. E você esqueceu, assim como eu esqueci. E você cometeu crimes, assim como eu cometi. Vê? Sou igual a você, Pharoux. Não ouso dizer que sou melhor que um pirata, sou tão pecador quanto qualquer um de seus homens, que Deus os tenha. Você esqueceu e eu esqueci, mas já lembramos, então não vamos cometer mais nenhum crime. Porque então já não seremos mais tolos esquecidos; seremos maus.

— Você não conhece maldade até irritar um pirata, sacripanta de saias. Acho que vou matar este sujeito só por tédio.

Aumentou a pressão na adaga. Nada que eu pudesse fazer. Dependia de Derionde para salvar minha vida, e não havia razão para que Derionde me quisesse vivo. Benedict tinha razão, só podia ter razão. O importante era a fachada, expressar a *intenção* de me poupar. Nada mais fazia sentido. Eu sabia que Derionde não queria me usar de novo como escrevinhador de profecias — não precisava, contando com o poder de Jocasta. Também não podia me usar contra Jocasta, porque nem mesmo minha pena fazia frente ao carisma da garota, nenhuma história poderia suplantar sua trajetória real de miséria e glória. Eu estava deitado no chão, sentindo a ardência na pele descoberta, a adaga no pescoço. Um sentimento de claustrofobia, como se minha própria visão, minha própria mente ficassem menores e menores. Não podia fazer nada, além de torcer para que Derionde tivesse sucesso e ter esperança, além de qualquer racionalidade, de que vivo eu fosse útil para ele de alguma forma.

— Não vai matar ninguém — retrucou Derionde. — Porque não existe maldade. Só existe ausência de Deus.

Deu um passo na direção de Pharoux.

Na casa de ópera, no navio, com uma pistola na mão e engalfinhado com uma espiã inimiga, eu tinha a noção — muito real, mas muito distante — de que o pirata puxara a faca para trás. Apenas uns centímetros, mas o suficiente para um pequeno impulso, e então enterrá-la dentro de mim.

— Deixem-me ir embora! — gritou Pharoux. — Não precisam de mim para nada!

— Não estamos mais pensando nas nossas necessidades — Derionde sorrindo, mais um passo. — Queremos atender às suas. E você precisa de Deus.

Pharoux não disse nada, só vi seu braço se movimentar, parecendo muito lento, mas na verdade com uma rapidez tremenda. A faca ia entrar na minha garganta, eu não conseguia me mexer...

— Solte Iago. Eu me ofereço como seu refém.

A adaga se deteve.

— Você é louco, velho castrado — disse Pharoux.

— Ele tem razão — disse Benedict.

— Iago não tem culpa de nada disso. De outras coisas, sim, mas não disso. Isto é entre nós, senhor Pharoux. Pegue-me como refém.

Caminhou até nós. Num salto, o pirata largou-me e agarrou Derionde, deixando-o à sua frente, com o fio da adaga em seu pescoço. Pugna fez menção de atacar, mas Derionde deteve-o com um gesto.

— Deixe-me ir embora — repetiu Pharoux.

— Não — decretou o cardeal.

Minha vida, temporariamente, não estava mais em risco. Quis chorar de alívio — mas, é claro, fiquei parado.

— Não se pode chegar até a casa de Deus e sair quando se bem entende, senhor Pharoux. Por acaso o senhor acha que alguém aqui tem o direito de desprezar a graça que Ele nos oferece? De apenas dar meia-volta e retomar nossa vida normal? Todos sairemos daqui transformados, de uma maneira ou de outra. Seus homens foram transformados pelo poder divino, e o senhor não é melhor do que eles. Nem eu, ou Benedict, Iago ou Pugna, ou nossos irmãos. Todos sairemos quando Deus estiver satisfeito. Depois de nossa transformação.

Eu começava a entender. A razão pela qual ele não queria deixar Pharoux sair. A razão pela qual poupara minha vida. Benedict também: com o canto dos olhos, pude ver um lento sorriso de compreensão se abrindo em seu rosto. Era como se dissesse o velho é bom, é muito bom.

Se Pharoux saísse dali, era sinal de que pessoas podiam sair daquele salão. Impedindo que isso acontecesse, Derionde mostrava que não, ninguém podia ir embora. Derionde podia ser prisioneiro dos Irmãos da Última Trombeta. Mas agora todos éramos prisioneiros dele.

— Ninguém sairá daqui enquanto Deus não decretar, senhor Pharoux. Ninguém morrerá enquanto não for a vontade de Deus. Não seja tão presunçoso! Aqui o senhor não tem autoridade alguma, nem eu. A única autoridade é Urag.

E, com alguns minutos de comentários sorridentes, Derionde começava a adquirir controle sobre a vida e a morte de todos. No final das contas, meu valor não era estar vivo: era não morrer — enquanto Derionde não mandasse.

— Não importa o que você fale — disse Pharoux. — Pode tagarelar até que minha avó saia dançando de sua cova e sapateie junto com a Voz, os anjos, Deus e o diabo em pessoa. Sua língua é afiada, mas minha adaga é mais, e sua papada é mole, enquanto minha adaga é dura. Minha adaga vai foder sua garganta como seu avô fode sua mãe, e vou ir embora antes de sua próxima maluquice.

Silêncio.

— Satisfeito? — disse o cardeal.

Pharoux balbuciou qualquer coisa.

— Deixei que falasse bastante e blasfemasse tão perto de Deus. Deixei que fizesse uma cena, como um menino birrento. Deixei que falasse palavras feias na frente de nossas damas e crianças inocentes. Já está satisfeito? Já basta?

— Vamos, velhote.

— Porque Deus não será clemente, senhor Pharoux, com quem desperdiça todas as chances. O senhor pode me ofender o quanto quiser, mas não serei fraco ou covarde. Não deixarei que o senhor saia daqui desafiando Urag. — Ergueu a voz: — Duvido que qualquer um aqui seja tão frouxo a ponto de permitir isso!

Em poucas frases, formara para si um pequeno exército. E continuou:

— Mesmo que me arraste com uma faca em minha garganta, o senhor não sairá daqui. Mesmo que me mate. Porque Benedict, Pugna e os escolhidos de Deus não permitirão. Eles não vão matá-lo, senhor Pharoux. Só vão restringi-lo.

Nisso, Pugna Marco Segundo preparou a espada. A lâmina estava inclinada, os cotovelos dobrados. Qualquer um percebia que estava pronta para um golpe de cima para baixo, contra uma perna. Se Pharoux matasse o cardeal, seria aleijado por Pugna. E ficaria ali, de qualquer jeito.

— É aqui que imponho o limite! — bradou Derionde, transformando fragilidade dócil em orgulho de mártir. — Daqui não vamos recuar. Pise sobre mim, mas nunca pisará sobre Deus!

E todos os olhos estavam em Pharoux. Pelo menos os olhos que eu podia ver.

Pugna iria cortá-lo. Benedict, mesmo percebendo o que ocorria, iria se juntar à turba, porque era o mais conveniente. E os Irmãos da Última Trombeta saltariam sobre ele, até mesmo as mulheres e crianças, para impedir que cometesse o que (já estavam convencidos) seria a maior das blasfêmias. Todos lutariam pelo privilégio de serem dominados por Derionde.

Porque agora Derionde ditava quem saía e quem ficava. Ditava quem vivia e quem morria. Repetindo que apenas a Voz era capaz de falar por Urag, Derionde tornara-se o arauto da vontade de Deus.

— O senhor pode ser nosso irmão ou pode ser odiado por Deus, senhor Pharoux. E então? O que escolhe?

Não tive ângulo para ver a adaga sendo tirada do pescoço do cardeal, mas vi a sala toda relaxar. Derionde caminhou uns passos para longe do pirata, então voltou-se. Sorriu e deu tapinhas em seu braço, reconfortando-o.

— Pode ficar com sua adaga, senhor Pharoux. Sei que alguns homens sentem-se mais confortáveis com suas armas. São como garotinhos com seus cobertores! Fique com sua adaga. Sabemos que não irá usá-la contra ninguém.

Até que Deus quisesse uma morte.

Até que Derionde quisesse.

— E por favor, meus irmãos, ergam o senhor Iago. Sua pele deve estar queimando, em contato com este chão abençoado.

Debruçaram-se sobre mim, senti mãos me levantando. Fiquei agradecido.

Tudo estava em paz. Com os dedos juntos e os olhinhos meio fechados, Derionde sorria.

8

Ali era onde ele deveria estar, aquilo era o correto. Onde sentia-se mais ele mesmo. No convés da *Impetuosa*, nau capitânia da Real Cavalaria Celeste, o Brigadeiro Stephen Icarus Ashcroft estava pleno, completo. Sem intrigas, sem esconder-se pelos corredores de teatros e sem fazer o jogo da espionagem. Apenas comandar os homens através dos oficiais, assistir aos aeronautas atando os nós e fazer os cálculos necessários para o próximo rumo. Assumir o timão se sentisse vontade, sentir o leme vibrando e cedendo ao seu toque, como se a nave fosse um violino fazendo a melodia da guerra. Aquele era seu lar. Se não podia ter um lar em Vonticern — pois seria com Azabeth, e isso era impossível — então contentava-se com os ares. Se não podia experimentar o idílio doméstico, que fosse a glória militar. Ashcroft pegou sua luneta e observou o restante da frota apenas por prazer. Faziam um perímetro largo em torno da costa verdejante, velas recolhidas e cascos imensos flutuando serenamente na brisa. A *Solitária* de Albrecht. A *Dama Azabeth* do Comodoro Lyman. A *Intocável* do Capitão Ramsell. E tantas outras, grandes e pequenas, ligeiras e portentosas, com dezenas de canhões ou apenas três. Dois mastros ou cinco, todas as funções e finalidades, numa harmonia de balé, guardando a coisa mais importante do mundo.

Pena que fosse isso. Era o que estragava. Se estivessem singrando o céu rumo a um inimigo, seria perfeito. Mas estavam parados, guardando a construção que continha o futuro de Nungaland e era parte daquela guerra de aleijados.

A praia abaixo era lambida por ondas preguiçosas, sob o sol forte que coruscava na água. E, é claro, também havia uma esquadra naval, mas quem se importava com ela? Ashcroft sabia que era presunçoso, mas permitia-se aquele prazer inofensivo, embora estúpido. Se Taransilla atacasse, seria pelo ar, devido à facilidade de alvejar a construção. A menos que a rainha inimiga decidisse por um ataque conceitual em grande escala (algo duvidoso, pois provocaria retaliação e a temida Destruição Mútua Assegurada), a grande preocupação eram naves aéreas e desembarque de tropas.

Não conheciam todos os mistérios que aquele continente verde escondia. Haviam explorado até certo ponto, feito contato com nações nômades (algumas avançadas e civilizadas, outras pouco mais que selvagens das cavernas). Mas nenhuma nave já inventada tinha autonomia de voo para adentrar tão fundo, e ainda não havia docas aéreas para reabastecimento no meio do continente. Tudo isso fazia parte do grande plano, do futuro. O mais urgente era construir a grande máquina e protegê-la. Proteger o segredo até onde era possível, embora nenhum projeto naquela escala passasse despercebido.

Garantir que a doença se espalhasse.

Mais tarde, quando houvesse uma base segura, postos avançados e um governador para aquela nova província, haveria também expedições exploratórias. Algum sortudo compraria ou conquistaria o direito de reunir um bando de intrépidos e penetrar a pé no novo continente. Talvez Ashcroft conseguisse uma desculpa para acompanhá-los, ou talvez alguma grande companhia comercial assumisse o desbravamento e mandasse seu exército particular.

Até onde sabiam, o continente era só floresta. Floresta densa, floresta variada, floresta suculenta e abundante, com frutas e pássaros e peixes e animais outrora desconhecidos. As parcas planícies nuas (muitas alagando-se periodicamente) abrigavam algumas aldeias. Os morros e depressões davam vazão a fauna e flora coloridas, extravagantes. Nunca ninguém vira algo como aquilo, nem nas mais exóticas e distantes colônias. Pensava-se em riqueza, em descobrir produtos nativos daquele clima quente e explorar veios de minério. Mas, acima de tudo, pensava-se em construir a máquina em um local remoto, oculto, longe dos grandes centros civilizados.

— Uma caçada mais tarde, brigadeiro? — A voz metálica do receptor interrompeu o devaneio.

Era Albrecht, soando distorcido e fraco. A *Solitária* ainda estava à vista, mas já quase fora do alcance dos transmissores.

— E por que mais tarde, capitão?

O outro riu. Parecia estática gerada em uma lata de conservas.

— Pelo meu relógio, ambos temos muito tempo até a próxima folga — disse Albrecht.

— Pelos meus documentos, estou no comando desta frota inteira. Digo que podemos caçar um pouco, principalmente se nos descuidarmos e acabarmos indo além dos limites já explorados.

— Se o brigadeiro mandar um escaler até a *Solitária*, não terei escolha a não ser considerar isso uma ordem.

Diversões inconsequentes eram parte considerável daquela rotina de guarda. Mesmo que Azabeth e boa parte das forças de terra e ar estivessem na capital, o poder de fogo ali era magnífico. Ainda que o pior acontecesse e Taransilla descobrisse a localização e a importância daquele continente sem nome, a simples existência da frota desencorajava qualquer ataque. Então Ashcroft caçava. Nadava no mar. Desenhava pássaros e insetos em seu caderno. Ouvia música. Conversava com os soldados. Lia. Pensava na rainha.

— Hoje tentarei abater um daqueles roedores gigantes — começou Ashcroft.

— Brigadeiro, vela desconhecida à frente. — O tom de Albrecht mudara por completo. Era urgência pura, a voz de um militar experiente e responsável.

Vela desconhecida à frente. Alguma nave aérea chegava. Ashcroft tomou de novo a luneta, ordenou a tripulação às posições de batalha. Enviou um homem à gávea, fez desfraldarem as velas probabilísticas, deixou os oficiais matemáticos de prontidão.

Olhou pela luneta: não era uma vela.

Eram pelo menos dez.

Lá embaixo, já haviam recebido o aviso. Ashcroft abrira comunicação com o comando de terra e sua tripulação agitara as bandeiras de código, deixando toda a frota em alerta. Os soldados nas bases temporárias estariam carregando seus rifles, fixando as baionetas, apresentando-se em seus pelotões. Os autômatos Pugna (modelos Marco Terceiro, Segundo e até mesmo Primeiro, para completar os números necessários) estariam fazendo as linhas de tiro, prontos para que a infantaria inimiga se apresentasse. Todos os civis (engenheiros, trabalhadores, matemáticos, filósofos e os mais importantes de todos, os artistas) estariam sendo recolhidos aos abrigos. Uma boa área da mata fora derrubada para fornecer espaço e matéria-prima aos alojamentos e demais prédios. Umas poucas construções eram de pedra, moldadas por Magia Conceitual para abrigar os altos oficiais e o pessoal mais importante. Ashcroft sabia que um grande contingente, incluindo encouraçados terrestres, estava se posicionando ao redor do enorme jardim, da cerca viva circundando a fortaleza que era o centro de tudo. A fortaleza que abrigava a máquina, de onde iria se originar a doença. De onde viria a salvação.

A quantidade de energia conceitual usada naquele invento era absurda. Nunca se ouvira falar de algo nessa escala, afora os teóricos ataques das Grandes Rainhas, nunca testemunhados na realidade.

O brigadeiro pensou em Azabeth. Se aquilo era mesmo um ataque de Taransilla, significava que a guerra enfim começara? Será que a capital estava sendo bombardeada? Será que a própria Azabeth estava, naquele momento, usando sua magia para causar doze milhões de mortes, mais seis ao longo de um ano?

Enquanto pensava, Ashcroft seguiu o protocolo: a *Impetuosa* mostrou o sinal para que as velas que se aproximavam à distância se identificassem. Caso não o fizessem, seriam consideradas inimigas, e Nungaland abriria fogo.

A quantidade de energia conceitual lá embaixo era absurda, e por isso os artistas eram tão importantes. A cerca viva fora criada no complexo padrão visual característico de Nungaland, para bloquear as emanações que distorciam a realidade. A própria fortaleza era tão cheia de detalhes e decorações quanto o interior de um museu de arte. Os demais prédios haviam sido pintados com os padrões defensivos. Até mesmo os alojamentos de madeira — que seriam derrubados para dar lugar a construções permanentes — estavam cobertos de decorações contra a Magia Conceitual.

Afinal, para mudar o mundo, o universo, a mente humana, era preciso mexer bastante na realidade. Aquela invenção era o mais ousado uso de magia em todos os tempos.

— Eles não estão respondendo, Stephen — disse a voz de lata de Albrecht, no receptor.

— Também não acho que sejam da Companhia Trioceânica ou de nenhuma potência neutra.

— Será que é aqui que começa? Neste local que ninguém conhece? A guerra para pôr fim às guerras?

— Ou aos homens.

O instinto de todos — rei, rainha, ele mesmo, até os generais e o Almirantado, quando informados do plano — fora construir a máquina em Vonticern. Ou pelo menos no território de Nungaland. No mínimo, em uma colônia amigável, leal e civilizada. O cerne da estratégia deveria ficar num local acessível. Mas o doutor Lugus refutara. O conceito ficcional exigia um local distante, em primeiro lugar. Afinal, quem acreditaria que algo impossível existia em seu quintal? Era um conceito tão improvável, tão fantasioso, que necessariamente deveria se localizar num ponto afastado, que nem mesmo exploradores conhecessem bem.

Além disso, a máquina era imprevisível. Seu funcionamento era teórico. A doença iria afetar a mente humana em um nível fundamental. Seria sábio localizar o marco zero tão perto da população civil? E se as alterações no inconsciente dessem errado? Ademais, sempre havia risco na Magia Conceitual. Caso ocorresse um acidente, era bom estar longe de quaisquer centros urbanos.

Portanto, construíam naquela terra verde e onírica, em meio a aldeias e animais exóticos.

— Toda a tripulação, posições de batalha! — vociferou Ashcroft. As naves continuavam se aproximando, sem identificação, sem resposta. — Timoneiro, oito graus a estibordo!

A urgência do combate iminente apagava todo o resto. O que era ótimo, porque pensar no plano sempre ressaltava o quanto era absurdo. O quanto parecia impossível. Ashcroft lembrava de cada detalhe da conversa com o doutor Lugus:

— O povo teme porque pode morrer — disse o cientista.

Edgar não se conteve, bateu com o punho na mesa.

— Precisamos de uma epifania, homem! Não de obviedades.

— A obviedade é o problema — insistiu o doutor. — A epifania é a solução. — Uma pausa, e então: — Eles não temeriam se não morressem.

Edgar, Azabeth e Ashcroft deixaram-se amolecer nas poltronas. Com o mesmo pensamento, não contiveram um suspiro de decepção. É claro que já haviam pensado naquilo.

— Estudos sobre imortalidade não são nada novo — disse a rainha. — Duvido de que você tenha o segredo para a vida eterna.

— Mesmo que tivesse — disse Ashcroft —, isso envolveria modificação biológica. Algo típico de Taransilla. O povo de Nungaland não aceitaria e, se aceitasse, estaria se aproximando do inimigo.

O doutor Lugus sorriu, como se falasse com crianças.

— Não é preciso torná-los imortais. Apenas fazer com que acreditem ser imortais.

Foi a vez de Edgar rir.

— Meu povo não é tão estúpido, doutor. Nenhuma mãe cujo filho morreu na guerra acreditará que ele é imortal, estando apenas escondido em alguma colônia distante.

— E se houver algo *dentro* desse soldado hipotético? Algo eterno, indestrutível? Que continue após a morte?

O homem falava sandices. Os três fizeram as objeções óbvias, sobre como médicos seriam capazes de localizar tal coisa, caso existisse. Apenas os mais ignorantes seriam enganados.

— Não, não — disse o doutor Lugus. — Algo imaterial, invisível, indetectável por qualquer tipo de sensor. Digamos que isso exista, e que continue existindo após a morte do corpo. Como se a personalidade de alguém fosse condensada em uma substância etérea.

Era um arroubo bastante fantasioso, mas pediram que ele continuasse.

— E digamos que houvesse uma recompensa para essa substância etérea após a morte.

— Quer que eu dê medalhas aos mortos? — disse Edgar.

— Não, Vossa Majestade, e não medalhas. Uma eternidade de prazeres. Após a morte, essa substância, que contém a identidade e a personalidade de cada um, receberia deleites eternos.

Certo, pensaram os três. *Ninguém* acreditaria naquilo.

— Mas — completou o doutor —, só caso o falecido fosse alguém virtuoso.

— Ninguém acreditaria — disse Ashcroft. — E já tentamos campanhas de propaganda. Funcionam apenas até certo ponto.

O doutor Lugus sorriu.

— Aí entra a doença, Majestades, brigadeiro. Já pensaram em como as ideias se propagam?

O cientista apresentou uma longa e complexa teoria. Conceitos como amor, patriotismo, ódio, adoração por uma cantora ou até mesmo ditados populares seriam como pequenas doenças. Organismos (feitos de informação, em vez de matéria física) que se multiplicavam nas mentes humanas. Colonizavam uma pessoa, depois outra, como uma gripe. Uma coqueluche. O que o doutor propunha era codificar e compreender o funcionamento dessas doenças de informação. Criar uma máquina que espalhasse uma delas, de propósito. Que infectasse a população, unindo-a num só pensamento.

— Quer transformar o patriotismo em doença? — disse o brigadeiro.

— Se minha teoria estiver correta, já é uma doença. Mas não, não é o patriotismo que pretendo usar. O patriotismo já provou ser incapaz de unir Nungaland.

— Então o quê?

Uma ideia absurda. Uma ideia improvável, até mesmo perversa, que só poderia se propagar através de intervenção mágica. Algo que unia o conceito que o cientista explicara antes, sobre uma substância imaterial habitando cada homem e mulher, com supervisão perene sobre o comportamento dos humanos. Promessas, ameaças, motivação e vigilância num só.

— Imagine um ser onipotente — disse o doutor Lugus. — Uma criatura que criou o mundo e os seres humanos. Que tudo sabe e tudo vê. Que observa cada pessoa durante cada momento, julgando seus atos.

Silêncio.

— Imagine que essa entidade criou um reino de prazeres eternos para os mortos bondosos. Ela ouve cada pensamento, enxerga cada ação. Para receber a imortalidade e o direito de ingressar nessa utopia, é preciso conformar-se com suas leis.

O potencial tornava-se claro. Era absurdo, mas tornava-se claro.

— E essas leis — Edgar começava a compreender — podem envolver lealdade. Devoção. Coragem contra o inimigo.

— Todos são capazes de lutar por seu pai e sua mãe — disse o doutor. — Se todos tiverem o mesmo pai, que os julga o tempo todo, todos lutarão.

Sempre lutar, nunca temer a morte. Era quase bom demais para cogitar.

— Ninguém vai acreditar nisso — disse Azabeth. — É uma história para crianças. Um ser paternal mágico e todo-poderoso? Alguém que criou os humanos e mesmo assim condena suas falhas?

— Por isso é uma doença. Meu plano é criar uma máquina, a mais poderosa máquina já construída. Usar Magia Conceitual para transformar a mente de cada pessoa no mundo. A máquina será a fonte da infecção, e a entidade a ser adorada. A doença será o ser onipotente, e a ideia de amá-lo.

Uma ideia poderosa. Muito mais poderosa que patriotismo, dever, honra. Mexia com algo primordial. Apenas era fantasiosa demais.

E talvez alguém já houvesse pensado naquilo. Assim como um pai pode dizer que um ser sobrenatural traz presentes a seu filho ou que fadas são responsáveis por pintar um arco-íris. Talvez, em algum lugar, alguém já houvesse pensado em uma figura tão extravagante.

Mas nunca se pensara em fazer toda uma população acreditar.

— E essa entidade tem um nome? — disse Ashcroft.

Deus.

9

— E AGORA ACHO QUE DEVO SER POSTO A FERROS — DISSE O Cardeal Derionde.

Aguardávamos frente à porta, de onde brilhara Deus e para onde sumira a Voz. Era um salão largo, que eu não conseguira avaliar de todo quando o vira pela primeira vez. Eu estava cego pela luz então, mas agora a passagem fechada escondia o brilho. E eu não tinha nada além de tempo e placidez para examinar meus arredores, porque estava paralisado.

Estava no salão, com Derionde, Benedict, Pugna, Pharoux e os Irmãos da Última Trombeta. Estava em uma nave aérea, vigiando a aproximação de Taransilla, pronto para proteger a fortaleza contra o ataque de nossos inimigos. Estava no desenrolar absurdo de uma peregrinação de loucos, em busca de Urag, depois de uma guerra civil. Estava no eclodir de uma guerra entre nações, após um tempo enorme de tensão dissimulada.

Derionde ofereceu os pulsos juntos. Quando nada aconteceu, ele fez um gesto com os braços, como se empurrasse os pulsos, incitando os irmãos a prendê-los em algemas. Pugna, que agora era seu guardião, não fez menção de intervir. Não recebera ordem, e não julgava que o cardeal estivesse em perigo, acho.

Eles haviam acabado de comer. Não deixava de ser surreal, mas acho que mesmo o extraordinário é aceito quando não temos opção. Haviam jantado às portas de Deus, esperando o que quer que fosse acontecer. Eu estava com fome, queria estender a mão e pegar um pouco de pão seco ou peixe salgado, enfiar na boca, mastigar, fazer qualquer um de uma série de movimentos prosaicos. Estava paralisado, então não fiz nada. Haviam me posicionado sentado, como um boneco, sobre uma manta no chão.

— Devemos acorrentar o pirata? — disse um dos irmãos.

— Não posso aconselhar sobre isso! — protestou Derionde. — Sou seu prisioneiro. Os senhores devem fazer o que acharem melhor. Apenas peço para que eu seja acorrentado. Ser prisioneiro é o certo para mim.

— Vossa Eminência não vai nos atacar.

— Por favor, as correntes! Que todos saibam que sou um prisioneiro, sou o mais baixo, curvo-me a todos. Perto de Deus, não ouso ter qualquer presunção.

Hesitante, o homem buscou um par de algemas, fechou-as nos pulsos do cardeal. A tranca fez um estalo. Os braços de Derionde caíram instantaneamente, ao peso do ferro.

Debateram durante um tempo os méritos de algemar Pharoux. Benedict interveio:

— O pirata é perigoso. Esqueçam a humildade. Ele tem uma faca, amarrem-no como um porco.

Pharoux não protestou. Fosse o que fosse, não era estúpido. Deixou-se ser algemado com docilidade.

— Sou reles também! — disse o pirata. — Não se enganem, sou um pecador tão baixo quanto as frieiras de um verme. As mosquinhas ao redor de fezes suínas têm mais dignidade do que este que vos fala, oh, sim! Deixem-me aqui, frente a Deus em toda a minha humildade, e vamos todos ser irmãos; quem sabe o que nossos pais andaram fazendo nas noites solitárias? Podemos ser irmãos mesmo.

— E amordacem-no — decretou Benedict.

Com um estalo, Pharoux também foi posto a ferros, tranquilo como um santo. De repente, aquelas algemas eram um sinal de beatitude. Os Irmãos da Última Trombeta sentiam-se desconfortáveis. Derionde fizera parecer que estavam sendo orgulhosos demais tão perto de Urag. Como ousavam não rastejar, como tinham a presunção de não ser reles? Eu já vira a disputa de comiseração que começava a se mostrar ali; era o tipo de coisa que levava à autoflagelação.

— Não esqueçam de que são nobres — disse Benedict. Sem dúvida ele percebia o mesmo que eu. — São os escolhidos. Não foram trazidos aqui porque são inferiores a todos. Os Irmãos da Última Trombeta são o povo de Deus.

Deram-lhe sorrisos incertos. Eu não sabia os detalhes, mas, há alguns meses, toda a congregação baseava-se num sentimento de elitismo e exclusão. Derionde mudara aquilo, num instante ou aos poucos, não importava. Todos ali eram o inimigo para mim, até mesmo Pugna. Mas eu temia Derionde acima de todos, preferia que qualquer outro estivesse no comando.

— O que faremos agora? — disse um dos irmãos.

— Estou cansado. — Benedict espreguiçou-se. — Vamos dormir.

Ninguém lembrou de fechar meus olhos.

Eles dormiram. Era difícil manter qualquer atenção no mundo real, sem nada a ser observado. Eu estava no ar, abordando a nave inimiga. Estava sentado em uma manta, sentindo um inseto caminhar por meu rosto.

E eles acordaram, e fizeram preces. Viveram mais várias horas como se tudo fosse normal, como se não estivessem às portas de Deus.

De um Deus que eu começava a entender.

— O que vai acontecer agora? — perguntou alguém.

Estávamos já há um dia no salão, e o mundo lá fora era distante, mal lembrado. Parecia improvável sair algum dia, ver outras pessoas. O mundo começava a *ser* o salão, e os irmãos aguardavam pelo retorno de uma messias.

— Só nos resta esperar — Derionde confirmou o que todos sabiam. — A Voz de Urag voltará quando estiver pronta, e revelará o que precisamos fazer.

O cardeal voltou a uma oração particular, feita de murmúrios e olhos fechados. Os irmãos continuavam olhando para ele, arrastando os pés.

— Mas...

— Sim? — O cardeal sorriu.

— Mas parece uma blasfêmia.

— O que lhe parece blasfêmia, meu filho?

— Estamos vivendo aqui.

Silêncio.

— *Vivendo* aqui — insistiu o irmão. — Estamos... — De novo, deixou o pensamento pela metade.

— Não compreendo.

— Estamos comendo tão perto de Deus. Nossos corpos continuam com todas as suas necessidades. Isso não é uma blasfêmia?

Estavam defecando às portas de Urag. Tenho certeza de que, numa saga heroica, esse detalhe seria omitido. Muitos leitores nem mesmo notariam.

— Seus corpos fazem isso porque são impuros — disse Derionde. — A Igreja não fala, desde sempre, que os olhos dos homens só veem ilusões? Que seus ouvidos são surdos para tudo exceto mentiras?

— E o *seu* corpo, Eminência?

— Não nego ser o mais vil dos pecadores. Regozijo-me nessa sujeira, porque não quero esconder de Urag o que sou. Fingir pureza seria, para mim, a maior das ofensas.

— Então, continuando desta forma, estaremos sendo verdadeiros a Urag?

— Claro — sorriu Deriondé.

Um suspiro coletivo.

— Verdadeiros e inegavelmente sujos — completou o cardeal.

Notei Benedict virar-se devagar, prestando mais atenção à conversa. Todos os irmãos já estavam capturados pelas palavras de Deriondé. Pharoux franziu o cenho, e tenho certeza de que agora já não deleitava-se nas algemas e na mordaça. Fora uma boa estratégia na hora, colocara-o por um momento à altura do cardeal — mas era tolice achar-se igualmente astuto.

Apenas Pugna mantinha-se impassível, de pé com o tronco meio recurvado para a frente, os braços soltos ao longo do corpo. Eu também estava impassível.

— Devemos sair daqui, então! — disse o nobre.

Deriondé não falou nada.

— Devemos sair, Eminência?

— Sou só um prisioneiro, meu senhor. Por favor, não esqueça disso. Não posso dizer o que devem fazer.

— Gostaria de seu conselho.

— Ora, que honra! Muito obrigado.

Os irmãos entreolharam-se, sorrindo com expectativa.

— Os senhores podem sair daqui, é claro. Ninguém os está prendendo. Foram chamados por Deus, foram abençoados de uma forma como eu mesmo nunca fui nem serei. Se já ouviram o que Urag tinha a lhes dizer e foram dispensados, então é claro que podem ir embora!

Dois ou três engasgaram.

— Digo, até onde sei, apenas Sua Santidade pode ouvir Deus. Mas o que um reles pecador pode entender dos desígnios divinos? Se os senhores são abençoados a ponto de possuir a mesma graça que a Voz de Urag, então cumpram as ordens divinas.

Um irmão se ergueu:

— Ninguém aqui falará uma heresia dessas! Só a Voz pode ouvir Urag. — E tinha uma espada na mão.

Murmúrios. Alguém ousaria dizer que sim, fora agraciado com uma revelação divina? Mais do que uma ou outra espada, temiam a própria divindade. Pelo fanatismo estavam ali — frente a Deus, o fanatismo apenas crescia.

— Então devem ficar — disse Derionde. — Não sou eu quem ordena. Nunca mais darei qualquer ordem. É Urag.

— Mas estamos maculando este lugar.

— Meu senhor, não seja infantil! Não pense que toda esta elevada discussão gira em torno da sujeira que expelimos de nossos corpos. O senhor macula este lugar apenas existindo. Sua pele é suja, seus olhos são sujos. O corpo dos homens é uma imundície.

Pausa.

— O que devemos fazer? — implorou o nobre.

— Não sei — Derionde sorriu. — Sei que estou resignado e feliz por obedecer aos senhores, por não esconder nada de Deus. Meu corpo é imundo, minha forma é repulsiva, e não mereço estar aqui. Ofendo Deus a cada batida de meu coração. Mas não fingirei, não tentarei enganar Urag.

— Vossa Eminência pode se salvar, evitando o fingimento?

— Não! É claro que não. Meu único destino é o inferno, senhor.

Foi dito com tanta alegria, de forma tão cálida, que um cobertor gelado de pânico envolveu meu pensamento. Vi olhos se arregalarem, gargantas engolirem em seco. A danação como algo natural, aceito. Um fato.

— Mereço o inferno — continuou Derionde. — Por isso não ousaria tentar obter qualquer outra coisa. Neguei Urag, menti, fui orgulhoso. Chegando aqui, passei a esfregar minha impureza em Sua face. O que mais poderia me aguardar, a não ser o inferno? Que outro destino seria justo?

O irmão ainda fez perguntas, outros se juntaram. Aceitando aquela punição, ele podia ser redimido? Dizendo-se pecador, podia alcançar alguma recompensa? Pelo menos por sua honestidade?

Não. Claro que não.

— Existe apenas a pureza e a sujeira, a perfeição e a abominação, senhores. Sou uma abominação. Nunca irei me transformar em algo divino. Vou arder no inferno, onde serei torturado pela eternidade. De que outra forma o mundo pode funcionar?

Um dos movimentos definitivos ocorreu então:

— E eu vou para o inferno também, Eminência? — disse um garoto de no máximo oito anos.

— Claro que vai, meu querido — Derionde fez um sorriso bondoso. — Você é imundo, como todos aqui. Você ofende Urag. Você vai para o inferno. Mas vai estar junto com sua mãe, pois ela é imunda também.

A criança estava tão apavorada que não conseguiu chorar.

— Acho que está bastante claro para todos quem é puro e quem não é — continuou o cardeal. — Nosso bom Pugna Marco Segundo está ali, bem parado, sem comer ou falar. Os outros anjos estavam aqui há eras incontáveis, e nunca sujaram a casa de Deus. A senhora Jocasta foi carregada para Sua presença. Todos esses são puros! É possível ser puro — deu de ombros —, mas nenhum de nós é.

Alguns viraram-se para Benedict. O cavaleiro conhecia uma armadilha quando via, e absteve-se de contradizer o cardeal, ou mesmo comentar o que ele falara. Qualquer movimento naquele labirinto era perigoso.

Então Derionde não escutou qualquer réplica.

— Estou cansado — disse ele. — Por favor, meus senhores, permitam que eu repouse um pouco.

A condenação pairou no silêncio por um longo tempo.

Horas depois, Derionde ergueu-se e voltou a rezar baixinho. Pediram para que liderasse uma oração. O cardeal recusou, dizendo que não poderia liderar ninguém. Até mesmo o pirata seria um líder espiritual melhor.

Assim, os irmãos estiveram sem alívio para suas almas. Tinham apenas a si mesmos para buscar conforto, e todos estavam igualmente perdidos.

Alguns foram a Derionde com perguntas, que ele respondeu com boa vontade e humildade. Sim, respirar o ar divino era blasfêmia, pois todos devolviam vento impuro, maculado, escuro de pecado. Não, não haveria salvação para quem pedisse perdão. Já era um pouco tarde demais para implorar clemência, não? Perdoando os impuros, Urag estaria maculando a Si próprio. Sim, até mesmo as crianças. Pelo menos, disse o cardeal, nenhum dos homens ali tivera qualquer pensamento imoral ou reação corporal impura às damas da congregação, enquanto na casa de Urag. A essas palavras, todos os homens estremeceram. E Derionde falava tudo sorrindo.

Mas de repente ficou sério, inclinou a cabeça para o lado num repelão.

— Ouviram isso?

Ninguém ouvira qualquer coisa.

— Então não deve ser nada — disse o cardeal.

— O que ouviu, Eminência?

— Barulhos de um grupo de pessoas. Acho. Como se uma pequena turba chegasse. Mas, se ninguém mais ouviu, não deve ser nada.

Imagino a que ponto o medo era elevado pelo efeito do minério divino. Eu mesmo não enxergava alucinações além de um mundo inteiro no passado — tão imerso no Brigadeiro Ashcroft, não tinha espaço para outras quimeras. E os Irmãos da Última Trombeta? Estariam enxergando demônios — ou pior, olhos divinos julgadores — nos cantos? Sua mente estaria distorcida? A onda de Magia Conceitual fora contida depois que a porta havia sido fechada, mas o salão continuava impregnado.

Fosse como fosse, lâminas deixaram as bainhas.

— Inimigos! — disse alguém.

— Não ouvi nada — ousou Benedict.

— Como eu disse, se nenhum dos senhores ouviu, deve ser bobagem de um velho tolo — sorriu Derionde.

— Talvez devêssemos mandar alguém lá em cima, para investigar.

— É claro — disse o cardeal. — Se receberam licença de Deus para sair, façam isso! Este deve ser seu teste. Por que não disseram que ouviram as palavras de Urag?

Silêncio.

Derionde franziu o cenho mais uma vez, voltou a orelha esquerda para a direção da porta.

— Estranho. Ouvi de novo.

Os irmãos entreolharam-se. Benedict roubou um olhar demorado ao cardeal, tentando discernir sua intenção. Mas Derionde continuava com uma expressão cândida, quase imbecil, esperando todos os outros tomarem decisões.

— Podemos estar ameaçados — disse um dos irmãos.

— Ou podem ser outros peregrinos — disse Derionde.

O homem que falara levou a mão à testa, como se percebesse algo óbvio. É claro, peregrinos. Afinal, estavam no paraíso, e a Voz ordenara uma jornada em massa. Deviam ser outros aliados na busca por Deus.

— O que é muito bom — continuou o cardeal. — Afinal, já provamos ser imundos. Deus havia escolhido os senhores para chegar até Ele. Não sendo merecedores, deve ter guiado outros.

Pavor.

— Quer dizer...

— Não é ótimo? — entusiasmou-se Derionde. — Saber que haverá quem possa cumprir a missão, mesmo com esta falha deplorável? Imagine, talvez os próximos peregrinos sejam puros, não maculem a casa de Urag. Talvez a Voz não tenha vergonha de voltar quando eles chegarem!

— A Voz de Urag tem vergonha de nós?

— Ora, não sei. Talvez seja asco. De qualquer forma, já faz mais de um dia, não?

— Somos merecedores! Podemos ser. Temos de ser puros, por Deus!

— Não se assuste. Talvez não sejam peregrinos. Talvez estejamos sob ataque. Assim como os piratas vieram até aqui, podem ser outros bandidos. Outros monstros. Hereges. Talvez até mesmo o Soldado do Diabo?

Mais lâminas.

— Agora tenho certeza de que ouvi! — Derionde deu outro repelão, aproximando o ouvido da porta.

— Sim — disse um dos nobres armados. — Acho que ouvi também.

— Nenhum herege vai fazer frente a nós — disse um dos irmãos, agarrando forte um machado. — Há pouco vencemos as crias do diabo. Temos conosco o Cavaleiro Imaculado e o anjo Pugna Marco Segundo.

Benedict fazia-se notavelmente ausente. Fingia se ocupar de uma coisa e outra, mas eu notava que ele tentava estar longe da mira do cardeal. Ser incluído na ladainha, da maneira que fosse, seria perigoso.

Os nobres exclamaram suas certezas: sim, estavam prontos. Eram os escolhidos e tinham consigo alguns dos melhores guerreiros do mundo.

— Não é mesmo, Eminência?

Sempre davam a arma a Derionde.

— Estou aprendendo tanto! — disse o cardeal.

Era o tipo de comentário que sempre provocava um calafrio. Uma onda de paralisia se alastrou pelo salão e, por um instante, os Irmãos da Última Trombeta estiveram tão congelados quanto eu. Enfim, perguntaram o que ele queria dizer.

— Ora, não sabia que Deus respondia a força física — explicou. — Os senhores acham que podem vencer aqui, tão perto de Urag, através do poder de suas lâminas. Eu não acreditava que isso era possível. Afinal, Deus é todo-poderoso, e pode se livrar de hereges quando e como quiser. Acha mesmo que, aqui, o combate será decidido por suas habilidades com esse machado?

— Como será decidido, então?

— Por sua pureza, é claro.

E eles eram impuros. Àquela altura, já estavam tão convencidos disso quanto de que eram o povo escolhido ou de que a primavera sucede o inverno.

— Não importa o quão fortes ou fracos sejam — disse Derionde. — É seu merecimento que determinará a vitória. Durante a guerra civil, a Igreja era fraca, comparada aos exércitos da Voz do Diabo. — Ele usou minha própria história, a guerra que eu havia escrito, em seu discurso. — Mesmo assim, porque estávamos do lado da justiça, triunfamos.

— E como podemos ser puros, cardeal?

— Vem perguntar isso ao mais vil homem sob o céu?

Entreolharam-se.

— Não se alarme — disse Derionde. — Sempre há a possibilidade de que sejam peregrinos santos, e os senhores apenas sejam substituídos. Embora realmente pareçam os sons de uma turba se aproximando. Um inimigo. Oh, bem, o inferno nos aguarda; vamos cumprir nossa parte no plano de Deus.

Três começaram a chorar. Um destes era um grandalhão barbudo, que estremecia para conter as lágrimas, sem sucesso. Eu imaginava se eles estavam mesmo ouvindo algo ou se era apenas o medo concentrado, alimentando a si mesmo naquela prisão de portas abertas.

E Derionde não oferecia soluções. Eu não entendia aonde ele queria chegar. Antes, quando Pharoux me ameaçara, era claro que ele desejava assumir o comando, decidir quem vivia e quem morria, quem ficava e quem ia embora. Mas e agora? No início, cheguei a pensar que todo o seu plano girava em torno das fezes dos nobres, o que era algo tão ridículo quanto mundano. O que Derionde pretendia alcançar com aquele pavor ecoando de um a outro? E ainda mais recusando-se a dar respostas?

— O que faremos, meu lorde? — perguntou um dos nobres a Benedict.

Benedict era o líder óbvio, mesmo que tentasse se esconder. Dirigiu o mais ligeiro olhar ao cardeal. Como um garoto para outro em um jogo de bola. Dizendo que estava na mesma equipe, estava do mesmo lado, e passaria a ele a chance de fazer a jogada. A maior habilidade de Benedict era manter-se vivo.

— Estamos todos cometendo um erro — disse o Cavaleiro Imaculado. — Somos orgulhosos demais. Deus ensina que devemos nos curvar ao mais humilde. Devemos aprender com os reles, e que os miseráveis são abençoados. Devemos, então, ouvir Sua Eminência.

Derionde sorriu.

— Como podemos triunfar, Eminência?

— Não podem, é claro.

O grandalhão soluçou de novo.

— Se forem impuros, morrerão — disse o cardeal.

— E como podemos ser puros, pelo amor de Deus?

— Exatamente. É pelo amor de Deus que alcançarão a pureza. Estamos todos condenados; o inimigo está chegando. Está chegando, e vai nos cortar com suas espadas, vai rachar nossos crânios com seus machados, porque somos indignos. As mulheres serão estupradas, as crianças serão escravizadas e torturadas. E os senhores nada poderão fazer, porque são imundos. Apenas o amor de Urag pode limpá-los.

— Como, Eminência? — de joelhos. — Como?

— O amor de Deus está aqui, sempre esteve. Está no mundo, e está ainda mais próximo em Sua casa. Os senhores só precisam aceitá-lo.

— Eu aceito! Eu aceito!

— Pode estar falando isso, mas seu coração está fechado. Ouça o que Deus diz. Suas palavras são só para a Voz, então veja Seus sinais. Esteja aberto. Esteja disponível.

Um frenesi gradual se instaurava entre os nobres. Um veio até mim e me sacudiu, como se eu pudesse proferir alguma grande verdade por milagre, despertando de meu sono consciente. Disparavam alternativas, tentavam interpretar sinais divinos tênues, agarrando-se a superstições antigas e outras criadas na hora. O que Deus estava falando? Qual era a chave?

Enfim:

— O que é impuro em nós? — disse alguém.

— Seus corpos — respondeu Derionde. Falando baixinho, mas suas palavras cortaram a gritaria como um punhal num estômago desprotegido.

Eram os corpos dos irmãos que ofendiam Deus. Sua sujeira, seus desejos nascidos dos órgãos feios. Seu suor, seu fedor. Sua fome e sua sede, maculando a casa divina com necessidades tão triviais. Eram os corpos.

— Aí está — disse Derionde, sorrindo de olhos fechados. — Urag ofereceu a resposta desde o começo. A impureza está em seus corpos. Livrem-se dos corpos, e serão puros.

— Vamos morrer defendendo Urag! — bradou um sujeito. — Morrer ante os hereges!

— Morrerão impuros. Mas não há problema. O inferno faz parte do plano de Deus.

Morrer permitindo a vitória dos hereges não parecia muito santificado. Era entregar-se à imundície. E já acreditavam com todas as forças que estavam cercados. Pressentiam o inimigo oculto, o ataque iminente, envolvidos pelo cardeal e pelo minério.

— Não veem? — Derionde gesticulou. — Deus está chamando-os! Quer que deixem essas cascas sujas e vão para junto d'Ele!

Uma baronesa trêmula caiu de joelhos.

— Devemos morrer, então?

— Devem libertar-se.

— Como podemos ter certeza? — disse um lorde.

— Ora, lâminas apenas fazem brotar toda a sujeira que existe dentro de nós, não? Fazem com que o sangue se derrame. Tudo isso iria sujar ainda mais a antessala de nosso Senhor. Se houver aqui um método de descartar a prisão de carne sem derramar sangue, isso é um sinal.

Assombrada, uma senhora remexeu em suas sacolas. Instruída pela Voz de Urag, trouxera frascos de veneno na jornada. Eu não sabia por que Jocasta teria ordenado algo assim, mas morte silenciosa sempre é útil. Talvez ela houvesse pensado em uma situação bem semelhante a essa.

— Deus está falando — sorriu Derionde. — Está falando tão alto! Deus está mostrando aos senhores tudo que devem fazer. Vão fechar os olhos e tapar os ouvidos?

— *Não!* — quase em coro.

— Vivemos nossas vidas inteiras em busca de milagres, esperando um dia sermos agraciados com a presença d'Ele. E aqui está, incontestável, a prova de que Urag está entre nós e nos ama. Estamos em Sua casa, e Seus inimigos estão se aproximando. Deixaremos que eles venham e triunfem, maculando este salão com nosso sangue ainda sujo? Rejeitaremos o convite de Deus em nome de mais uma hora ou duas neste mundo ilusório?

Não. Claro que não.

— Irmã, divida o conteúdo santo de seus frascos entre nossos cantis, por favor. Peguem suas canecas, seus odres. Alegrem-se! Estamos cumprindo os desígnios do Senhor!

Uma irmã abraçou seu filho, rindo de felicidade. Os nobres guerreiros trocaram cumprimentos másculos, segurando os antebraços um do outro. Um homem entusiasmado bateu a lâmina da espada contra o escudo, fazendo alarido.

— Nunca irão nos pegar com vida, hereges! Podem vir, serão derrotados! Estamos rumando a caminho de Deus!

Derionde ainda tinha os pulsos acorrentados. Ergueu-se, pegou o cantil que a mulher acabara de preparar. Sem demora, Benedict estava ao seu lado, ajudando, agrupando os nobres. Pharoux tinha os olhos arregalados, debatia-se, preso nas amarras. Minha mente corria — ao menos a parte que estava no mundo real. O cheiro pungente do veneno misturava-se com o aroma de vinho doce, com o fedor de tanta gente amontoada. Eles começaram a cantar um hino religioso. Uma mãe disse à sua filha você vai ganhar o maior presente de sua vida, meu amor.

O primeiro se ajoelhou frente ao cardeal.

— Abençoado seja, meu filho.

Lágrimas escorriam pela face do homem.

— Estou com medo, Eminência.

— É normal. Não se envergonhe. Isso é totalmente normal. Mas não há nada a temer. Deus ama você.

Ele fechou os olhos. Inclinou o queixo para frente. Abriu a boca, expectante.

Derionde entornou o cantil sobre o lábio inferior do homem. O vinho se derramou, deixando uma gota cair pelo lado da boca. Ele engoliu.

— Abençoado seja — repetiu Derionde. Tocou a testa do nobre, com beatitude e carinho.

Ele se abaixou e beijou a mão acorrentada do cardeal. Então caminhou para um canto e deitou-se.

— Abençoado seja, meu filho — disse Derionde, para o próximo.

Meu coração não respondia ao pavor, insistia em manter o ritmo calmo apesar do que eu sentia. Vi o segundo beber um gole, ser abençoado e se retirar, para deitar ao lado do primeiro. Então uma moça, talvez mais nova do que eu. Bebeu, agarrou os dedos de Derionde com as duas mãos, agradeceu com fervor. Benedict ordenava-os em fila, segurava o ombro de um e outro, falando palavras de encorajamento.

— Estou indo logo atrás de vocês — dizia o Cavaleiro Imaculado.

— Mas o senhor pode vencer os hereges, meu lorde!

— Se for a vontade de Deus que eu fique neste mundo ilusório, então Ele irá me manter aqui. Não tenho medo.

Mais um bebeu um gole, foi abençoado, deitou. O primeiro já não estava mais respirando, e a espuma que vertera da boca já secara.

— Ouvi algo! — disse o grandalhão que chorara. — Os inimigos estão chegando perto!

Então não havia tempo, e os cantis foram distribuídos. Benedict deu de beber a um irmão, depois outro. Um casal dividiu um último abraço e prometeu encontrar-se ao lado de Urag, compartilhando um caneco cheio de veneno. Um menino de seis ou sete anos chorava, dizia não querer deitar. Sua mãe olhou-o bem séria, disse que ele não tinha nada a temer. Reiterou que o amava. Então empurrou uma taça de metal em seus lábios fechados até que abrissem. O garoto aceitou beber, tomou dois goles grandes.

— Isso. Isso. Bom menino. Eu te amo, sabia?

Benedict chegou perto de mim.

— Será que devo matar você? — murmurou.

Ele aproximou um caneco de meu rosto. Pude sentir o cheiro ácido bem forte e nítido. Queria gritar, agitar os braços, qualquer coisa. Mas só conseguia ficar parado, sentindo o cheiro, vendo o rosto afilado dele a centímetros do meu.

— Por que deixá-lo viver? Você já foi útil, mas só traz problemas. E ouvi dizer que Atreu gosta de você.

O caneco encostou em meus lábios frouxos.

— Se morrer, que falta pode fazer? Nós não nos arrependemos das pessoas que matamos. Só das pessoas que não matamos.

Começou a inclinar o caneco.

— O senhor Iago não é um dos Irmãos da Última Trombeta — disse Derionde.

Benedict afastou o caneco.

— Ele não merece rumar a Deus junto aos escolhidos.

— Ou ao diabo.

— Não vamos macular esta ocasião tão feliz — disse Derionde.

E, pela segunda vez, o cardeal salvava minha vida.

Os nobres formavam um tapete, deitados um ao lado do outro, imóveis. Alguns tinham espuma seca ao redor da boca, outros haviam morrido sem nenhum espasmo. As crianças morriam abraçadas em suas mães. Uma dupla de cadáveres jazia com os lábios encostados.

E ainda faziam fila ante o cardeal.

— Abençoado seja, meu filho.

Bebiam. Deitavam. Tinham um estertor.

Pharoux tremia como uma vela durante uma tempestade. Sua pele cheia de cicatrizes brotava gordas gotas de suor.

Por fim, só restavam dois. Um homem de bigode e uma menina de dez ou onze anos, agarrada com força em sua mão. Já tinha idade para raciocinar com perfeição, pensar nas implicações.

— Eminência — disse o pai. — Confesso que... não sei se consigo.

— Todos os seus irmãos já foram. É o chamado de Deus.

— Mas minha filha...

Silêncio.

— Eu... Eu gostaria de ir primeiro.

— Cuidaremos de sua pequena — sorriu o cardeal.

O homem bebeu do cantil, beijou a garota, foi deitar. Ela controlava as lágrimas heroicamente. Em instantes, seu pai deixara de respirar. Era a última. Benedict olhou para o cardeal.

— Abençoada seja, minha filha.

Ela apertou bem os olhos e abriu os lábios. Derionde entornou o cantil, e ela ingeriu um gole grande.

— Abençoada seja — tocando sua testa.

A menina beijou as mãos agrilhoadas.

Deitou.

E morreu.

O salão estava em silêncio, exceto pelas correntes de Pharoux, que tilintavam com sua tremedeira.

— Ser prisioneiro não é adequado para mim — disse Derionde. — Benedict, abra estas algemas.

O cavaleiro ficou parado.

— Todos morreram — disse Benedict. — Resta só a vadia do outro lado da porta. E ela já deve ter morrido também.

— Abra minhas algemas.

— Todos morreram. Pugna deve protegê-lo, mas não sabemos se irá obedecer a todas as suas ordens, não é? Sem a putinha, sem os loucos e sem o cardeal. Parece atraente.

Derionde continuou sorrindo.

— Não está entendendo, Benedict. Abra minhas algemas. Ou mato você.

Benedict obedeceu.

10

— É Taransilla — disse o brigadeiro, meio para si, meio para o transmissor. — É mesmo Taransilla.

Não apenas as velas desconhecidas não haviam respondido, continuando seu avanço. Logo após Nungaland começar as manobras de aproximação para engajamento, as bandeiras do inimigo tornaram-se claras às lunetas.

— É Taransilla! — bradou Ashcroft. — A guerra está começando!

Meio fúria, meio inspiração aos homens. Meio desespero, meio júbilo.

— Às armas!

Era a guerra.

E as velas não eram apenas dez: por trás das nuvens, descortinaram-se inúmeras naves aéreas. Pelo menos vinte, e outras tantas surgindo aos poucos. Lá embaixo, e em algumas naves de Nungaland, magos conceituais de potencial limitado esforçavam-se para captar as emanações de distorção de realidade, tentando discernir o número exato. Alguém como Azabeth (ainda que ninguém fosse como Azabeth), um mago de grande poder, seria capaz de identificar cada fonte de Magia Conceitual, as sutis e violentas distorções de probabilidade num raio de muitos quilômetros. Mas magos desse calibre eram raros. Ali, estavam designados aos trabalhos na máquina e à vigilância e prontidão contra ataques mágicos. Portanto, confiava-se em lunetas, olhos humanos, a boa e velha interpretação de padrões de ataque.

Era a guerra. A guerra de verdade.

Os canhões da *Impetuosa* já estavam de prontidão, suas bocas largas emergindo das casamatas no casco. A nau capitânia colocava-se na diagonal, para facilitar o primeiro canhonaço, adernando à frente, em velas inclinadas. A tripulação amarrava caixotes soltos, prendia os animais de bordo (cabras, vacas, galinhas) em pequenos compartimentos. Os soldados aeroanfíbios preparavam-se com seus motores de distorção atrativa. Rifles eram verificados e municiados. As centenas de homens sob o Brigadeiro Ashcroft preparavam-se para o combate.

Ao redor dele, as outras naves de Nungaland espalhavam-se num padrão clássico de defesa, ordenado por ele próprio. As naves de linha, como a *Impetuosa*, a *Solitária*, a *Dama Azabeth*, a *Intocável* e outras, tinham canhões com alcance suficiente para causar grande estrago antes que o inimigo se aproximasse demais. Assim, abriam um leque, todas enviesadas, com o objetivo de forçar as naus de Taransilla a passar entre duplas de naves defensoras, recebendo tiros de canhão dos dois lados. Também ajustavam a altura: colocavam-se mais baixas ou mais altas, alternando-se para preencher a maior área possível do céu. Ashcroft dava ordens sem cessar, observava o balé das naves aéreas, cada uma respondendo a seus comandos como se fossem brinquedos em suas mãos.

— Senhor Carl, sinalize para a frota inimiga. Exigimos total rendição e dez oficiais de alta patente como prisioneiros.

Era uma exigência severa, até mesmo fora de propósito. Ashcroft não esperava que fosse atendida. Só desejava mostrar a confiança dos defensores. As bandeirolas voaram alto nos mastros, no sinal internacional reconhecido por qualquer capitão com experiência mínima.

Em resposta, Taransilla fez voar suas próprias bandeirolas: também exigia rendição total, e livre passagem para a terra além.

— Sim, é isso mesmo — sorriu o brigadeiro. — Isto é o combate, cavalheiros.

As naves menores de Nungaland voavam rápido, em padrões bem diferentes de suas contrapartes pesadas. Algumas, que carregavam suprimentos e serviam apenas como transporte, voltavam à terra. Outras avançavam com temeridade, ficando quase ao alcance dos canhões inimigos, prontas para incursões ligeiras de disparos e fugas. O céu parecia o espaço ao redor de um vespeiro, com movimento constante e um zumbido onipresente, vindo dos motores.

Com sua luneta, Ashcroft observava o inimigo. O combate aéreo era lento, um jogo de movimentos demorados, que culminava em explosões de violência súbita. A vitória dependia, em grande parte, de examinar e interpretar as manobras do adversário. E o brigadeiro notou que, aos poucos, as naves de linha de Taransilla ficavam para trás. Em menos de meia hora, a vanguarda inimiga era composta de pequenos brigues armados de poucos canhões, avançando como selvagens contra as defesas muito superiores.

— É uma armadilha — disse o brigadeiro, para si mesmo.

Gritou uma ordem, seus oficiais transmitiram-na ao restante da frota. Sabia que seria obedecido, não era problema. Também repassou instruções às tropas de terra — fez isso por meio de sinais, mas precisava ter certeza de ser interpretado com exatidão, e assim mandou um mensageiro com ordens por escrito em um escaler. O mais difícil, como sempre, seriam os oficiais navais. Abriu comunicação através do transmissor com o único navio ao alcance.

— *Alvorecer*, aqui é o Brigadeiro Ashcroft, do Segundo Regimento da Real Cavalaria Celeste. Repito, *Alvorecer*, aqui é seu oficial comandante. Responda.

Um chiado forte quase obscureceu as palavras, mas foi possível ouvir:

— Brigadeiro, aqui é o Capitão Redwitt, do *Alvorecer*. Nossa tripulação está ansiosa para ensinar às aberrações um pouco da boa educação de Nungaland. Com os cumprimentos da marinha, senhor!

E ele conseguia notar o sorriso, a vontade de lutar na voz do homem. O que tornava aquilo ainda mais difícil.

— Capitão Redwitt, o senhor deve retirar toda a sua tripulação do *Alvorecer*. Repito, abandonem o navio imediatamente. Repasse a ordem a toda a frota naval. Repito, não quero um só marinheiro nos conveses.

Chiado.

— Brigadeiro, receio não ter entendido a última transmissão.

— Os senhores estão em uma posição frágil, capitão. É uma armadilha. As naves ligeiras passarão por nós, e não há nada que possamos fazer.

— Brigadeiro, isso é inadmissível!

— A frota naval tem suas ordens, capitão.

Abandonou o transmissor, porque discutir com subordinados não levava a lugar algum. Se desobedecessem, morreriam. Os sobreviventes receberiam corte marcial.

— Senhor Carl, quero um relato completo de todos os capitães navais que contrariaram minhas ordens. Mas apenas depois do combate.

— Sim, senhor.

Porque não podia se preocupar com aquilo. Precisava se concentrar em matar inimigos, proteger a máquina.

Com efeito, as naves rápidas de Taransilla mantiveram a dianteira, e logo estavam ao alcance dos canhões de Nungaland. Pequenas e manobráveis, tinham tripulações inteiramente humanas — como a *Orgulho Alado*, que Ashcroft capturara meses antes. As naves de linha, que vinham atrás, eram controladas por capitães humanos em conjunto com pilotos e oficiais modificados, fundidos à própria nau. Ashcroft examinou as naves ligeiras e viu que estavam bem carregadas — levavam grandes contingentes de soldados, que não ajudavam na navegação e apenas esperavam, armados e prontos, pela hora de agir. Eram os aeroanfíbios de Taransilla, muitos com modificações fenotípicas de guerra. Era a aposta do inimigo, e daria certo.

Primeiro, as naves passaram pelas naus ligeiras de Nungaland. Como vespas rivais, zumbiam muito perto umas das outras, o suficiente para que os homens enxergassem suas contrapartes. Mas, ignoraram-se. O brigadeiro sabia que cada tripulante desejava abrir fogo, perseguir, porém isso seria ainda pior.

Então, as pequenas vespas aproximaram-se das grandes naves de linha de Nungaland. Podiam ser alvejadas por um grande número de canhões, seriam abatidas na hora.

No entanto, eram deixadas em paz, pois fora o que Ashcroft ordenara.

— Obedeçam, desgraçados — murmurava. — Obedeçam.

As naves rápidas de Taransilla começaram o bombardeio. Compartimentos nos cascos abriram-se, deixando cair oblongos de metal e madeira, que iam explodir no mar. As primeiras deram cabo de um navio de linha. Logo em seguida, mais estouros foram seguidos dos horrendos gritos dos homens queimando. Por isso Ashcroft havia ordenado a retirada dos marinheiros: sabia que aquelas naves rápidas, petulantes, passariam à frente provocando os canhões das gigantes de Nungaland. Se caíssem na provocação, gastariam as primeiras saraivadas naqueles inimigos menores. Iriam destruí-los, é claro, mas precisariam recarregar antes de poder disparar de novo. Então chegariam as naves de linha inimigas, com todo o seu poder de fogo, e tudo estaria perdido.

Não, o brigadeiro sabia que deveria deixar aquelas naves leves passarem, descarregarem suas tropas em terra, para que fossem recebidas pelos Pugna e soldados humanos lá embaixo. Deveria guardar seus canhões para os inimigos mais terríveis. O preço disso era deixar os navios vulneráveis.

Ele não era apaixonado pelo mar, mas o som da madeira boa dos cascos se partindo era terrível, triste e desesperador. Um bom navio era como um bom soldado. Era o lar de todo um grupo de homens leais. E agora esses soldados, esses lares, essas coisas que tinham nome e tinham história e eram amadas por seus habitantes, estavam sendo destroçadas pelas bombas de Taransilla.

— Vocês serão vingados.

As naves rápidas passaram por completo pela frota aérea, deixando seu rastro explosivo. Então começaram a descer, preparando-se para a invasão por terra. Era algo temível, mas seria muito pior se uma nave de linha chegasse a esse ponto, com muitas vezes mais soldados e poder de fogo.

E enfim, vendo que Nungaland não caíra na arapuca, as grandes naves de Taransilla avançaram para o combate.

Ashcroft deu a ordem, e suas próprias naves rápidas avançaram. De início iam em pequenos grupos, de três em três, e isso tinha um propósito. Ele observou pela luneta, para garantir que seu planejamento era cumprido.

O primeiro trio chegou perto de uma grande nave de linha, a *Bonança*. Numa tática parecida com a do inimigo, provocavam os canhões, ficavam a distância de tiro e convidavam a serem abatidas. Mas, é claro, a *Bonança* resistiu, deixando as três pequenas naves chegarem mais e mais perto. Então, tudo muito rápido: uma das três abriu fogo, as bolotas de plasma indo estourar no casco da *Bonança*. Não causava grande estrago, mas era uma distração. A tripulação de outra das pequenas naves de repente saltou do convés, ativando motores de distorção atrativa em pleno ar. Iam rumo à terceira nave, pronta para recebê-los. E a nave abandonada começou a pegar fogo.

Uma tática brutal e eficiente. A nave em chamas continuou avançando, implacável, contra a *Bonança*, enquanto as outras duas batiam em retirada, disparando seus canhões mais como defesa do que na esperança de causar dano. A *Bonança* começou a disparar contra a incendiária, tentando abatê-la antes que se chocasse. Um tiro destroçou a maior parte da proa, mas já era tarde demais. Mesmo caindo e adernando, os restos em chamas bateram no casco da grande nave, espalhando o fogo num instante.

Um incêndio era um dos maiores riscos que uma nave aérea ou um navio podiam correr. Caso o fogo de alastrasse demais, não restava alternativa além de abandonar a embarcação ou morrer. E as velas — fossem simples pano que recebe o vento, fossem tecido inteligente que capta emanações probabilísticas — eram quase sempre as primeiras vítimas das chamas.

As labaredas já estavam altas na *Bonança*, Ashcroft viu com satisfação. A mesma tática era empregada por outros trios de naves rápidas, e logo o céu estava repleto de pequenos focos de incêndio voadores. A nave irmã da primeira vítima, chamada *Tempestade*, abriu fogo contra o trio que se aproximava dela, logo derrubando uma das três. Era o que o brigadeiro esperava. Os inimigos desperdiçavam tempo e munição. Era hora do ataque.

— Toda a frota! — Ele ergueu o braço. — Avançar!

E os defensores transformaram-se em atacantes. O leque que a frota aérea de Nungaland havia aberto começou a fechar-se, enquanto as naves avançavam. As velas probabilísticas trabalhavam à máxima potência, impulsionando as naus com velocidade espantosa. Os mais hábeis capitães de Taransilla manobravam suas naves para evitar os incêndios, deixando as naves de fogo passarem ao largo, mas vários outros não tinham tempo ou perícia, e usavam canhões. Eram as vítimas mais suculentas.

A *Impetuosa* avançava para a *Tempestade*, que defendera-se usando o plasma. Ashcroft podia ver a movimentação frenética dos homens tentando recarregar a tempo, antes que fossem eles mesmos vítimas de uma canhonada. Do outro lado da *Tempestade*, estava a *Solitária* do Capitão Albrecht. Com sua luneta, Ashcroft viu que não havia outro inimigo nas proximidades. Sinalizou para um ataque conjunto.

A movimentação nas casamatas de canhões da nave inimiga era vibrante. A *Impetuosa* estava quase totalmente paralela à sua rival. Devagar, deliberadamente como um cortejo, as duas naves ficavam casco a casco, alinhando-se com perfeição. Os canhões da *Tempestade* estavam quase prontos para uma nova saraivada. A *Solitária* alinhou-se também, do outro lado.

— Fogo!

Uma linha sucessiva de estouros soou na *Impetuosa*. Como uma coreografia, um depois do outro, os canhões dispararam, cuspindo bolas de plasma e destroçando o casco inimigo. Fumaça e arcos voltaicos preencheram o ar ao redor do convés. A *Solitária* também disparou, causando estrago igual do outro lado.

— Disparar à vontade!

Alguns canhões soaram da nave inimiga, mas a maior parte já fora destruída. Um tiro acertou em cheio o casco da *Impetuosa*, e Ashcroft destacou uma equipe para examinar e remediar os danos. Os canhões de Nungaland então começaram a soar desordenadamente, à velocidade de cada equipe de municiamento e disparo — atiravam à vontade. Uma explosão na *Tempestade* prenunciou uma grande seção do casco desprendendo-se, com o som pavoroso de mil árvores tombando. Foi uma coisa lenta, agonizante, até que a madeira se rompeu por completo. Então foi rápido, o destroço enorme despencando no mar, junto a incontáveis homens.

A *Tempestade* começou a embicar para baixo, fumegando. Estava vencida.

— Hurra! — bradou a tripulação do brigadeiro.

Ashcroft ordenou altura, e a *Impetuosa* subiu verticalmente, fazendo a tripulação segurar-se contra a sensação de esmagamento e o estômago descendo aos pés. Sabia que agora precisaria recarregar seus próprios canhões, ficando pronto para outra saraivada completa, e desejava estar o menos vulnerável possível.

— Senhor Carl, relatório!

Ao mesmo tempo em que examinava com a luneta, ouviu o relato do homem. Duas naves da frota haviam sido abatidas, mas seis inimigas já tombavam. Das que ainda restavam, três tinham grandes focos de incêndio e uma fora danificada severamente por canhões.

— E em terra?

— Pouco sabemos, brigadeiro. A bandeira de Nungaland continua no forte principal. Nada leva a crer que tenhamos perdido terreno.

Ele assentiu.

— Alguma comunicação com Vonticern?

Era algo muito improvável. Apenas magia poderosíssima seria capaz de enviar informações àquela distância com tamanha rapidez.

— Nada, senhor.

O que significava que não ocorrera nenhuma emergência. Ou que todos os recursos da capital estavam empregados em defesa e contra-ataque.

De qualquer forma, Ashcroft sabia que, naquele momento, Azabeth estaria presa ao Aparato Monárquico de Grundenwild. Estaria pronta para fazer aquilo para que fora treinada, para que fora coroada: defender o reino, matando doze milhões, mais seis ao longo de um ano. Naquele momento, em Vonticern, Azabeth não estava mais sendo tratada como rainha. Estava sendo tratada como o que era: uma arma.

Isso se ainda estivesse viva. Se Vonticern ainda existisse.

Enfim, começavam a chegar os relatos de terra. Ashcroft conseguia montar um quadro da batalha na floresta.

As naves menores de Taransilla haviam se aproximado e preparado-se para pousar. Foram recebidas com saraivadas de tiros — rifles e canhões terrestres. No entanto, logo abriram seus compartimentos de desembarque e despejaram seus homens. Os soldados de Taransilla contavam com versões limitadas dos motores de distorção atrativa, capazes apenas de suavizar quedas curtas. Outros usavam modificações fenotípicas, planando até atingir o solo. Quando os soldados começaram a saltar, Nungaland cessou fogo, é claro. Era desonrado e ilegal atirar contra soldados em pleno ar, e nenhum oficial do mais justo país do mundo seria tão vil a ponto de contrariar essa norma.

Assim, Taransilla tocou o chão. Nungaland contava com linhas de autômatos modelo Pugna Marco Segundo e Terceiro, um ao lado do outro, impassíveis, com seus rifles de prontidão. Quando os inimigos aterrissaram e fizeram sua própria linha de tiro, os Pugna apontaram e dispararam, todos ao mesmo tempo. Os relâmpagos fizeram um clarão azulado, e muitos atacantes caíram. Os autômatos puseram-se a recarregar, enquanto os soldados de Taransilla marchavam, ao compasso de um tamborete. Então dispararam também. Os Pugna eram resistentes, poucos caíram na primeira saraivada. Logo responderam. Houve mais uma ou duas trocas desse tipo, quando então os combatentes quebraram a formação e entraram na luta corporal selvagem.

A guerra era assunto de cavalheiros, mas a infantaria era a mais plebeia das armas, precisava lidar com coisas desagradáveis como o combate direto. As linhas de tiro prosseguiram até os dois lados estarem à distância de uma carga. Então todos avançaram de baionetas em punho.

Os Pugna eram muito mais fortes, rápidos e resistentes do que qualquer ser humano. Destroçavam dois ou três inimigos antes que um grupo pudesse sobrepujá-los. Mas Taransilla tinha duas vantagens: as modificações fenotípicas e a má qualidade do modelo Pugna mais novo, o Marco Terceiro.

Vários soldados atacantes tinham corpos alterados, quase equiparando-se a autômatos. Múltiplos braços segurando rifles, grossas carapaças de osso ou metal protegendo seus corpos. Alguns juntavam-se a seus companheiros em quimeras de guerra, outros eram veículos humanos, com rodas de carroça e rifles no lugar de braços e pernas. Enquanto essas aberrações atacavam, os modelos Pugna Marco Terceiro apresentavam defeitos. Sua criação e adoção nas forças armadas eram produto de manobras políticas das companhias industriais. Deveria ser o mais inteligente e independente autômato já criado, mas seu cérebro artificial não estava totalmente aperfeiçoado quando foi posto em campo. Em meio ao combate, inúmeros Pugna Marco Terceiro ficavam em total catatonia, de pé, sabre ou baioneta na mão, parados.

As naves de Taransilla também carregavam magos, embora fossem poucos. Os clarões no convés ou na cabine de uma nave prenunciavam em um ou dois segundos um clarão em terra — uma explosão branca, um estouro de pura energia conceitual. Era algo arriscado, que podia sair de controle e matar tanto aliados quanto inimigos. Pior ainda, podia envenenar para sempre o terreno. As áreas atingidas por uma explosão conceitual tornavam-se ocos esféricos. A Magia Conceitual não apenas destruía; tudo que era afetado *deixava de existir.* Alguns teóricos afirmavam que objetos e pessoas podiam desaparecer retroativamente — como se nunca houvessem existido, apagando até mesmo memórias (e até mesmo documentos e registros). A Magia Conceitual podia concentrar uma ideia em forma física, mas também desintegrar um conceito inteiro. Aqueles magos usavam seu poder como os soldados usavam rifles. Versões em escala muito menor daquilo que as Grandes Rainhas eram capazes de fazer.

Mas Nungaland também tinha seus magos, e a batalha tornava-se um jogo de defesa e contra-ataque. As explosões de energia conceitual não aconteciam no solo, mas no ar — sinal de que a energia fora interceptada antes que o feitiço tivesse efeito total. Esses estouros abortados eram menos venenosos que um uso bem-sucedido, mas podiam ser perigosos.

E assim os atacantes avançavam e encontravam linhas de defesa sucessivas, caindo às dezenas frente aos tiros, às baionetas, aos sabres, aos canhões. Um blindado de Nungaland avançou, puxado por fortíssimos cavalos autômatos, disparando uma espécie de rifle agigantado e atropelando os inimigos. A cavalaria terrestre ligeira contornou pelos flancos, também sobre animais artificiais, usando sabres para enfraquecer as linhas de Taransilla.

Ashcroft voltou ao perigo imediato, nos céus. Uma nave de linha inimiga se aproximava, alinhando-se para um canhonaço. Era a *Execução Sumária*, e estava intacta.

— Fogo! — ordenou o brigadeiro, atacando antes que a *Impetuosa* fosse vítima dos canhões.

O plasma explodiu rumo à *Execução Sumária*, em uma saraivada urgente. Rápida, devido ao treinamento das equipes de artilheiros, mas desordenada e pouco eficaz. Alguns tiros acertaram em cheio, outros rasparam o casco ou atingiram pontos onde o inimigo era mais protegido, causando pouco dano. Mas, mais importante, o ataque havia destruído alguns canhões e feito os artilheiros de Taransilla recuarem. Suficiente para ganhar tempo.

A enorme nave continuou, independente dos estragos. Aquele tipo de combate era sempre muito custoso. Talvez a *Impetuosa* sobrevivesse, talvez triunfasse — se Ashcroft fosse o homem que julgava ser, pensou, triunfaria com certeza. Mas ela não escaparia incólume, e o brigadeiro precisava da nau capitânia para liderar os defensores. Assim, deu o comando:

— Tripulação, preparar para a abordagem!

Um *sim, senhor* coletivo foi o prelúdio de um frenesi de movimento. Os aeroanfíbios já estavam quase prontos, apenas enfiaram os capacetes com aletas e correram a seus postos, aguardando a ordem.

— Senhor Carl, traga-me meu motor de distorção atrativa e meu capacete.

Não houve hesitação ou réplica, pois aquele era um bom aeronauta — mas qualquer outro duvidaria da decisão. Liderar uma abordagem pessoalmente, sendo responsável por tanto planejamento estratégico?

Ashcroft terminou de prender o motor às costas e testou as correias. Colocou o capacete. A coisa limitava sua visão, restringindo-a dos dois lados, mas era vital para voar com o aparato pessoal. A aleta funcionava como um leme, e o grosso metal do capacete protegia contra os incontáveis perigos do ar.

— Senhor Carl, o convés é seu.

Desembainhou o sabre e deu ordem de partida.

— Por Nungaland!

— *Por Nungaland!* — ecoaram os homens.

E assim, o esquadrão de ousados voou da *Impetuosa* até a *Execução Sumária*. Era uma visão impressionante e aterrorizante, capaz de causar vertigem no mais frio dos homens. Eles cruzavam o ar sem apoios, sem uma rede de segurança. Entre um convés e outro, apenas o mar, muito abaixo, ameaçando uma morte de horror. E as leis que regiam o desembarque em terra não se aplicavam às abordagens: os soldados de Taransilla tomaram de seus fuzis e dispararam contra os aeroanfíbios. Ashcroft, acompanhado por algumas dezenas de homens, dançava no ar, propelido pelo motor às costas, evitava relâmpagos e esquivava-se de destroços que ainda flutuavam nas correntes de vento. Alguns eram atingidos, girando sem controle pelo céu e indo despencar lá embaixo. Outros perdiam-se na fumaceira entre as duas naves — provocada pelos canhonaços e produzida de propósito, pela tripulação de Taransilla, em braseiros no convés, para dificultar a abordagem. Um homem ao lado do brigadeiro deu um gemido de surpresa quando seu motor apresentou um defeito. Sem um tiro, sem qualquer erro de sua parte, caiu para a morte lá embaixo.

Ashcroft pisou na amurada e saltou para o convés estrangeiro, puxando a pistola.

— Pela rainha, homens! Pelo prêmio!

Disparou, fulminando com um relâmpago o primeiro aeronauta inimigo que vinha encontrá-lo.

Os aeroanfíbios enxamearam ao redor dele, puxando seus sabres e pistolas, apontando seus rifles. Gritavam de honra e ódio e ganância. O prêmio era um grande motivador: o Almirantado pagava por naves e navios capturados do inimigo, em essência comprando a nau tomada. O oficial comandante — Ashcroft, se tivesse sucesso — ficava com um oitavo do valor. O capitão — mais uma vez, Ashcroft — recebia um quarto. Aos oficiais superiores cabia um oitavo, mais um oitavo para oficiais menores, e assim por diante, todos recebendo parte do lucro em caso de captura. Uma nave como a *Execução Sumária* podia tornar alguém rico. Valia a pena matar e morrer por isso; dinheiro e dever cívico.

O convés estava entrecortado por riscos azuis: os relâmpagos das pistolas e fuzis de Nungaland e Taransilla cruzavam-se por toda parte. Ashcroft tirou o capacete, jogou-o no chão do convés e correu para um grupo de inimigos que atirava em formação. Os soldados amavam-no porque ele não temia a luta, era sempre o primeiro de sabre na mão, por menos prudente que isso fosse. Talvez houvesse melhores estrategistas, oficiais que soubessem utilizar com mais propriedade a cadeia de comando dos ares — mas não havia nenhum com tanto gosto pelo combate quanto o Brigadeiro Ashcroft.

O sabre conceitual cortou os canos dos rifles como se fossem renda, dividiu a madeira e decepou as mãos que seguravam as armas. A lâmina impulsionava o braço, ansiosa por matar, e num segundo Ashcroft já desferia outro golpe, cortando três gargantas. Numa estocada matou um quarto, e outros dois que restavam preferiram correr.

Ele tinha consciência de que segurava a ideia da guerra, o conceito de arma. Com o sabre conceitual, Ashcroft era a personificação do guerreiro, e naquele momento existia só para lutar.

Dois soldados com pesadas modificações fenotípicas avançaram contra ele. Eram homens de mais de dois metros de altura, maciços e musculosos, com canos de pistolas no lugar dos dedos. Mas o mais impressionante era sua proteção: não tinham partes vulneráveis. Em vez de olhos, possuíam acurados sensores de movimento pelo corpo todo. Suas juntas eram muito rudimentares, protegidas por carapaça e camadas de músculos. As veias também eram cobertas de armadura orgânica. E a carne era móvel, entremeada de minúsculas máquinas inteligentes: movia pedaços de carapaça a diversas partes do corpo, à medida que eram necessários. Ambos vestiam uniformes galantes de Taransilla, com os padrões visuais angulosos do inimigo. Ambos eram oponentes formidáveis.

Ashcroft não desejava testar o fio do sabre contra aquela couraça, então saltou para o lado de um dos dois. Evitou um tiro de pistola e desprendeu as tiras de seu próprio motor de distorção atrativa. Rolou no chão, esquivando-se de uma pisada letal, e enrolou as alças do aparato na perna do monstro. Puxou uma alavanca, e o motor foi ligado.

O homem alterado deu um berro, quando o motor de distorção atrativa impulsionou-o pelos ares. Girou sem controle — não tinha leme e nunca fora treinado no uso do aparelho. Até que sumiu de vista.

Restava o outro.

Ashcroft dançou para esquivar-se dos tiros do inimigo, que então avançou em direção a ele, para combate corporal. Atrás, o brigadeiro via que seus Pugna Marco Segundo já chegavam à luta, fornecendo resistência, força e poder de fogo como apoio aos aeroanfíbios. Faltava apenas uma boa música.

A manzorra com dedos de aço perfurou o ar, quase acertando o brigadeiro. Ele tentou uma estocada, mas a lâmina penetrou só um centímetro, detida pela forte carapaça. Ashcroft recuou, chegando até os cordames das velas. Saltou e começou a escalar, o sabre entre os dentes. Precisava balançar-se como um macaco, para não ser atingido por nenhum tiro, mas então alcançou a altura que desejava, e pulou.

Caiu com os dois pés nos ombros do gigante, que perdeu o equilíbrio e desabou para trás. E foi uma boa tática, pois o inimigo estava onde o brigadeiro queria: bem em frente a uma escada que descia aos porões. Ambos rolaram para baixo. Ashcroft conseguiu ficar de pé, viu os barris de combustível inflamável e baterias mágicas no depósito. Era quase fácil demais.

Com um corte do sabre, abriu um barril. Derrubou-o com um chute, correu escada acima. O inimigo erguia-se. Mas Ashcroft virou-se e deu um tiro.

Houve uma explosão, e começaram as chamas. O soldado modificado foi pego pelo estouro, berrou de agonia.

No convés, Nungaland triunfava. Os aeroanfíbios caçavam a tripulação, faziam prisioneiros e matavam. Os autômatos continuavam com sua barragem de tiros estoica, impassível, indiferentes ao revide do inimigo, à própria destruição. A vitória estava próxima, era possível sentir seu gosto.

— Exijo ver o capitão desta nave! — rugiu Ashcroft. — Apresente-se, senhor, para oferecer rendição!

Em Nungaland ou Taransilla, capitães de naves aéreas eram cavalheiros. Assim, não demorou para que o oficial responsável se mostrasse, sabre em punho.

— Rejeito sua exigência, senhor! — gritou o homem, na língua de Nungaland. Cortesia em meio ao sangue. — A *Execução Sumária* lutará até a morte!

Porque era o início da guerra. Porque muita coisa estava em jogo, e valia a pena morrer para avançar um centímetro frente ao inimigo.

Até a morte.

Cumprimentando o capitão por aquela postura valente, Ashcroft o matou.

Aquele foi um dia de vitória.

A praia idílica, de amarelo forte contrastando com o azul do mar e o verde das folhas, foi testemunha de um banho vermelho. Naves aéreas cobriram a costa e a floresta; algumas quase inteiras, outras pouco mais que destroços. Ashcroft sabia, acreditava porque era de Nungaland, que aquela batalha ditaria o rumo da guerra: vitória dos justos. Nungaland triunfou, Taransilla morreu, fugiu ou rendeu-se.

Houve prisioneiros, mas pouquíssimos, perto dos números usuais. Os capitães preferiram morrer a se render, lutaram até a última consequência. Os corpos formaram um tapete: humanos normais e modificados, e também autômatos.

E foi um dia de vitória.

Os sabres conceituais beberam sangue. Todos que os possuíam usaram-nos para matar, nenhum ficou embainhado. Não houve hesitação ou covardia. Mesmo que houvesse um covarde, foi tragado pela luta, forçado a morrer como herói. Algumas naves inimigas foram capturadas, algumas conseguiram fugir, a maioria foi destruída. E também boa parte da frota de Nungaland, mas foi um preço baixo.

E ainda mais baixo quando, horas depois, chegou um comunicado de Vonticern. A própria rainha usava sua potente magia para dizer que nada acontecera. O país ficara em alerta, mas não houvera ataque mágico.

A máquina estava na fortaleza. Tudo estava bem no mundo.

Meses depois, aos olhos dos mais altos oficiais, do Rei Edgar e do Brigadeiro Ashcroft, doutor Lugus agarrou a alavanca. Sorriu com orgulho — sorriram, todos que o compunham — e a puxou.

A máquina foi ativada.

O deus estava vivo.

11

Como nos últimos estertores de um pesadelo antes de acordar, eu via o mundo real em clarões cada vez maiores e mais frequentes. E, no mundo real, não havia Ashcroft ou Azabeth ou o doutor Lugus.

Havia o Cardeal Derionde.

— Nós vamos fazer exatamente o que estamos fazendo — ele disse. — Esperar.

Sobravam cinco vivos: eu, Derionde, Benedict, Pharoux, Pugna. Pharoux ainda acorrentado e amordaçado. Eu estático como um boneco, apoiado na parede, minhas costas protegidas por uma manta. Pugna em sua vigilância inerte. Derionde não falava, a não ser quando necessário. Apenas respondia a Benedict.

— Você conseguiu o que queria — disse o cavaleiro. — Está livre. Vamos embora.

Derionde virou-se para ele com um sorriso.

— Agradeceria se me tratasse com o respeito que me é devido, senhor Benedict.

Derionde mantinha a fachada, mesmo quando não havia ninguém para enganar. Talvez fosse o mais amedrontador: impossível saber o que era verdade e o que era fingimento. Realmente acreditava ser alguém digno de reverência? O Cardeal Simas não tinha ilusões sobre si mesmo; longe de seus peões, não escondia ser um bandido. Mas Derionde, mesmo depois de ter assassinado algumas dezenas de pessoas com sua língua, sorria e fechava os olhinhos, pedia para ser chamado de Eminência.

— É claro, Eminência.

— Obrigado.

Silêncio.

— Mas Vossa Eminência conseguiu o que queria — insistiu Benedict. — Podemos ir embora. Voltar para casa.

— A Voz de Urag ainda não voltou, meu lorde.

— A puta? Você...

O sorriso paralisante.

— Vossa Eminência está mesmo esperando pela Voz?

— É claro. Ela voltará, marque minhas palavras, senhor Benedict. E todos nós sabemos que Sua Santidade deve ser mantida sob vigilância. Portanto esperamos.

Derionde caminhou devagar até Pharoux.

— Senhor Pharoux, senhor Pharoux. O que farei com o senhor?

O pirata permaneceu imóvel. Tentava comunicar algo com as sobrancelhas.

— Bem, o senhor viu que não adianta rebelar-se. Foi o erro de incontáveis almas iludidas ao longo dos anos, e todas decepcionaram-se. Acharam que poderiam desafiar a Igreja, e foram vencidas. A Igreja está aqui, senhor Pharoux. A Igreja sou eu. O senhor pode tentar me desafiar, mas terá o mesmo destino de todos os outros.

Nada.

— Então farei uma experiência. Vou soltá-lo. Se o senhor fizer alguma estupidez, morrerá, porque é o que acontece com todos que me desafiam.

Mandou que Benedict desfizesse as amarras. O cavaleiro obedeceu.

— A Voz de Urag desafiou Vossa Eminência — disse Benedict, mal escondendo um sorriso.

— Oh, não, senhor. Está enganado. Quem me desafiou foi Jocasta.

— Ela vai voltar.

— Não. — Derionde ergueu um dedo. — Jocasta está morta, assim como todos que me contradizem. Quem sairá por aquela porta é a Voz de Urag.

Solto, Pharoux endireitou-se. Limpou a boca, esfregou os pulsos.

— Então, senhor Pharoux? O que pretende fazer agora? Melhorará seu comportamento?

Como resposta, o pirata ficou calado. A maior mudança que se poderia esperar.

— Ótimo — sorriu o cardeal. — Posso usar um homem como o senhor, pelo menos por enquanto. Um homem que sabe usar uma lâmina e que gosta de estar vivo. O senhor não tem, é claro, o potencial para ser um Atreu ou um Benedict. Claro que não, e não acho que tenha ilusões a esse respeito. O senhor é um capanga comum, mas também não terá arroubos morais. Lealdade por conveniência é a mais forte lealdade que se pode esperar de assassinos.

— Ele está apavorado — riu Benedict.

— Claro que está. E com razão. Ele está diante da Santa Igreja da Fala de Deus, Sobre Tudo e Sobre Todos.

— Gabar-se não faz seu tipo, Eminência.

— Não é gabolice, senhor. Não sou um homem orgulhoso. Falo apenas a verdade, para que todos saibam com quem lidam. Vamos, erga-se, senhor Pharoux. E pode falar.

— A seu serviço, Eminência — disse o pirata.

— Bom. — Derionde deu tapinhas condescendentes no antebraço cheio de cicatrizes. — Muito bom.

Então o cardeal foi sentar-se sobre um cobertor, o mais longe possível dos cadáveres. Vasculhou uma sacola em busca de um Discurso Santo, achou-o e pôs-se a ler.

— Isto estava planejado, Eminência? — disse Benedict. — Tudo? Desde o começo?

Derionde deu um suspiro e abaixou o livro. Massageou os olhos por um curto tempo, como se estivesse cansado do falatório.

— Não, Benedict. Não seja absurdo. Ninguém planeja algo assim. O que vimos aqui foram planos de contingência que nunca deveriam ser postos em prática. Isto não foi planejado. Mas a Igreja está preparada.

Para tudo.

— Quem mais sabe da verdade? Disto? — O cavaleiro fez um gesto, indicando a fortaleza, o paraíso, o Deus oculto.

— Muitos, agora. O importante não é esconder tudo, senhor Benedict. Lembre-se, caso um dia abandone seus modos guerreiros e volte-se ao clero. O importante é revelar apenas uma parte a cada um.

Tentei ater-me ao mundo concreto. Eu voltava de novo e de novo para Nungaland, em pontos desencontrados da história, mas ficava cada vez mais próximo da realidade. E esforçava-me para isso, pois tentava absorver o que Derionde dizia. É claro que nunca revelaria todos os seus planos — e boa parte do que está aqui, confesso, são informações que descobri mais tarde, que ele nunca entregou de vontade própria. Mas o cardeal falou sobre sua Igreja. A Igreja que era sua, que era ele mesmo. Talvez isso lhe tirasse algumas armas, advindas da surpresa. Mas também intimidava Benedict e Pharoux — e, admito, até mesmo eu. Era difícil desafiar alguém que mostrava aquele tipo de poder, aquele nível de controle.

Era como Nungaland e Taransilla. Na paz fingida, o importante não era apenas esconder suas capacidades e estratégias: também era crucial mostrar as armas ao inimigo, para amedrontá-lo. A surpresa podia vencer um confronto, mas uma demonstração de força impedia que o confronto ocorresse.

— De onde acha que a Igreja tira relíquias, senhor Benedict? Como acha que conseguimos o minério divino? Sempre soubemos que havia esta outra terra, longínqua o suficiente para que nunca fosse descoberta por acaso, próxima o bastante para que a usássemos. Há alguns oficiais que sabem chegar a uma parte deste lugar, para manejar nossas prisões e extrair o minério. Outros conhecem outras partes, com outras minas, outras funções.

Juntou as pontas dos dedos.

— E poucos, muito poucos, conheciam este canto desta terra de relíquias. Agora os peregrinos estão espalhados por tudo, é claro. Mas antes apenas os cardeais sabiam o segredo do paraíso. Mudaremos nossa estratégia, pois não é mais possível fingir que este lugar não existe. Criaremos leis para as peregrinações. Teremos batalhões aqui, para garantir que muitos sofram acidentes antes de chegar.

— É muito trabalho — disse Benedict — apenas para esconder a verdade.

— Esconder é a chave, meu lorde. A ignorância é a chave. A ignorância gera o medo. O povo não sai de suas fazendas porque teme as estradas. Não pensa em juntar-se a grandes grupos e desbravar o desconhecido. Eles têm *certeza* de que o mundo encontra-se cheio de bandidos, feras e demônios. E não pensam em deixar nossa terra porque não sabem que existem alternativas. Pensam que o que conhecem é tudo que existe. Mesmo nossos oficiais são assim. Alguns acham que esta terra é um deserto inóspito, e que apenas a morte aguarda fora das prisões. Outros acreditam que há apenas floresta. Poucos, pouquíssimos conhecem as rotas para sair deste lugar. As relíquias que deixamos aqui como contingências.

— Apenas os cardeais.

Derionde sorriu.

— Todo conhecimento é perigoso, senhor Benedict. Antes temíamos que a Voz mostrasse Deus ao povo, realizasse milagres, ficasse poderosa demais. Por isso aliei-me a ela. Também temíamos o oposto. Que ela provasse a farsa. Tanto um quanto outro eram perigosos. Um bom súdito está no escuro. Um bom súdito não sabe nada; apenas acredita. Quatro pessoas são mais do que suficientes para conhecer a verdade.

— Mais, agora. Até mesmo o pirata conhece.

— Tem certeza, meu lorde? Alguns oficiais acham que conhecem toda a verdade sobre o minério divino, porque sabem que precisam usar seus uniformes decorados para se proteger. Eles não sabem que o minério são os restos dos antigos, não fazem ideia da origem dos padrões visuais. Conhecendo uma parte da verdade, pensamos conhecer tudo.

Pausa.

— Mas sempre existe mais — disse o cardeal.

Benedict ficou quieto. Pharoux tentava fazer silêncio até mesmo ao respirar. As implicações daquilo pesavam sobre todos. Mesmo ali, no paraíso, não sabíamos onde estávamos. Mesmo os soldados da Igreja não sabiam. Apenas os cardeais tinham o quadro completo. E Derionde afirmava conhecer os segredos daquela terra, as maneiras de ir embora. Contingências e contingências. Aos poucos, Benedict percebia que obedecer ao cardeal não era apenas prudente. Podia ser a única forma de retomar sua vida.

A ignorância era mesmo algo poderoso.

Agora eu tinha raros clarões do passado. Sentia-me quase de todo no mundo real. Mas era incapaz de me mexer. O salão estava em silêncio. Todos dormiram e depois acordaram. Não sei quanto tempo passamos, ao todo, naquela antessala de Deus.

Então o brilho dourado voltou.

A porta abriu-se: primeiro, só uma fresta. Então mais e mais, inundando o salão de luz sublime. E a Magia Conceitual veio junto à luz; senti formigamento e logo ardência na pele toda. Pharoux berrava. Benedict rilhava os dentes, concentrado em alguma coisa que eu nunca soube. Derionde ajoelhava-se, olhos e lábios fechados, controlando a respiração.

Mergulhei no passado mais uma vez, tentando isolar-me dos efeitos.

12

NA CAPITAL, UM NOVO PROBLEMA: FILAS.

Era impossível dar conta do fluxo de novos voluntários apresentando-se nos escritórios de recrutamento. Os jovens rumavam em hordas para os prédios das forças armadas, ansiosos por escrever seu nome num pedaço de papel e fazer parte da infantaria, da marinha ou da Cavalaria Celeste. A coroa confiscara prédios particulares e convertera estabelecimentos públicos, transformando-os em novas centrais de recrutamento, para atender à demanda. Não havia nobre que não tirasse as medidas para seu novo uniforme numa das muitas alfaiatarias soterradas de trabalho. Não havia plebeu que não se apresentasse com entrega total, pronto para ser designado a qualquer arma, qualquer dever. Os homens estavam tão satisfeitos em empunhar rifles no convés de uma nave aérea quanto em descascar batatas nos porões de um navio. As mulheres preenchiam escritórios militares, copiando cartas em código e arquivando documentos, apoiando como podiam seus garotos embarcados.

Nungaland estava unida na guerra.

Os velhos demais para o recrutamento haviam protestado e, de súbito, havia um fluxo de cabelos brancos nas funções mais baixas do ar e do mar. Pais de família abandonavam ofícios de décadas, deixavam esposas no comando de lojas ou penduravam placas dizendo *fechado até a vitória*. Foi necessária uma campanha de propaganda, com cartazes, anúncios em jornais e proclamações públicas, para convencer o povo de que seu trabalho civil era tão importante quanto o serviço militar. O privilégio de fabricar sapatos ou chapéus para os soldados era disputado com ferocidade.

E precisavam de ainda mais trabalhadores, para construir os novos prédios. Prédios que nunca haviam existido em Nungaland, nem em lugar algum. Prédios que serviam apenas para juntar pessoas, para passar algum tempo ouvindo preleções. Para realizar ações simbólicas sem muito sentido. Como alguém poderia construir aquilo? Como alguém poderia comparecer a esses lugares todos os dias?

Igrejas.

Como não houvera igrejas antes? O passado era um antro de pecados, definitivamente. Não era surpresa que Deus houvesse voltado as costas a Nungaland, e só agora favorecesse de novo a nação dos justos.

Andando por Vonticern, como gostava de fazer, o Brigadeiro Ashcroft testemunhou mais uma vez a visão peculiar. Não estava acostumado, achava que nunca estaria. Viu três sacerdotes marchando solenemente, e a população abrindo espaço. O doutor Lugus criara uma hierarquia para aquela nova e absurda instituição: o clero. Era baseada na hierarquia militar, mas muito mais rocambolesca. À frente ia um bispo, de batina púrpura e cheiro de incenso. Atrás, dois padres, sujeitos jovens e empolados. Embora ostentassem ornamentos de ouro, não tinham guarda-costas e nem temiam ser roubados. Eram gente sagrada, e o povo dava-lhes espaço, nem pensava em tomar suas posses.

Ele riu para si mesmo. Sim, pareciam sabichões arrogantes e inúteis. Afinal, não pegavam em armas, enxadas ou martelos. Não sabiam tocar violoncelos, escrever romances ou pintar quadros. Não faziam parte de nenhuma das três ordens de pessoas que existiam em Nungaland e no mundo todo — nobres, plebeus, militares. Eram uma nova ordem, uma verdadeira casta em si mesma, um grupo separado. Sim, pareciam inúteis, mas Ashcroft sabia que isso era sua teimosia falando. Aqueles homens, encarregados de levar a doença até o povo, uniam Nungaland, tornavam possível o mutirão que levantava o país do estado miserável em que se encontrara menos de um ano atrás. Considerá-los inúteis era tão estúpido quanto considerar inúteis os oficiais matemáticos de uma nave, apenas porque não operavam canhões ou atavam nós. A guerra e a sociedade mudavam o tempo todo, o brigadeiro sabia, e viver no passado era o erro dos velhos do Almirantado. Os padres não faziam cálculos, não brandiam sabres e não calafetavam navios, mas mexiam com o mais volátil dos materiais, a mais delicada das matérias-primas: a mente humana.

Ele parou em um café, para beber uma xícara e ouvir as fofocas. Postar-se em um café para saber do mundo e da vida alheia era uma prática consagrada para cavalheiros e damas. Existiam inclusive casas especializadas em determinada clientela: para saber do mercado financeiro, ia-se ao *Salão das Tulipas.* Para descobrir as atuais tendências científicas, ao *Clube do Sol,* e assim por diante. Aquele café era eclético, atendia a todos os tipos de pessoas e oferecia exemplares dos principais jornais. Ashcroft ocupou um espaço no balcão e tomou a publicação mais próxima dele, numa espécie de cabide de onde pendiam as folhas impressas. Leu a manchete:

Paz?

Sua Majestade assegura que esta geração não conhecerá derramamento de sangue.

Os jornais exageravam, como sempre. Mas Ashcroft grunhiu, pois não estava tão longe da verdade. Ele achara (todos haviam achado) que a guerra começaria depois do ataque de Taransilla, mas a situação fora resolvida pelos diplomatas. O Alto Comando inimigo devia ter julgado que uma guerra aberta naquelas condições era desvantajosa, pois logo apresentou um general que foi considerado culpado de insubordinação. O ataque foi explicado como ação ilegal e não autorizada, e o bode expiatório foi enforcado depois da corte marcial. Paz era um termo forte demais, mas também não havia a guerra verdadeira. A guerra continuava a mesma, engessada, manca, presa.

Mas pelo menos Nungaland estava unida.

O brigadeiro observou os demais clientes no café. Muitos haviam começado a usar pequenos ornamentos em forma de três trombetas — o brasão que fora desenvolvido para o deus, a religião, o clero. Ashcroft ficava maravilhado com o desempenho daquele plano. Um só brasão para tudo aquilo! E as pessoas aceitavam! Era como se Azabeth, Nungaland e a própria ideia de monarquia tivessem um só estandarte, e todos aceitassem essa simplificação.

Ainda mais extravagante era a mitologia criada pelo doutor Lugus — não estava completa, era bastante rudimentar, mas crescia diariamente. Os conceitos filosóficos eram simples demais em algumas partes (uma visão infantil da moralidade, um sistema de recompensas e punições bastante primário) e complexos ao extremo em outras (a ideia de um ser sem começo ou fim, que sempre existira mas criara o universo). As perguntas geradas pelas contradições costumavam receber respostas que soavam profundas, mas não resistiam a um exame detalhado. O que existia antes de Deus? Ora, Deus criou o tempo, não existia o "antes" antes d'Ele.

E todos acreditavam! A máquina era mesmo maravilhosa. A única explicação era a doença que se propagava pela mente, alterava o pensamento, colonizava o inconsciente humano.

Ashcroft terminou seu café. Tinha um compromisso com Azabeth, Edgar e um cardeal — uma espécie de alto oficial naquela jovem cadeia de comando. Antes que saísse do salão, foi abordado por um garotinho. Levava uma mensagem de Albrecht. O brigadeiro sorriu e deu uma moeda ao menino. Albrecht estava em Vonticern, ele sabia, mas os compromissos de ambos tornavam difícil que se encontrassem. Abriu a carta e leu:

Estou com problemas, Stephen. Acredito que alguém no Almirantado esteja procurando uma desculpa para me botar numa corte marcial. Começo a encontrar os primeiros sinais de insubordinação em meus homens.

Ashcroft bufou. Os velhos do Almirantado buscavam problemas fictícios, quando empecilhos reais não existiam. Nungaland estava voltando à união, saindo do quadro de pobreza, preparando-se para uma vitória quando finalmente acabassem as mentiras e a guerra estourasse. E o que faziam aqueles rufiões? Perseguiam um dos melhores oficiais do país, apenas porque tinha um passatempo originário de Taransilla. Não fosse um homem tão honrado, o brigadeiro viraria as suspeitas contra o Almirantado, acusando um daqueles pulhas de alta traição.

Resolveria aquilo depois. Albrecht tinha a confiança e amizade do brigadeiro, e o brigadeiro tinha o amor da Família Real. Se algum aeronauta na *Solitária* estivesse se deixando levar por mentiras, uma semana nas galés ou quinze boas chibatadas ajeitariam seu julgamento.

Ele seguiu para o palácio.

— O assunto é o jovem Nathanael — disse o cardeal.

Eles já haviam conversado durante muito tempo. Como na maior parte dos assuntos delicados, a Família Real acompanhava-se somente do brigadeiro. Diversos Fâmulos e dois ou três Áulicos rondavam, servindo chá e comidinhas, mas ninguém mais. O Príncipe Nathanael seria tirado da sala, mas o cardeal insistira para que ficasse. Nathanael já tinha onze anos. Com aquela idade, quase já poderia ser grumete numa nave aérea. Recebia instrução para governar algum dia, mas costumava ser mantido longe dos assuntos de Estado.

O garoto ficou o tempo todo bem quieto, observando com olhar sério, tentando entender. Os adultos falavam de números de convertidos, avanço das construções de igrejas, estatísticas sobre crescimento de produção no último ano. Nathanael era inteligente e atento. Se algo escapasse à sua compreensão, era apenas por falta de algum conhecimento matemático ou econômico. Mas seu olhar se acendeu quando, depois de todas as deliberações, o cardeal citou-o como o tópico real do encontro.

Edgar não escondia um leve incômodo quando alguém parecia interessado demais em seu filho. Recostou-se na cadeira e ergueu uma sobrancelha.

— O que desejaria falar sobre o príncipe, homem? — disse o rei.

O cardeal começou uma objeção, mas conteve-se. Devia ser tratado por "Eminência". Mas Edgar era o rei.

— É sobre sua educação religiosa — disse o clérigo.

— Educação religiosa?

— Sua Alteza precisa começar a aprender sobre Deus. Sobre seus deveres como monarca.

— Nathanael conhece seus deveres. Está aprendendo.

— Sim, conhece os deveres mundanos. Mas e os assuntos espirituais?

Toda aquela terminologia era nova para os três. Era nova para todos, mas alguns, como o próprio cardeal, pareciam familiarizados ao extremo, como se houvessem nascido sob a doutrina. Aquele homem fazia parte de um seleto grupo, escolhido entre sábios, professores, nobres e líderes comunitários, para ser levado diretamente à presença da máquina. Fora infectado a partir do ponto zero e, assim como todos submetidos ao procedimento, passara quase um mês em coma. A mente humana parecia entrar em colapso ao experimentar uma dose tão concentrada de Magia Conceitual, ainda mais aplicada diretamente ao pensamento. Mas o cardeal, assim como quase todos, recuperara-se, e assumira com entusiasmo sua função de infectar o povo.

Para alguém como Ashcroft, de mente analítica e curiosa, era um homem fascinante. Ele *vira* a máquina. *Soubera* que estava sendo levado para um experimento científico. Mas fora infectado.

Portanto, acreditava.

A doença era fantástica.

— Eminência — Azabeth começou usando o tratamento, para apaziguar o religioso —, Nathanael é muito jovem. Além disso, ele conhece toda a verdade. Deus existe para nos unir neste tempo difícil. Não é necessário doutrinar o príncipe.

— Pelo contrário, se me permite, Majestade. Sua Alteza faz parte de um grupo que consideramos de alta prioridade. Está quase deixando de ser criança. Não desejamos mais ninguém crescendo sem religião.

Ashcroft franziu o cenho.

— Serei bem claro, Eminência — disse Edgar. — Meu filho será *rei.* Rei de Nungaland. Ele não deve ser enganado. Deve sempre conhecer toda a verdade.

— Enganado, Majestade?

— Nathanael não precisa de doutrinação. Já é leal ao reino.

— Perdoe-me, mas não julgo que o povo esteja sendo enganado. Não julgo que eu mesmo esteja sendo enganado. Nós apenas demoramos muito para descobrir uma verdade fundamental do mundo, Majestade.

Silêncio.

— Eminência — disse Edgar —, preocupe-se com outros assuntos. Nathanael deve ser um homem enérgico e culto, não cheio de superstições. Pode ser que herde um império ainda sob tensão armada. Embora seu governo deva ser marcado pela paz e prosperidade, se Deus quiser.

Não notou o lapso.

Ashcroft notou.

— Não é minha função questionar as decisões de Vossa Majestade. — O cardeal ergueu-se e fez uma mesura profunda. — Apenas ressalto que o povo está com Deus. Acreditam que a monarquia é o desejo de Deus, que os antepassados de Vossa Majestade foram escolhidos por intervenção divina.

Mais uma vez, algo extravagante. Todas as pessoas instruídas *sabiam* que os antepassados de Edgar haviam tomado o poder numa guerra civil sangrenta, usurpado muitos pequenos tiranos para formar sua própria tirania centralizada, que viria a se tornar a monarquia esclarecida que todos conheciam. Aprendia-se isso nas escolas. Mas a crença de que os monarcas eram escolhidos por Deus já era generalizada. Fora um dos objetivos principais da doença, mas era surpreendente que funcionasse tão bem.

— Seria muito salutar se a Família Real liderasse também a religião, Majestade — disse o cardeal, ainda curvado. — Atualmente, o povo tem dois amores. Nungaland e Deus. Melhor evitar uma competição entre ambos.

Porque Deus venceria.

O cardeal se retirou. Nathanael também foi levado para fora, por um Áulico reverente. Os três ficaram em silêncio um tempo.

— O que acha, Edgar? — disse Azabeth.

O rei tomou um gole de chá, mas já estava frio. Fez uma careta.

— Acho uma bobagem. Stephen?

— Quer minha opinião como súdito ou como amigo?

— Como amigo, seu palerma.

— Como amigo, acho que Nathanael já terá deveres demais. Não precisa de uma doutrina de medo para roubar ainda mais da sua infância e juventude.

— E como súdito?

— Como súdito, gostaria que meu rei fosse tão parecido comigo quanto possível. Gostaria que falasse a mesma língua, seguisse os mesmos hábitos, ouvisse a mesma música.

Tivesse a mesma religião.

— Mas — disse Azabeth, começando a frase mais perigosa da história humana —, e se for verdade?

Os dois olharam para ela.

— E se o cardeal tiver razão? — disse a rainha. — Estamos, afinal, mexendo com a realidade. Estamos alterando o universo, esse é o fundamento da Magia Conceitual. E se, por acaso, tivermos descoberto uma verdade universal?

A semente estava plantada.

— Nós sabemos da verdade — disse o brigadeiro. — Nós estávamos lá quando o doutor Lugus apresentou a ideia.

— Talvez ele só tenha recuperado algo antigo, que aguardava ser redescoberto — disse Edgar. A lógica do raciocínio da esposa criara raízes em instantes. E, de qualquer forma, não fazia mal especular.

— *Nós estávamos lá.*

— Pense, Stephen — insistiu o rei. — Como isso é diferente de uma descoberta científica? Alguém por acaso inventou a atração gravitacional? Não, ela foi descoberta. Alguém inventou a magia? Não, apenas descobrimos como utilizá-la.

Azabeth balançava a cabeça. Ela lançara a dúvida, mas ela mesma começava a achar aquilo absurdo. Era a oscilação, o questionamento perene que caracterizava a invasão da mente. A ideia era um organismo intruso, aos poucos enfraquecendo uma personalidade intacta e tentando instalar-se e reproduzir-se.

Aquela era a doença, a maravilha da doença. Embora os primeiros infectados houvessem sido levados à presença da máquina, recebendo uma descarga direta dos conceitos invasores, o contágio era muito mais insidioso. Qualquer contato com um portador possibilitava a transmissão.

Qualquer contato.

A fala era o vetor mais óbvio, em especial a fala doutrinadora, como a do clero. Mas mesmo sem que o assunto fosse abordado, a doença se espalhava através do diálogo. Assim como uma infecção respiratória pode vitimar uma pessoa apenas pelo ar, sem que seja necessário um doente tossir em sua boca. E havia formas ainda mais sutis. A visão era um meio de contágio surpreendente. Os infectados, de alguma forma, transmitiam sinais captados pelos olhos e absorvidos pela mente, que então era colonizada pela ideia. Mesmo a grandes distâncias, mensagens escritas ou a voz em um receptor mágico podiam contaminar.

Além disso, a máquina emitia constantemente suas emanações infecciosas. Não era surpreendente que a doença já se alastrasse pelas colônias. Já chegava a Taransilla e às partes mais remotas do mundo.

Era uma epidemia inevitável. E todos os doentes pensavam: como vivi de outra maneira antes? Por vezes, modificava a memória. Como muitos usos de Magia Conceitual poderosa, a doença podia alterar o tempo. Inúmeros infectados lembravam-se nitidamente de conhecer Deus na infância, mesmo sem culto organizado ou estímulo exterior.

— Seja verdade ou não — começou Azabeth.

— Não é verdade! — disse Ashcroft.

— Seja verdade ou não, uma coisa é certa. Nós demos início a isso, e não podemos permanecer ausentes. A Família Real deve liderar a religião.

Com aquilo o brigadeiro podia concordar. Era óbvio, era sensato.

Mas seria mesmo *impossível* que Deus existisse?

A semente estava plantada. O contágio era implacável. Mesmo que nunca acreditasse, Ashcroft estava condenado, como estavam todos os humanos, a ter sua existência regida e controlada pela doença.

Todos os dias, mais naves de transporte partiam às colônias, carregando recrutas ansiosos. A doença também impulsionara a indústria, pois não havia naus suficientes para a nova demanda. Companhias privadas adquiriam novos contratos, empregavam mais trabalhadores. Todos enriqueciam. Nas colônias, além de novos soldados, surgiam muitos civis ávidos por colaborar com o esforço de guerra, trabalhando nas plantações e nas minas, colhendo tabaco ou extraindo prata. Gerava-se prosperidade, impulsionada pela certeza de que Deus estava do lado de Nungaland.

E Ashcroft estava iludido, ou realmente a capital parecia mais limpa? Talvez, com um pai onisciente a vigiar suas existências, as pessoas estivessem menos dispostas a emporcalhar as ruas. Em todo caso, fosse o verniz do entusiasmo, fosse prosaico sabão e vassoura, Vonticern reluzia, estava mais clara, menos encardida. Era possível notar isso de cima, enquanto o brigadeiro ascendia na minúscula nave de transporte com paredes de vidro até a torre do Almirantado, à margem do lago. A paisagem da capital estava repleta de obras e vontade. Os pátios chegavam a ser inverossímeis, com operários cantando enquanto trabalhavam. Ele se sentia numa peça musical popularesca.

Não deixava de ser irônico que o Almirantado ficasse no topo de uma torre, pensou Ashcroft enquanto descia do transporte e entrava no saguão. Na verdade, bem apropriado a um grupo de velhotes com pouca eficiência: comandantes de navios marítimos, acampados à beira de um lago, encarapitados nas alturas sem nunca terem aprendido a voar numa nave aérea. À medida que ele atravessava a entrada principal, era recebido por uma onda de continências. Se os almirantes eram rabugentos e indolentes, os homens e mulheres que compunham o quadro principal (e que faziam o trabalho de verdade) eram energéticos. E admiravam-no — o que, ele não negava, aumentava sua simpatia. Adulação cega era ruim, mas ele via ali rostos jovens que desejavam ser como ele mesmo.

Se, daqueles quinze ou vinte, surgisse apenas um Albrecht ou Lyman ou mesmo Ashcroft, tudo valeria a pena.

A sala de espera do salão de audiências era dominada por dois símbolos grandes, fixos na parede. O primeiro, com uma âncora e uma coroa de louros, representava a marinha. O segundo, com um objeto em forma de charuto e um par de asas, era o emblema da Cavalaria Celeste. Bastante simplista, na verdade — uma abstração de uma nave aérea alada — mas enchia-o de orgulho. Merecia estar em um escritório próprio, sob comandantes que entendessem do ar. Ashcroft cumprimentou a ancestral secretária, sentou-se numa poltrona forrada de couro magenta e pôs-se a esperar. Admirou os quadros conhecidos (retratos de grandes oficiais navais do passado, com um ou outro aeronauta enfiado no meio, para manter as aparências). Aceitou um jornal e leu as manchetes. Pulou as notícias otimistas de crescimento econômico e deteve-se em algo mais sinistro:

Mais duas meretrizes assassinadas.

Onda de crimes chega à primeira dezena de vítimas.

Antes de conseguir pensar nisso, foi chamado.

Em sentido frente à grande mesa, atrás da qual sentavam-se os almirantes, bateu continência e apresentou-se. Como sempre, um dos três velhos dizia sim, nós sabemos quem é você, Stephen, e outro fingia não lembrar. O terceiro, com uma espécie de corneta enfiada no ouvido para ajudá-lo a escutar, ficava sempre atento, de cenho franzido, na tentativa de não perder nada. Sempre recusara auxílio mágico para sua audição — os almirantes podiam usar canetas conceituais para melhorar sua caligrafia, mas rejeitavam qualquer aparato que pudesse ter utilidade prática. Na sala também havia dois Fâmulos e três velhos Pugna Marco Primeiro, parados como estátuas, de prontidão.

Ou talvez já tivessem morrido e ninguém notara.

— O que o traz aqui, brigadeiro? — disse um dos velhos, após as formalidades.

Ashcroft continuava de pé. Iguais chances de não o convidarem a sentar por birra ou por esquecimento e senilidade.

— Gostaria de falar sobre o Capitão Albrecht, senhores.

— Qual deles é Albrecht? — perguntou o segundo.

— O simpatizante de Taransilla.

— Ele não é simpatizante de Taransilla, senhor! — disse Ashcroft.

— Fale mais alto, brigadeiro — pediu o surdo.

— O Capitão Albrecht, senhor! Que odeia Taransilla tanto quanto qualquer um!

Os três almirantes assentiram.

— E qual é o problema com o Capitão Albrecht desta vez, brigadeiro?

Recorrendo a Ashcroft, Albrecht tinha respeitado a cadeia de comando, mas os almirantes fingiam que isso era uma falha. Caso tivesse dirigido-se ao Almirantado em primeiro lugar, teria sido repreendido por ignorar seu superior.

— Tenho razões para crer que o capitão está sendo perseguido, senhores. Empenho minha honra junto a de Albrecht.

— É um grande voto de confiança, brigadeiro. Sua opinião será considerada.

— Senhores, por favor. Pode haver rivalidade entre a marinha e a Cavalaria Celeste, mas sei que nenhum de nós prejudicaria Nungaland em nome de uma competição interna. Albrecht abateu duas naves inimigas durante a defesa da máquina. Ele não é um traidor.

Os almirantes ergueram as sobrancelhas. O surdo, um momento depois dos outros.

— Por favor, brigadeiro! Aquilo foi apenas uma farpa. Não achamos que o Capitão Albrecht seja mesmo um simpatizante do inimigo.

Ashcroft hesitou.

— Mas então, senhores, se me permitem... Por que há rumores de corte marcial?

Entreolharam-se.

— Bem, brigadeiro. Albrecht não é um colaborador de Taransilla, isso está claro. E também não duvidamos de sua bravura. Mas... — deixou a frase no ar.

— Mas ele tem hábitos profanos — completou o segundo.

Ashcroft deu um passo para trás.

— Profanos?

— O Capitão Albrecht alterna entre ser homem e mulher. Certamente Deus não aprova isto.

— Afinal, se Deus criou-nos de uma forma, devemos manter esta forma até o final, não? É apenas um dos motivos pelos quais não podemos permitir que Taransilla domine o mundo.

— Eles brincam de Deus — concordou o almirante surdo.

Ashcroft sentiu-se ficar vermelho, mas forçou a voz à serenidade.

— O Capitão Albrecht recebeu permissão expressa quando realizou seu procedimento. E nunca assumiu forma feminina no comando de uma nave. Ele respeita as regras do ar.

— Talvez tenhamos errado, brigadeiro, ao permitir essa devassidão.

— Só Deus é perfeito — completou o outro.

Ashcroft viu-se perdido. Preparara uma série de argumentos — de verdades — para atestar a lealdade e coragem do amigo. E agora questionavam sua religião? Como aquilo viera a acontecer? Ele não lembrava de tais dogmas na programação da máquina.

— Antes que vá embora, queremos sua opinião sobre algo, brigadeiro. — Um dos almirantes fez um gesto para um Fâmulo, que puxou um pano escuro de uma estrutura pousada no chão.

Era uma espécie de cavalete, que sustentava um grande emblema metálico, como aqueles que adornavam a sala de espera. Representava as três trombetas.

— O brasão de Deus adornará nossa sala, simbolizando o papel sagrado das forças armadas. Acha melhor incluirmos nos navios e naves aéreas um emblema metálico, como este, ou apenas pintado?

Com as pernas bambas de incredulidade e incerteza, Ashcroft desceu à rua de novo. Aquele tipo de mentalidade tacanha não ajudava em nada a causa de Nungaland. Teria sido incluída à socapa, pelo doutor Lugus, por algum motivo escuso?

Ou será que a máquina criara aquilo sozinha?

A doença mutava, evoluía.

Nas ruas limpas, as pessoas cumprimentavam-se. Ashcroft andava a esmo, cabeça baixa, introspectivo. Albrecht iria mesmo à corte marcial? Entrou em um café, viu dois cavalheiros (cartolas pousadas na mesa, talco perfumado) examinando o jornal:

— Mas desde quando isto é notícia? — indignava-se um deles.

— São só putas — disse o outro.

— Talvez, se não fossem pecadoras, ainda estivessem vivas.

Resistindo à vontade de desafiar o homem para um duelo, o brigadeiro saiu do café antes de pedir qualquer coisa. Uma quadra adiante, deparou-se com uma pequena turba trancando a rua.

Viu alguém pegando uma pedra do chão e jogando no que quer que estivesse no meio do ajuntamento. Outra pessoa avançou e deu um pontapé. Gritos:

— Pervertido!

— Deus odeia você, desgraçado!

Ashcroft empurrou e esmurrou, atravessou a pequena multidão. No centro, caído nos paralelepípedos, um rapaz de no máximo dezoito anos. Muito bem vestido, mas sangrava.

— Ele é um pervertido, brigadeiro! Ensine a ele o que Deus pensa dessa laia!

Então, Ashcroft não se conteve. Puxou o sabre.

A turba debandou.

Era importante que a Família Real fosse também líder da religião. Enquanto Nathanael recebeu um grupo de professores adicionais para cuidar de sua formação espiritual, Edgar pôs-se a ler os rascunhos do livro que devia codificar e reunir toda a mitologia, toda a moralidade.

Azabeth, sob forte escolta e total segredo, foi levada à máquina. Protegida por um traje completo coberto do padrão visual de Nungaland, para que a Magia Conceitual não a afetasse demais. Passou muito tempo com o doutor Lugus, estudando o funcionamento do engenho, compreendendo sua linguagem baseada em matemática. Era composta de valores positivos e negativos, sim e não.

Azabeth aprendeu a comunicar-se com a máquina, falar a ela e entender o que o mecanismo dizia.

Era uma rainha, talvez a maior Grande Rainha que o mundo já vira. E agora era também a governante espiritual do povo, pois ouvia e entendia a máquina. Podia transmitir os desígnios da doença.

Era a voz de Deus.

Um jantar de caridade. Cada prato custava uma exorbitância, mas essa era a finalidade — os lucros seriam revertidos a uma boa causa. Albrecht estava ansioso por algo fácil, uma festa em que teria de se preocupar, no máximo, com boataria de nobres. Sua folga fora muito mais tensa que o comando da *Solitária*, com a sombra da corte marcial pairando sobre ele. Mesmo que só por uma noite, desejava algo fácil e fútil. Então voltaria à vida real e arranjaria uma justificativa para zarpar. Se Vonticern apresentava-se hostil, a resposta estava nos ares, em levar sua tripulação para algum lugar distante e vigiar contra Taransilla e as potências "neutras", talvez envolver-se em algum combate estimulante e brandir um pouco o sabre.

Entrou no salão com um de seus melhores vestidos, sorrindo para as quase-amizades.

Enturmou-se em um e outro grupinho de conversa, viu os baús para doações, protegidos por autômatos modelo Áulico. Nem mesmo sabia qual era a caridade beneficiada, mas pouco importava. Era uma festa conveniente, uma desculpa para comer bem, beber um pouco e fazer um brinde à futura missão que iria tirá-lo daquela cidade.

— Então, o que nosso dinheiro está comprando hoje? — disse Albrecht, para um marquês metido em uma peruca branca.

— Livros — disse o homem, sorvendo um golinho de espumante.

— Livros?

Era uma boa causa, afinal. Mas, Albrecht logo pensou, devia ser apenas *um* livro. O tal livro sagrado que estavam escrevendo. Impossível ouvir outro assunto em certos círculos. Era como se a produção de peças e romances houvesse cessado até que aquele manual de regras fosse terminado.

— Oh, não, capitão — disse o marquês. — Falo de romances. Volumes de poesias. Tratados filosóficos. O senhor sabe.

— Um brinde a isso, então!

Tilintaram os copos.

— Um brinde — repetiu o marquês. — Nosso objetivo é comprar toda a tiragem de algumas obras.

— Toda a tiragem?

— É claro. Afinal, todos os exemplares precisam ser destruídos, não? Parte dos fundos arrecadados também vai para nossos advogados, que tentam acabar com as companhias profanas que publicam esse lixo.

Albrecht sentiu os pelos da nuca se arrepiarem. Queriam comprar livros. *Todos* os exemplares de alguns livros.

Para queimá-los.

Ele já ouvira sobre algumas queimas de livros nas últimas semanas, mas não sabia que era algo tão organizado.

Um toque em seu ombro, por trás.

— Capitão, é melhor que se retire — disse um lorde gorducho.

Vinha acompanhado por dois Pugna Marco Terceiro.

— Perdão? — disse Albrecht.

— Acho que o senhor entendeu, capitão. Seu tipo não é bem-vindo aqui.

— Meu tipo?

— Somos pessoas tementes a Deus. Esta é uma caridade religiosa. Gostaria que não debochasse de nossa fé.

Albrecht sentiu os punhos fecharem, as mandíbulas contraírem-se, quase involuntariamente.

— Meu lorde, muito cuidado com suas palavras.

— Não preciso de cuidado ao falar a palavra de Deus, capitão. O senhor é uma aberração, e exijo que se retire.

Era razão para um duelo. Nem seria preciso zarpar para aliviar a tensão. Albrecht mataria aquele porco, ou quem quer que ele enviasse em seu lugar.

Mas foi ladeado pelos Pugna. Outros dois — Marco Segundo — chegaram por trás.

— Vá embora, pecador.

Um dos autômatos empurrou-o.

— Você não merece um duelo — rosnou Albrecht. Então acertou um murro poderoso no queixo do homem.

Ele voou um metro e meio, estatelou-se de costas no chão. Os autômatos puxaram os sabres, agarraram o capitão com suas mãos de força metálica. Albrecht desvencilhou-se de um, evitou uma estocada, mas então foi atingido por um cotovelo terrível, de um Pugna Marco Terceiro. Desequilibrou-se, sentiu um corte em seu ombro esquerdo.

Um dos autômatos segurou-o pela nuca e pelo vestido, ergueu-o, jogou-o no chão, rumo à porta.

— Vá embora, aberração! — gritou alguém.

— Deus odeia pervertidos!

Levantando-se, Albrecht ainda dançou para esquivar-se de mais dois golpes, mas sabia que era uma luta perdida. Desarmado, contra quatro autômatos e qualquer número de outros que viriam depois, só podia fugir. Os Pugna empurravam-no à saída, com socos e pontapés.

Vestido rasgado, ombro e nariz sangrando, hematoma no rosto, cambaleou pelas escadas da mansão, rumo à calçada. Dois dos autômatos foram atrás, ainda batendo. Do lado de fora, havia um ajuntamento — plebeus, com olhos nele.

À frente, três de seus homens. Trajes militares, liderando a turba civil.

— Nenhuma aberração vai me dar ordens! — gritou o aeronauta.

E jogou uma pedra. A turba e os autômatos enxamearam sobre Albrecht, com punhos e pés e pedaços de pau. Havia algumas árvores próximas, num belo jardim público.

E alguém já preparara uma forca.

O doutor Lugus desapareceu quando os principais jornais noticiavam, em sua manchete principal, a maior queima de livros até o momento. As ilustrações mostravam famílias sorridentes de mãos dadas, em volta de uma enorme fogueira, enquanto uma nuvem em forma de demônio com expressão amedrontada subia a partir das páginas queimadas. Era o triunfo do bom povo de Nungaland contra o conhecimento excessivo e as palavras blasfemas.

Todas as pessoas que formavam a mente coletiva do cientista sumiram. Foram encontradas dias depois, em um de seus aposentos nos confins do palácio. Todos daquela forma, pendurados pelo pescoço um ao lado do outro. Lembravam uma floresta de cadáveres. Um banquinho sob cada corpo, em fila. Um suicídio bem organizado.

E havia um bilhete:

Desculpem.

Eu não sabia.

— Eu sou a governante da Igreja! — bradou Azabeth.

Lá fora, os gritos continuavam.

— A doença é mais forte — disse Ashcroft.

— Não é possível, Stephen. Não deveria acontecer assim. Eles estão todos unidos contra Taransilla.

— E também estão unidos aqui. Contra nós.

Nenhum dos dois pudera comparecer ao funeral do Capitão Albrecht. A morte do doutor Lugus fora mantida em segredo, assim como sua vida. Mesmo sendo líder da religião, Azabeth estava confinada a seu próprio palácio. Por Deus.

— Por que eles não me ouvem? — disse a rainha.

— Estão doentes.

Pelo menos Edgar e Nathanael não estavam lá para ver aquilo. Rei e príncipe haviam se ausentado em viagem a uma colônia, e então tudo estourara. Azabeth rezava para que estivessem em segurança.

Batidas na porta. Era um Fâmulo.

— Majestade, eles estão quase entrando — disse o autômato. — As portas da frente não resistirão por muito tempo.

— Deixe-me abrir fogo contra essa turba, Azabeth.

— Não! — Mãos sobre a boca. — Não, eles são o meu povo.

— Agora são o povo de Deus.

Ouviram um rangido alto, então um estouro. A manada humana rompera as portas do palácio. Seus berros dominaram os corredores e salões, ecoando:

— Adúlteros!

— Fornicadores!

— Deus odeia vocês!

Como uma enchente, aproximando-se.

— O que vamos fazer, Stephen? Como podemos controlar a doença?

O brigadeiro suspirou.

— Isso é impossível. Temos de usá-la.

Pegou a mão de sua rainha, sua amante.

— Vamos fugir, Azabeth. Vamos até a máquina. Você vai ouvir o que ela fala, conversar com ela. E vai retomar o controle da religião.

— Deus queira que Taransilla não fique sabendo de minha ausência.

Chamaram o Fâmulo que batera à porta e um Pugna Marco Terceiro que protegia a rainha. Também uma Diva, pois o brigadeiro não dispensava a música. E uma Rapina — autômato em forma de pássaro —, pois era útil como batedora. Escaparam por uma passagem secreta, tomaram uma carruagem e começaram a jornada rumo à máquina.

— Adúlteros! Fornicadores!

E, mais tarde, Taransilla descobriu. Enviou agentes para perseguir o brigadeiro e a rainha. Usou Magia Conceitual bélica para tentar matá-los. Eles acabaram passando mais de quatro meses em um abrigo subterrâneo, sozinhos.

Mas aquele não foi o fim do mundo.

Foi só o começo do fim.

13

EU LAMENTAVA OS LIVROS.

Os livros de Nungaland, as peças de teatro, os espetáculos de ópera. O Brigadeiro Ashcroft assistira à ópera em uma ilha neutra, afastada. Em nossa terra, mesmo os maiores nobres contavam com meros bardos em seus salões. Um alaúde desafinado ou o canto de uma Diva — qual era superior? Qual deles qualquer um escolheria?

Qual fora destruído?

Eu vira o começo de um fim. Por dentro, eu gritava. Só conseguia pensar no esplendor que fora aquele mundo, na beleza das naves aéreas e no respeito entre os inimigos. Mesmo de Taransilla, mesmo de Nungaland, os cavalheiros se enfrentavam como cavalheiros, os guerreiros duelavam. É o tipo de fantasia que agrada a um escritor, mas naquele passado morto fora realidade.

Até a criação de Deus.

Eu sabia que o fim daquele mundo não se dera só pela queima de livros ou pelo domínio da nascente Igreja. Muito mais havia mudado — pois onde estavam, no presente, os mares de possibilidade, as ilhas flutuantes? Onde estavam as construções? Algo ainda mais drástico mudara a paisagem para sempre. A guerra, talvez: Destruição Mútua Assegurada, como Azabeth falara há tanto tempo? A Magia Conceitual? Algo ainda pior?

Eu amava e odiava aquele povo que conhecera através de memórias. Não queria nada mais do que fazer parte deles. O que mais doía era a impossibilidade. Eu não podia viajar e alcançar aquela terra. Sabia que, por mais que aprendesse, por mais que descobrisse outras memórias e outros Pugna Marco Segundo, nunca seria um nativo. Já me fora roubada uma infância em meio àquela cultura, uma inserção natural e completa no mundo maravilhoso. Eu os amava, eu os invejava.

E odiava-os por terem destruído tudo aquilo. A doença não existira antes. Eles estavam livres de Urag, nunca sequer haviam cogitado o conceito. E o haviam criado. E haviam travado uma guerra, e destroçado sua sociedade fantástica. Haviam erigido uma prisão para o futuro e demolido toda a sutileza, a ciência, a própria magia.

Como podia um povo capaz de pilotar naves aéreas inventar o brasão das três trombetas? Como as Grandes Rainhas puderam se converter em Vozes? Eu pensava tudo isso, paralisado, sem conseguir chorar, enquanto nossa messias voltava.

A porta se abriu por completo. A silhueta negra de Jocasta recortou-se em meio ao brilho. Um passo para frente, depois outro.

Fechou a porta atrás de si.

E, mais uma vez, o salão estava quase escuro. O alívio tomou meu corpo, quando a onda mágica arrefeceu. Emergi por completo, ainda que continuasse paralisado. Não tinha nem mesmo a ilusão, as memórias dos antigos. Vi Jocasta parada, de pé, olhos muito arregalados. Viera sozinha, sem seus autômatos.

Boca entreaberta, tez pálida. Seus mantos de santa estavam amarrotados.

Derionde foi até ela.

— E então, Santidade?

Silêncio.

— Eu vi — disse Jocasta, por fim, quase sem som. — Eu vi.

Derionde pegou sua mão.

— Então podemos ir para casa, não?

Ela assentiu com a cabeça.

O cardeal começou a andar, puxando-a rumo às escadarias. Benedict recolheu suas armas e sacolas depressa. Pharoux olhou para os lados e apanhou objetos variados, que julgou poderem ser úteis ou valiosos.

— General Pugna — disse Derionde. — Traga o senhor Iago, sim?

Pugna Marco Segundo aproximou-se. Tomou-me nos braços, ergueu-me sem dificuldade. Liderados por Derionde, que conduzia Jocasta pela mão como uma criança, subimos as escadas. Atravessamos os salões, passamos pelos corredores. Cada um protegido por sua concentração: sobrevivência, vitória, horror. No meu caso, perda. Pugna depositou-me no chão e abriu a porta de saída com sua força inumana.

Vi o sol, não lembrei quando o vira pela última vez. O céu azul, já ficando rosado pelo lusco-fusco do entardecer. Quando enxerguei o mundo lá fora, minha perna direita agitou-se num repelão.

Aos poucos, trêmulo, consegui ficar de pé. Apoiei-me em Pugna para caminhar.

E deixamos Urag para trás.

Terra de Deus

1

ATREU NÃO ERA MAIS UM GUERREIRO.

Reluto em usar a palavra "felicidade". Duvidar de sua existência é um truque dos infelizes e cínicos e, em grande parte, os infelizes são aqueles que, como eu, pensam demais. Acredito que a felicidade exista, mas é muito fácil confundi-la com êxtase momentâneo, orgulho, paixão, aceitação do inevitável. Não sei se cheguei a alcançar a felicidade com Lubna. Duvido de que qualquer um nesta narrativa tenha conhecido a felicidade verdadeira. Mas Atreu conheceu-a, quando achou sua vocação. Sendo professor em Contago.

Enerva saber que há pessoas como Atreu: notáveis em uma habilidade, mas tão talentosos que podem desperdiçá-la. Ele era um lutador ímpar, vencera Oberon e matara incontáveis soldados, triunfara até mesmo sobre Penélope e D'Agostini, no início da rebelião, mas isso era só uma coisa entre tantas. Atreu não tinha vocação para a guerra. Guerra era apenas algo que ele nunca tivera chance de ignorar.

Em Contago, isso mudou.

— Se você vai ficar aqui, precisa fazer algo — disse Heron, o burgomestre.

Algo. Era a ordem mais deliciosa que já recebera: o comando para escolher.

— Não quero ser guerreiro — disse Atreu.

— Pois não seja! — riu o outro. — Já temos todos os guerreiros de que precisamos, pelo menos por enquanto. A principal ameaça que enfrentam é a gordura e a preguiça.

O marido de Heron era um guerreiro. Capitão da guarda. Diferente do que Atreu conhecera, ali a vida de soldado não envolvia coletar impostos ou aterrorizar revoltosos. O cotidiano formava-se de marchas por um perímetro, para assegurar a população de que tudo estava bem.

— Não há mais nada que eu possa fazer — disse Atreu, em tom oco. — Mal compreendo metade das coisas que vocês usam aqui.

Heron sorriu. Não deixava de ser verdade, pois Contago era uma maravilha encravada na desolação. A cidade contava com um observatório munido de aparatos ópticos poderosos. Um sistema hídrico que carregava dejetos para longe, sem deixar as pessoas expostas à própria sujeira. Guildas de engenheiros que construíam prédios altos; hospitais com medicina mais avançada do que jamais existira na Academia. Máquinas rudimentares que usavam a força do vapor de água fervente. Contago era um lugar onde Atreu, acostumado a ser culto num mundo de simplórios, sentia-se um selvagem. E tudo aquilo fora obtido porque, através das gerações, nunca houvera uma religião para queimar livros e proibir conhecimento.

— Reconheço esse modo de pensar — disse o burgomestre.

— Modo de pensar?

— O modo lá de fora. — Heron fez um gesto que indicava o mundo não esclarecido. — Posso não ter intimidade com sua terra natal, meu amigo, mas os burgomestres aprendem essa lógica torta de que vocês tanto gostam.

Atreu ficou quieto, meio contrariado. Era difícil estar na posição de ignorância.

— Fale o que está pensando, Atreu.

— Mal compreendo metade dos aparatos que vocês usam. E a única coisa que não depende de conhecimento, que tem tanto valor em Contago quanto em Ruiturus — deu de ombros — é a espada.

Heron riu, assentiu com a cabeça.

— Sim, esse é o modo de pensar do mundo lá fora. Se você não conhece algo, use a força! Imagino que *aprender* esteja fora de cogitação.

Meu amigo arregalou os olhos, deu meio passo para trás, como se tivesse levado um soco. Era evidente. Ele *estava* pensando como um bruto. A doutrinação que sofríamos era insidiosa e profunda, instalava-se em nossa mente e fazia enxergarmos tudo por um prisma tacanho.

— Então posso ficar aqui apenas aprendendo?

— Claro que não. Vai trabalhar, como todos. Pode ser um aprendiz.

— Não acha que estou velho para isso?

— Estará ainda mais velho se começar daqui a cinco anos. Você tem a chance de deixar sua prisão para trás e está preocupado com idade, Atreu?

Silêncio. Ambos caminhavam pelas ruas de Contago, à noitinha, quando o ar era fresco e agradável. A arquitetura da cidade favorecia a passagem do vento, aliviando o calor. Em breve o frio tomaria conta, e o sistema de calefação e água quente na maior parte dos prédios deixaria todos confortáveis. Contago não ficava exatamente no deserto — na fronteira entre deserto e uma área de vegetação resistente, amarelada, fibrosa. Mas ainda enfrentava o clima árido. Enfrentava-o com engenhosidade.

— E então? — insistiu Heron. — O que quer fazer?

Atreu pensou. Sua mente estava vazia, de súbito. Tivera desejos infinitos, enquanto era impossível. Agora não conseguia conjurar nenhum. Minutos de silêncio, enquanto cruzavam as ruas, passavam por homens e mulheres indo a algum lugar depois da jornada do dia.

Lembrou de Aquelau, seu mestre.

— Gostaria de ser professor.

— Então seja.

— Não sei nada.

— Nada?

— Sei menos que vocês. Não tenho nada a ensinar.

— Pare com as desculpas, Atreu. Isso está abaixo de você. Quer ser um professor? Seja um professor. Não seja um guerreiro, general, herói ou fugitivo. Seja um professor.

Ele quase persistiu na teimosia. Quase repetiu que não sabia nada; quase perguntou o que poderia ensinar, quem seriam seus alunos. Mas, mesmo estando num ambiente novo, Atreu não se tornara estúpido, e não vou retratá-lo como um parvo para ressaltar a sabedoria de Heron. Atreu chegou à conclusão sozinho:

— Mas sei mais que as crianças.

— Aí está.

— Posso fazer isso — entusiasmou-se. — Lembro da rotina, conheço o método que Aquelau usava para nos ensinar.

— Você falou de alguém chamado Aquelau em seu delírio.

Atreu mal estava ouvindo-o.

— Preciso de livros. Preciso de papel para fazer anotações. Preciso planejar. Preciso estudar!

Sou incapaz de retratar ou descrever de forma melhor: aquilo era a felicidade. O encaixar de algo monumental — uma vida inteira. Acho que a felicidade não está no amor, nem na vitória, por mais que isso seja poético. A felicidade, imagino, está em achar o que se está procurando. Atreu não tinha o amor, não tinha a vitória, mas não precisava mais procurar algo que lhe desse sentido.

Se sua vida fosse uma narrativa linear, aquele teria sido o começo. Era o que ele deveria ter feito desde sempre.

Em Contago, Atreu foi o melhor dos professores.

Não havia muitas crianças em Contago — não havia muita gente — mas sempre havia necessidade de mais alguém para ensiná-las. Era o ofício mais importante; o mais próximo de algo sagrado naquela terra sem Deus. Um grupo foi designado para ficar sob a tutela de Atreu. Aceitaram-no com ânsia de animais famintos, pessoas pequenas e curiosas, de oito a doze anos. Jogaram-se sobre seus métodos e ordens sem questionar, mostrando-se ávidos pelas recompensas que ele oferecia. Logo havia disputa, até ciúme, sobre quem seriam seus pupilos.

O que chegava a ser assustador.

Antes do sol, acordavam sem demora, em questão de minutos descartando o sono e atirando-se à atividade. Corriam. Depois comiam o desjejum que eles mesmos preparavam, em equipes alternadas, como na Academia. Liam e aprendiam matemática, rudimentos de medicina, ciência. Alguns liam em voz alta enquanto outros exercitavam-se, e depois trocavam.

Como na Academia. Atreu emulava seu velho professor tão bem quanto podia. Tinha o desejo tolo mas nobre de que Aquelau se orgulhasse. Sabia (e, em Contago, precisava manter isso em mente) que Aquelau *não* se orgulhava. Aquelau não fazia nada, não tinha opinião, porque estava morto. Aquelau já não era nem mesmo ossos, já se decompusera. Toda aquela bondade e inteligência haviam sido fruto de interações em seu cérebro, um órgão que não existia mais. Em nossa terra, pensar algo assim é deprimente, porque estamos todos infectados pela doença divina. Mas, Atreu me conta que, em Contago, a ideia era libertadora. Atreu estava limpo da doença, ou pelo menos tão limpo quanto era possível estar. Em Contago, saber que nada mais restava de Aquelau era livrar-se de uma prisão, era um empurrão a não desperdiçar a vida. Aquelau tivera apenas aqueles poucos anos; isso tornava cada momento ainda mais especial. Era uma celebração de sua personalidade: saber que ela tinha curta duração e era única, não voltaria em outro corpo e muito menos existiria pela eternidade.

Esse era outro segredo de Contago: num mundo sem sentido intrínseco, havia a *obrigação* de criar sentido. Numa vida curta, havia a *necessidade* de viver bem.

E era curioso que o grande poder de Contago, a ausência de religião, trouxesse consigo tantos tabus. Atreu não podia ensinar história. Nossa história fora moldada pela Igreja. Os alunos aprendiam a limitada história de Contago, as gerações anteriores de sábios, com os outros mestres.

De Atreu, queriam saber como era o mundo selvagem lá fora. Mas meu amigo recebera uma instrução crucial, acima de todas:

— Nunca conte a verdade.

O progresso através de mentiras. Olhando por este ângulo, não era diferente do que a Igreja fazia. Assim, Atreu falava que o mundo lá fora era quase o mesmo que Contago, mas mais entediante e lúgubre. Não inventou um pandemônio de horrores, porque isso apenas incitaria a curiosidade. Pelo contrário, reforçava a crença de que tudo de importante acontecia em Contago, as coisas boas e as ruins, e o resto do mundo não importava. Parece estranho pensar que aquele povo aceitava essa doutrinação — até lembrar que nossa terra é igual. Em nossa terra, os camponeses e os burgueses têm a mesma fé sobre seu próprio papel como centro da existência. Dizem que seu quintal é o melhor lugar do mundo, sem conhecer o resto. Acreditam não existir nada além do mar, exceto piratas e devassidão.

Então Atreu ensinava verdades e mentiras, oferecia esclarecimento e escuridão. Mas, sobretudo, tentava preservar aquela cidade, onde achou a si mesmo. À tarde, estudava sob os maiores sábios, juntando-se a garotos dez anos mais novos na tentativa de compensar sua ignorância. Aprendia reviravoltas matemáticas com que nunca sonhara. Aprofundava-se em conceitos da medicina que superavam em muito os rudimentos de cirurgia e limpeza que aprendera antes. Quando, pela primeira vez, foi apresentado ao instrumento óptico de precisão, sentiu que seu coração pararia. Era um aparato menor que o tronco de um homem, pousado sobre uma mesa no observatório. Através de suas lentes sucessivas, objetos ampliavam-se, mostrando todos os detalhes invisíveis a olho nu. Era um desenvolvimento novo, e Atreu foi um dos primeiros a utilizá-lo. Olhou um alfinete — contrariando suas expectativas, de perto a coisa mostrava múltiplas imperfeições, mossas e irregularidades. Olhou um pequeno pedaço do caule de uma planta — e viu os blocos fundamentais que compunham a criatura, retos e perfeitos como se fossem esculpidos.

Não era surpresa que não houvesse curiosidade sobre as terras além. O mundo estava sendo desvendado ali mesmo.

Foi após uma aula vespertina, envolvido em conversas infindáveis com uma professora, que sentiu de novo a paixão, ou algo semelhante. Seu nome era Varla, e sua mente pontiaguda, precisa como uma flecha, foi o que primeiro atraiu-o. Os seios ajudaram, mas vieram depois. Nas semanas seguintes, Varla e Atreu acharam desculpas para estarem próximos e, quando se deitaram, não houve escândalo ou fingimentos. Ela já vivera alguns anos com um pesquisador que morava em outro extremo da cidade, e preferia não encontrá-lo, porque as lembranças traziam sentimento demais. Atreu era mais uma vez ignorante, nunca tendo conhecido um relacionamento que não envolvesse proibição, perigo ou desespero.

Mais ou menos nessa época, Atreu construiu sua casa. Foi até os arquitetos e engenheiros, ajudou a projetar a obra simples. Acompanhou-se de um grupo de homens para coletar a matéria-prima de que necessitava — madeira e pedras. Então, auxiliado por Heron e alguns de seus amigos, ergueu-a com as próprias mãos. Atreu acordava ainda sob o escuro para exercitar-se, ensinar e estudar, e então trabalhava em sua moradia. Exauria corpo e mente e, no final do dia, tombava sob exaustão deliciosa, vendo frutos palpáveis de seu esforço. Um esforço que não gerava cadáveres ou estandartes.

A glória muito maior de algumas crianças com uns fatos a mais na cabeça, uma mente um pouco mais rica, paredes um pouco mais altas.

Atreu conta que chegava a surpreender-se com sua facilidade de adaptação, e com a distância que sentia da vida anterior. Talvez meus leitores julguem isso traição. Ele pensava em Ganimedes, em D'Agostini, em Penélope, em mim. Tinha vontade de resgatar-nos, ou talvez isso seja minha própria ilusão. Tinha vontade de compartilhar Contago conosco, mas não há nada mais egoísta que a felicidade plena, e Atreu viveu para si durante um tempo. Não viveu para vingança ou justiça, para ajudar alguém ou fazer o que era certo.

Só para a felicidade.

— Deixei muita gente para trás — ele disse, certa vez.

— Quem? — quis saber Varla. Compartilhavam um caneco de qualquer coisa, já sob a lua, na frente da construção pela metade que seria a casa. O frio obrigava ambos a dividir um cobertor, algo mais lúdico do que fazer o que era sensato e enfiar-se num prédio aquecido.

— Muita gente — disse Atreu. — Amigos. Meus amigos devem estar me procurando.

— Vai buscá-los?

Não respondeu.

— Queria apenas — ficou sem completar por um tempo — descansar. Continuar descansando.

Varla achou graça. Atreu era o mais obstinado habitante da cidade. Dizer que estava descansando parecia absurdo.

— Nada disso é cansativo. — Ele a abraçou. — Cansativo é o resto do mundo.

— Descanse, então.

— Acha que sou um homem mau?

— Você fala coisas estranhas, Atreu.

— Estou ignorando meus amigos. Eles podem estar sofrendo. Com certeza estão sofrendo. Podem estar morrendo.

— Podem estar fazendo o que querem. A não ser que haja uma espada em nossa garganta, não fazemos nada contra nossa vontade.

— Você não conhece o mundo, Varla. As pessoas fazem tudo contra sua vontade.

— Não, a menos que haja uma espada em suas gargantas.

— Muitas vezes há.

— Há uma espada na garganta de seus amigos?

— A maioria de meus amigos usa espadas.

— Faça o que acha que deve fazer, Atreu.

Silêncio.

— Sou um homem mau?

— O que isso significa?

— Ora, Varla.

— O que isso significa? Você é um ótimo professor, um ótimo aluno. É um membro valioso de Contago. É um ótimo companheiro para mim e um bom amigo. Não sei dizer se é um bom amigo para as pessoas lá fora. Ninguém pode responder sua pergunta, Atreu. Não há resposta.

Ficou um tempo pensando.

— Quero trazer meus amigos para cá. Mas, se fizer isso, estarei arriscando Contago.

— Todos os seus amigos desejariam vir?

Lembrou-se de Ganimedes:

— Não.

— Então por que arrastá-los?

— Alguns seriam felizes aqui.

— Algumas pessoas são felizes por *você* estar aqui e não ir embora. Você sempre deixará alguém infeliz.

A autocomiseração não era uma prática muito familiar a Atreu. Ele sentia saudades e culpa. E sentia felicidade, mais do que tudo.

— Talvez vocês tenham apenas se afastado — disse Varla. — É natural. Você sabe que amei muito meu marido, mas nos afastamos. Isso não é errado. É só triste.

Haveria uma Contago para Ganimedes? Para Penélope? Para D'Agostini? Para mim? Será que Atreu percebeu que eu *seria* feliz em Contago? Não importava. Naquela época, ele estava sendo feliz. Uma felicidade culpada, de quem deixa amor para trás. Mas, pela primeira vez, felicidade.

E alegro-me, posso dizer sem hipocrisia, por meu amigo ter experimentado isso. Gosto de pensar nos meses utópicos que Atreu passou em Contago. Fico satisfeito por ele ter conseguido terminar sua casa e até mesmo ter vivido dentro dela. Mas esta história não existiria se o idílio fosse duradouro.

Um dia:

— Estandartes se aproximando! — gritou uma sentinela.

Atreu soube num instante. Soube no fundo do estômago, por mais improvável que fosse, e tentou repetir a si mesmo que não. Mas sabia, tinha certeza de que eram seus inimigos, era a vida anterior, o mundo lá fora que vinha arrastá-lo de volta. Como, tão longe? Como poderiam chegar a Contago?

Subiu numa torre de vigilância sem notar os próprios movimentos. Em instantes estava lá, com a mão em viseira sobre os olhos, e já possuía resposta. Mas arrancou a luneta da sentinela, apenas para certificar-se. Conseguira divisar, mesmo ao longe, o brasão alto nas bandeiras. Por prazer masoquista, quis examinar com cuidado.

O estandarte das três trombetas.

Atreu soube então que nunca teria permissão de ser livre. Nunca iriam lhe dar chance de felicidade. Afastar-se, ignorar e ser ignorado, era ambição demais. Quando viu o estandarte, as memórias voltaram de uma só vez. O que lhe parecera tão distante, tão improvável — porque ele estava limpo — agora desabava com todo seu peso. Sentiu a infecção voltando, a impressão de uma pedra no fundo do estômago, uma muralha de preocupações fechando-se ao seu redor.

A sentinela notou que ele reconhecia: Atreu tornara-se pálido, o suor frio brotara em gotas insinuantes. Ele sentiu uma tremedeira de pavor abjeto.

— São inimigos?

— São — Atreu conseguiu responder. — São seus piores inimigos.

Aquele homem devia ter uma centena de perguntas, mas era disciplinado para não perder tempo. Girou um espelho redondo em um pedestal metálico e começou a sinalizar para dentro da cidade. As sentinelas nas outras torres faziam o mesmo.

— Não! — Atreu agarrou seu pulso. — Não chame ninguém aqui.

— São os protocolos de defesa, nós...

— Todas as sentinelas devem ficar nas torres — meu amigo rosnou. — E ninguém mais deve ver o inimigo.

O homem assentiu por instinto, captando a urgência e a autoridade de Atreu. Começou uma nova série de sinais, ordenando distância e instruindo os vigias a permanecer em seus postos.

Atreu olhou de novo pela luneta.

Ao lado do estandarte da Igreja, havia outro. Não um brasão nobre, como esperara encontrar, ou mesmo o símbolo de um lorde guerreiro. Era uma bandeira quase idêntica à de Urag: as quatro trombetas. Atreu não sabia nada sobre a peregrinação, a busca por Deus. Não sabia quem era aquela gente. Começou a divisar detalhes e viu que, embora houvesse guerreiros, a maioria eram plebeus esfarrapados. Iam a pé; homens, mulheres e crianças. E suas bocas se mexiam. Uma lufada de vento trouxe meio verso do hino religioso que cantavam, e Atreu sentiu os pelos da nuca se eriçarem.

Aquela música seria capaz de contaminar as sentinelas?

— Fique aqui — ordenou ao homem, com intensidade de batalha. — Faça o que fizer, fique aqui. Não fale com ninguém, exceto as outras sentinelas. Você está sob minhas ordens.

Não podiam espalhar os versos que o vento seco trazia, a imagem nefasta dos estandartes. Tudo isso era parte da praga. O homem assentiu, mesmo que o estrangeiro não fosse um oficial. Porque, deparando-se com o inimigo, Atreu já não era mais um professor. Vestira a pele de general, e sua própria voz exigia obediência.

— Só uma pergunta, senhor. — A sentinela tratou-o como um superior. — Aquele é o estandarte do inimigo? Três trombetas?

Estava intrigado, estava fisgado. De alguma forma, estava infectado. Dentre tudo aquilo, dentre dezenas ou centenas se aproximando e um risco ainda desconhecido, o que chamara a atenção fora o estandarte. O poderoso estandarte que regia nossas vidas.

— O estandarte *é* o inimigo, soldado.

Desceu a torre, deslizando pela escada de mão e saltando para baixo. Correu, ignorando todos que se juntavam ao seu redor, perguntavam o que acontecia.

— Heron! — berrava Atreu. — Heron, rápido!

Passou correndo por seus amigos, por um punhado de seus alunos, que ficaram atônitos. Os guardas já chamavam o burgomestre, e Atreu não disse nada, só correu para dentro de sua casa, sendo seguido por Heron. Não deixou que mais ninguém entrasse e fechou a porta. Falou em sussurros, torcendo para não ser ouvido do lado de fora:

— Eles estão aqui, Heron. Vieram para me buscar.

O burgomestre compreendia vagamente.

— Quem, Atreu? Seus inimigos?

— Os inimigos de Contago. Não sei o quanto posso falar, Heron. Não quero contaminá-lo também.

No primeiro dia Heron dissera: Deus é uma doença. A pureza da cidade fora defendida por gerações de burgomestres. Nunca fora permitido haver discussão, dúvida, sequer a ideia do sobrenatural. Talvez Atreu já estivesse infectado de novo, e sua urgência, seu tom, seu medo poderiam ser vetores.

— É a religião, Atreu? A religião está chegando?

— Estão vindo para cá. Estão cantando suas músicas. Daqui a pouco todos vão ouvir. *As crianças vão ouvir a cantoria, Heron.*

As crianças ouviriam hinos religiosos. Era um ataque.

— Temos de proteger a cidade! — disse Heron. — Vamos organizar a defesa. Todos os soldados pegarão em armas. Os demais vamos trancar em suas casas.

O burgomestre começou em direção à porta, mas Atreu agarrou sua manga, detendo-o. Havia um medo em seu rosto que não combinava com sua experiência bélica.

— O que está fazendo, Atreu? Temos pouco tempo...

— Não temos tempo *nenhum*. Eles estão chegando. Vocês precisam fugir.

Heron franziu as sobrancelhas, dirigiu-lhe um olhar esquisito, por baixo dos cabelos encaracolados negros e brilhantes.

— Estamos preparados para uma invasão. Temos armas, canhões, guerreiros. Acha que Contago nunca foi atacada?

— Eles são perigosos demais.

— *Quem está chegando?* Uma coluna de soldados?

— Peregrinos. Guerreiros e peregrinos, e estão com o estandarte.

— Não conseguirão entrar. Não vão fincar esse estandarte na cidade. Nenhum livro de mentiras entrará aqui.

— Contago cairá!

— Não!

Ficaram se olhando um instante.

— Se lutarmos, já estaremos perdendo — disse Atreu. — Lembre-se do que você mesmo me ensinou.

— Eu lembro, Atreu. Mas não vamos deixar que a religião nos comande. Não vamos abandonar tudo.

— As palavras deles são mais poderosas que qualquer coisa. Elas *vão* comandá-los.

— Vamos garantir que essas palavras não cheguem ao povo.

— A razão sempre perde quando enfrenta a fé, Heron.

Aquele derrotismo não fazia parte do modo da cidade. Difícil aceitar.

— Quem enfrenta o inimigo *torna-se* o inimigo. — Atreu balançava a cabeça. — Precisamos escolher os mais fortes, os que talvez possam resistir. O resto do povo deve fugir, ser mantido longe.

— E jogar tudo fora?

— Contago pode ser reconstruída.

— Se todos os séculos de progresso não resistirem à primeira aproximação, reconstruir a cidade é inútil.

— Por favor, Heron. *Você* me ensinou a natureza do inimigo. Estou tentando ajudá-los.

— Então nos ajude. Lute. Vença.

— Eles sempre vencem — disse Atreu, os ombros caídos. — Eles usam mártires; podem vencer mesmo que morram.

Ficaram um instante em silêncio.

— A única maneira de vencer é não lutar — disse Heron.

Atreu assentiu.

— O povo vai ficar dentro das muralhas, nos prédios públicos — decretou o burgomestre. — Faremos barricadas, manteremos os forasteiros à distância.

Meu amigo suspirou.

— Essa é sua decisão?

— Sim. Como burgomestre.

— Então pelo menos deixe que eu lidere os guerreiros. Não permita que sua gente encontre os religiosos. Vamos escolher as mentes mais fortes, e vou liderá-las na defesa da cidade.

Era um sacrifício. Algo bem típico da religião. A doença era insidiosa.

— Vou acompanhá-lo — disse Heron.

— O povo precisa de você.

Porque, no fundo, ele ainda tinha esperança de que restasse Contago depois de tudo aquilo.

Elaboraram um plano rápido. Askel, capitão da guarda e marido de Heron, recebeu uma mensagem escrita, ordenando que começasse a reunir a população. Os guardas começaram a juntar mantimentos e fechar portas e janelas com tábuas, enquanto Atreu ficava em sua casa, olhando tudo pela última vez.

— Vá falar com Varla — disse Heron.

— Não pretendo falar com mais ninguém.

— Varla é forte. Contago é forte.

— Não vê que já estou contaminado? O que acha que é todo este medo?

— Não vamos mais nos ver, não é? — disse Heron, a título de resposta.

Morte ou contaminação, tudo a mesma coisa. Atreu era mais uma vez sugado para o combate, envolvido pela doutrina inimiga, e queria manter Contago afastada. Nunca estaria livre da luta, e a luta era a própria doença.

Guerreiro e burgomestre abraçaram-se, trocaram um adeus rápido, e então era a guerra.

Enquanto Atreu esperava, sem contato com ninguém, deixaram armas e armadura em sua casa. Depois que a porta se fechou, ele foi até lá e pegou tudo. Apertou as tiras, ajustou a cota de malha e as talas de metal sobre seu peito, puxou de um lado e de outro o gibão de couro até que ficasse confortável sobre a pele, protegendo contra as bordas duras do metal. Afivelou o cinturão da espada, testou o equilíbrio e o peso da arma antes de embainhá-la. Trocou os sapatos de couro macio por botas resistentes, boas para combater. Olhou o escudo de madeira e metal por um momento, pensou que mais tarde pintaria um sol sobre ele. Encaixou suas tiras nos ombros, deixando-o às costas. Enfiou uma adaga no cinto e outra na bota. Manteve o braço do escudo livre, usando a mão correspondente para agarrar um machado. Porque naquele momento não queria se defender, não pensava na parede de escudos ou na vida depois da batalha. Girando e olhando pela última vez a casa que construíra nos meses de liberdade, Atreu era um guerreiro e um assassino. Queria um massacre. Se não podia evitar a doença, que fosse um paciente terminal. Lutaria contra a religião com todas as armas, mataria por ela tanto quanto qualquer fanático, mas defenderia Contago.

Saiu pela porta, em meio ao povo em correria. Ao longe, ecos dos hinos religiosos, mas achava que era impossível discernir qualquer palavra. Os voluntários reunidos pelos guardas já se postavam frente ao portão, armas em punho. Eram *seus* voluntários, seus homens. Seus Escudos do Sol.

— Todos aqui estão prontos para morrer por Contago? — rugiu o general.

Nunca estariam. E não eram seus, eram de Contago. Reunidos porque Askel os escolhera e oferecera a chance de lutar. Se pouco sabiam daquele estrangeiro, professor de crianças que nem um ano passara na cidade, não questionavam o que o capitão lhes dissera: agora Atreu era general. As sentinelas também faziam parte da defesa, e era uma pena que não tivessem escolha. Atreu tinha quarenta e dois voluntários e, com eles, mataria todos.

— Suas famílias estão se escondendo. Estão se trancando em abrigos, para que o inimigo não as toque. Não deixem o inimigo entrar. Não escutem o inimigo. Não tenham piedade, e não aceitem. Se eles espalharem suas mentiras, Contago cairá. Todas as gargantas devem se calar ou sangrar!

Fizeram um cumprimento marcial em uníssono, mas sem uma palavra. Nenhum grito de guerra, nenhuma declaração de fé.

— Vão até o quartel e destruam todas as armas que não puderem carregar. — Foi a primeira ordem.

Os homens se entreolharam. O fogo como primeira opção não fazia sentido; presumia derrota. Parecia mais lógico proteger aquilo como protegeriam a cidade. Se vencessem, teriam jogado tudo fora? Em último caso, deixar os armamentos com o povo trancafiado, mesmo que para uma última resistência.

Mas Atreu só via uma coisa: a Igreja com armas de Contago. As armas avançadas. O conhecimento seria transformado em milagre, seria cooptado e usado, como todo o resto.

— Se cairmos, nenhum equipamento deve ficar nas mãos deles.

Atreu andou de um ponto a outro, comandando os soldados, e os últimos habitantes de Contago ainda corriam para reunir suas posses e se abrigar. Enxergou Varla com o canto do olho. Ela começou a se aproximar, ele virou as costas. Atreu sentiu mais uma ferida: perder uma mulher para outro homem doía. Mas perdê-la para Deus era intolerável.

As chamas começaram a arder no quartel. Uma explosão de pólvora: as armas mais avançadas eram destruídas. Um apito soou ao longe, o sinal combinado de que toda a população já estava em segurança (ou assim Heron julgava). Atreu chamou as sentinelas, reuniu todos os voluntários em formação.

Abriu os portões, de espada e machado em punho.

Os forasteiros se aproximavam, meio exaustos, com armas e ancinhos. Eram centenas, mas a maioria não se compunha de guerreiros. Cantavam. Erguiam alto os estandartes. E Atreu não sabia, mas eram apenas peregrinos que haviam se perdido nas cartas náuticas e nos mapas.

— Deixem-nos entrar — disse um padre, na frente da comitiva.

— Vão embora — rugiu Atreu. — Esta cidade não pertence à Igreja! Vão embora e não voltem nunca mais.

Já era um erro. Ele não deveria ter falado, não deveria ter ouvido. Apenas dado a ordem e matado. Por que oferecer chance?

— Tudo pertence à Igreja. Exijo água, comida e abrigo para minha gente.

— Esqueçam o que viram. Não sei por que vieram, mas não são bem-vindos.

— Viemos para achar Deus.

Atreu deu-lhes uma chance porque eram plebeus maltrapilhos. Que ele um dia tentara defender. Atreu era um péssimo assassino, no final das contas.

— Somos viajantes em busca de Urag — o padre falou, com gravidade. — Em nome da Voz Jocasta, abram caminho!

A Voz Jocasta.

— É sua última chance — Atreu rosnou.

— Sabe ler? Eis aqui um presente. — O padre estendeu um Discurso Santo.

— Estão muito longe de Deus.

Mas perto da morte.

Deu a ordem.

2

Eles só queriam compartilhar sua doença.

Atreu deu o primeiro passo. Caminhou decidido, pisando firme na areia enquanto, atrás, o incêndio do quartel rugia. Contago não iria queimar de todo, porque fora construída para resistir ao fogo e contê-lo. Os voluntários acompanharam meu amigo, expressões soturnas e disposição assassina. Aqueles eram guerreiros defendendo tudo; protegendo seu mundo inteiro de um inimigo que não conheciam, mas que sabiam e acreditavam ser mortal. Davam as costas a suas famílias, para que nunca fossem alcançadas pela praga. Para que a cidade sobrevivesse, não fosse tomada.

— Se eles invadirem Contago, não haverá mais volta — disse Atreu. E era verdade.

Os peregrinos avançaram. Primeiro, hesitantes, pois os descrentes daquela cidade desconhecida tinham lâminas. Mas então começou um frenesi gradual, os pés ficaram mais entusiasmados, e a horda de Deus começou a correr, e só Atreu e seus voluntários estavam no caminho.

Vieram numa onda, e não houve parede de escudos de nenhum dos lados. Os defensores podiam trancar seus escudos uns com os outros no portão, resistir indefinidamente ao choque com os forasteiros, mas a turba iria se dispersar. Alguns entrariam pelos portões secundários, alguns escalariam os altos muros. Com a parede de escudos, era impossível impedir a invasão. Isso só seria feito com o trabalho de açougueiro.

— Eles nos negam água! — guinchou o padre. — São avaros e cruéis! Tomaremos o que é de Deus!

E aquele padre não correu com sua turba, apenas apontou o dedo e deixou que a massa passasse ao seu redor, gritando com gargantas secas. Alguns tinham armaduras de couro, alguns tinham espadas ou machados, a maioria usava enxadas ou facões. Ganchos afiados de pendurar pedaços de carne, porretes rústicos. Mas tinham seu próprio estandarte, as quatro trombetas daqueles que buscavam Urag.

Atreu encontrou os primeiros. Veio-lhe um homem barbudo, grandalhão, com cicatrizes feias ao redor da boca, marcas de lutas antigas. A pele avermelhada de sol cobria músculos abrutalhados de trabalho, e a capa de gordura que sustentava sua massa já se derretera sob a caminhada por tanto tempo. Ele levava uma espada, e na outra mão tinha uma manopla de ferro — um pedaço desencontrado de armadura, na certa tomado de algum soldado caído.

Atreu abaixou-se, evitando o golpe selvagem da lâmina. Era atabalhoado e impreciso, mas impulsionado por uma força monumental. Ele ouviu o ar se dividir sobre sua cabeça, sentiu o fedor das axilas do homem, foi atingido por dois perdigotos que brotavam de sua boca, em meio ao grito de fé e raiva.

— Urag! Urag, seu filho da puta! Estou com sede!

Atreu ergueu-se de repente, quando o peregrino ainda completava o arco com a arma, e estocou o estômago desprotegido. O aço penetrou fundo, Atreu girou a espada para que não ficasse presa, puxou-a e uma golfada de sangue escuro brotou do ferimento, exalando cheiro de intestino aberto. Impulsionado pela religião ou pela certeza da morte, o peregrino ainda conseguiu esmurrar com sua manopla. Atreu desviou o rosto no último instante, e a mão de aço resvalou em sua bochecha, causando uma pequena ardência. Teria deixado-o atordoado caso acertasse. Atreu saltou para a frente, dando um coice nas costas do homem quando passou por ele. O peregrino caiu, rosto na areia, e meu amigo ergueu o machado, rumando à próxima morte.

Uma enxada veio sobre ele, um instrumento tosco para a guerra, mas letal contra um crânio humano. Atreu golpeou com o machado, partiu o cabo da enxada e prosseguiu para destroçar o rosto atrás. Usando a espada, cortou uma garganta, e foi banhado por um esguicho de sangue, o cheiro ferroso inundando o ar. Um facão surgiu do meio da turba, num golpe forte de cima para baixo, típico de quem corta galhos, e Atreu moveu-se para receber a lâmina com seu ombro, protegido pela cota de malha. O impacto fez com que tremesse um instante, mas o facão apenas resvalou no tecido de metal, fazendo um som enervante como um prego raspado num pedaço de vidro. A força do golpe fez com que continuasse, deslizando na malha, e provocou um corte superficial no braço. Atreu empurrou os homens à sua frente, chutou canelas e virilhas, ceifou com a espada para afastar os peregrinos e matar o homem do facão.

Os guerreiros de Contago não estavam acostumados à brutalidade, mas adaptaram-se com o abandono de quem não cogita descumprir uma ordem. Não usavam suas armas mais avançadas, por ordem de Atreu — ele tremia ao pensar em um dos inventos sendo capturado pela Igreja, nos cardeais supondo que houvesse, na fronteira entre o deserto e a vegetação semiárida, um local onde se criava novas e mais eficientes maneiras de produzir a morte. Então os soldados usavam espadas e escudos, lanças e martelos, protegiam-se com armaduras simples e elmos. Haviam avançado junto com Atreu e cortavam, abrindo caminho por entre a multidão fervorosa.

Meu amigo enxergou, no canto da visão periférica, um de seus soldados ser avassalado por um grupo de peregrinos. Nenhum deles era guerreiro, mas jogaram-se sobre o homem, pendurando-se em suas costas, agarrando-se em seu pescoço e suas pernas. O soldado matou o primeiro que chegou perto, e o segundo e o terceiro, mas eram muitos. Um velho abraçou-se em seu peito, tentando morder seu rosto, e o guerreiro perfurou-lhe o flanco, matando-o imediatamente. O cadáver desabou e levou a espada junto. No instante desperdiçado para tentar soltar a lâmina, outros dois atiraram-se sobre suas costas, ele tropeçou no corpo do velho e caiu para a frente. Então recebeu golpes de porrete e chutes, pedradas e estocadas com facas de cozinha, e logo era um retalho de carne manchando o solo bege.

— Não deixem nenhum vivo! — gritava Atreu. — A cidade depende disso!

E nem mesmo o nome de Contago ele ousava pronunciar. Acho que o estado natural dos homens é a selvageria, por mais que se cubram de civilização e cultura, porque aqueles guerreiros civilizados haviam despencado para uma fúria selvagem. Talvez isso já fosse a doença se manifestando, a simples visão do estandarte e a melodia dos hinos sacros degenerando algo dentro deles, ou talvez fosse apenas o verniz da sociedade esfarelando-se quando recebiam a permissão e a ordem de serem animais. Avançavam sobre os peregrinos, e os peregrinos avançavam sobre eles, e não havia estratégia. Os religiosos tentavam matá-los ou correr pelos lados, em direção aos portões, e eram apanhados por lâminas.

— O estandarte! — gritou alguém. — Atreu falou sobre o estandarte!

Três soldados avançaram sobre o homem que carregava a bandeira das trombetas. Ele estava cercado pelo que fazia as vezes de uma guarda — um pequeno bando de amigos, na certa, que haviam tomado para si a defesa do símbolo. Os religiosos fincaram os pés na terra, dois ergueram escudos, mas não resistiram. Um dos soldados atacou com um machado, usando a ponta recurvada para enganchar na borda do escudo e puxá-lo, expondo o peito do inimigo. Outro usou essa abertura e estocou com uma espada, e então foi feito um buraco na proteção, pelo qual eles entraram e mataram. O terceiro foi encontrar o porta-estandarte, que começou a berrar um hino e brandiu uma adaga. Um golpe de espada destroçou-lhe a mão, enviando dedos para todos os lados. Um segundo golpe cortou a cabeça, e o estandarte tombou.

O chão já estava coberto de cadáveres. Atreu notou que os peregrinos tentavam arremessar algo por cima das cabeças de seus homens. Alguns dos inimigos eram figuras patéticas, mesmo tomadas pela raiva, e ele começou a sentir a fúria arrefecer. Tentou pensar em Contago, em tudo que aquela gente ameaçava, no que queriam roubar e destruir, mesmo que parecessem inocentes.

— Eles não são inofensivos! — rugiu, mais para si mesmo do que para os homens. — São gafanhotos!

Estava cheio de cortes, sangrando nos braços e nas coxas e no supercílio, pois levara pancadas e talhos, mas nenhum ferimento real. Seu sangue misturava-se com o de inúmeras vítimas. E aquela gente tinha uma coragem louca! Sem chance de vencê-lo, sem maneira de sobrepujar sua força ou técnica, corriam para ele, entregavam-se ao fio da espada. Atreu sentiu uma fisgada nos olhos. Há quanto tempo estava matando as vítimas dos cardeais, da Voz?

Sua visão foi prejudicada, porque brotavam lágrimas. De um campo obscurecido, abaixo, surgiu um jovem, que se arrastava no chão e conseguiu enfiar uma adaga fundo em sua coxa. Atreu gritou e pisou forte, acertando o pescoço inimigo com precisão e partindo-o. Então golpeou e golpeou, matando enquanto odiava aquela gente, odiava os cardeais, odiava Deus e odiava a si mesmo. Os hinos sacros ficavam mais próximos, as vozes ficavam mais altas.

Um inimigo tombou e revelou uma fileira de peregrinos de mãos dadas, sem armas, apenas cantando a plenos pulmões. Havia um brutamontes que parecia um soldado, homens que pareciam fazendeiros, mulheres, velhos, todos os tipos, e ele ergueu a espada. Mas uma jovem bem à sua frente caiu de joelhos, largando as mãos dos outros. Levantou a cabeça, fechando os olhos e oferecendo a garganta. Abriu os braços, deixando-se aberta à lâmina, e seu vestido de tecido barato fluiu sobre seu corpo como um manto.

Ela cantava, exaltava Urag.

A mão de Atreu estremeceu, com a espada pronta. Ela se entregava, ela se preparava para morrer. Mas Atreu não queria mais matar garotas fanáticas que não lutavam.

Olhou ao redor. Cadáveres.

— Vão embora! — urrou. — Vão embora enquanto ainda estão vivos!

Seus homens voltaram-se para ele, incertos.

— Podemos matar todos! — um deles garantiu.

— Vão embora! — gritou Atreu, ignorando seu soldado e seus comandos anteriores. — Não há nada aqui para vocês!

E a turba começou a fugir. A garota ficou de pé, ergueu o vestido e correu para longe. Os peregrinos em debandada, agradecendo a Urag. Atreu viu o padre correndo, empurrando uma velha para que ficasse entre ele e os soldados.

— Você não — rosnou meu amigo, de repente de novo tomado pelo instinto predador.

Arremessou o machado, que girou e se enterrou com precisão no crânio do padre.

Os peregrinos fugiram. Primeiro correram, depois o vigor do medo abandonou-os, e caminharam e cambalearam. Deixaram mais de uma centena dos seus estendidos frente a Contago. Seis voluntários haviam morrido.

— Você disse que não deveríamos ter piedade — arriscou um dos homens.

Atreu olhou-o. Estavam ambos cobertos de sangue.

— Não devemos.

— Então...?

— Então fui fraco. Vi uma arma na forma de uma garota, e achei que fosse apenas uma garota.

Ele vira uma vítima da peste, querendo apenas tossir sobre alimentos e oferecer sua dádiva negra, e tivera pena.

Voltaram a Contago. Perto das muralhas, Atreu viu o que os peregrinos haviam arremessado. Algumas cópias do Discurso Santo. Alguns pergaminhos com passagens do livro sagrado, amassados ao redor de pedras. Dois ou três chegaram a entrar pelo portão aberto, alcançar o interior da cidade.

Um dos soldados abaixou-se e apanhou um pergaminho.

— Deixem isso aí — Atreu ordenou. — Não leiam. É a coisa mais perigosa do mundo. Queimem tudo que acharem.

Atreu matava camponeses, queimava livros. Não gosto de pensar no que isso implica.

Há partes de minha narrativa que ninguém testemunhou. Vimos apenas os resultados — e alguns, admito, pegaram-nos de surpresa, deixaram-nos perplexos. Mais tarde, quando tudo já havia acabado, consegui obter algum sentido dos eventos através de anotações e meias lembranças dos sobreviventes. Mas outras coisas são suposições.

Então posso apenas imaginar o que desencadeou o final desta história. O fim definitivo da guerra, o destino de todos nós. É a frustração suprema para o leitor, eu sei: narrei tudo, até agora, e preciso supor e tatear justamente no final. Mas assim é a vida, e acho que devo ser grato apenas por esta história ter um final. O que suponho que aconteceu é o seguinte.

Os cardeais estavam naquela terra, disso tenho certeza. Estavam próximos — até porque, embora muito maior que a ilha onde vivíamos, aquele lugar não era assim tão vasto, ou pelo menos não era tão vasta a parte conhecida. Estavam naquela terra e tinham informações sobre onde estaria Jocasta. Assim como nós, eles haviam encontrado peregrinos pelo mar, ou ao menos os restos de seus barcos naufragados. Pelo que conheci de Simas, ele não estaria no rastro da Voz, seguindo em seus calcanhares. Estaria a uma distância segura, observando os movimentos de todos e esperando um bom momento para manobrar.

Assim, o que decido é: Simas, Barsoom e Melquíades estavam acampados, na região de vegetação árida, com tufos de capim amarelado e árvores de troncos grossos, retorcidos, pontilhando a paisagem aqui e ali. Cercavam-se de suas tropas, embora não houvesse tantos soldados quanto os três gostariam. Havia infantaria e sem dúvida muitos camponeses fervorosos, úteis como barreira entre as espadas dos inimigos e os buchos dos homens importantes. E havia cavaleiros. Havia esses guerreiros nobres, montados, com seus próprios estandartes, que desejavam nada mais que participar de uma batalha que entrasse em lendas. O acampamento contava com torres de vigilância temporárias, para que Simas, o principal planejador ali, pudesse ser informado dos acontecimentos.

Também sei com certeza que o cardeal visitara a prisão. Naquele momento de crise, Simas não desejava perder de vista sua ferramenta, sua arma — Atreu. Então desembarcara mais perto da prisão e viajara a cavalo, com um destacamento pequeno e ligeiro, para verificar o detento. E recebera a notícia da fuga de meu amigo.

Simas então rumou ao sudeste, atravessando o deserto pela rota menos implacável e logo chegando àquela savana árida, mas mais clemente. Encontrou-se com suas tropas e recebeu os relatórios dos batedores que haviam se embrenhado bem mais ao leste, alcançando as bordas da grande floresta. Com isso, montou um quadro da situação. Atreu fugira, escapara deserto adentro. Com certeza estava vivo — sua arma não morreria assim. Jocasta e seu séquito haviam penetrado na floresta. A conclusão lógica era que alcançariam, ou já tivessem alcançado, a fortaleza. Restava então pensar num meio de neutralizar Jocasta e Derionde, que contavam com toda uma legião de peregrinos espalhados, mais tropas leais, Pugna Marco Segundo e Benedict. As próprias tropas de Simas também podiam voltar-se contra ele caso a ordem fosse um ataque à santa — tal era o poder de Jocasta. Era preciso achar uma abertura, um meio de assassinar a Voz e livrar-se de Derionde, e apenas a calma forneceria a estratégia. A seu favor, Simas tinha o conhecimento: dispunha de todas as informações que Derionde possuía, conhecia com a mesma intimidade aquele continente obscuro, suas ruínas e suas rotas.

Melquíades reclamara da inação, no início. Mas bastara um olhar para que se recolhesse. Barsoom ficava calado, mas sua disposição pétrea deixava claro que preferiria um ataque direto, esmagar Jocasta e Derionde com as próprias mãos. Barsoom não temia Benedict ou Pugna Marco Segundo, talvez porque já fosse acostumado com o general miraculoso e nunca houvesse encontrado um homem mais forte do que ele mesmo.

— Não existe honra para o clero, sabia? — disse Simas, entrando na tenda de Barsoom.

O enorme cardeal não falou nada, como de costume. Mas não precisava.

— A honra é um ideal de guerreiros, Eminência. E você deixou a vida de guerreiro para trás há muito tempo. O clero funciona por suas próprias regras.

— Você protesta contra o nada, Simas. — O vozeirão parecia rochedos se movendo.

— Protesto contra o seu protesto mudo. Não precisamos fazer as coisas com nossas próprias mãos. Temos armas para isso.

Simas pegou um figo açucarado e enfiou-o na boca, chupando as pontas dos dedos.

— Gosto de combates de arena, sabia? Acho-os muito divertidos. Então pago dois imbecis que se espancam para o meu divertimento, em vez de entrar eu mesmo na arena e sangrar.

Comeu outro figo.

Como se fosse uma profecia, um acólito pediu licença e entrou na tenda. Curvou-se e disse que um batedor reportara movimento ao norte, na direção do deserto. As sentinelas já começavam a enxergar alguma coisa.

Simas apressou-se para a torre de vigilância. Escalou-a com agilidade, de salto em salto, e foi cumprimentado pela sentinela reverente. Puxou a luneta escondida em seu hábito e observou a nuvem de poeira que vinha ao longe.

Eram peregrinos.

— Estão vindo do lado errado — sorriu Simas.

Eles haviam encontrado os rastros do grande grupo que se perdera. Apenas os melhores rastreadores seriam capazes de ler as marcas numa região tão assolada por ventos e tão desprovida de vegetação, mas Simas estava entre os melhores. Sabia que centenas de fanáticos haviam se desgarrado do caminho, e talvez essa informação viesse a ser útil. Supunha que aquele grupo que retornava era o mesmo — e supunha corretamente. Segundo seu raciocínio, se estavam voltando, tinham alguma razão para tanto — o que era uma informação a mais. Ou seja, deveria encontrá-los, descobrir essa informação antes que envelhecesse demais, ficasse inútil.

Partiu a cavalo, com o mesmo destacamento ligeiro que já usara antes. Em pouco mais de um dia, encontrou os peregrinos.

— Achamos uma cidade — disse um homem que assumira a liderança, na falta do padre. Era grande e forte, e auxiliara um sacerdote na infância. Experiência clerical e vantagem física suficiente para tomar o controle da turba.

Simas mandou que continuasse. Havia boatos sobre comunidades no deserto, mas nada confirmado, e nada julgado muito importante. Contago ficara realmente oculta durante todo aquele tempo. Porque, pela lógica, nada de muito importante poderia florescer na desolação. Havia minério divino e ruínas e ermos, e nenhuma razão para gastar tempo e ouro procurando o que ninguém sequer suspeitava existir. Mas agora solidificava-se a presença de uma cidade — e uma cidade murada, com guerreiros, uma torre no centro e uma grande população que se enfurnava e se escondia.

— E eles eram protegidos pelo diabo! — O homem arregalou os olhos.

Simas conteve um suspiro de exasperação. Sempre o diabo.

— São apenas ignorantes, meu filho. Não conhecem a palavra de Urag.

— Não, Eminência — tremendo por discordar do cardeal. — Perdão, mas eu vi. Por pouco não morri nas garras do servo do diabo.

Simas ergueu uma sobrancelha.

— Servo do diabo?

— Eu não lembrava o nome, Eminência, mas meus irmãos lembraram. Os soldados chamaram-no de Atreu.

O Soldado do Diabo.

Simas sorriu por um instante, então escondeu a satisfação e assumiu um ar preocupado.

— Vocês devem voltar! É seu dever tomar aquela cidade. Não importa se todos morrerem na tentativa. A coisa mais importante de sua vida é fincar o estandarte das três trombetas na praça principal desse antro.

— Quatro trombetas?

— Três trombetas — disse Simas, irritado.

E deu ao homem seu próprio estandarte, que abençoou. O peregrino tocou a relíquia com reverência, curvou-se para ela, beijou delicadamente a franja da bandeira.

— Mas o mais importante — disse o cardeal, dedo em riste. — É invocar o nome da Voz Jocasta.

— A Voz Jocasta?

— É Sua Santidade quem irá lhe emprestar a força para vencer o Soldado do Diabo, meu filho. Aguarde um momento, escreverei uma oração para você.

— Não sei ler, Eminência.

— Não importa. O poder da oração persiste.

Rabiscou algo no pergaminho. Entregou-o ao grandalhão, mandou que vigiasse aquilo o tempo todo, não perdesse-o de forma alguma. Era um presente para sua confiável ferramenta preferida.

Deu as bênçãos ao homem e ao resto dos peregrinos. Presenteou-os com comida e cantis cheios, ressaltou a importância vital daquele trabalho santo. Enviou a turba para atacar Atreu de novo, em nome de Jocasta.

Quando eles foram embora, Simas sorria abertamente, sobre o cavalo. Incomodava-o apenas a falta de alguém com quem compartilhar a engenhosidade do plano, o sabor de ter suas hipóteses confirmadas e sua paciência recompensada.

— Eu sabia, Atreu — disse para si mesmo, as pontas dos dedos juntas. — Eu sabia que valia a pena deixá-lo vivo, minha arma.

Puxou as rédeas, fez o cavalo galopar, rumo ao acampamento.

— Você é valioso demais para morrer. Você é meu matador de santas, Atreu. Você é meu caçador de apóstolos.

— Foi inútil — disse um soldado. — Tudo que conseguimos foi destruir nosso quartel.

Atreu temia isso. A proteção através do medo era ineficaz, produzia revolta e curiosidade. Funcionava muitas vezes, é claro, e era a tática da Igreja. Mas só funcionava se uma transgressão não fosse fatal. Se a curiosidade, quando saciada, providenciasse a própria punição, e o criminoso arrependido pudesse notar seu erro. Um pai pode amedrontar seu filho para que não toque na chaleira quente — quando a criança inevitavelmente rebelar-se e tocar, terá um curativo e um lembrete. O problema está quando se tenta amedrontar a criança a não beber cicuta. Quando a desobediência é fatal, a atração do proibido só precisa se mostrar uma vez para que o erro não tenha volta. Em Contago, a proteção pelo medo era a única opção, e era falha.

— Fizemos mais do que isso — disse Atreu. — Vocês não conhecem aqueles homens. Se pusessem as mãos nos aparatos de guerra, voltariam para cá e iriam usá-los para destruir *tudo*.

— Quem são?

Não podia responder.

— Eles vivem sob tirania — tentou Atreu. — E querem espalhar essa tirania até aqui.

— Pois vamos lutar contra o tirano.

— Não é possível. Vocês seriam todos infectados.

Tentou explicar tão bem quanto podia, sem esmiuçar os detalhes que iriam se enraizar nas mentes deles e atraí-los para a doutrina das recompensas falsas. A sugestão de que havia a possibilidade de um paraíso após a morte era forte demais, eu aprendera isso com o Brigadeiro Ashcroft. Atreu não conhecia a história, mas ouvira os fundamentos explicados por Heron e sabia que aquela promessa tomava conta da vida dos homens, podia converter mesmo os filhos de Contago. Assim, falou vagamente sobre uma ideia que se espalhava como um fungo, corroendo e infectando a mente. Mas achou que não acreditavam.

Depois da primeira tentativa de ataque, o povo saíra dos abrigos, e muitos pensaram que havia sido exagero. Ninguém pulara as muralhas, ninguém invadira ou fincara o estandarte. Os habitantes retiravam destroços queimados dos restos do quartel, voltavam aos poucos à rotina.

Atreu recusou-se a ter qualquer contato com os demais, ordenou que seus homens fizessem o mesmo. Mas nem todos obedeceram, é claro, porque não fazia sentido. Assim, meu amigo parecia um alucinado, ignorando Heron e Askel e Varla, fingindo não existir a população que reconstruía a normalidade.

— E aqueles livros? — insistiu o soldado.

— Não leiam — meu amigo implorava. — Façam o que fizerem, não leiam. Se ainda resta algum, queimem.

— Queimar livros?

— Vocês serão infectados.

Depois da batalha, eles queimaram os cadáveres por higiene. Não tinham nenhum ritual especial para com os mortos, além das questões de saúde. Não havia por quê. Voltaram à cidade e dormiram.

Mas a curiosidade humana é suprema, e alguns soldados quiseram ler o tal material proibido. Já se formava uma dissensão. Um punhado de cidadãos se reuniu, à noite, para observar o livro sob a luz de lampiões. Simplifiquei em meu relato o conflito de linguagem entre Atreu, Heron e os outros — o idioma de Contago era um derivado do que falamos, mas com diferenças marcadas, como acontece com populações isoladas por muito tempo. Houve confusões até que os dois lados se entendessem, mas isso não foi importante para a história, portanto ignorei. Agora, contudo, as pessoas debruçavam-se sobre o livro e decifravam os escritos, e a diferença de linguagem e grafia tornava aquilo ainda mais uma aventura, ainda mais uma descoberta — algo por demais convidativo para um povo que valorizava a descoberta acima de tudo. E formaram um bando clandestino, algo que sempre une as pessoas e torna ainda mais forte a crença no que se defende. Em menos de um dia, Atreu passou a ser um tirano.

E leram o livro. Não acho que tenha havido palavras mais dolorosas para escrever até agora, com exceção da morte de Lubna, mas os habitantes de Contago leram o Discurso Santo. E tentaram lembrar do estandarte, copiaram-no em um pedaço de papel, adivinhando seus significados à medida que descobriam-nos nas páginas. As três trombetas. Apenas a doença explica o poder desse símbolo. A fascinação que aquelas formas simples exercem sobre as pessoas.

Eles desenharam as três trombetas, e estava tudo perdido.

De manhã, uma menina perambulava pelas ruas em reorganização, sua aula matinal ainda interrompida. Cantarolava a melodia de um hino sacro.

Passou-se o dia após a batalha. Atreu mandava que os soldados ficassem atentos, Contago não estava fora de perigo. Meu amigo cometia erros, mas não relaxava. Pretendia esperar várias semanas, no mínimo, antes de decidir que os peregrinos não mais voltariam. E já se arrependia de tê-los poupado.

Com tempo para pensar, Atreu elaborou mil artimanhas que poderia ter feito para impedir a chegada dos religiosos, sem cometer um massacre. Poderia ter se disfarçado e enganado-os, dizendo que a cidade continha lepra. Podia ter usado as miragens do deserto para convencê-los de que a cidade real ficava em outra direção. Coisas ainda mais extravagantes: imaginava se não seria capaz de ocultar Contago, pelo menos de longe, usando espelhos e o sol — a ciência óptica da cidade tornava a ideia não tão fantasiosa. Atreu pensou tudo isso depois, porque, quando foi confrontado com a chegada dos peregrinos, sentiu só desespero, e sua única resposta foi matar. Atreu foi reduzido a um daqueles que combatia: atacou como defesa, intimidou como proteção, foi desafiado por pensadores.

Pobre Atreu.

— Onde estão os outros? — ele disse para os soldados, na segunda manhã.

— Morreram — falou um deles, com a estupidez fingida dos militares que conspiram contra seus superiores.

— Homem, conheço seus rostos — Atreu suspirou, cansado. — Seis morreram na batalha. Mas, ao todo, estão faltando oito.

— Batalha?

— Seis morreram na batalha contra os invasores.

— Foi uma batalha, Atreu? Ou um massacre?

— Foi o que precisava ser. Não questione minhas ordens.

— Você é um forasteiro.

— Oito estão faltando — repetiu Atreu. — Onde estão os outros dois?

— Você está enganado. Oito de nós morreram.

Ele não discutiu, porque discutir com subordinados é estupidez. Começou a montar estratégias para proteger a cidade, se — quando — os peregrinos voltassem.

O que foi cedo demais.

Avistou o estandarte no mesmo dia em que notou um portão lateral sutilmente destrancado, como um convite. Os peregrinos vinham, e nem todos iriam recebê-los com lâminas.

— Seus idiotas — murmurou Atreu, para si mesmo. — Idiotas. Eles vão contaminá-los.

Mas os soldados não eram idiotas; a doença era poderosa demais. Nenhum homem vencia a doença, e por isso lutar contra ela era perder. Atreu estava lutando. Seria derrotado com certeza. Não sabemos até hoje que medidas Heron tomava, pois evitava todo contato com Atreu.

O burgomestre deveria manter um controle rígido sobre o único livro proibido. Mas talvez ele mesmo já estivesse infectado.

Atreu reuniu seus homens.

— Podem me odiar — disse, num discurso sem ânimo, com os ombros caídos. — Podem me achar um tirano. Lutem contra mim o quanto quiserem. Mas prometo. — Parou, corrigiu-se. Decidiu descer ao nível dos infectados: — *Juro* que Contago depende disso. Não deixem aquela gente entrar. Não ouçam as mentiras deles.

Todos ficaram calados.

Mais dez sumiram — para dentro da cidade, junto ao povo, ou talvez rumo aos ermos. Atreu contava com cerca de duas dúzias.

E foi com esses que saiu pelos portões e recebeu os peregrinos. Atrás, Contago espiava por portas e janelas. Pelo menos não eram todos. Contago se dividia. No final ainda podiam restar alguns limpos, para purificar outros no hospital e fugir, como meu amigo suplicara no início.

Mas talvez isso seja muito otimista.

— Nenhum — rosnou Atreu, para seus homens. — Não deixem passar nenhum. Se nenhum deles entrar, Contago tem uma chance.

E houve, mais uma vez, a matança.

Os peregrinos corriam. Ofegavam, cantando um hino sacro, entrecortado pelos engasgos de cansaço. E sorriam, de bocas abertas e olhos selvagens, quando ergueram ancinhos, espadas, punhos e estandartes contra os últimos soldados de Contago.

— Pela Voz! Por Jocasta!

— Por Urag!

— A cidade é nossa!

Atreu matou, de novo. Matou e matou. Atreu conta-me que nunca lutou como naquela batalha. Naquele massacre. Nunca foi tão rápido, tão preciso. Como um artista no êxtase da criação, Atreu não pensava, apenas deixava o corpo reagir, desferindo cada golpe como uma pincelada irretocável, como uma nota musical exata. É triste e engraçado que, de sua melhor performance como assassino, ele pouco se lembre, e pouco esteja disposto a revelar. Matou tudo que se mexia, e acho que isso não é motivo de orgulho. Não mais se apiedou de garotas que lhe lembravam Desdêmona, nem hesitou frente a quem estava indefeso. Matou como Oberon matava, matou como um deslizamento de terra. Sem discernimento, às cegas. Homens, mulheres, velhos. Se havia alguma criança — o que não sei — foi morta também.

E, enquanto morriam, eles gritavam o nome da Voz.

— Jocasta! Jocasta!

E brandiam o estandarte das três trombetas.

Atreu foi a morte naquele dia, e seus homens não questionaram, lutaram com obstinação. Mas os peregrinos eram centenas, e sua única intenção era correr para Contago. Escapavam pelos lados, fugiam do moedor de carne, por mais que os defensores tentassem caçá-los. Quando se aproximavam, algum soldado, ou mesmo Atreu, acertava-lhes pelas costas, fazia-lhes um corte na perna, tudo para que não tocassem os portões.

Mas então houve um exemplo de sacrifício e solidariedade.

— O estandarte! — gritou o líder daquela gente. — Temos que levar o estandarte abençoado!

Por isso suponho que Simas tenha benzido o pano que eles carregavam. Um homem correu com o estandarte, protegido por cinco ou seis.

— Matem-no! — gritou Atreu. — Não deixem a bandeira chegar!

Como num jogo infantil, ele sabia que a bandeira fincada significaria a derrota. Os defensores jogaram-se sobre o estandarte, mas todos os peregrinos enxamearam sobre eles, protegendo a coisa. Quando um deles conseguiu cortar e perfurar através da muralha de gente, alcançando o portador, o homem entregou-o a outro, dando sua vida para que a bandeira fosse adiante. E sucessivamente o estandarte trocou de mãos, com um círculo protetor que se sacrificava, até que o último gritou o nome de alguém, e um rapaz de jeito vigoroso agarrou a haste.

E correu. Era jovem e forte, e suas pernas impulsionaram-no para a frente com rapidez espantosa. Atreu perseguiu-o, os soldados perseguiram-no, mas os fanáticos agarraram seus calcanhares, jogaram-se na frente de suas lâminas, tudo para preservar a trajetória do rapaz.

Quando ele chegou aos portões, alguém abriu-os por dentro.

Contago recebeu as três trombetas, e Atreu viu quando o estandarte foi fincado na praça.

— Está tudo acabado.

A cidade fora conquistada. A doença se alastrava. Atreu berrou, e matou sem objetivo. Só com fúria. Os peregrinos que escapavam para os lados alcançavam o portão. Os defensores, cada vez mais exaustos, não conseguiam impedi-los. Seus braços já estavam fracos de tanto retalhar, seus pés escorregavam na lama avermelhada que se formara no chão. O inimigo entrava em Contago aos punhados, às dezenas.

— Graças a Deus! — disse alguém. A primeira vez que aquelas palavras eram pronunciadas no interior dos muros.

Um soldado tombou com uma flecha. Atreu olhou para cima e para trás, viu que, das ameias, o povo de Contago disparava contra ele e seus homens.

— Vá embora, carniceiro!

Ele não era mais um defensor, era um carniceiro. Contago acolhia os peregrinos, atacados sem provocação pelo forasteiro, e não mais tolerava aquele morticínio.

— Chega — disse Atreu. — Tudo acabou.

Mas não acabara: um homem veio berrando para ele, agitando uma espada sobre a cabeça. Era o líder dos peregrinos. Tinha cortes e um hematoma feio desfigurando o lado esquerdo do rosto, mas estava vivo e furioso.

— Vou matá-lo, Soldado do Diabo!

Atreu não disse nada: dançou para o lado, evitando seu golpe, deu uma machadada forte em seu joelho, de cima para baixo, destruindo a junta. O homem guinchou de dor e caiu.

— Pela Voz! Jocasta, me salve!

Tentou estocar Atreu, deitado como estava, mas meu amigo perfurou-lhe a garganta.

Restavam uns poucos. Os soldados não tinham mais ânimo para caçá-los. Deixaram que fossem à segurança de Contago.

A batalha fora perdida.

— Se quiserem voltar — disse Atreu a seus homens —, não os culpo.

Mas ninguém quis. Dois haviam morrido, agora eram pouco mais de vinte. Vinte derrotados, vencidos, expulsos de sua cidade.

Os portões se fecharam sob ameaças.

Atreu e seus voluntários ficaram uns minutos sem saber o que fazer, em meio ao tapete de cadáveres.

— Vamos embora.

A praticidade tomou conta, como às vezes ocorre nas maiores tragédias. Eles pensaram que precisavam de comida e água, de botas resistentes e mochilas, porque deveriam vagar pelo deserto, em busca de um lugar onde viver. Ou pelo menos sobreviver. Começaram a vasculhar os corpos. Os vigias nas ameias não dispararam de novo, mas observavam com desconfiança.

— Não peguem os livros — suspirou Atreu, já sem convicção. — É só o que peço. Não peguem os livros.

De Contago, surgia o som de músicas sacras. Sendo ensinadas pela primeira vez àquele povo apóstata.

Atreu ajoelhou-se e vasculhou o último homem que matara. O líder. Achou água, comida, equipamento de sobrevivência. Tudo útil.

E o pergaminho escrito pelo Cardeal Simas.

Não era uma oração, afinal, mas um mapa. Simas fizera um mapa rudimentar. Não do deserto, não até Contago. Um mapa para a floresta e a posição de Derionde e Jocasta. Indicara a fortaleza e os outros locais para onde, tinha certeza, seus inimigos rumariam. Cheguei a ver esse mapa, e a precisão era impressionante, para algo feito de improviso. Simas era um explorador experiente. E também um manipulador.

Se tivesse desenhado um alvo na testa da Voz de Urag, não teria tornado-a uma vítima tão apetitosa.

Atreu não sabia dos detalhes, mas foi capaz de concluir que ela ordenara e liderara uma peregrinação. No Farol dos Órfãos, Jocasta roubara para si todas as pessoas que ele tentava salvar. Roubara Pugna Marco Segundo, que fora seu amigo. Jocasta aliara-se com os cardeais, como podia ver agora. Jocasta roubara dele a felicidade, roubara do mundo o oásis que restava sem a infecção. Mas agora Atreu possuía a localização da ladra.

Tendo perdido tudo, nada mais lhe restava para defender. Naquele momento, o propósito de Atreu mudou. Não mais queria o fim da opressão, não mais pensava em salvar ou ajudar seus amigos. Atreu só desejava uma coisa.

Vingança.

3

NOTEI-ME INCAPAZ DE CONTAR O TEMPO, APÓS AS PRIMEIRAS duas ou três semanas. Quando saímos da fortaleza, viajamos por uma trilha, guiados por Derionde, e embrenhamo-nos primeiro na mata, ainda mais fundo do que antes, depois descendo por uma ravina e emergindo ao lado de um paredão.

Passamos então alguns dias em busca de um ponto de referência que o cardeal dizia ser fundamental para o trajeto, e encontramos: uma espécie de obelisco dos antigos, um monumento comprido na forma de um paralelepípedo esticado, coberto por baixos-relevos de ninfas púberes em trajes sumários. Derionde pareceu satisfeito. Procurou uma figura específica num dos lados da coisa. Disse que, a partir dali, seguiríamos em ângulo reto por algumas léguas. O próximo marco veio na forma de uma coluna muito baixa e atarracada, que não chegava à minha cintura. Mais uma vez, Derionde buscou no artefato algum sinal que já conhecia, que indicava a direção que devíamos seguir, e assim sucessivamente.

Perdi a noção do tempo porque íamos muito devagar. Quem nos guiava não era um mateiro ou um explorador. Era um cardeal vestido em sua batina. Seus passinhos eram lentos.

Estivemos na floresta durante a maior parte do trajeto, mas eu notava — olhar atento de primeira viagem — que as árvores ficavam gradualmente mais brutas. Seus troncos começavam a mostrar-se retorcidos, a casca ficava mais espessa e resistente. As folhas, mais grossas e fibrosas. Não acho que fosse, como antes, alguma distorção do minério divino, da Magia Conceitual ou de Deus. Era só o terreno. Nós chegáramos ao paraíso e encontráramos floresta. Logicamente, deduzimos que o paraíso era isso. Mas aquele continente abrigava vários tipos de vegetação.

Rumávamos, embora eu não soubesse, para uma área muito mais seca e inclemente, onde as plantas eram embrutecidas e tinham tom quase sépia.

Eu lembrava de boa parte do terreno, como fora antes, devido às memórias emprestadas dos antigos. Sabia que existiam construções na direção que seguíamos, embora não lembrasse de sua forma ou função. Era um conhecimento vago, quase inútil.

Depois de um tempo, eu mordia o interior da bochecha, contendo um impulso que sabia ser tolo, talvez suicida. Quanto mais repetia a mim mesmo que não tinha propósito, mais eu me tornava obcecado. Chegou o dia em que aquela curiosidade foi o meu primeiro pensamento ao acordar e o último antes de dormir. Então foi assim todos os dias, e eu soube que precisava me entregar ao vício de escritor e fazer a pergunta.

— Eminência — disse eu —, como sabe o caminho?

Ele sorriu.

Por que me dirigia a Derionde? Eu sabia que Derionde era um homem perigoso, talvez o mais perigoso do mundo, e que falar com ele era dar-lhe armas. Eu mesmo experimentara ser dominado, como se ele fosse mesmo um místico detentor de poderes especiais. Mas eu tinha curiosidade, a curiosidade mais prosaica e óbvia: queria saber como aquele homem de pergaminhos e corredores era capaz de nos guiar pelo ermo.

— Mapas, senhor Iago — ele falou, com simplicidade.

— Mas Eminência, não há mapas.

— Ora, eu os memorizei, senhor Iago.

Seria mesmo verdade? Era absurdo. A mente do cardeal seria capaz daquilo? Senti tamanha admiração involuntária que chegou à inveja. E chegou a sobrepujar, mesmo que por um instante, o ódio que eu tinha por ele, o homem que matara Lubna, massacrara dezenas na minha frente, destruíra a Academia e transformara em servo meu amigo Atreu. O homem que matara Lubna. Matara Lubna. Peguei-me questionando, sugerindo a mim mesmo que fora culpa de Simas ou dos outros dois. Peguei-me tentando desculpar Derionde, apenas para poder admirar sem culpa aquele monstro de cérebro monstruoso. Apenas porque ele era capaz de memorizar indicações de um mapa que talvez nunca usasse, usar marcos antigos para se orientar numa terra que ninguém conhecia. De imediato, criei cenários em que Derionde explorava aquele continente às escondidas, acompanhado por um grupo seleto de guerreiros e guarda-costas. Logo após a volta, seus acompanhantes teriam morrido um a um, vítimas de doenças súbitas ou acidentes infelizes, para preservar o segredo.

Derionde viu o conflito em meu rosto, porque, sem eu dizer nada, deu tapinhas reconfortantes em meu antebraço.

— Não importa o que esteja afligindo-o, senhor Iago, lembre-se de que Deus tem a solução.

Seguimos viagem.

Quando nos deparamos com um rio, Derionde anunciou que o caminho ficaria mais difícil. Não mais usaríamos os marcos, pois a trilha agora iria nos deixar em terreno aberto, muito vulneráveis.

— Vulneráveis a quem? — arriscou Benedict.

— A nossos inimigos, é claro.

— Temos inimigos aqui?

— Há inimigos por toda parte, meu lorde.

— Diga um.

— O diabo.

Franziu o cenho para Benedict, como se falasse uma coisa óbvia.

— Inimigos terrenos? — insistiu o cavaleiro.

— Oh, sim. Também.

— De quem estamos fugindo?

— Não estamos fugindo, Lorde Benedict. — Derionde balançou o dedo esticado. — Estamos em uma corrida, para chegar ao nosso destino antes daqueles que querem nos matar.

— E qual é o destino?

— Que isso seja uma lição sobre a vida. O homem não conhece o destino. — O cardeal sorriu. — Apenas a jornada.

Derionde mantinha-nos na escuridão, mesmo quando parecia não ser necessário. Acho que era porque, assim, nunca sabíamos quando seus planos importantes estavam em ação. Derionde guardava segredo sobre as coisas mais banais, e as pessoas não sabiam quais segredos valiam a pena ser desvendados.

— Quem são nossos inimigos? — disse Benedict, tentando mais uma vez.

— Inúmeros. Os rebeldes, para começar.

— Rebeldes?

— Se ainda podem ser chamados assim. Duvido de que não tenham ouvido a convocação de Sua Santidade e obtido um mapa. Ao menos o Almirante D'Agostini. Se os rebeldes estão aqui, estamos em risco.

— Vossa Eminência não teme os rebeldes — constatou Benedict.

— Não temo ninguém, enquanto Urag estiver a meu lado. — Derionde mantinha a fachada de forma estranha, mesmo depois de termos todos presenciado a verdade, ou ao menos parte dela. Tinha uma conversa diferente com Jocasta, mas Jocasta em geral ficava calada. — Mas o senhor tem razão. Meu maior interesse não é evitar os rebeldes. É vencer os cardeais.

Benedict não escondeu arregalar os olhos para isso.

— Não imagino que o ressentimento de meus irmãos tenha diminuído com o tempo — disse Derionde, com pesar. — Se antes eles questionavam minhas decisões, agora suponho que queiram me matar. Portanto, precisamos chegar a Ruiturus antes deles, para declará-los hereges.

O cavaleiro ficou um tempo ruminando essa informação.

— Estamos indo a Ruiturus?

— A um lugar que, se Deus quiser, pode nos levar a Ruiturus.

— Eles podem já estar lá. Vossa Eminência pode já ter sido declarado herege.

O cardeal deu de ombros, como se aquilo não fosse importante.

— Se isso tiver acontecido, teremos bastante trabalho para reverter a situação. Mas reclamar e preocupar-se não irá diminuí-lo — sorriu.

Derionde chegara à conclusão, e o tempo provaria que ele estava certo. Os rebeldes — o que restava deles — estavam mesmo no continente, e em nosso rastro. Os cardeais também, embora de forma mais indireta e sutil. Acho que era essa a segunda finalidade do fingimento incessante do cardeal. Ele era como um ator que nunca saía de seu personagem, e essa introspecção, essa proibição autoimposta de realmente falar com qualquer um, possibilitava que mantivesse a mente sempre ativa, sempre funcionando para criar novos estratagemas. Fingindo, conservava-se isolado. Isolado, observava tudo e todos com distanciamento. Deixava de ver o mundo como um lugar real e passava a enxergá-lo como o tabuleiro de um jogo. Estudava as regras, dominava-as, jogava para ganhar.

Portanto, quando encontramos o rio, deixamos de lado o caminho definido pelos marcos e achamos uma trilha vaga, que só um explorador hábil ou alguém que soubesse o que procurava era capaz de encontrar. Era um caminho tortuoso, cheio de idas e vindas, e consumiu mais um tempo enorme. Levou-nos até uma fenda entre dois paredões, onde viajamos espremidos, mal cabendo dois lado a lado, com grande sensação de esmagamento. Isso durou dias. Saímos já além da floresta e fomos brindados pela mudança do clima. Embora o calor fosse constante naquela terra, senti uma mudança de estação por causa das chuvas. Não sei explicar todos os fenômenos que se passavam por lá. Talvez Atreu saiba, mas não importa. Se era distorção da Magia Conceitual ou apenas um truque dos paredões e montanhas, o fato era que a chuva atingia as diversas regiões de forma bem diferente. Na parte mais árida, onde estávamos agora, sofríamos com um aguaceiro forte todos os dias, com a precisão de um sino de igreja. Durava uns minutos e ia embora, insuficiente para encharcar de todo o solo. As plantas ficavam aliviadas, eu tinha certeza, mas mesmo assim precisavam ser resistentes e coriáceas para sobreviver.

Talvez coubesse aqui uma metáfora sobre Jocasta, mas acho que seria um recurso barato. Desde que emergira de seu encontro com Deus, ela procurava ficar quieta, mas falava quando era interpelada. Ouvi Benedict abordá-la, não escutei a conversa. Fiquei sabendo apenas depois.

— O que acha de Derionde? — falou o cavaleiro, sentando-se ao lado dela durante uma pausa.

Jocasta deu de ombros.

— Faz bem estar aliado a ele — Benedict prosseguiu, como se tivesse recebido resposta. — Não gosto de me opor ao cardeal.

Jocasta assentiu.

— Então? O que acha dele?

— Concordo com você.

— Sei.

Silêncio.

— E de mim? — disse Benedict.

Jocasta hesitou. A relação entre os dois já passara por inúmeros estágios. Ele fora seu cavaleiro de sonhos, seu herói de armadura brilhante. Fora seu aliado. Fora seu algoz, traíra-a e matara seus seguidores. Então fora seu servo.

E agora?

— Ainda consigo deixá-la desconcertada — riu Benedict.

— Parabéns — ela falou bem séria, e ele perdeu todo o humor.

— Desculpe, Jocasta.

— Por quê?

— Por tudo.

Jocasta suspirou.

— É um grande pedido de desculpas — disse.

— Eu sei. Bem, você me conhece.

— Acho que ninguém o conhece, Benedict.

— Você conhece. O que viu é o que sou.

— Um bandido comum, então? Um traidor?

Pausa.

— É — disse Benedict. — Sim, acho que é isso.

Ficaram em silêncio.

— Mas não pode negar algo, Jocasta — ele insistiu. — Eu sempre volto para você.

— *Não*, Benedict. Nem tente isso.

— Não nego meu caráter, nem que eu a siga por conveniência. Mas há muitas outras pessoas que eu poderia seguir por conveniência. Simas, por exemplo. Atreu.

— Atreu foi derrotado.

— Se eu estivesse com ele, não seria. De qualquer forma, existe apenas uma pessoa a quem volto, não importa o que tenha feito antes. Só você.

Ela abaixou a cabeça.

— Você pensou em ter filhos comigo — disse Benedict.

— Pensei em estabelecer uma linhagem para a Voz.

— Comigo. Não com outro lorde, general ou cavaleiro. Você pode mentir para todos, Jocasta. Mas não para mim.

Aproximou-se bastante do rosto dela. Podiam cheirar o hálito um do outro.

— Não minto — disse Jocasta, quase num sussurro. — Mas você é um assassino de alma negra, Benedict.

— Eu sei.

Beijou-a.

— Não. — Jocasta se afastou.

O cavaleiro deu de ombros. Sorria como quem sabe tudo, mas talvez houvesse algo além de conveniência em seu rosto corado, em sua garganta seca.

— Se existisse alguém, é claro que seria você, Benedict — disse Jocasta, usando meias palavras. — Mas não pode existir *ninguém.*

— Ainda sou seu cavaleiro. Não esqueça.

Perdemos um longo tempo na trilha alternativa. Isso, e o vagar do cardeal andando, talvez tenham decidido o destino do mundo. Nossos perseguidores, como eu vim a saber depois, não se escondiam. Tomavam atalhos, faziam uma linha reta até seu destino. O caminho oculto, mas tortuoso, deu tempo para que todas as traições e decisões acontecessem.

Jocasta quase não existia.

Depois de desvencilhar-se do falatório doce de Benedict, permanecia em silêncio. Eu tentava discernir algo em seu rosto, adivinhar se ela estava abalada pelo que vira na fortaleza ou se apenas não desejava dividir coisa alguma com a companhia que havia lá. Pensei que poderia compreender Jocasta, se ela escolhesse se abrir comigo, mas acho que na verdade ninguém podia.

Numa noite de acampamento, Derionde mandou Benedict e Pharoux buscarem comida. Decretou que já era seguro consumir as plantas e que havia alguns animais que podiam ser abatidos. Em suma, livrou-se dos dois. Tentei mostrar-me entretido com meus parcos pertences, mas fiquei de ouvidos atentos.

Derionde sentou-se perto de Jocasta.

— A senhora viu, não é mesmo?

Silêncio. Pelo diálogo que veio depois, concluí que Jocasta havia assentido com a cabeça.

— Tentei lhe falar — continuou Derionde. — Contei-lhe a verdade. Mas a senhora não quis ouvir.

— Eu...

— Não é preciso explicar, minha filha. Sei o que houve. A fé, não é mesmo? Impossível aceitar o que lhe dissemos, mesmo sendo a verdade. Então a senhora teve de comprovar com seus próprios olhos.

— É — ela falou, simplesmente.

— Mas comprovou, não é mesmo?

— Sim.

— Vamos. Fale. Comprovou o quê?

— Que. — Não continuou, ou não conseguiu continuar.

— Vamos. Fale. Falar ajuda.

— Que Deus não existe.

Um pouco de silêncio, mas deduzo que o cardeal tenha feito algum gesto reconfortante, como segurar a mão de Jocasta ou afagar seu rosto.

— Não sinta-se culpada pelo que fez. Pessoas morreram; Simas, Barsoom e Melquíades serão considerados hereges. É uma pena, mas assim é a vida. Perdemos um bom tempo e muito dinheiro aqui, mas acho que foi a última parte de sua educação. Agora a senhora pode ser a melhor Voz que já existiu.

— Eu serei! — de repente, com fervor.

— Desde o início houve dúvidas. Os outros três achavam que a senhora não deveria conhecer a verdade. Que isso levaria à revolta. Eu discordei. Sempre achei que, com esse conhecimento, a senhora aceitaria nosso papel.

— Eu aceito — disse Jocasta. E então quebrou seu laconismo: — Sei que sempre haverá uma Voz. O que os rebeldes queriam é absurdo, sempre soube. E conheço a função da Voz.

— Muito bem — disse Derionde, em tom divertido. — E qual é a função da Voz?

— Manter o povo quieto.

Silêncio. Arrisquei uma olhadela, e vi que o cardeal estava sério, como se ficasse surpreso com o progresso da pupila.

— A função da Voz é manter o povo quieto — repetiu Jocasta. — Manter a nobreza ocupada. Sem a Voz, haveria disputas, descontentamento. Se a Igreja não governasse, os nobres lutariam entre si. *Precisa* haver uma Voz de Urag, e ela *não pode* ter um papel sagrado.

— Jocasta, você está compreendendo. Está compreendendo muito bem.

— Antes, eu achava que os rebeldes eram loucos porque duvidavam de Deus. Agora sei que esse era o único ponto em que tinham razão. Eram loucos porque não percebiam que só a Igreja une nossa terra. Porque preferiam lutas sem fim, guerra incessante, à paz que oferecemos.

Mais silêncio. Só foi quebrado pelo cardeal:

— Você pode ser uma igual, Jocasta. É o que sempre planejei. Talvez eu finalmente tenha achado alguém para me suceder. Se está sendo sincera, menina, você compreende nosso trabalho. *Meu* trabalho.

— Eu compreendo.

— Barsoom muitas vezes questionou meus métodos. Minha demora. Demorei para queimar a Academia onde achamos Atreu. Demorei para subjugar as tribos de onde tiramos Penélope. Mas Barsoom não entende que a demora não importa, porque não estou trabalhando para mim mesmo. Se eu quisesse, poderia ser rico, o maior dos lordes. Enriqueceria com comércio, com acordos, com casamentos. Não estaria acampado numa trilha oculta, sendo caçado. Mas não trabalho para mim.

— Não — concordou Jocasta.

— Trabalho para a posteridade. Por isso aguardo o quanto for necessário até dar cada passo. Minha única pressa era encontrar um sucessor.

Virei-me aos poucos, para tentar enxergá-los. Eu sentia que a história estava sendo escrita na minha presença. Tinha noção de que, ali, eu era de longe a mente menos poderosa, por isso não podia adivinhar as reais intenções e a sinceridade de cada um. Mas aquela foi a maior intensidade que presenciei em Derionde, talvez o único momento em que deixou cair sua máscara.

— Então pergunto — disse o cardeal. — Você é sincera, Jocasta?

— Sim. Devemos pacificar a terra, Eminência. Para a posteridade.

Vi que ele agarrou as mãos da garota e olhou fundo em seus olhos. Ficaram assim por longos instantes.

— Você *é* sincera.

— Sim, Eminência.

— Chame-me de Derionde.

Nunca mencionei essa conversa, nem nunca foi mencionado que eu a ouvira, que eu estava lá. Não sei os motivos de Derionde para ter permitido minha presença. Talvez me quisesse de novo como parte de seu séquito. Quanto a Jocasta, posso dizer que conheço exatamente sua motivação. Mas não vou revelá-la agora.

O último trecho da jornada foi o mais cansativo. Entramos em uma espécie de labirinto de formações rochosas. Não chegavam a ser montanhas, eram mais altas e estreitas que colinas, e eram pedregosas e secas. Brotavam do chão como se alguém as houvesse esquecido ali, não faziam muito sentido junto ao resto da paisagem. Era uma grande volta, um contorno extenso para evitar a planície aberta, onde Derionde julgava que estaríamos vulneráveis. Além de circundar as formações rochosas, perdendo horas infindáveis ao redor de cada uma, enfrentamos o próprio solo dificultoso. Em certos trechos, havia pedras de todos os tamanhos fazendo uma espécie de tapete, e era necessário cuidado, pois um passo em falso significaria torcer um tornozelo, ficar incapacitado. E, por fim, a saída daquela área apresentava uma colina larga, que trancava a passagem e obrigava uma escalada. Por sorte, era baixa. Mas, sem equipamentos e com o cardeal, demoramos um tempo enorme até conseguir transpô-la.

Pugna Marco Segundo auxiliou Derionde e a Voz. Quanto a mim, avancei como pude, fui o último a chegar. Quando segurava-me no último parapeito, prestes a erguer o tronco para o ápice daquele morro baixo, deparei-me com o rosto sorridente de Pharoux, seus dentes de ouro reluzindo ao sol.

— Só um empurrãozinho, não é? — disse o pirata.

— Saia da minha frente — grunhi, esforçando-me para me manter no lugar. Uma pedra resvalou sob meus pés, rolou para baixo.

— Minha avózinha me ensinou algo bem interessante, pequeno bardo. Quando ela aparecia com uns dentes faltando, não perdia tempo em aplicar-me a vara de azevinho. De azevinho, meu pederasta! — Riu, como se achasse aquilo a coisa mais divertida do mundo.

— Saia da minha frente, Pharoux. Estou avisando.

— Aí entra o ensinamento milenar de minha avó. Tão sábia a velha puta, devia ter escrito o Discurso Santo! As palavras sacras de minha avózinha eram merda sempre escorre para baixo, seu filhinho da puta, e no caso o filhinho da puta era eu, ainda que fosse também neto e sobrinho de vagabundas contumazes. Então ela chegava de olho roxo, ou de nariz quebrado, ou com o ânus a sangrar, e quem levava a vara de azevinho era eu. Porque minha avózinha, que Deus a tenha em Suas másculas tetas acolhedoras, não podia revidar em seus clientes, mas sempre havia o netinho à disposição!

— Vou matá-lo, Pharoux.

— Você é pior do que eu, doce Iago! Porque sou estúpido e sempre fui, segundo minha mãezinha, mas pelo menos tenho um grande caralho. Você é burro e nada o redime. Não entende? Você não vai me matar, porque a merda sempre escorre para baixo. O cardeal caga na Voz, a Voz caga no cavaleiro, o cavaleiro caga em mim, e toda essa merda acaba sobre sua cabecinha já tão cheia de excremento! Não posso matar o cavaleiro ou o cardeal, não posso calar a Voz de Urag com meu pênis, mas posso dar um empurrãozinho em você.

Fiquei quieto, com olhar lunático. Mas na verdade não fazia ideia de como matá-lo.

— Só um empurrãozinho, meu querido.

— O que é essa demora? — ouvi Benedict dizer.

— Oh, uma tragédia! — cantarolou Pharoux. — O lindo Iago escorregou e caiu.

Encostou a manzorra espalmada sobre minha testa.

— Não! — gritei.

— Segurou-se! — disse o pirata. — Conseguiu se salvar. Alvíssaras!

Piscou para mim, ergueu-se e seguiu andando.

E enfim chegamos.

Os últimos dias, já marcados pela mudança da estação, nos mostraram um Derionde exausto, não deixando dúvida de sua idade. Mais uma vez, via-me compungido a admirar aquele homem. Não havia como questionar a dedicação do cardeal ao seu objetivo — fosse a própria sobrevivência e conforto, fosse algo maior do que ele mesmo, como garantira a Jocasta.

Depois do labirinto pedregoso, havia um bosque — denso, mas pequeno. Era entremeado de pedregulhos, e um desses escondia a boca de uma caverna. Cavernas são artifícios úteis para escritores, pois em geral costuma-se imaginá-las como catedrais, grandes e com largas entradas, suficientes para qualquer número de personagens e seus cavalos. Na realidade, vi algo bem diferente. Achei improvável que qualquer um de nós voltasse vivo caso entrasse naquela boca estreita, quase uma toca no meio das pedras, mas Derionde ordenou, e obedecemos. O primeiro a descer foi Benedict, logo Pharoux. Quando chegou a minha vez, espremi-me pela fenda apertada, cheguei logo a um parapeito e, depois disso, foi uma curta escalada — bem fácil, na verdade — até um túnel onde um homem adulto quase conseguia ficar de pé. Era escuro, e levávamos tochas acesas. Prosseguimos pelo túnel, por uma galeria ampla e mais uma passagem estreita, que arriscava deixar alguém preso para sempre. Então chegamos ao grande salão natural.

Eu já achava que não podia me surpreender com nada. E, na verdade, nem foi tão surpreendente. É claro que, embora fosse pedra natural, a caverna mostrava indícios dos antigos. Havia objetos que sugeriam alguma função (uma espécie de baú de pedra ou sarcófago, um tipo de pedestal para armas) e outras puramente decorativas: estátuas, candelabros. Tudo muito conservado, o que significava que havia camadas grossas de pó e incontáveis rachaduras. Quase tudo que fora de metal já oxidara, tudo que fora de madeira já sumira, mas restava o cimento e o mármore da civilização antiga.

E, no centro de tudo, uma nave aérea.

Por um momento, perdi a respiração. Eu já as vira, e muito maiores, nas lembranças. Aquela nave, com um nome que eu não sabia ler em seu casco, não se comparava à *Impetuosa* do Brigadeiro Ashcroft. Mas era uma nave aérea e estava lá, eu podia tocá-la, e toquei. O equivalente a um barco de pesca, eu acho, pois não conheço quase nada das águas. Não vi espaço para linhas de canhões, mas havia sugestão de que era algo militar, pelo menos para mim, que sabia reconhecer o que restava da pintura. A nave estava simplesmente lá, jogada no chão. Seu nariz arredondado fazia a forma de charuto que eu vira pela primeira vez no emblema de Pugna Marco Segundo. Tinha apenas um mastro, e as velas estavam em farrapos. A amurada estava quebrada, mas não vi nenhum furo no casco ou no convés.

Notei que Pharoux estava maravilhado. Não compreendia, é claro, devia achar que era um tipo de barco esquisito. Mas, para um homem do mar, era óbvio que se tratava de uma nau soberba, e acho que vi, pela primeira vez, um pouco de sentimento genuíno no pirata.

— General Pugna, vá até lá, por favor — disse Derionde.

Jocasta não perdia tempo ficando assombrada. Pelo contrário, parecia determinada a aprender o que pudesse, o mais rápido possível. Começou a fazer perguntas ao cardeal e aproximou-se da coisa, tentando entendê-la.

— O que é isso? — latiu Benedict.

Derionde ignorou-o. Estava concentrado na Voz.

— O que é esta merda, Eminência? — insistiu o cavaleiro.

— Uma nave aérea — falei.

Todos me olharam. Benedict pareceu satisfeito com a resposta. Só perguntou se eu queria dizer que a coisa voava, respondi que sim.

— Por que não usa o que possui, Eminência? — Benedict abriu bem os braços, gesticulando para todas as coisas fantásticas. — Vocês conhecem tudo isso! Por que nunca usaram?

— Porque não é necessário — disse o cardeal.

Encararam-se um tempo.

— Se podia voar sobre as cabeças dos inimigos, por que não fez isso na guerra civil? Chover óleo quente sobre eles! Tomar qualquer fortaleza!

— O senhor tomou todas as fortalezas de que precisei. — Derionde deu de ombros. — O senhor e Atreu.

— Mas tudo *isso*...

— Por que deveríamos usar esta embarcação? Por que revelar o que sabemos? Por que permitir mais coisas, coisas novas, coisas antigas? O que já temos nos serve bem.

— Mas...

— Um soldado da Igreja não precisa ver uma embarcação voando, Lorde Benedict. Muito menos um aldeão. Assim como não precisa saber ler ou encher sua cabeça com bobagens sobre o funcionamento do próprio corpo. Nada de informação excessiva.

Era enervante, mas bem óbvio. Derionde não queria nada daquilo. Se pudesse, erradicaria tudo, mas algumas coisas eram trunfos grandes demais. Pela mesma razão, nunca usara as técnicas dos druidas alquímicos do Povo Vivo. Nunca permitira exploração do continente que quase ninguém sabia existir. Um povo ideal, em sua visão, sabia plantar nabos e fabricar sapatos e erguer muros. Não mais do que isso.

Pugna tinha escalado a nave, explorava seu interior, segurando-se. Estava caída, e era difícil achar uma superfície plana onde caminhar.

— General Pugna — chamou o cardeal. — É capaz de operar este veículo?

Pugna desceu aos porões da nave. Lá estavam, eu sabia, as partes que faziam aquele tipo de embarcação funcionar. Ficou um tempo lá, depois emergiu. Disse que não fazia ideia.

— Oh, bem — falou Derionde. — Eu já esperava por isso.

Benedict tinha os lábios entreabertos.

— Toda a conversa sobre não querer revelar... — começou o cavaleiro. — Você não sabe *usar* esta coisa.

— Talvez.

Era o máximo de respostas que obtínhamos.

Descartando a nave, ele foi até um tipo de pedestal de mármore, onde repousava um relicário. Pegou a coisa nas duas mãos, abriu-a com cuidado, tirou lá de dentro uma grande chave esverdeada. Pude ver que era coberta dos padrões visuais dos antigos.

— O que é isso? — disse Jocasta.

— Uma contingência. Não era impossível que o general soubesse operar a nau, mas esta relíquia era a aposta mais certa. Seguiremos viagem.

Planos dentro de planos. Derionde foi até uma parede, tateou pelas estatuetas que emergiam da pedra viva. Puxou o braço de uma ninfa, depois outro, fez mais algumas tentativas. Por fim, achou o que queria. A pequena escultura cedeu, o braço movimentou-se ante o puxão, a caverna começou a estremecer. Pedacinhos de pedra começaram a cair do teto, junto com terra e outros detritos. Uma grande rachadura começou a se formar acima de nós, então enxerguei luz do sol espiando pela fenda aberta. Aos poucos, ia se alargando, mas ainda não era suficiente para um homem e, de qualquer forma, precisaríamos escalar. Derionde tinha uma forma de tirar a nave de lá, caso precisasse. Planos dentro de planos.

O tremor aumentou. Dessa vez, o cardeal pareceu alarmado.

— O que — começou, mas foi interrompido pelo trovão de um grande pedaço de rocha se desprendendo.

O chão pulou sob nossos pés, algo desmoronou lá em cima. Uma quantidade enorme de terra e pedras desabou sobre a fenda, com um estrondo monumental. Um grande torrão de terra caiu sobre uma das tochas, apagando-a.

Estávamos sendo soterrados.

4

Haviam pintado o estandarte do Sol. Atreu tinha novos guerreiros. Carregavam os escudos marcados e as espadas, e também as armas criadas em Contago, que guardavam para quando fossem indispensáveis. Atreu sabia, ou ao menos temia, que também provocaria a morte destes novos Escudos do Sol, assim como provocara a dos antigos.

É o preço, eu imagino, de servir a um herói. Atreu sobrevivia — porque era hábil e também porque era poupado. Mesmo inimigos veem utilidade num herói vivo. Mas os Escudos do Sol morriam para que o general vivesse. Agora Atreu era um general de novo, e contava com novos soldados leais para condenar à morte.

Por isso fez o que pensou que nunca mais faria: ordenou que pintassem os escudos. Precisava de Escudos do Sol para chegar ao fim. Não bastavam voluntários que seguiam-no porque era o mais sensato. Atreu precisava de seu estandarte na madeira e nos corações, precisava ser o rei e o deus daqueles guerreiros.

Deixando Contago para trás, eles seguiram-no em seu caminho de vingança. Atreu não fez segredo sobre o objetivo daquela empreitada, e era uma missão niilista. Só queria matar.

Matar Jocasta.

E matar Derionde e Benedict, e Simas e os outros, mas acima de todos Jocasta. Não fazia sentido, mas o ódio não é lógico, e Atreu era uma criatura de ódio então. Deixou bem clara essa raiva assassina aos Escudos do Sol.

— Esqueçam Contago — disse, certa noite.

Os homens olharam-no com expectativa. O brasão do general já estava gravado em suas mentes, então sobrava pouco espaço para revolta. Se Atreu falava algo tão chocante, devia ter uma razão.

— Contago caiu — disse Atreu. — Nunca mais voltaremos lá. Mas não sintam saudade. Não lamentem a perda. Esses sentimentos vão torná-los fracos. Não pode haver melancolia na parede de escudos.

— Por que lutar, então? — arriscou alguém.

— Por ódio.

Silêncio.

— Esqueçam as boas lembranças de Contago. Esqueçam o que a cidade lhes ofereceu de bom por todas as suas vidas. Lembrem apenas da tragédia. *Nunca* esqueçam a tragédia. Porque nós vamos cobrar justiça dos verdadeiros responsáveis. — Respirou fundo. — Não há lugar para a melancolia na parede de escudos. Só para a raiva.

Dentro dele, e então dentro de todos, Contago transformou-se em algo daninho. Sobrava o rancor com o fim, não todos os tempos de felicidade. Em alguns dias, tinha-se apagado tudo, e Atreu queria usar essa emoção obscura e borbulhante para impulsionar as espadas.

— Destruir — falou um dos homens, devagar. Depois repetiu, gostando mais da palavra: — Destruir. É o que resta.

Decaíam, e era delicioso.

Seguiram o mapa e as indicações que haviam sido plantadas por Simas. Atreu não ignorava a conveniência suspeita de ter encontrado aquela informação, estava pronto para uma armadilha.

Viajaram com rapidez impressionante — não arrastavam ninguém que não fosse um guerreiro no ápice do vigor, não tinham ferimentos graves. Conheciam o terreno, ou ao menos parte dele, e contavam com exploradores calejados. A travessia que uma tropa extensa, uma coluna de peregrinos ou mesmo um grupo que incluísse um cardeal e um escritor levariam meses para realizar foi feita em semanas. Com batedores e caçadores usando a terra e a vegetação para moverem-se como sombras sob o céu claro.

E, se fosse uma armadilha, evitavam-na, porque os batedores encontraram sinais de tropas movendo-se perto. Não era difícil deduzir: soldados dos cardeais. Se o mapa estivesse correto, Jocasta não contava com um exército, então restavam os outros três para levar batalhões àquele continente inexplorado. Não havia rota de colisão, mas os Escudos do Sol fizeram uma elipse, para evitar problemas. Como soubemos mais tarde, o exército dos cardeais movia-se para outro lugar, não muito longe, e não queria confrontar Atreu.

Então chegaram ao objetivo. No bosque pedregoso, a boca do túnel, como o pergaminho indicara. Atreu espalhou os homens ao redor, procurando sinais de emboscada. Concentrado como um predador, meu amigo notou uma sutileza fatal no ar, a atmosfera de tensão que precede um combate. Algo vagamente remexido na terra, marcas quase invisíveis nas raízes das árvores.

Um batedor voltou a ele, em sussurro:

— Há um batalhão aqui.

Escondidos, embora não tão bem quanto os Escudos do Sol. Espalhavam-se em grupinhos, atrás das formações rochosas, no meio de ajuntamentos de árvores.

— Vocês foram vistos? — disse Atreu.

— Talvez.

Agarrou o cabo da espada.

— Vamos atacar primeiro.

Porque, fossem quem fossem, seriam inimigos. Todos eram inimigos.

Escolhendo um agrupamento de guerreiros ocultos sob uma escarpa, os homens foram aos poucos se reunindo, prontos para fechar o cerco e matá-los antes que fizessem um som. Atreu, agachado como um gato, seguia atrás deles, atento para a retaguarda e pronto para saltar à ação quando o inimigo estivesse à vista. Não eram soldados comuns, isso era certo, mas também não eram tão bons quanto os seus. Torcia para que fossem gente de Jocasta.

Súbito, aço gelado contra a nuca.

— Abra os olhos, general — disse a mulher.

Em um instante, Atreu puxou a espada, tentou virar-se, mas então havia a lâmina de uma adaga em sua garganta.

— Lento demais. Você está morto.

E só então ele reconheceu:

— *Penélope.*

As armas foram recolhidas. Ele se voltou e lá estava a ruiva, seu corpo exuberante e cheio de cicatrizes manchado de luz do sol filtrada pelas copas das árvores. Ela abriu um sorriso.

— São aliados! — chiou Atreu, para seus homens.

Todos emergiram — os Escudos do Sol e os outros, que revelaram-se como guerreiros bronzeados, de armaduras e armas leves. Algumas dezenas, entre os que estavam ali e os que acampavam mais para longe. Soldados de mar e terra.

Penélope puxou-o pela mão, ajudando-o a erguer-se. Ainda sorria, mas Atreu estava atordoado e não conseguia desfazer o cenho franzido que o acompanhara desde Contago. Um rosto amigo era algo inesperado demais, ele não sabia como reagir. E ver aqueles marujos significava que havia mais amigos por perto.

— Somos *nós,* Atreu — disse Penélope.

Ele olhou em volta, e então enxergou o homem atarracado vindo em sua direção. Sorriso largo, olhar feroz. Cabeça lisa, sem um fio de cabelo, bigode farto e escuro. D'Agostini embainhou o sabre e abriu-lhe os braços.

— Atreu! Estávamos prontos para matá-lo. Mas é muito melhor matar *com* você.

Meu amigo deu um passo para trás. A ferocidade não combinava com aquele reencontro. E as vítimas estavam tão perto!

— Vou matar Jocasta, D'Agostini.

— Eu sei. Também achamos indicações de que ela estaria aqui. Mas esqueça Jocasta. O alvo é Derionde.

— Jocasta.

— Esqueça esses lambaris, Atreu! Você está vivo, eu também estou, e isso é mais importante.

Tentou abraçá-lo, mas Atreu se desvencilhou. Eram sentimentos incompatíveis. D'Agostini não aceitou a relutância, agarrou-o pelos ombros e espremeu-o de encontro ao peito. Não deixou que escapasse.

— Estamos aqui para matar...

— Podemos matar daqui a dois minutos. O importante é que estamos vivos.

Pausa.

— Eles destruíram tudo, D'Agostini. Tudo...

E não continuou. Apenas abraçou seu amigo.

Não foi um reencontro demorado; nem cinco minutos até que tivessem reunido os homens e planejassem estratégias.

Só o tempo de Atreu lembrar que nem tudo girava em torno da doença. Havia outras pessoas no mundo, além de Jocasta e Derionde.

— Eles estão ali dentro — disse Atreu, apontando para a boca da caverna. — Temos que atacar agora.

— Pugna está com eles — disse D'Agostini, com amargura.

— Pugna é um inimigo. — Suspirou Atreu. — Acho que não tem culpa, mas agora é um deles.

— É tolice atacá-los assim — disse Penélope. — Ninguém vence Pugna. Temos um plano melhor.

— Vou enfrentar Pugna — Atreu rilhou os dentes.

— Cale a boca e ouça, Atreu. — A guerreira segurou seu braço. — Ganimedes está aqui. E Dragomir.

O rosto de Atreu acendeu-se à menção de Ganimedes. Lembrava-se de Dragomir, é claro, e Penélope explicou-lhe a deserção daquele general, que agora era também um dos rebeldes.

— Não há mais rebelião — disse Atreu.

— Havia rebelião antes de você se juntar. — Ela foi incisiva. — E continuará havendo, mesmo que você não faça parte. *Nós* somos a rebelião.

Sem querer, um sorriso lento e orgulhoso tomou conta de seu rosto. Mesmo para alguém como Atreu, era bom não ter o peso do mundo nas costas. Saber que tudo continuava existindo sem ele no comando. Estar errado às vezes.

— Onde está Ganimedes?

Ali mesmo. Sob seus pés.

Ganimedes e Dragomir haviam se separado dos demais, começado o ritual antes que Penélope, D'Agostini e os guerreiros de mar e terra ocupassem a área. Antes mesmo que eu, Jocasta e os outros chegássemos. Nós havíamos entrado em uma armadilha — mas havia tanta gente tentando nos matar que talvez não fizesse diferença.

Usaram os últimos resquícios dos preparados que Dragomir levava consigo. Talvez os últimos segredos dos druidas alquímicos, já que os velhos que restavam nas aldeias tinham poucos recursos e poucos anos. Embeberam a terra com seus óleos e extratos, fizeram a tenda e encheram-na de fumaça, extraindo do solo sua essência. Condensaram tudo em dois tabletes. Sabiam que precisavam fazer aquilo valer, pois não haveria mais magia dos druidas por um longo tempo.

Comeram a substância farinhenta de gosto horrendo. Então Dragomir e Ganimedes fundiram-se com a terra, em volta da caverna onde repousava a nave aérea. Sentiram seus corpos mesclando-se com solo e pedra, tiveram cócegas pelos pequenos animais que transitavam em seu interior. Experimentaram a sensação abrutalhada, mas eclética, das várias camadas de chão, e foram maiores do que nunca, espalhados por uma grande área, sobre a qual tinham controle.

— Eles vão derrubar tudo isso, Atreu — Penélope deu um sorriso lupino. — Vão soterrar os desgraçados. Então, se algum sobrevivente emergir, vamos matá-lo.

Atreu arregalou os olhos.

— Não!

— Já está em andamento, rapaz, nós — começou D'Agostini.

— Não vai funcionar.

Ficaram olhando-o.

— Derionde vai escapar — disse Atreu. — *Sempre* escapa.

— A caverna vai ruir! — protestou o marujo.

— Precisamos ver os cadáveres. Precisamos cortar suas cabeças para ter certeza. Derionde deve ter planos de contingência, e Pugna vai salvar Jocasta.

— Já está em andamento, Atreu — disse Penélope.

— Não importa. Preciso de vocês, agora que sei que estão aqui. Preciso que detenham as tropas dos cardeais, porque eles virão atrás de nós.

— Os cardeais? — D'Agostini franziu o cenho.

— Não sei quando nos veremos de novo. Mas vocês precisam deter as tropas dos cardeais. Eu sei o que fazer.

Explicou seu plano. Era muito simples, embora os acontecimentos viessem a mudá-lo. Atreu apenas desejava dividir os adversários, matar a maior ameaça ali mesmo e depois lidar com as demais. Impedir que eles se juntassem, que fizessem suas alianças conspiratórias. Em minutos, já tomava a liderança de novo. E não mais só com instinto assassino. Penélope e D'Agostini tiveram papel muito maior do que deter os cardeais. Eram seus amigos, e ajudaram-no a lembrar de quem ele era.

— O que vai fazer então? — disse Penélope.

— Vou entrar — ele falou, com simplicidade. — Vou entrar e atacar sozinho.

— Vai morrer soterrado! — D'Agostini sacudiu-o. — E por quê? Por sanguinolência?

— Para ter certeza.

Silêncio.

— E porque pode haver ali algum inocente.

Talvez seja uma palavra forte demais, mas havia alguém quase inocente.

Eu.

Atreu entrou no túnel. Quando emergiu no grande salão natural, o chão tremeu, a caverna começou a desabar.

5

Fui atingido por uma chuva de pedrinhas, e então uma área inteira da parede norte desabou, com um estrondo comprido. Rocha e terra caindo em avalanche sobre os ornamentos dos antigos e a nave aérea, cobrindo boa parte do piso com destroços. Vi o mastro da nave se estilhaçar sob um pedregulho enorme. Quando as rochas se desprenderam, foi como se a rolha fosse tirada de uma garrafa — que, em vez de líquido, derramava pedras. Perdi o equilíbrio, mas consegui me segurar em uma estátua rachada. O chão pulava sob meus pés. Vi Derionde cair sobre o próprio ombro, incapaz de firmar-se no meio do tremor.

A caverna estava vindo abaixo, mas o terremoto não possuía metade da fúria de Atreu.

Quase não me surpreendi ao vê-lo, pois a vida era um emaranhado de fantasias e improbabilidades há muito tempo. Ele surgiu abaixado, sem nenhuma pose orgulhosa de herói, na boca do túnel, e em seguida teve de se segurar para não cair também. Atreu estava diferente. Os cabelos loiros continuavam longos, mas agora pareciam mais a juba de um bárbaro. Haviam sido raspados na prisão, porém o tempo permitira que crescessem de novo. Atreu usava barba. Vim a saber depois que, em Contago, mantivera a aparência de asseio escanhoado, mas perdera-a na viagem. E Atreu surgia de espada na mão, enxergando seus inimigos, pronto para matar.

Saltou com agilidade predatória um momento antes que a saída fosse soterrada.

— Este é seu túmulo, Jocasta! — Foi o grito de guerra.

Atreu pousou no chão, cambaleou porque o piso corcoveava. Num movimento com a cabeça, viu todo o salão, sem tempo para se maravilhar. Enxergou apenas que estavam lá o Cardeal Derionde, a Voz de Urag, Benedict, Pugna Marco Segundo, o pirata Pharoux e eu.

O teto da caverna continuava se abrindo, movido pelo mecanismo que Derionde ativara antes, mas a abertura era cada vez mais coberta de destroços. Por fim, uma seção enorme do teto se desprendeu, um bloco de pedra caiu como a explosão de mil canhões e tapou quase metade do piso. O mecanismo deve ter sido inutilizado por isso, porque a abertura não tentava mais se alargar, o teto simplesmente ameaçava cair sobre nós.

Benedict saltou para o lado, evitando o desabamento, enquanto Pugna Marco Segundo mergulhou, empurrando Jocasta para a segurança. A Voz caiu de mau jeito, rolou no solo, rasgando seus mantos já esfarrapados, esfolando seu belo rosto. O general autômato foi atingido por uma pedra do tamanho do tronco de um homem, mas não se abalou. Com o impacto, não consegui mais me firmar e também caí, batendo a cabeça em algo sólido. O clarão de dor logo deu lugar a um formigamento estranho, parecido com coceira, e uma ardência progressiva enquanto eu tentava avaliar o dano causado. Derionde não foi esmagado por sorte, porque não acho que fosse capaz de escapar usando sua própria agilidade, e ninguém parecia concentrado em ajudá-lo. Pharoux tropeçou, mas equilibrou-se balançando os braços de forma cômica.

O tremor continuava, cada vez mais forte.

Atreu concentrou um olhar momentâneo em mim, um mínimo aceno de cabeça significando todo o alívio e a improbabilidade de nos vermos de novo.

— Fuja, Iago! — gritou ele, por cima do estardalhaço da terra em pandemônio.

— Vou lutar! — respondi, ainda me erguendo.

Contrariando o que eu esperava, Atreu não me deu outra ordem. Apenas puxou da cintura uma segunda espada e arremessou-a para mim. Eu não sabia contra quem iria lutar, ou por que a caverna estava desabando. Não sabia como Atreu estava ali, mas fiquei feliz por vê-lo.

— Nada no céu!

Ele correu em direção a Jocasta, que terminava de se erguer. Pugna, num instante, estava entre os dois, com sua enorme espada na mão. Atreu tirara o escudo das costas e encaixara as tiras de couro no antebraço esquerdo, mostrando a superfície pintada com o sol.

— Fique fora disso, Pugna — ameaçou.

— Você não pode ferir a rainha, Atreu.

— Ela não é sua rainha. É uma assassina.

— Uma luta entre nós dois só tem um resultado possível. — Pugna segurou a espada em posição de guarda.

— Posso morrer — disse Atreu. — Mas vou levá-la junto.

E atacou.

Moveu-se num borrão, que mal enxerguei sob uma cortina de terra derramando-se. Tentou passar por Pugna e chegar a Jocasta, mas o outro foi mais rápido, detendo seu caminho com a lâmina. As duas espadas se chocaram num clangor, e Atreu foi arremessado para trás. Pugna então avançou com um golpe enorme, de cima para baixo. Atreu pulou, evitando o corte. Um pedregulho foi apanhado na trajetória da espada e destroçado. O arco terminou no chão, causando mais um estrondo em meio aos outros, e o piso rachou sob a força do autômato.

Agarrando o cabo de minha própria espada, olhei em volta, em busca de uma forma de ajudar Atreu. Derionde estava lá, e era um alvo tentador. Derionde matara Lubna, matara muita gente, e estava ao meu alcance. Mas notei que Pugna olhava de relance para o cardeal, de tempos em tempos. Ainda estava jurado a protegê-lo, e eu não sabia por que o juramento não fora cobrado — mas certamente seria se sua vida estivesse em risco. Também achei que Benedict fosse saltar em sua defesa, mas o cavaleiro deu as costas a todos e parecia buscar uma saída.

Pharoux correu ao auxílio do cardeal.

— Chega, Atreu! — ouvi Jocasta berrar.

Foi ignorada, enquanto Atreu continuava lutando com Pugna. Atacou, e não conseguia ser mais rápido que o general miraculoso, mas aproveitou um tremor que desequilibrou-o e foi capaz de enfiar a ponta da espada sob o queixo do inimigo. A pele de Pugna foi cortada e sangue brotou, mas ele não esboçou reação. Devolveu o golpe, girando sua espada numa trajetória imensa, que Atreu bloqueou com o escudo.

Mesmo tendo recebido a lâmina na borda metálica, Atreu quase perdeu o braço. O escudo foi destroçado, o metal retorcendo-se e a madeira se estilhaçando. Ainda restava um fragmento, que talvez fosse útil para alguma coisa.

Enquanto isso, corri para Pharoux. Não para Derionde, não para Benedict. Eram desgraçados piores, eram assassinos mais prolíficos. Mas não eram Pharoux.

A terra pulou quando cheguei perto, e perdi o chão. Caí de joelhos, fazendo brotar manchas vermelhas nas pernas de minha calça. Também ficava cada vez mais escuro: nossas tochas se apagavam uma a uma, ou então se afastavam, e logo estávamos na penumbra, os olhos lacrimejando por causa do pó, sob uma névoa permanente de terra.

O pirata ajudara Derionde a levantar-se, e quase fora derrubado de novo. Viu-me e abriu seu sorriso enorme e dourado.

— Ah, pequeno bardo, venha lamber as botas do cardeal. Talvez você saia vivo! Não descarto realizar uma felação no bom Urag para me tirar dessa.

— Morra, seu filho da puta.

Ele riu disso, mas joguei-lhe uma pedra na cabeça, e acertei.

Pharoux levou a mão ao supercílio, surpreso ao ver sangue, quase perplexo demais para sentir raiva. Então puxou sua adaga e arreganhou os dentes para mim.

— Agora consegui um bom amigo, seu pederastinha. Sou amigo do cardeal e nenhum menino pastoso vai estragar a minha festa.

Deu uma olhada para trás, e Derionde não estava mais lá.

O cardeal apressava-se a outro canto, navegando entre os destroços e a chuva de pedras em direção a Benedict. Pharoux podia fingir que era o protetor de Derionde, mas todos sabiam que era o protegido, e agora notava que era descartável. Fosse qual fosse a artimanha que o cardeal teria daquela vez para escapar vivo, o pirata não iria compartilhar dela. De repente, Pharoux ficou assustado.

E ataquei.

Atreu e Pugna lutavam. Não restava mais nada do escudo pintado com o sol, Atreu segurava a espada com as duas mãos. Não tentava bloquear a lâmina de Pugna, pois um golpe poderia partir seu próprio aço, apenas esquivava-se, dançando em meio ao terremoto.

Pugna desferiu um golpe horizontal, esticando bem os braços e girando o tronco num arco mortal que, bem-sucedido, poderia dividir Atreu em dois. Meu amigo encolheu-se para trás, evitando a lâmina, então rolou para o lado oposto, ficando quase às costas do outro. O autômato era rápido como nenhum homem, e antes de qualquer reação já tinha endireitado o corpo, puxando a espada de volta para si. Então Atreu atacou, estocando contra as mãos do adversário. Talvez não o ferisse, mas conseguiu enfiar a ponta da arma entre os dedos de Pugna. Girou a lâmina e puxou. A espada imensa soltou-se de sua mão, voando e cravando-se no solo.

Pugna Marco Segundo estava desarmado.

Pulou sobre Atreu com um cotovelo, usando de força que por si só mataria qualquer homem. Atreu mergulhou para baixo, passando sob o inimigo, rolando e saltando de pé assim que Pugna virou-se para ele. Estava perto de Jocasta, e achei que fosse atacá-la, mas não fez isso. Atreu notava tudo ao seu redor, notava a caverna e o desabamento em detalhes, além do pandemônio generalizado que era tudo que eu conseguia ver. Notara que um grande pedregulho estava prestes a se desprender do teto, e conseguiu colocar Pugna bem em sua trajetória. A rocha caiu sobre o autômato, batendo em seu ombro e desequilibrando-o. Atreu aproveitou a fraqueza momentânea, jogou-se sobre Pugna como um aríete, atingindo-o no estômago e fazendo com que ele desabasse de costas.

Foi quando uma segunda rocha caiu, bem ali, sobre o braço de Pugna Marco Segundo. Ainda maior que a primeira, prendeu-o sob seu peso.

Pharoux golpeou com sua adaga, seu braço dardejando contra mim, e acertou meu rosto com a lâmina. Senti a agonia aguda na bochecha, a cócega do sangue escorrendo por minha mandíbula e meu pescoço, mas não parei. Quis gritar, mas era difícil respirar, porque o ar estava denso com poeira suspensa. Tossi e poupei o fôlego, então golpeei na diagonal, em direção à garganta do pirata.

Pharoux não teve dificuldade em bloquear meu ataque, batendo seu antebraço contra o meu. Deu-me um chute na virilha, em seguida outro no joelho. Meus joelhos já estavam feridos, e levei a mão aonde tinha sido golpeado, ficando vulnerável. Senti a manzorra do pirata em minha cabeça, enquanto estive abaixado; ele me empurrou e caí para trás.

Pharoux então me chutou no estômago, e depois mais uma vez. Pensei que ele fosse demorar um instante, gabar-se e querer me humilhar, quando então eu poderia aproveitar e contra-atacar, mas ele não se tornara um líder de bandidos perdendo chances de vitória fácil. Pharoux não tinha amor próprio, não queria mostrar superioridade; queria sobreviver e vencer, mesmo que usasse truques desnecessários, força exagerada, contra alguém que nem sabia lutar.

A barragem de chutes não pararia, então golpeei às cegas com a espada, e senti a resistência doce da carne contra a lâmina, cedendo um instante, o êxtase de um golpe que encontrara o alvo. Pharoux cambaleou para trás com um talho fundo na coxa, e tive tempo de me erguer.

Pugna Marco Segundo empurrava a rocha de cima de si mesmo, movendo-a aos poucos. Um avanço lento, mas muito maior do que qualquer coisa de que um humano seria capaz. Atreu, enquanto isso, correu e derrubou uma espécie de armário de mármore, uma estrutura dos antigos, sobre o adversário, adicionando ainda mais peso. Deixou a espada de lado, apanhou um pedregulho do tamanho de sua cabeça, jogou-o contra o rosto de Pugna. A pele do autômato se abriu, o sangue brotou, mas ele continuou empurrando, sem demonstrar dor. Atreu achou outra pedra de tamanho razoável, atirou-a contra o crânio de Pugna, desfigurando-o ainda mais. Uma terceira, e o metal sob o rosto começou a aparecer.

Atreu levantou uma pedra ainda maior que as outras, com esforço. Caminhou pesadamente até o inimigo caído, ergueu-a sobre sua cabeça — e recebeu um chute de Pugna.

A força do pontapé, que atingiu-o na perna, fez com que caísse instantaneamente. Se Pugna não estivesse tão desajeitado, com certeza o golpe teria partido o osso de Atreu. Foi muita sorte. Enquanto meu amigo tentava se recuperar, houve tempo mais do que suficiente para Pugna Marco Segundo empurrar tudo que prendia-o ao chão. A rocha e o armário rolaram, ele se ergueu, em farrapos e coberto de sangue, com retalhos de pele pendendo e esqueleto metálico à mostra.

— Chega! — gritou Jocasta. — Parem!

— Não preciso obedecer a todas as suas ordens, Majestade — disse Pugna, numa voz desafinada, gaguejando de forma estranha. — Preciso apenas protegê-la. E Atreu quer sua morte.

Pugna não era um tolo: notou o que aconteceria quando Jocasta começou a gritar ainda mais alto. Enfiou a mão por baixo do queixo, para dentro de seu crânio, por um dos buracos feitos durante a luta. Arrancou alguma coisa, e eu soube que danificava o mecanismo que lhe permitia escutar. Porque a Voz de Urag dizia:

— Está liberado de seu juramento, Pugna Marco Segundo! Não sou mais sua rainha, não quero que me proteja!

Mas ele não ouviu, então continuou rumo ao adversário.

Atreu tinha nas mãos a espada de Pugna. Erguia-a com dificuldade — era uma lâmina gigantesca, mais pesada do que qualquer outra. Mantinha-a à frente do corpo, apontada para o autômato, enquanto ficava de pé desconfortavelmente, favorecendo a perna que não fora atingida pelo chute.

Pugna deu um bote, estendendo a mão para Atreu. Meu amigo berrou para impulsionar seus braços e golpeou. Um golpe não muito eficiente, mas com todo o peso da espada por trás de si. Encontrou a mão de Pugna Marco Segundo — e os dedos do autômato voaram.

Pugna parou um momento, contemplando a mão mutilada. Atreu atacou, mas foi vagaroso demais com a arma descomunal, e o outro esquivou-se com facilidade, empurrando espada e guerreiro para o lado. Atreu recuou, enquanto Pugna deu um passo e preparou-se para mais um ataque.

Então Pugna saltou sobre ele, a mão intacta em garra e o coto mutilado como uma marreta sangrenta. Atreu cravara o cabo da arma entre duas pedras no chão, pulou para o lado. Pugna caiu sobre a própria espada, sendo empalado. O aço pontiagudo brotou em suas costas, ele emitiu um guincho.

E ergueu-se.

O tremor ficou mais intenso. Todos os meus esforços se concentravam em ficar de pé. As paredes dançavam para a frente e para trás, transformando-se em borrões. Um deslizamento constante cobria a maior parte do salão. Uma rachadura se desenhou no piso com rapidez impressionante, então começou a se alargar. Eu não enxergava mais Derionde ou Benedict em parte alguma, mas não conseguia imaginar que houvessem escapado. E percebi que Derionde não havia ordenado que Pugna Marco Segundo ajudasse-o. Acho que o cardeal nunca julgou que estivesse em perigo, não achou que fosse necessário invocar ali o juramento. Então todos fomos ensurdecidos por um estrondo infernal, enquanto toda uma parte da caverna entrou em colapso. O que fora uma área aberta um momento antes virara uma parede compacta de destroços, e metade do salão sumira.

Pharoux me atacou. Correu, mancando, com o braço na altura da cabeça, dobrado, a adaga apontada para mim. Quando chegou perto, estendeu a mão, num bote de serpente que deveria atingir o meu rosto. Deveria ter me matado. Mas, em vez de me defender, ataquei também.

Estoquei com a espada para baixo, mirando no ferimento que já havia aberto na coxa do pirata. Quase acertei. Não consegui aprofundar o corte, como fora minha intenção, mas abri outro talho, e o sangue brotou. Pharoux não conseguiu sustentar o próprio peso. Frente ao terremoto subitamente mais violento, caiu. A adaga girou para longe.

Não perdi tempo e golpeei o inimigo caído.

— Não quero matá-lo, Pugna — disse Atreu, estendendo a mão. — Você é meu amigo. Ouça Jocasta e renda-se.

Pugna não escutava, mas hesitou por um momento, parecendo muito humano em sua surpresa. Se fosse capaz disso, acho que teria rido.

— *Você* me oferece rendição?

— Não quero matá-lo, Pugna.

Foram interrompidos:

— Ninguém precisa morrer aqui! — disse Jocasta.

— Você precisa, menina.

Pugna agarrou sua espada, tirando-a do próprio tronco, e avançou para Atreu. Meu amigo estava desarmado. A rachadura no piso se estendia perto dos dois, alargava-se, e as pedras choviam. Pugna atacou, Atreu esquivou-se, pulando para perto do inimigo. Grudou-se em Pugna e enfiou a mão no buraco aberto em seu tronco pela lâmina. Agarrou o que pôde lá dentro e puxou, arrancando uma miríade de pequenas engrenagens, cabos feitos de algum material metálico, peças cuja função não podíamos adivinhar.

Pugna soltou outro guincho, golpeou com o corpo rígido, sem agilidade. Atreu rolou para longe.

Mais uma área da caverna desabou. Por um instante, vi um pedaço de céu azul, um clarão de luz do sol, enquanto o salão rearranjava-se na fúria do terremoto. Então ficamos ainda mais fechados, pois um deslizamento selou outra parte. Apenas um terço da caverna continuava livre, e comecei a temer falta de ar.

Consegui acertar um golpe no tronco de Pharoux, abrindo-lhe um corte comprido. Mas o pirata me deu um coice com a perna que não estava ferida; cambaleei para trás e ele se levantou. Mantinha os braços abertos, como um equilibrista, tentando apenas ficar de pé.

— Sabe qual é a diferença entre nós, pequeno puto? Eu já matei. Já matei muita gente. Então não importa o quanto você me bata, eu vou matá-lo. Porque sou alguém que mata, e você é alguém que morre.

Então, fiz algo de que nunca pensei ser capaz: sorri no combate.

— Eu também já matei, Pharoux.

Vi medo nos olhos dele, e era delicioso. Corri com a espada, querendo golpear junto aos dois cortes na coxa, torná-lo incapaz de se erguer. Mas errei, minha lâmina deslizou pelo tecido da calça. Pharoux agarrou meu rosto, seu polegar procurando meus olhos, e estoquei às cegas. Não encontrei os cortes que já fizera, mas de repente ele ficou paralisado. Desvencilhei-me de suas manzorras e olhei meu trabalho: a ponta da espada cravara-se bem perto da virilha, e uma quantidade fenomenal de sangue jorrava da ferida.

Recuei um passo; Pharoux estava de olhos arregalados. A cor fugia de sua pele enquanto o sangue não parava de sair. Uma poça enorme já se alargava sob ele, sendo bebida pela terra solta. Ele caiu sobre os joelhos, então mole, de costas. Vi que balbuciava algo.

— *Cale a boca* — eu disse, e cravei a espada entre seus lábios.

Pharoux estrebuchou e morreu.

Uma rocha enorme me errou por pouco. Desequilibrado, quase caí na fenda. Então uma cratera se abriu, a partir da rachadura, a terra sendo tragada para baixo com avidez súbita.

E o que mais me assusta, o que torna bem clara a nossa estupidez, é que Derionde e Benedict se salvaram porque não perderam tempo. Nós resolvemos lutar. Atreu há muito, eu num instante. Até mesmo Pharoux, que só queria sobreviver, ficou e lutou comigo. Eu poderia ter escapado de lá facilmente, mas quis enfrentar alguém, quis ficar com Atreu, e por isso sou estúpido. Derionde e Benedict apenas viraram as costas e procuraram uma saída, e acharam.

No meio do desabamento, enquanto o mecanismo ancestral ainda se esforçava para abrir uma passagem, formou-se uma espécie de ravina, um túnel que durou menos de dois minutos, mas permitiu que os dois fugissem. A terra e a pedra desabavam atrás deles, como se os estivessem perseguindo. Ou ao menos é isso que imagino. O que sei é que, por não terem ficado e lutado, os dois emergiram, imundos e sangrando, mas vivos, para dar de encontro com os rebeldes.

Não sei se Benedict tinha muita sorte ou se sobrevivia por estar próximo a um planejador meticuloso. Mas, quando os dois surgiram, a terra tremia, árvores caíam, pedras rolavam mesmo na superfície — com a mesma fúria do subterrâneo, embora sem o mesmo perigo. Uma névoa feita de poeira cobria a área ao redor, filtrando o sol e transformando todos em vultos. O rugido do terremoto obscurecia os sons. Derionde e Benedict enxergaram silhuetas, eu acho, e nenhum dos dois deve ter demorado a concluir que eram os rebeldes. Fossem quem fossem, representavam perigo, e só havia uma resposta: fugir.

Assim, ambos correram. Derionde não corria como um jovem, ou como um guerreiro, mas Benedict agarrou seu braço e arrastou-o em vez de deixá-lo para trás. Deixar Derionde para trás era muito arriscado, porque sempre havia a chance — a grande chance — de que ele sobrevivesse, e então haveria consequências. Os rebeldes enxergaram vultos no meio do tremor. Estavam afastados, para evitar serem pegos na queda de árvores ou derrubados pela terra corcoveando. Aqueles que emergiam podiam ser amigos ou inimigos, e ninguém ordenou um ataque imediato. Em vez disso, correram atrás, para verificar, e só isso já foi demora excessiva.

Benedict embrenhou-se no bosque, com o cardeal logo atrás, chiando e suando. Mesmo com o pandemônio e a confusão, o cavaleiro notou que começavam a persegui-lo, e que eram muitos. Acelerou ainda mais, puxou Derionde pelo pulso. O cardeal quase não conseguia movimentar as pernas, apenas era arrastado como uma coisa.

— Estão atrás de nós! — ofegou Benedict.

Derionde não tinha fôlego para responder.

— Para onde, velho?

Conseguiu apontar uma direção vaga, onde ficava a próxima parte de seu plano de contingência. Sem hesitar, Benedict seguiu no caminho indicado. Duvido que tenha pensado em matar o cardeal, livrar-se do peso morto e evitar represálias. Derionde adquirira uma espécie de invulnerabilidade. Todos o temiam.

Benedict já conseguia ver o final do bosque, uma árvore desabou bem à sua frente. Os abalos ainda eram sentidos ali, e a corrida era uma dança, um percurso de obstáculos.

Em seu rastro, Penélope.

— É Benedict! — gritou a ruiva. — É o maldito!

E ordenou a perseguição.

Os Escudos do Sol ficaram para trás, assim como boa parte dos guerreiros de mar e terra. Ela mesma levou o restante, deixando D'Agostini no comando. Agarrou uma lança e sumiu bosque adentro. Em pouco tempo, deixava os homens para trás.

Uma árvore caiu, Penélope saltou sobre ela sem quebrar o ritmo. Ganhava terreno, os dois fugitivos ficavam cada vez mais claros, cada vez maiores em seu campo de visão. Por outro lado, mal conseguiria enxergar seus próprios guerreiros, se olhasse para trás. Sua pele branca estava rósea de esforço, o suor brotava farto de cada poro, e ela sorria um desafio feroz, alegre por estar na trilha da matança, perto de dois inimigos odiados.

— Estou viva! — urrou, e deu um uivo característico de sua nação.

Benedict chegou a ouvir isso, estavam muito perto um do outro. Estacou de súbito e virou-se, sacando a espada. Derionde caiu para o lado, rolando na terra.

— Vou matar Benedict! — entusiasmou-se Penélope. — Vou matar Derionde! Ouviu, Atreu? Triunfarei onde até mesmo você falhou. Sou Penélope do Povo Vivo!

Segurou a lança com as duas mãos e saltou sobre o cavaleiro.

Benedict estava exausto, suarento, lanhado em cada pedaço de pele exposta. Seu cabelo estava encharcado e imundo, ele fedia. Mas foi rápido como um relâmpago. Com Penélope ainda no ar, golpeou com sua espada, acertou o cabo da lança, partiu a arma em duas.

— Você *conhece* espadas, sua vaca burra — disse ele, sem raiva, só desprezo. — Por que usa armas primitivas?

Penélope rugiu, atacou com os dois pedaços. Benedict dançou uma esquiva, mas ela acertou-lhe a têmpora com o cabo de madeira estilhaçado que segurava na mão esquerda. Ele tonteou um momento, cambaleou. Penélope golpeou com a ponta da lança de baixo para cima, procurando sua garganta. Benedict grudou o queixo no peito e caiu para trás, protegendo-se.

A guerreira dardejou com a ponta da lança mais duas vezes, Benedict rolou e ergueu-se de um salto. Os rebeldes já se aproximavam, ele sabia que tinha de fazer algo.

Então escorregou para o lado, agarrou o braço de Penélope e torceu-o para trás, ficando nas costas da guerreira. Ela se desvencilhou, mas foi o instante de que Benedict precisava. Agarrou a espada com as duas mãos e cravou-a na base da espinha da inimiga. Torceu a lâmina e puxou, e Penélope calou-se no meio de um grito.

No chão, ela tinha o rosto perplexo, aterrorizado. Benedict ofegava. Uma poça de sangue começava a se formar sob ela.

— Só assim você para de lutar. — Ele riu.

Penélope tentou mexer as pernas. Não pôde.

— Estou...

— Ah, espero que sim.

O cavaleiro embainhou a espada, puxou Derionde pela roupa, continuou rumo à orla do bosque.

— Benedict! — chamou Penélope. — Não. *Não!*

Ele olhou para trás com enfado.

— Não pode me deixar assim!

Deu de ombros.

— Claro que posso.

E foi embora.

Um fosso se abria no subterrâneo, tive de correr para não cair lá dentro. Vi o cadáver de Pharoux ser tragado.

Atreu e Pugna lutavam.

O autômato movia-se com dificuldade, como se suas juntas estivessem endurecidas. Acho que era falta de controle sobre si mesmo. Atreu dançou para um lado e outro, mas era só o que podia fazer. Estava desarmado, tinha de fugir de Pugna e também dos destroços. Pugna não se importava com as pedras que caíam sobre ele, mas Atreu sentia cada uma, e várias arrancavam sangue.

O autômato golpeou de novo com a enorme espada, mas errou. Atreu deslizou e enfiou a mão no meio dos braços do adversário. Agarrou o cabo da espada e torceu, e conseguiu desarmar Pugna mais uma vez, ficando com a lâmina. Era um prodígio, e só era obtido pela falta de agilidade do outro, pois um humano nunca iria superá-lo em força.

Atreu começou a preparar um golpe, o que exigia um tempo enorme até que a espada pesadíssima estivesse em posição, mas um pedregulho atingiu a lâmina, e ele se desequilibrou. Pugna fechou a mão intacta em um punho e acertou um soco titânico no rosto de meu amigo.

Atreu voou para trás, caiu meio de pé e meio sentado contra uma parede que avançava desabando, bateu a cabeça na rocha. O inimigo retornava para mais uma investida. Atreu conseguiu sair do caminho do murro, Pugna afundou a própria mão na parede.

— Vamos todos morrer! — gritou Jocasta.

— Iago não vai — trovejou Atreu.

Surpreendi-me.

— Vá embora, Iago! — ele ordenou. — Fuja!

Comecei a rir. O mundo ruía, e comecei a rir.

— Não há para onde fugir, Atreu!

E não havia. Estávamos todos lá, emaranhados num destino confuso, unidos por uma infinidade de erros, com uma caverna desabando ao nosso redor. E quem provocava o desabamento eram nossos amigos, ou ao menos um amigo de Atreu. E nossos inimigos haviam escapado, embora eu não soubesse disso.

Atreu acertou o pescoço de Pugna com a espada. Fez um corte fundo, mas o adversário continuou avançando. Pugna agarrou-o pelo braço e arremessou-o longe. Atreu rolou, ferindo-se em mil coisas pontiagudas, e ainda o autômato avançava. Jocasta correu para eles. Eu também, mas por uma razão diferente: o piso se abria, engolia tudo.

Pugna caminhou deliberadamente até Atreu, enquanto o fosso se alargava em sua direção. Pisou em uma das tábuas da nave aérea. Então Atreu sorriu. Num bote, agarrou a tábua com as duas mãos e puxou-a.

A coisa deslizou sobre a terra e sob os pés do general autômato. Pugna caiu livre para trás. No fosso.

Atreu virou-se para Jocasta, com assassinato nos olhos.

A parede atrás dele desabou, empurrando-o para frente. Uma avalanche de pedras nos atingiu, levando-nos como uma onda. Eu, Atreu e Jocasta rolamos.

Caímos no fosso, e tudo ficou escuro.

6

MAIS UMA VEZ, EU ESTAVA VIVO.

E mais uma vez no escuro. Não sei quanto tempo passei desacordado, mas acho que não foram mais que uns minutos. Atreu diz que a chance de nunca mais acordar depois de um longo desmaio é muito grande, então julgo que dei uma piscada de inconsciência e então despertei com uma dor rombuda, enjoativa, em minha mão esquerda. Meus olhos se acostumaram à escuridão, mas não ficou melhor. Não havia qualquer fonte de luz, até que alguém acendeu a primeira tocha.

Foi então que notei os sons que estivera ouvindo desde acordar. O archote iluminou o rosto de Atreu, os contornos de Jocasta e Pugna Marco Segundo. Atreu estava sorrindo.

— Você está vivo — ele disse.

Em resposta, gemi.

Foi até mim e segurou meu ombro, num gesto amistoso. O movimento reverberou em minha mão, causando ainda mais dor.

— Estamos soterrados — falei. — A tocha está consumindo o ar.

Atreu ergueu as sobrancelhas. Eu mesmo fiquei surpreso com meu senso prático. Passara pouco tempo com ele, mas tivera-o na mente desde então, e era como se tivesse me ensinado continuamente. Atreu era um bom professor.

— Há uma entrada de ar — ele disse. E, com efeito, a chama bruxuleava, indicando uma brisa tênue.

Tentei me erguer, ele me deteve. Disse que minha mão estava quebrada, logo pôs-se a imobilizá-la e enfaixá-la. Eu ainda estava desorientado. Fiquei olhando Jocasta e Pugna. Atreu notou minha indagação muda.

— Acho que ele não vai mais tentar me matar. Por enquanto.

— Por quê?

— Porque também não estou tentando matar a garota. Por enquanto.

E não escondeu o desgosto ao falar dela. Jocasta recolheu-se do chão e foi sentar perto de Pugna, avaliando o estrago em seu corpo artificial.

Estávamos em outra caverna, criada ou revelada pelo desabamento. Muito menor que o salão onde estivéramos, e sem qualquer sinal de construções humanas. Só um amontoado de pedras e terra. Havia uma espécie de enorme laje natural, uma rocha chata e larga, inclinada, dividindo a área em duas partes. Outros pedaços eram isolados por formações sólidas ou instáveis. Um lado inteiro era formado por uma miríade de pedregulhos de todos os tamanhos, que não inspiravam confiança. Tinha alguns buracos, e de lá vinha o ar. Outras pequenas aberturas, em outras paredes, permitiam que a brisa leve encanasse. Pelo menos não morreríamos sufocados.

Tendo terminado meu curativo, Atreu ficou de pé.

— É bom vê-lo, Iago. Não sei o que está fazendo aqui, mas é bom vê-lo.

— Posso contar tudo! — ofereci. — Sei o que está acontecendo. Sei o que é tudo isso, a origem de Pugna...

— Calma, meu amigo. Ainda estamos em terreno hostil.

Fiquei um pouco desconcertado ao ouvi-lo me chamar de amigo. Eu passara pouco tempo com Atreu. Conhecia-o mais do que ninguém, porque criara boa parte de sua vida; tanto a vida fictícia que ele tivera de interpretar quanto seu destino posterior, moldado pelas profecias. Mas ele pouco me conhecia, além de ter me caçado, viajado comigo e salvado a minha vida.

Atreu apanhou do chão a espada que eu usara para matar Pharoux. Estava quebrada, mas ainda seria mortal contra a carne de um homem. Ou uma mulher. Pugna saltou de pé, ficando rijo e em uma posição estranha, olhando Atreu com desconfiança.

— É isso que você quer? — disse Jocasta. — Estamos presos, e quer me matar? Quer matar seu amigo?

— Você não deveria ter tirado tudo de mim, garota. Tudo que posso fazer agora é matá-la.

— E o que vai conseguir com isso?

— Nada.

Nem falou em vingança. A realidade: a vingança não era nada, uma noção de nobres preocupados com honra e escritores em busca de motivações para personagens. Uma emoção muito humana, uma necessidade bem real, mas não significava coisa alguma. Atreu era racional demais para se deixar levar por esse tipo de ilusão, então admitia.

Nada.

— Não posso deixar que me mate, Atreu. Se isso fosse resolver alguma coisa, ofereceria minha vida a você.

— Não se finja de mártir. Você é como eles. É inimiga.

— E você está sendo burro. Um selvagem.

Quase a mesma coisa que ele falara a Oberon, tanto tempo atrás. A matança indiscriminada, sem avaliar as perdas, sem discernir quem eram os reais culpados.

Atreu levantou a espada partida. Pugna se interpôs entre ele e Jocasta.

— *Não!* — ela berrou.

Não lhe deram atenção, ambos ficaram em guarda, e eu já os vira vezes o suficiente para saber que a qualquer momento explodiriam em mais uma luta brutal. Atreu favorecia uma perna, evitando colocar seu peso sobre aquela que fora atingida por Pugna. O general autômato, por sua vez, mantinha a mão aleijada à frente do corpo, pronto para usá-la como uma maça, e protegia a mão intacta.

— Ouça-me, Atreu — disse Jocasta. — Por favor, pelo menos me ouça.

— Não. Essa é sua arma.

— Não contra você. Derionde é quem consegue manipular qualquer um. Eu nunca fui capaz de chegar até você ou seus amigos.

Era verdade. Jocasta conquistara plebeus e nobres, mas nunca dominara os guerreiros. Nem Atreu nem os rebeldes.

— Nem mesmo Benedict — ela disse.

Vi meu amigo hesitar.

— Conheça o verdadeiro inimigo, Atreu. — Jocasta foi até ele. Pugna tentou impedi-la, mas ela se desvencilhou. Quase parecia capaz de vencer a força do autômato, se ele insistisse. Jocasta agarrou a manga esfarrapada de Atreu e sacudiu-o. — O inimigo é Derionde!

— Vocês são aliados.

— Traí Derionde. Raptei-o, trouxe-o a esta terra. Pergunte a Iago!

Um olhar para mim, e fui obrigado a confirmar. Na verdade, eu não queria ver Jocasta morta, porque não conseguia sentir ódio por ela. Mas achava que deveria confiar no julgamento de Atreu. Em todo caso, contei o que vira. O cardeal prisioneiro, levado à força pelos Irmãos da Última Trombeta. Talvez eu não soubesse de todos os detalhes, enredado como estivera na vida do Brigadeiro Ashcroft, mas lembrava com clareza de Derionde preso, depois tomando o controle.

De repente, Pugna Marco Segundo deu um repelão, como se uma súbita convulsão o tivesse atingido. Pareceu desorientado, virou as costas a Jocasta e caminhou em uma direção aleatória. Vendo que bateria em uma parede, estacou, mas ficou um tempo parado, como se não soubesse o que fazer.

Jocasta estava desprotegida. Atreu fez o movimento para golpeá-la, ela se encolheu com um gritinho. Mas ele se deteve.

— Derionde — disse Pugna.

Todos olhamos para ele.

— Tenho que ir até o Cardeal Derionde.

Atreu franziu o cenho. Falei sobre o juramento.

— Vê? — disse Jocasta. — Derionde não é aliado de ninguém. Roubou meu protetor. Deixou-me sozinha com o homem que quer me matar.

— Perdão, Majestade — lamentou-se o autômato. Sua audição ainda estava danificada, e talvez por isso sua fala soasse estranha. — Ficarei o quanto puder. Mas...

Mas olhava a parede com desejo. Era como se um instinto o houvesse dominado e, agora que o cardeal não estava à vista, ele precisasse procurá-lo.

— Atreu não vai matá-la — falei de repente, sem saber muito bem por quê. Meu amigo ficou surpreso, hesitei, mas completei: — Atreu não é assassino.

A mão da espada tremeu. Eu já estivera sob uma espada bem parecida, e Atreu não me matara. Talvez um herói mais puro sempre soubesse o que é certo, não perseguisse alvos apenas para mudar de ideia no último instante, mas Atreu nem sempre podia corresponder aos ideais heroicos.

— Estamos do mesmo lado — disse Jocasta.

Ele riu.

— Você está do lado da Igreja.

— Não. Achei que estivesse, mas fui tola.

— Do lado de Deus, então — com escárnio.

O rosto de Jocasta se endureceu.

— Não. Nunca mais.

Atreu abaixou a espada.

— Perdeu a fé? *Você?*

— Não existe fé. Existe Urag.

— Urag...

— Não se engane. Deus *existe.* Eu O vi. Deus existe, e é horrendo.

Há histórias sobre monges iluminados, tocados por Urag. Nesses relatos, os religiosos são tão serenos que ninguém é capaz de feri-los.

Sentam-se tranquilos em meditação profunda, e nenhum guerreiro consegue golpeá-los. Porque não emanam agressão alguma, apenas amor.

Duvido de que houvesse muito amor em Jocasta naquela época, mas ela também não possuía agressividade. Postava-se bem parada, olhando Atreu nos olhos. Também não convidava a morte com o fervor dos mártires. Apenas ficava lá, e acho que foi impossível feri-la, porque meu amigo largou a espada, que caiu no chão com um retinir.

Pugna estava em um canto, de pé, segurando a cabeça com a mão e o coto mutilado. Estremecendo, controlando-se para não tentar ir até Derionde.

Jocasta começou a falar, olhando o rosto de Atreu. Ele tentou dizer algo uma ou duas vezes, mas ela não parou. Seguiu contando, relatando desde a aldeia e seu pai, desde as convulsões e a língua dos anjos. A falsa Voz, o encontro com Benedict, o encontro com ele próprio. A jornada até Ruiturus, a preparação e o ritual para que assumisse como a Voz de Urag.

A revelação de Derionde: *Deus não existe.*

— Mas era mentira, Atreu. Queriam que eu acreditasse, para que não tivesse uma crise de consciência no futuro, como Desdêmona. — Ele recuou um centímetro ao ouvir o nome. — Queriam-me cínica, queriam-me sem fé. Uma deles.

— Você — começou Atreu.

— *Fui* uma deles. Mas achava que Deus *precisava* existir. Nada mais fazia sentido.

Claro que não. Jocasta estava tomada pela doença, assim como todos nós. Nela, manifestava-se como aquela certeza obstinada. Em Atreu, como a rebeldia combativa. Mas era a mesma peste.

— Então fui atrás de Deus. Traí Derionde, conspirei com Benedict. Roubei de inúmeras famílias nobres e da própria Igreja. Arrancamos os segredos dos cardeais, e todo o povo veio para cá, em busca de Urag.

Ela contou sobre os Irmãos da Última Trombeta, a queima do convento, os mapas secretos. A peregrinação, a busca pela fortaleza. Até mesmo o encontro com os piratas, o Bispo Calímaco e eu.

— Onde está Calímaco? — disse Atreu. Apesar de tudo, preocupado com os amigos.

— Calímaco desapareceu.

Sumira. Nada restava do bispo, ou ao menos nada visível. Eu podia oferecer que talvez tivesse sido transformado pela Magia Conceitual, mas não tive tempo de falar.

— Então entrei na câmara, Atreu — disse Jocasta. — E vi Deus.

Atreu não conteve um tremor. Mesmo com sua mente analítica e seu ceticismo, aquela era uma frase que aterrorizava. E se ele estivesse errado?

— Deus é uma coisa — ela disse.

— Deus é uma doença — disse Atreu.

Ela concordou e começou a chorar.

— É horrível demais! — soluçou Jocasta. — Vi a história, o nascimento de Urag. Vi *tudo,* Atreu. Deus é um monstro. Uma máquina de espalhar a crença em Si próprio.

E ela falou. Eu mesmo disse algo, o que vira das memórias dos antigos, mas Jocasta continuava numa torrente confessional, compartilhando seu terror para amenizá-lo. Falou sobre a função de Deus e sobre Sua construção, sobre os linchamentos e os livros queimados. Deus não criara, Deus não guiava. Deus não ouvia preces ou oferecia alívio após a morte. Deus não fazia nada, além de espalhar a Si mesmo, contaminar.

A compreensão era um prazer terrível para Atreu. O gozo do conhecimento, de entender o mundo. E o horror de tudo que aquele mundo era na verdade. Se antes não acreditara em Deus e depois aceitara as conclusões dedutivas de Contago, agora confrontava-se com a realidade inexorável. O inimigo invencível.

— Você é muito ignorante, Atreu.

O insulto súbito desconcertou-o.

— Está acostumado a ser forte — disse Jocasta. — Não sei tudo sobre você, mas estudei alguma coisa. Porque é o Soldado do Diabo — explicou. — Sempre foi forte, sempre pôde afetar seu próprio destino. Então não conhece um inimigo invencível.

— Ninguém é invencível.

— Nenhum *homem*. Mas Deus é. Deus foi *construído* para ser onipotente. Mesmo que a coisa seja destruída, a doença está no ar, propagando-se. Para sempre.

Ele engoliu.

— Estou acostumada a inimigos invencíveis. São todos deuses. Meu pai era um deus, até que saí de minha aldeia. Derionde era um deus. É impossível vencer um deus, mas esses deuses falsos caem quando encontramos outro maior. Porém, agora encontrei o maior de todos. *Não há como vencê-Lo.*

— O que quer fazer, então? — disse Atreu, irritado.

— A única forma de lidar com alguém invencível é render-se.

Achei que ele fosse esganá-la. Mas deteve as mãos a cinco centímetros de seu pescoço.

— Você *nunca* vai acabar com a religião, Atreu. Ainda não aprendeu isso?

— Sim — admitiu, com relutância. Eu não sabia, mas ele aprendera, em Contago.

— Então renda-se. Aceite que o povo sempre vai amar essa coisa que só existe para ser amada. Todos sempre vão agradecer a uma máquina infecciosa quando conquistarem algo por seu próprio esforço, e vão procurar aplacar Sua ira quando conhecerem a tragédia.

— Mas é possível derrubar a Igreja.

— Não. Como você é ingênuo, Atreu!

Era a ingenuidade dos fortes. De achar que sempre existe como vencer. Mas eu mesmo sabia a verdade:

— Desde que houve Urag, houve a Igreja — falei. Jocasta assentiu, Atreu olhou-me com as sobrancelhas franzidas. — Acho que sempre haverá. Sempre há aqueles que acham que estão mais próximos de Deus, e aqueles que podem fazer os outros acreditarem nisso.

A existência de Deus possibilitava o domínio daquela gente sem serventia, da classe de pessoas cujo único mérito era ajoelhar-se muito e estudar um único livro em detrimento de todos os outros. A existência de Deus acarretava a superioridade dos mais subservientes: aqueles que mais se prostravam eram obedecidos.

— O inimigo é invencível — disse Jocasta, baixinho. — Entendo sua tristeza, mas é a verdade. O mal está instalado para sempre, nada que ninguém possa fazer vai mudar isso.

— Então quer desistir? Voltar para Derionde? Prefiro matá-la.

— É impossível erradicar esse mal. Podemos apenas usá-lo.

Silêncio.

Dizem que os homens mais introspectivos questionam a noção do mal, o próprio conceito de moralidade. Não posso afirmar sobre quaisquer outros, mas Atreu mantinha-se bem firme no que julgava ser o caminho certo. A ideia de utilizar o mal, assim como fazia Derionde, era-lhe repugnante.

— Desista da guerra contra a Igreja — continuou Jocasta. — Quantas vidas mais vai sacrificar nisso?

— Quantas forem necessárias — ele falou, teimoso e tacanho de propósito.

— Você não é idiota, não finja. Sacrificar inocentes por um ideal que nunca será cumprido? Isso é religião.

Porque ele estava tão infectado quanto todos nós.

— Deus é invencível, a Igreja é invencível. Mas há um inimigo que pode ser derrotado.

Derionde.

Atreu pôs-se a trabalhar, deixando a mente livre para o pensamento. Tirava as pedras uma a uma da parede desmoronada, tendo cuidado para não causar mais um desabamento. Usava restos de madeira, até mesmo outras rochas para apoiar a estrutura, tentava mantê-la estável e criar uma passagem. Pugna tornaria o trabalho muito mais rápido, mas tudo que conseguia fazer era controlar-se para não correr ao cardeal. Em sua corrida, abriria caminho para nós, mas Atreu queria fazer sentido de tudo aquilo antes de perder o autômato.

Fui até ele e comecei a ajudar, com a única mão boa.

— Você tem coisa mais importante a fazer — disse Atreu.

Quis saber o quê.

— Algumas sacolas caíram no desabamento. Veja se não há pergaminhos e pena. Veja se algum vidro de tinta escapou incólume.

— O que quer que eu faça?

— Escreva, é claro.

De novo, Atreu me mandava escrever. Eu já rejeitara aquilo, dissera-lhe que relatar a história da revolução não tinha valor. Há muito tempo, em Sudário do Louco.

— Use o que está acontecendo, Iago. Como resiste a tomar para si a história de Jocasta? Esqueça a revolução. Você tem como personagens um deus e uma messias, você tem a história que define nossa terra. Crie seu próprio Discurso Santo.

E não seria todo verdade, assim como o Discurso Santo era por completo uma mentira. Foi como se Atreu tivesse derrubado uma represa, porque as possibilidades me inundaram, a trama me assaltou, fazendo sentido violentamente, encaixando-se em realidades e ficções sobre essas pessoas que eu via ao meu redor.

Meus pés eram vagarosos demais para vasculhar a caverna. Minha mente trabalhava num ritmo febril e temi perder algo, pois era uma enchente de ideias. Mas enfim descobri um vidro de tinta intacto, embora derramado. Ainda restava um pouco de fluido negro no fundo. Eu mesmo salvara tinta, pena e pergaminhos dos cadáveres dos nobres, na fortaleza, e agora isso era recompensado.

Meus dedos foram os próximos a serem lentos demais. A pena não conseguia acompanhar a enxurrada que vinha do cérebro. Sentei e preenchi com letra miúda todos os pergaminhos que pude encontrar, depois busquei mais espaços nas margens, em quaisquer pedaços em branco.

Horas depois, eu tinha um esboço da trama e todos os principais pontos do enredo.

Respirei.

— É uma peça? — disse Atreu.

— Não. É só uma narrativa. Um Discurso Santo.

— Faço questão de ler, depois.

— Precisa de muito tempo até ficar pronto. Meses e meses, eu acho.

— Posso esperar.

— Fique vivo, então.

Ele riu.

— Queria ter sido um amigo melhor para você, Iago.

Eu não soube o que dizer. Por fim:

— Você é um bom amigo. Você me salvou várias vezes.

— Isso não é ser um bom amigo, é ser um bom guerreiro. Queria ter estado com você quando Lubna morreu.

— Queria não ter escrito as profecias.

— Não sou um bom amigo. — Pausa. — Mas sou um bom personagem, não?

Era.

— Se nada podia evitar as tragédias — disse Atreu —, nada podia evitar a morte de Desdêmona e de Lubna, fico feliz que tenha escrito as profecias. Por causa delas estamos aqui.

Se, de toda aquela morte, podíamos ambos tirar pelo menos uma amizade, talvez algo valesse a pena.

Aquele foi nosso refúgio, ainda que involuntário. Estávamos fora do mundo, e também não havia um cardeal ou um pirata nos ameaçando. Falei com Jocasta, porque Jocasta me fascinava. Atreu movia as pedras, mas seu rosto se contorcia como se estivesse num agitado debate interno. Ele planejava o que fazer, e acho que notei quando teve a ideia definitiva.

Pugna chegava a abraçar a si mesmo, como se pudesse restringir-se fisicamente.

Atreu deixou seu trabalho e chegou perto de Jocasta. Fingi qualquer coisa e me afastei, pois achava que aqueles dois tinham tensão só deles para resolver. Não resisti a escutar uma parte, e soube do resto depois.

— O que você pretende fazer? — disse Atreu.

A garota ficou quase um minuto calada.

— Se perguntou isso, é porque *você* já sabe o que fazer — disse ela, por fim.

— Sei.

— Então faça.

— Dependo de você. Quero saber se ainda é louca.

Ela deu um riso triste.

— Acho que sim. Sou diferente de todos. Só posso ser louca, não?

— O que pretende fazer?

Jocasta deu de ombros.

— O que posso fazer? Vou voltar a Ruiturus e assumir meu lugar como a Voz de Urag.

— Foi o que imaginei.

— É loucura?

— Acho que não.

Silêncio.

— A Igreja é eterna — falou Atreu, ordenando os próprios pensamentos, convencendo a si mesmo. — Urag é eterno. Você quer apenas tomar o controle de tudo isso.

— Nós podemos...

— Não fale em nós. *Você* é a Voz de Urag.

Súbito, Jocasta ficou de frente para ele, sobre os joelhos. Agarrou seu pulso com as duas mãos. Falou com toda a intensidade de olhos arregalados.

— Preciso matar — disse. — Mate-os para mim, Atreu! Seja o Guerreiro do Povo. Mate meus inimigos.

Ele fez que sim. Derionde, é claro, porque era perigoso demais, e ela nunca teria poder real com aquela serpente ao seu lado. Simas, porque era tão perigoso quanto, apenas menos astuto — mas também era mais jovem, e talvez se tornasse ainda pior. Barsoom e Melquíades porque sabiam demais. Quase parecia covardia matar Melquíades, mas era um deles, e sua aparência inocente escondia as brutalidades com as meninas do convento. Benedict, porque era uma arma e tinha o poder de enredar até mesmo a Voz.

— Só resta você — disse Jocasta. — Pugna é meu protetor, mas — deteve-se.

— Mas você permitiu que ele jurasse a Derionde.

O general autômato decidira deitar-se no chão, estremecendo de necessidade de procurar o cardeal. Analisando com frieza, era um prodígio que conseguisse resistir, mesmo que por pouco tempo.

Atreu trouxera uma grande mochila com artefatos de Contago. Tudo que conseguira tirar antes da batalha em que fora expulso. Seus homens levavam muito mais, mas estavam lá em cima, inacessíveis — se estivessem vivos. Desempacotou tudo enquanto explicava o plano a nós. Deixou de fora a parte crucial, pois Pugna Marco Segundo não podia saber. Eu e Jocasta entendemos. Aquela conspiração cruel e benevolente era vital. Pugna não podia saber.

Atreu voltou-se para o autômato.

— Já fizemos algo parecido, meu amigo — disse Atreu. — Será outra cirurgia.

Pugna assentiu, de olhos fechados. Não sei o quanto conseguia ouvir, o quanto lia os lábios e o quanto apenas adivinhava.

Atreu tomou da coisa mais afiada que havia ali: uma adaga. Retirou a casaca esfarrapada de Pugna e fez a primeira incisão.

— Foi uma honra servir ao seu lado, Atreu — ouvi nisso ecos do Brigadeiro Ashcroft.

A cirurgia foi feita. Mais uma vez auxiliei, embora estivesse desajeitado, com uma só mão. Quando tudo estava pronto, os dois repassaram as instruções. O papel que Pugna Marco Segundo desempenharia. O que ele faria sem compreender, sem saber a razão.

— Uma parte já está em andamento — disse Atreu. — Os outros generais vão deter as tropas da Igreja. Precisamos apenas atrair Benedict.

— Como sabe que tudo vai funcionar? — disse Jocasta.

— Conheço Benedict. Pode-se achar que ele está atrás da sobrevivência, do conforto, mas gosta de glória. Anda atrás de você porque você é uma donzela em apuros. Benedict deseja ser o Cavaleiro Imaculado. Acredita que cavalos podem avançar contra uma parede de escudos.

— E não podem?

— Nenhum cavalo avança contra uma parede de escudos. Mas Benedict quebrará esse tabu. Ele quer mais que a vitória; quer o triunfo.

Eu podia imaginar Benedict comportando-se daquela forma. Sobretudo com Atreu, porque Atreu era um dos únicos adversários que ele considerava dignos.

Uma quietude momentânea.

— Imagine se tivéssemos nos juntado no começo — disse Jocasta, de repente.

Atreu fez uma indagação muda.

— Poderíamos ter vencido — disse a Voz de Urag.

Ele deu de ombros, desconsiderando o comentário.

— Se você tivesse passado pela aldeia antes de Benedict...

— Nada mudaria — Atreu cortou. — Benedict sempre foi seu herói.

Ficaram em silêncio.

— Se você tivesse passado pela aldeia antes...

Atreu virou-lhe as costas.

— Seu cavaleiro é Benedict — ele disse.

— Benedict é um bandido.

— Não importa. Era ele que você amava.

Acho que ninguém havia lhe falado aquilo sem eufemismos. Jocasta não protestou.

— Não sou uma versão de Benedict — disse Atreu. — Eu e você vamos matar alguns homens juntos, Santidade. E só.

Ela empertigou-se. Algumas coisas não podiam ser mudadas. Todos estávamos aprendendo isso.

— Esqueça a sinceridade, Jocasta — disse meu amigo. — Você precisa ser uma atriz. Iago entende tudo de atores. Esta será nossa peça, e você deve ser minha atriz principal.

Ela concordou.

Eu tinha uma boa ideia da região, advinda das memórias do passado. Sabia onde o palco poderia ser montado. Foi minha colaboração com o plano, além de mais tarde elaborar o enredo.

Enfim, estávamos prontos. Atreu voltou-se para Pugna, ainda estirado, recuperando-se do procedimento.

— Vá até Derionde, general — disse Atreu. — Dependemos de você.

O autômato ficou de pé num instante. Foi até a parede e começou a mover pedras com rapidez espantosa, detendo os pequenos deslizamentos e aprofundando a passagem.

Avistamos a luz do dia após dormir duas noites na caverna. Os Escudos do Sol nos esperavam. Atreu mandou o mais rápido deles em corrida, seguindo a trilha dos rebeldes, para levar uma mensagem a Benedict.

Pugna Marco Segundo ainda nos seguiu um tempo. Eu, Atreu, Jocasta, os Escudos do Sol e o general autômato começamos a jornada para a torre que eu sabia existir ao nordeste, onde enfrentaríamos toda a maldade que não era invencível.

7

— Mate-me — disse Penélope.

Em resposta, Ganimedes abaixou-se e beijou sua testa. A ferida terrível fora enfaixada, emplastrada com ervas para que a guerreira tivesse uma chance de sobreviver. Ninguém ali tinha o conhecimento medicinal de Atreu, mas os rebeldes sabiam como estancar sangramento. Dragomir aprendera as artes da cura com os druidas, e Penélope viveria, enquanto o ferimento não infeccionasse e corroesse seu corpo por dentro.

Mas não conseguia mover as pernas.

A agonia era evidente em seu rosto, e só a menor parte vinha da dor física. Penélope ficava coerente por um tempo, falava que deviam perseguir Benedict e Derionde, achar as tropas dos cardeais, como Atreu instruíra. Mas, logo após, a realidade de que estava aleijada atacava-a numa enxurrada. Ela não chorava, não dizia uma palavra. Apenas fazia sons de desespero, gemidos desafinados e infinitamente tristes. Não podia combater aquilo e nunca melhoraria.

— Mate-me — implorou de novo.

— Não — disse Ganimedes. — Você está viva e deve ter orgulho disso.

— Na verdade, ela já está morta — falou Dragomir, de repente.

Ganimedes disparou-lhe um olhar.

— Cale a boca — com frieza. — Você não conhece Penélope, a Fera.

É muito tentador construir aqui um final feliz. Então peço aos leitores mais afeitos a esse tipo de desfecho que conjurem Penélope recuperando a vida — assim como percebida por sua nação — depois do aleijão. Ela consumiria os tabletes dos druidas alquímicos e assumiria a forma de águias, lobos, cervos. Em seu corpo humano, continuaria paralisada, mas seu espírito teria se libertado das amarras do Povo Morto. Ela ficaria mais uma vez completa quando transformada.

Mas não é possível libertar o espírito, porque o espírito não existe.

Nada disso aconteceu. Penélope continuou aleijada, e não ouvi sobre novos tabletes dos druidas alquímicos. Como já disse, enormes recursos haviam sido gastos naquela incursão — a infiltração em Colina Seca, o terremoto. Escutei boatos de que dois dos druidas que ainda restavam morreram de gripe, pouco depois. Eram velhos, sua terra era empobrecida, não resistiram ao inverno. Talvez ainda exista quem fabrique os tabletes, mas ficam isolados e ensimesmados, e não posso culpá-los por isso.

De qualquer forma, ali não tinham materiais para o ritual, e Penélope tinha de ser carregada numa maca improvisada.

Perderam bastante tempo com isso. A trilha de Benedict e Derionde já estava fria quando partiram. O que era apenas outra prova da astúcia daqueles dois. Com Penélope morta, os rebeldes teriam corrido mais rápido, com um motivo adicional para alcançá-los. Mas cavaleiro e cardeal sabiam que os inimigos não deixariam um dos seus para trás. Aleijando uma, estavam aleijando todos os perseguidores.

D'Agostini, fora de seu elemento, tentava coordenar seus guerreiros de mar e terra para atuar naquela região de plantas secas, tufos de verde súbito e árvores empedernidas, tortas. Sentia-se muito longe do mar. Foi ele, junto com Ganimedes, que determinou que Penélope não seria abandonada.

— Deixem-na com uma escolta, então — disse Dragomir, nos sussurros que deveriam poupar os ouvidos dela, mas só traziam humilhação.

— Não podemos abrir mão de nenhum soldado — rebateu o marinheiro.

— Não vou deixar Penélope longe do combate — disse Ganimedes. — Mesmo que ela não possa lutar.

Seria o mais cruel dos castigos.

— Sustentar os fracos é o modo do Povo Morto — disse Dragomir.

D'Agostini levou a mão ao sabre, Ganimedes deteve-o.

— Você me ensinou muito, Dragomir — falou o arqueiro. — Mas não é um de nós. Não é um rebelde. Ficou em sua tribo, em sua deserção particular, enquanto sangrávamos contra os cardeais. Eu mesmo só me juntei muito tarde. Penélope e D'Agostini são os únicos que podem realmente se orgulhar da rebelião, que lutam desde o começo. Devemos nos curvar a eles.

D'Agostini não soube o que dizer.

— Curvar-se é — começou Dragomir.

— Deixe que eu coloque desta forma, então — cortou Ganimedes. — D'Agostini está no comando. E se você chamar Penélope de fraca de novo, estará escrevendo seu nome em uma flecha.

Então virou-se:

— Quais são as ordens, almirante?

D'Agostini levou a mão à calva suarenta, pensou um tempo.

— O caminho até Derionde e Benedict deve passar pelas tropas dos cardeais. Vamos continuar atrás deles.

— Então o que faremos?

— O que podemos fazer?

Matar todos.

Os dois fugitivos não haviam perdido tempo. Mais uma vez, monto os acontecimentos a partir do desenrolar, mas já acho que conheço Derionde e Benedict tão bem quanto Atreu ou Jocasta. O cavaleiro estava acostumado a se ver em posição desvantajosa e reverter a situação. Assim fora quando atacou a coluna da falsa Voz. Quando traiu Jocasta no Farol dos Órfãos. Quando saiu da prisão para incendiar o convento. Portanto, tenho certeza de que ele imaginava como transformaria uma fuga desesperada, sozinho com um velho que não sabia lutar, em mais uma vitória. E era certo que não podia confiar em Derionde, porque Derionde não podia confiar nele. Benedict já traíra o cardeal recentemente, e aquela aliança era frágil na melhor das hipóteses.

Para sentir-se seguro, Benedict precisava de uma jovenzinha impressionável e alguns cavaleiros. Podia seduzir qualquer Voz de Urag, podia fazer guerreiros em busca de glória amarem-no. Não ousava ficar contra Derionde, mas com ele estava em terreno instável.

Por outro lado, Derionde não conhecia aquele tipo de revés, pelo menos não com tanta intimidade. Transformava rebelião e heresia em ainda mais poder para si mesmo, mas quase sempre em salões luxuosos. Seus planos de contingência estavam entrando em atividade em sucessão ligeira, e agora ele se via com apenas uma pessoa para engambelar. Acho que aquela era a última rede de segurança de Derionde, mas também era a melhor.

— Para onde estamos indo? — disse o cavaleiro, num descanso rápido sob uma árvore de galhos duros.

Derionde deixou-se cair sobre um tufo de vegetação, ofegando e tremendo. Seu coração ameaçava fraquejar, suas pernas já haviam transcendido a dor, entrando num estado de dormência que parecia impossibilitar um passo a mais. Seus pés sangravam. Mas sempre havia mais passos, até que chegassem ao destino.

— Vamos a um lugar onde não podemos ser seguidos.

Benedict sacou a espada.

— Para onde estamos indo?

— Guarde essa merda — disse o cardeal. Continuou recuperando o fôlego, aproveitando o descanso enquanto podia.

Benedict embainhou a lâmina.

— Há um túnel dos antigos não muito longe daqui — explicou Derionde. — Alguns dias, no máximo.

— E vai nos levar aonde?

Derionde contou-lhe. Mesmo que fossem seguidos, não faria diferença. Era difícil que qualquer um pudesse entrar lá. Certamente soldados comuns não conseguiriam.

— Por que não usou isso antes?

Derionde franziu o cenho.

— Se ouvir essa pergunta mais uma vez, vou esquecer minha retidão e excomungá-lo, Lorde Benedict. Não há sentido em planejar se gastarmos nossos recursos por mera conveniência. O senhor não deveria reclamar de um pouco de esforço, em nome de um bem maior. Achei que não seria necessário usar esse túnel, e não deveria ter sido.

Não disse mais nada a respeito.

Retomaram viagem. No dia seguinte, avistaram ao longe sinais dos primeiros batedores. Gente da Igreja. Como todos haviam concluído, os cardeais aproximavam-se. Para matá-los.

— Pugna Marco Segundo virá defender Vossa Eminência? — tentou Benedict, apelando para o respeito.

— Sim. Mas espero que não ainda.

O cavaleiro ergueu uma sobrancelha.

— O General Pugna será necessário em nosso destino final. Não esperava me separar dele e da Voz, mas não desejo usá-lo tão prematuramente.

— Os soldados vão nos alcançar.

— São apenas soldados. Devemos nos preocupar com Simas, Barsoom e Melquíades.

Avançaram, e naquela tarde já contavam com perseguidores à vista, em seus calcanhares. Perseguidores a pé. À noitinha, Benedict achou ter visto cavaleiros.

Isso mudava tudo.

E os rebeldes avançavam, desbravando o terreno desconhecido, seguindo a trilha fraca dos dois fugitivos, carregando Penélope. Também não tardou até que vissem sinais do exército da Igreja.

As tropas dos cardeais haviam contornado todos os pontos pelos quais nós havíamos passado, a partir de sua posição intermediária, de onde Simas orquestrara o ataque a Contago. Haviam evitado todos os confrontos até agora e moviam-se apenas para a última matança, fechando-se sobre Benedict e Derionde.

Mas, assim como os rebeldes haviam notado-os, eles também perceberam os rebeldes.

— É o que esperávamos — disse D'Agostini. — Atreu quer que detenhamos os cardeais, e é isso que vamos fazer.

— Temos um inimigo em comum com os cardeais — falou Ganimedes. — Sabemos que eles estão atrás de Derionde.

Podiam esperar que matassem o velho, para só então atacar. Mas, assim que falou isso, o arqueiro percebeu que era tolice.

— Muito maior é a chance de Derionde tomar o controle daquelas tropas — D'Agostini balançou a cabeça. — Não faremos jogos, tentando manipular os dois lados. Isso é o modo de Derionde. Nós nunca lutamos assim.

Os rebeldes prepararam-se para um confronto, desviaram na direção do exército da Igreja, seguindo uma diagonal que ainda levava-os para perto dos fugitivos, mas de forma indireta. Quando as silhuetas e nuvens de poeira que haviam denunciado as tropas sumiram, eles souberam que o inimigo também iria se preparar.

Depois de um dia, encontraram-se.

As tropas da Igreja haviam aproveitado o terreno, usado uma ribanceira rasa, mas comprida como fortificação improvisada, fincado estacas longas e inclinadas no chão. O estandarte das três trombetas voava alto. Nem todos, é claro, haviam ficado lá para enfrentar os rebeldes — mais da metade seguia viagem, embora a passo reduzido, para encontrar os retardatários depois.

E mesmo assim eram muitos.

Pelo menos cento e cinquenta guerreiros, todos armados com lanças, escudos e espadas. Uma minúscula divisão de cavaleiros — pouco mais de meia dúzia — montados em corcéis e paramentados de armadura. Mas os cavalos estavam exaustos de tanto viajar e a armadura não era completa, pois o calor e o cansaço não permitiam. Embora estivessem mais frescas do que os rebeldes ou os fugitivos, aquelas tropas também sentiam o desgaste da jornada inclemente pela terra sem estradas. Fizeram uma parede de escudos, e a parede rebelde avançou.

D'Agostini liderava, contava com o apoio de Dragomir, experiente naquelas táticas antes de voltar-se para o Povo Vivo. Não usavam todos os homens, só algumas dezenas. Haviam deixado Penélope oculta, apesar dos protestos. Ganimedes ficava atrás, com seu arco a postos.

— Nossa parede é menor — rosnou D'Agostini para Dragomir. — Seremos flanqueados e avassalados.

— Se eles avançarem.

Se avançassem, os guerreiros de Urag poderiam dobrar-se pelos lados da formação rebelde, atacar seus extremos vulneráveis e transformar os homens protegidos e organizados numa confusão de sangue e ossos. Mas, se fizessem isso, estariam abandonando a segurança da ribanceira, abrindo mão da grande vantagem do terreno. Ambos os lados tinham interesse em atacar, era um jogo de provocações.

E provocações sempre havia naquele tipo de combate, mesmo sob um sol violento e numa terra sem brasão, onde só os pequenos animais observavam. Os rebeldes começaram a gritar insultos, xingar os soldados e seu Deus, mesmo que secretamente acreditassem estar blasfemando. Os guerreiros da Igreja devolviam no mesmo calão, tentando incitar os inimigos a um ataque furioso. Parece uma disputa de crianças, mas na parede de escudos o sangue ferve e há, em iguais partes, medo — terror — e ânsia de provar hombridade. Ouvir um insulto e ficar calado, quando se tem uma espada na mão, é difícil para o mais comedido dos homens, e guerreiros raramente estão entre os mais pacatos. Por isso eram necessários comandantes, e D'Agostini ordenava a calma e a formação enquanto preparava seu plano.

— Os cavaleiros vão atacar — disse o marujo.

— Nenhum cavalo avança contra uma parede de escudos — falou Dragomir. Usava um grande escudo metálico e espada curta e afiada, uma armadura de talas horizontais e um saiote de ferro, as canelas e tornozelos também protegidos por metal. Era experiente naquela formação, conhecia os meandros.

D'Agostini deu as ordens, e todos estavam prontos. Os cavalos patearam o chão e os cavaleiros avançaram em carga.

Começaria o massacre.

Pelos flancos, é claro, porque desejavam espetar os homens das extremidades com suas lanças compridas e quebrar a parede. Mas, sob o comando do almirante, os escudos voltaram-se para os lados, as lanças rebeldes ameaçando os cavalos em galope. Dois refugaram e recusaram-se a continuar o ataque.

Um terceiro caiu, de súbito.

Ganimedes disparava suas flechas certeiras e atingira o pescoço de um cavalo. Então outro, e os cavaleiros ficavam indefesos, alguns presos por baixo das montarias, outros só rolando no chão, esforçando-se para erguer-se sob o peso do metal que os protegia.

— Agora! — gritou D'Agostini, numa ordem aparentemente tola. — Avancem!

Os rebeldes berraram e investiram, pisoteando os cavalos e cavaleiros caídos, cortando suas gargantas quando podiam. Chegaram perto da ribanceira. Era uma carga idiota, porque a parede, já quase desfeita pela corrida, seria desmontada por completo quando eles se separassem para evitar as estacas. A Igreja juntou seus escudos com força, os rebeldes avançaram...

E pararam.

De repente, era como se os homens tivessem medo. Viam aquela situação e não queriam morrer ali. Os guerreiros rebeldes viraram as costas e fugiram, espalhando-se, alguns gritando.

Era a oportunidade que a Igreja queria. Saltaram de sua posição, ávidos pela presa fácil, aterrorizada, e correram para matar. A correria muitas vezes é a morte nesse tipo de combate. As tropas perderam qualquer formação, alguns homens tropeçaram, abriram buracos entre um soldado e outro. Contra um adversário em fuga, não fazia diferença.

— Voltem! — gritou D'Agostini.

E, como haviam sido instruídos, os rebeldes deram meia-volta e mais uma vez correram. Iriam se chocar contra os soldados da Igreja, seriam atingidos por suas lâminas enquanto passavam — mas toda a formação inimiga fora quebrada ao deixar a segurança da ribanceira. Os rebeldes não atacaram, apenas esquivaram-se, evitando os soldados sem parede de escudos. Seus números eram menores (por isso não sobreviveriam a um choque organizado), mas individualmente eram melhores. Conseguiram abaixar-se sob lâminas e bloquear pontas de lança. Viveram. Ficaram nas costas do inimigo.

Os primeiros saltaram ribanceira acima, contornaram as estacas inclinadas. Tomaram para si a ribanceira e a posição defensiva. Vários morreram, é claro, mas a maioria sobreviveu, e agora tinham toda a vantagem do terreno.

Um instante de comemoração, então Ganimedes ergueu-se e matou o primeiro soldado inimigo com uma flechada, escondido na posição segura. Outro seguiu-se, e a Igreja sabia que deveria investir. Eram mais de cem. Mas um batalhão pequeno, naquele lugar protegido, multiplicava seus números.

Tiveram de investir, ou seriam mortos um a um pelas flechas do General Ganimedes. Então atacaram a ribanceira e morreram.

Foi uma batalha cruenta, e os rebeldes ficaram até o final na parede, atrás da ribanceira, protegidos pelas estacas. Os soldados da Igreja escorregavam, quebravam tornozelos na queda, tinham os estômagos abertos. No final, sobravam pouco mais de cinquenta, que debandaram.

A rebelião vencera.

Os homens comemoravam, logo desceram para agarrar espólios dos inimigos caídos.

Ganimedes vigiava os inimigos em debandada, seus olhos cinzentos olhando à frente e ao futuro, os próximos sacrifícios que teriam de fazer. D'Agostini tinha expressão soturna.

— Nunca despreze uma luta de onde tenha saído vivo, almirante — disse Dragomir.

Fora uma vitória, mas talvez outra como aquela não fosse possível. Porque, para cada guerreiro rebelde, haveria cinco ou dez soldados da Igreja. E, da próxima vez, seriam liderados pelos cardeais. Os generais não podiam confiar sempre em sua força e esperteza.

— Precisamos vencê-los antes que a batalha comece — disse Ganimedes. Uma pausa, e então: — Já fizemos isso, uma vez.

— Contra você — disse D'Agostini, percebendo.

O arqueiro e o marujo sorriram, mas havia pesar.

— O que planejam? — disse Dragomir.

Os rebeldes haviam, no passado, comandado alguns dos homens que enfrentavam agora. Encontrá-los como inimigos era uma sorte e um azar, mas sempre imprevisível.

— Já usamos isso para conseguir a vitória em Sudário do Louco — falou D'Agostini. — Esses homens nos conhecem, nos amam.

— Vocês comandavam essas tropas?

Era uma coincidência, um acaso fortuito.

— Não nós — disse D'Agostini, sério.

E Ganimedes completou:

— Penélope.

Os rebeldes seguiram em sua trilha sangrenta. Agora eram claros os rastros dos cardeais, das tropas da Igreja, por toda parte. Divisavam ao longe, de forma intermitente, a cauda da coluna. Passavam por restos de acampamentos, montinhos de esterco deixados por cavalos. Enfrentariam o exército das três trombetas mais uma vez, enfrentariam Benedict e Derionde, enquanto esperavam que Atreu estivesse vivo, que o plano que ele elaborara no curto tempo quando se encontraram fizesse sentido.

Levavam Penélope, e a guerreira notava algo diferente. Não a piedade contida, ou o quase desprezo por parte de alguns. Haviam surgido uns cochichos, algumas especulações só entre os três comandantes, e ela se enfurecia por ser deixada de fora.

— Ainda não morri — rosnou ela para Ganimedes no último acampamento antes de encontrar os inimigos.

O arqueiro engoliu em seco, não disse nada.

— Matem-me — disse Penélope. — Ou parem de me tratar como uma criança. Perdi o uso das pernas, não da mente.

Ele suspirou.

— A verdade é que precisamos de você, Penélope.

Sem querer, por um rasgo de esperança tola, o rosto dela se iluminou. Se houvesse algo que pudesse fazer, era melhor do que aquela existência que, em poucos dias, já se tornara intolerável.

— Precisamos usá-la como arma — disse Ganimedes.

E ele explicou o que os três haviam conversado. Foi interrompido por um homem esbaforido, que suplicou por água. Tinha sotaque estranho, roupas diferentes, sem armadura, carregava só uma espada e uma informação.

Era o mensageiro de Atreu.

— Atreu está vivo — ofegou o homem. — Ele diz que vocês não devem tentar matar Derionde. Será inútil, porque Pugna Marco Segundo está indo em defesa do cardeal.

— Correu até aqui para nos dizer isso? — falou D'Agostini.

— A verdadeira mensagem não é para vocês. Devo encontrar o cavaleiro chamado Benedict.

— Deus é bom, Lorde Benedict — sorriu Derionde. — Nossa provação chega ao fim.

Mas Benedict não tinha olhos para a topografia à frente, com um planalto erguendo-se à distância, ou ouvidos para as palavras do cardeal. Fixava-se apenas nos inimigos que aumentavam à sua vista, chegando com estandartes e espadas.

Porque a nuvem de poeira crescera e se transformara num conjunto de silhuetas, e então nas formas individuais de homens armados. As tropas da Igreja, sob a bandeira das três trombetas, aproximavam-se de Benedict e Derionde. O cardeal não parecia abalado — na verdade tranquilo, como se metal afiado a algumas centenas de metros fosse algo trivial. Ainda não enxergavam o destino, nunca chegariam até lá antes que fossem alcançados. Benedict imaginava se Derionde tinha ainda outro plano, algo que justificasse tamanha impassividade, ou se era tudo fingimento. Talvez contasse com seu último guarda-costas, o único guerreiro que lhe restava.

— Eu protejo o velho — murmurou Benedict, para si mesmo. — E quem me protege?

Derionde continuava progredindo, mas era impossível saber quando chegariam. Enquanto isso, a Igreja ganhava terreno. Benedict caminhou um tempo de costas, olhando os arredores.

— Diga como vamos escapar! — vociferou o cavaleiro.

— Tenha fé, Lorde Benedict.

— Chega desses enigmas, Eminência. — A exigência foi perdendo força, terminando com o tratamento respeitoso. Então uma súplica: — Por favor, diga o que vamos fazer.

— Cantar?

Acho que compreendo perfeitamente o raciocínio de Benedict naquele momento, mesmo que ele fosse tão diferente de mim quanto é possível um homem ser do outro. O que Derionde pedia era realmente *fé*. Benedict sabia o que aconteceria quando alcançassem seu objetivo — ou o que o cardeal afirmava que aconteceria. Mas chegar até lá parecia impossível.

E a morte se aproximava em diversas frentes: do outro lado, vinham os rebeldes. Benedict teve de rir.

Nem chegavam perto dos números da Igreja, mas lá estavam, com suas dezenas, também cheios de lâminas e escudos, cheios de raiva, sem nada a perder. Benedict vencera Penélope, sabia que podia matar vários soldados — mas conseguiria derrotar todos ao mesmo tempo, matar Ganimedes e D'Agostini? E como fazer tudo isso sem que uma lâmina ou flecha de algum dos lados matasse o cardeal? Benedict não via como poderia sobreviver, e Derionde esperava ser salvo por ele?

A não ser que Derionde oferecesse um sacrifício. Uma presa apetitosa para distrair as tropas enquanto um velho inofensivo caminhava até a salvação.

O cardeal sorria.

E Benedict começou a temer, cada vez mais, que houvesse virado um novo Atreu. Uma vítima das necessidades de Derionde, largada à raiva dos insatisfeitos para preservar sua vida, seu poder.

— Vai fazer os dois lados se enfrentarem? — tentou Benedict.

Derionde não respondeu.

— Não vai dar certo — disse o cavaleiro. — Diabos, não vai dar certo! Simas não vai ser enganado. Esses não são generais ou guerreiros, são os cardeais. Não vai dar certo, Derionde.

Qual era o plano? De onde viria a salvação?

A única explicação era o sacrifício.

De repente, um homem avançou sozinho, correndo, longe dos dois contingentes. Benedict sacou a espada, mesmo que estivessem a quase trinta metros um do outro. Franziu o cenho. O recém-chegado não usava os farrapos dos guerreiros de mar e terra, muito menos as túnicas e brasões da Igreja. Mas ele rosnou para o brasão simples, pintado às pressas no escudo: o sol de Atreu. Os Escudos do Sol eram sempre prenúncio de problemas. Aquele era o mensageiro de Atreu, e mal tinha fôlego para falar o que precisava:

— A Voz de Urag foi raptada!

A confusão de Benedict aumentou. As forças dos dois lados chegavam perto, já era possível divisar o formato das armas, o desenho das trombetas no estandarte.

— A Voz Jocasta foi raptada por Atreu! — repetiu o mensageiro.

— Quem é você? — foi tudo que o cavaleiro conseguiu dizer.

— Atreu desafia-o. Atreu está com Jocasta, a Voz de Urag, e está levando-a para uma torre ao norte.

Rebeldes e cardeais avançavam. Derionde caminhava numa fuga lenta, patética.

Jocasta fora raptada. Benedict não conhecia as intenções de Derionde, mas conhecia Jocasta. Não sabia se teria lugar nos planos do cardeal, mas sempre escavaria para si um espaço ao redor da Voz de Urag.

Foi então que Benedict decidiu o que fazer. Deixou Derionde para trás, e não sei se o cardeal estremeceu ao ser abandonado por seu último homem ou se já contava com isso. Benedict correu para o lado contrário, virando as costas ao planalto rochoso, ao destino que havia perseguido nos últimos dias. Correu para as tropas da Igreja, pois na vanguarda já vinham os mais rápidos, aqueles que usavam as armas mais poderosas e que desejavam a maior glória.

Os cavaleiros.

— O que ele está fazendo? — disse D'Agostini.

Os rebeldes viam os cavaleiros da Igreja avançarem contra os dois fugitivos, e também armas apontadas para eles mesmos. As trombetas de guerra soavam, anunciando a morte. Em resposta, Benedict abandonara Derionde e correra para quem tentava matá-lo.

— Ele vai fazer o mesmo que nós — disse Ganimedes.

Viram que, frente à chegada de Benedict, os cavaleiros se detiveram. Uma trombeta soou insistente, mas Benedict e os cavaleiros da Igreja só ficaram se olhando, separados por dez ou quinze metros. Falavam alguma coisa.

Um destacamento das tropas da Igreja começou a avançar para os rebeldes. Trombetas soavam umas sobre as outras, dando ordens diferentes. A marcha fora quebrada pela atitude inesperada de Benedict, mas o dever dos rebeldes estava claro.

— Temos de atacar — disse D'Agostini.

— Ele está tão *próximo.* — Dragomir estreitou os olhos para Derionde, que continuava andando.

Mas Atreu mandara enfrentar as tropas. Enfrentar o exército liderado por Simas, Barsoom e Melquíades. Então assim seria.

— Parede de escudos! — vociferou o Almirante D'Agostini.

— Vem se entregar à morte? — disse o cavaleiro mais à frente, ainda avançando para Benedict.

A pé, ele abriu os braços e exibiu o peito coberto de placas metálicas. Queixo erguido, desafiador. Apresentava-se para ser golpeado, por quem ousasse.

— Puxem suas rédeas! — gritou Benedict. — Curvem-se, homens e cavalos! Pois vocês falam com o Cavaleiro Imaculado.

O homem da frente estacou, surpreso. O gesto de fazer o cavalo se deter foi um reflexo quase involuntário. Atrás, a infantaria continuava avançando, mas já se via confusão e desordem, pois os guerreiros montados haviam hesitado.

— Concedo-lhe o direito de se defender, criminoso — disse o cavaleiro desconhecido. — Alegre-se.

Benedict permaneceu calado. Também não se moveu. Apenas ficou olhando reto para os olhos do homem.

— Em guarda, então! — insistiu o cavaleiro anônimo.

Nada.

O homem não teve coragem de atacar Benedict. A matança de indefesos é fácil quando as vítimas não têm nome ou rosto, quando são gente encardida e esfarrapada, e quando há um batalhão em volta. Matar alguém cujo nome se conhece, alguém com rosto e reputação, sem a mente coletiva da turba, é bem mais difícil.

As trombetas davam ordens, mas a infantaria não sabia o que fazer, atrás. Em geral, guerreiros a pé eram liderados por generais, por nobres ou pelo que se chamava de sargentos — espécie de cavaleiros a pé, cobertos de pesadas armaduras mas sem seu próprio estandarte. Talvez generais pudessem incitar os homens a passar por cima da cavalaria e atacar Benedict, mas os outros não conseguiam. Seriam necessários os cardeais para isso. Benedict sabia que tinha pouco tempo.

— Qual o seu nome? — exigiu o Cavaleiro Imaculado.

O outro gaguejou. Depois:

— Sou Dom Mantanaro, cavaleiro das terras do norte, servo do Conde Ervysio.

— É um lorde?

— Senhor...

— É um lorde, homem? Onde está seu estandarte?

— Uso o estandarte de Sua Graça, o Conde Ervysio.

— Eu sou um lorde, Mantanaro. Sou Benedict, o Dragão de Deus. O Cavaleiro Imaculado, protetor da Voz de Urag e Espada de Todos os Santos. — Inventou este último título na hora.

Mantanaro tentou falar qualquer coisa, mas foi cortado.

— Ousa erguer sua lança contra o Dragão de Deus, Mantanaro? Ousa ameaçar quem está na mais sagrada das missões?

— O senhor é um criminoso e um herege. Suas Eminências nos contaram...

— Qual é o dever dos cardeais, Mantanaro?

— A heresia...

— Responda, insolente! Criminoso ou não, sou seu superior. Sou um lorde e exijo respeito. Qual é o dever dos cardeais?

Ele não sabia.

— O dever deles é servir à Voz de Urag. E é isso que vou fazer agora, Dom Mantanaro. Sua Eminência, o Cardeal Derionde, mandou que o abandonasse, porque a Voz de Urag está presa em uma torre, raptada pelo vil Soldado do Diabo.

Sobrancelhas se ergueram por trás dos elmos.

— O Soldado do Diabo? — disse Mantanaro.

— Atreu, o assassino da Voz Desdêmona, o inimigo de toda a terra. Agora mesmo ele mantém Sua Santidade presa, ameaçando sua pureza e sua vida. O Cardeal Derionde deixou a própria segurança de lado, ordenando que eu fosse resgatá-la. Você pode ficar no meu caminho, Mantanaro. Ou pode se juntar a mim.

— O Cardeal Simas...

— Se Simas for um homem virtuoso, desejará que você faça a mesma coisa. Caso contrário, é apenas um herege.

— Meu dever...

— Você sabe qual é seu dever! Siga-me, e que seus homens me sigam também. Dê-me um de seus cavalos. Vamos cavalgar juntos para a glória.

Silêncio. Ou melhor, não houve silêncio, porque a cacofonia das trombetas continuava ao fundo, ordens contraditórias e comandantes já discordando sobre o que fazer. Tudo que viam, imagino, eram cavaleiros ao redor de Benedict, falando em vez de atacar, e Derionde fugindo com passo vagaroso. Também o burburinho dos homens, a boataria que se espalha em exércitos como se os soldados fossem comadres. E o contingente que passava ao largo, indo encontrar os rebeldes. Mas para Benedict, Mantanaro e os outros cavaleiros, era silêncio.

— Essas são suas alternativas — disse Benedict. — Obedecer ao Dragão de Deus e fazer o que é certo. Ou então desafiar-me. Nesse caso, correrei até você. Com um golpe de minha espada sagrada, deceparei as patas de seu cavalo. Enquanto você cai, enfiarei a ponta de minha lâmina em seus olhos, e você estará morto antes que possa pedir perdão a Urag.

Mantanaro engoliu em seco.

— Qual é o nome de sua espada, homem? — disse Benedict.

— Ela não tem nome, meu lorde.

— Esta é a Punição de Urag. — Levantou a espada na altura dos olhos, fazendo-a brilhar com o sol. — O couro de seu cabo é costurado com os cabelos da Voz Cerise. Ela contém um fragmento de minério divino. Sua lâmina foi temperada no sangue dos rebeldes durante a guerra civil e abençoada por todos os cardeais.

Tudo mentira. Talvez Benedict fosse um escritor melhor do que eu. Ao menos tinha mais talento para o improviso. Aquela era uma espada comum, embora de boa qualidade. Mas todos sabiam que heróis tinham espadas e cavalos com nome.

— Quer sentir o gosto da Punição de Urag? — vociferou Benedict.

— Não, meu lorde — ganiu Mantanaro.

— Então cavalgue ao meu lado! Pela Voz e pela glória!

Ergueu a recém-batizada Punição de Urag acima da cabeça, e os cavaleiros gritaram hurras. Cavaleiros gostam de glória, sonham com honra. Um deles desmontou e ofereceu seu cavalo ao Dragão de Deus. E, por mais improvável que isso pareça, era um cavalo branco — essa era a sorte de Benedict. Estava imundo, é verdade, mas um corcel branco mesmo assim. Benedict montou, o cavaleiro ficou para trás, incitando homens da infantaria a seguirem-nos.

Benedict liderou vinte e cinco guerreiros montados para o norte, destacando-se da tropa principal. Outros tantos, a pé, desgarravam-se. Comandantes tentavam contê-los, ordenavam que seus companheiros detivessem-nos a pancadas. Logo a vanguarda das tropas da Igreja estava em desordem. Mais atrás, vinha a disciplina, na forma dos cardeais, mas então já era tarde.

Benedict tinha uma tropa de cavaleiros e galopava. Derionde continuava vivo.

8

As histórias heroicas quase sempre incluem viagens, e aquela foi nossa última viagem juntos. Rumamos a nordeste pela terra de vegetação árida, e eu guiava o caminho. Não lembrava de tudo, mas conhecia alguns detalhes, revelados pelas memórias dos antigos. Sabia que naquela direção havia uma torre. Para o que faríamos, uma torre era o local perfeito.

Não havia estrada, é claro, e estávamos curtidos de sol, calejados, esfolados, exaustos e fortalecidos por todas aquelas jornadas. Eu, Atreu, Jocasta e os Escudos do Sol, os soldados de Contago que haviam perdido seu lar. A exceção era Pugna. O general autômato estava destroçado, meio surdo e esfarrapado por sua luta com Atreu, suas muitas provações desde o início da guerra civil, mas não conhecia o cansaço dos humanos. Pugna não dormia, parava de andar só quando precisávamos de uma pausa.

Sua provação era outra: a ânsia por ir atrás de Derionde. No segundo dia, não aguentou mais.

— Preciso ir, Santidade — disse Pugna Marco Segundo. — É insuportável. Preciso encontrar o cardeal.

Ela o olhou séria por uns momentos. Conhecera-o no Farol dos Órfãos, há não muito tempo. E sabia, pelo menos em parte, o que ele era — a razão de sua lealdade suprema, seu amor e sua obediência. Mas aquele homem artificial tinha a forma de um homem, e doía vê-lo partir, após demonstrar nada além de abnegação.

— Obrigada, Pugna — disse Jocasta, mesmo que ele não escutasse. — Você foi meu melhor soldado.

Tocou sua testa, como se pudesse abençoá-lo.

— Lamento apenas não poder fazer mais por Vossa Majestade.

Ela não o corrigiu. Aceitou o título, e ele não percebeu. Acho que Pugna estava num lugar intermediário entre os dois mundos que habitara, já não sabia quem era a Voz e quem era a rainha. Quebrar sua ilusão seria cruel.

Virou-se a Atreu.

— Obrigado — disse Pugna.

— Perdoe-me pelo que vai acontecer, meu amigo — disse Atreu. — Se tivesse opção, seria diferente.

Pugna não sabia (não podia saber, para que tudo funcionasse) do que ele falava. Talvez nem mesmo tenha ouvido e, de qualquer forma, não respondeu.

Fez a continência dos antigos, a postura rija e elegante dos aeronautas da Real Cavalaria Celeste. Atreu tentou imitá-lo, mas foi um arremedo torto. Postei-me ao seu lado e bati continência a Pugna, com perfeição.

Então Pugna Marco Segundo foi embora. Nunca mais o vimos.

Mas sei que ele cumpriu seu dever.

É claro que os voluntários de Contago haviam levado as mãos às espadas ao saber que ali estava Jocasta, a Voz de Urag. Jocasta era o nome que fora gritado quando os peregrinos invadiram a cidade. Ainda me impressiono com a rapidez com que as lealdades mudavam naquela época. Atreu tinha partido para matar a garota, mas emergira do desabamento tentando mantê-la viva, sabendo que era sua única opção.

Assim, os Escudos do Sol viajaram com a mulher que, mesmo sem querer, destruíra suas vidas.

Examinei suas armas exóticas, por curiosidade de escritor. Eu nunca vira nada exatamente igual, embora eles também carregassem lanças, espadas e escudos. Ouvi seu dialeto ligeiramente diferente. Acima de tudo, lamentei a contaminação daquelas mentes que haviam resistido décadas sem a doença. Durante a viagem, aprendi sobre Contago.

— Talvez seja possível criar algo assim de novo — falei para Atreu.

Negou com a cabeça.

— A técnica de descontaminação foi perdida — ele disse. — Não sei se foi desenvolvida lá ou herdada de algum lugar, mas não temos como recuperá-la. Sempre levaríamos a doença a qualquer comunidade que criássemos.

— Talvez os fugitivos de Contago consigam.

— Talvez. Mas não ouso macular outra terra. Quero distância de uma nova Contago. Todos nós já estamos condenados.

Jocasta era ainda mais pragmática:

— As pessoas não abraçariam Deus se não quisessem. Não dariam poder à Igreja se não quisessem. Derionde me fez entender isso. O povo *quer* ser dominado.

Era a razão do fracasso da revolta. Os rebeldes podiam ser fortes, podiam matar soldados inimigos, mas haviam sido derrotados onde importava. As pessoas comuns lutavam com ferocidade para preservar sua prisão, odiavam quem tentava libertá-las.

Atravessamos a paisagem seca por duas semanas. Comemos o que Atreu e seus guerreiros conseguiam caçar, além de raízes e plantas que eu não conhecia. Bebemos de córregos e pequenos riachos. Dormimos no chão, e cada dia nos levava mais para perto da decisão final.

Esperávamos ser mais rápidos que Benedict — porque Atreu duvidava de que Benedict não estivesse em nosso rastro. Não deixava de ser surpreendente que tudo para nós acabasse naquele confronto, longe dos cardeais, dos rebeldes, dos exércitos. Mas Atreu afirmara, e eu não duvidava: Benedict precisava ser morto. Benedict era uma arma, era um guerreiro amado em aldeias e castelos, e sempre seria um inimigo poderoso. Vivo, manteria vivas outras maldades. Acima de tudo, sempre teria poder sobre Jocasta.

Esperávamos que Pugna, sem comer ou dormir, fosse rápido o bastante. De qualquer forma, só conheceríamos o resultado quando fosse tarde demais. Tudo que podíamos fazer era nossa própria parte, e a mim cabia guiá-los.

No caminho, eu também instruía Jocasta. Meu corpo tremia, minhas palavras ameaçavam quebrar, mais uma vez trabalhando com uma atriz. Jocasta não tinha o talento de Lubna e nem metade de sua beleza, mas ouvia com atenção, compenetrada, estudava suas falas como podia.

— Benedict é um ator — eu disse. — Não sabe disso, mas é. Benedict nunca para de atuar. Você precisará convencê-lo. Precisará ser melhor do que ele.

— Minha vantagem é que Benedict quer acreditar em mim.

E, como eu descobrira ao escrever as profecias, uma plateia ansiosa por acreditar é o melhor auxílio que uma história pode ter.

Em duas semanas, chegamos à torre. Pude avistá-la de longe, fiquei impressionado com o estado de decadência, mesmo lembrando dela apenas vagamente, em minhas memórias emprestadas. Erguia-se solitária na planície, uma coisa tubular de pedra cinza com poucos resquícios das decorações extravagantes dos antigos. Podíamos ver algumas janelas, embora os vidros há muito houvessem desaparecido sob quaisquer intempéries.

Era uma torre. Jocasta era uma princesa raptada. Atreu era o maior dos vilões.

Entramos no lugar, descobrimos um interior ainda mais arruinado. Paredes antigas formavam montes de pedregulhos, áreas inteiras estavam intransitáveis. Buracos fundos, fruto de algum desabamento imemorial, abrigavam poços de água parada, habitados por criaturas meio sujas. Pássaros haviam feito seus ninhos nos lugares mais altos, e fugiam apavorados ante nossa chegada. Outros pequenos animais que usavam a construção como esconderijo correram de nossa presença.

Ainda havia escadas — algumas quase intactas, outras pouco mais que ruínas. Mas utilizáveis, e Atreu levou Jocasta ao último andar.

Era uma sala circular, as paredes cobertas de fragmentos de altos-relevos ancestrais. Rachaduras cruzavam-se no teto, corriam até o chão. Atreu não tinha correntes, o que seria o ideal, então amarrou-a com cordas. Jocasta era sua prisioneira.

— Eu poderia matá-la agora — disse meu amigo.

— Mas não vai.

E não matou.

Atreu, o Soldado do Diabo, prendeu a Voz de Urag no topo de uma torre perdida, na terra selvagem que alguns chamavam de paraíso. Seus guerreiros hereges postaram-se à frente da construção. Eu observava tudo aquilo de dentro da torre, assistindo à história se desenrolar, esperando a cortina abrir para a estreia de minha peça derradeira.

Depois de alguns dias, avistamos os heróis.

O Cavaleiro Imaculado chegava em seu corcel branco, junto com seus homens em armaduras reluzentes, para resgatar a donzela santa.

9

O CARDEAL AVISTOU SEU DESTINO.

Destoava do terreno em volta como um dente dolorido. Se toda a terra há dias era selvagem e intocada, ali estava algo artificial por completo. Uma espécie de guarita feita de pedra, em ângulos retos, como um grande paralelepípedo. O teto era baixo, um homem adulto quase poderia tocá-lo se esticasse o braço. Também era estreita, não mais de três metros de lado. Algo sem propósito aparente, sem sentido no meio do ermo. Não havia porta — ou havia, mas era também de pedra, sem maçaneta ou tranca visível, uma mera fenda reta e regular dividindo de alto a baixo uma das paredes. Um buraquinho minúsculo no centro da fenda, e toda a construção era coberta da arte dos antigos. Poucos metros atrás, um planalto rochoso erguia-se de súbito, deixando a casinha como que encurralada na planície.

Quando viu isso, Derionde já escutava os gritos dos perseguidores.

— Os desobedientes queimarão no inferno! — berrou Simas, montado em seu cavalo. — O potro e a fogueira para quem não me acompanhar!

Depois da deserção dos cavaleiros, os quadrados mais ou menos ordenados do exército da Igreja haviam se transformado num emaranhado de homens com opiniões diferentes. Opiniões são coisa proibida num exército — e não estou tecendo críticas sarcásticas, apenas constatando que guerra não combina com debates sobre moralidade. Todos precisam ter apenas um foco, e todos sobrevivem para discordar depois. Quando Benedict fez os cavaleiros se desgarrarem da tropa principal, foi como se abrisse uma porta. Por ela vazou a união, por ela saíam homens.

Os cavaleiros não esperaram pela infantaria que desejava segui-los. Já quase sumiam em suas próprias nuvens de poeira, galopando na planície. Mas alguns soldados insistiam, tentavam ir atrás. Antes, sua missão fora matar duas pessoas. Agora uma só — um velho que haviam aprendido a respeitar, temer e amar desde crianças. Aqueles mais impressionáveis (e que haviam ouvido as palavras de Benedict) achavam que salvar uma garota raptada pelo Soldado do Diabo era mais importante. Mas só isso não seria suficiente para quebrar a formação. O maior golpe foi a tentativa de conter as deserções. Os comandantes enviaram gente para segurar os desgarrados, e logo os soldados lutavam entre si, ninguém sabia quem era irmão e quem era inimigo. Um ataque disciplinado transformara-se numa briga de taverna.

Derionde vivia. E sorria. E avançava rumo à construção de pedra.

— Pisoteiem os desobedientes! — gritava o Cardeal Simas. — Não deixem que os covardes fiquem em seu caminho!

E incitou o cavalo por cima de homens hesitantes e outros ávidos. Ao seu lado, um pouco mais atrás, Melquíades agarrava-se com todas as forças às rédeas de seu próprio cavalo, temeroso de cair e esverdeado de enjoo. Barsoom avançava como uma parede, num corcel de guerra abrutalhado com cascos enormes, mais parecido com um touro. Seus homens de confiança acompanhavam-nos, montados e a pé, mas o caminho era atravancado pela briga, pelas ordens desencontradas, por gente que tentava fazer seu melhor, mas não sabia o que isso era.

— Esqueçam os desertores — Barsoom ribombou, suas palavras erguendo-se por sobre a gritaria sem que ele precisasse alterar o tom. — Matem Derionde. É tudo que importa!

Melquíades mordeu os lábios e soltou um berro:

— É sua culpa, Simas! Estamos aqui por sua culpa! Jocasta e Derionde estavam mancomunados, se tivesse me ouvido...

— Fale algo inspirador! — cortou Simas. — Os homens contam com você!

A ira sumiu sob a intimidação repentina.

— Em frente — tentou o cardeal gorducho, quase como uma pergunta.

E em frente eles foram, mas já não eram mais um exército. Era um batalhão que acompanhava os cardeais, passando através do mar de homens. Colunas atravessavam-se em sua frente. Derionde avançava, muito lento, mas sem aparentar medo, apenas caminhando, apenas chegando perto da construção que iria salvá-lo.

Nem sabiam quantos eram os inimigos: uma avalanche marchava para os rebeldes, e parecia cômico formar a parede de escudos. O exército da

Igreja estava em desordem com o que quer que estivesse acontecendo a Benedict e os cavaleiros, mas uma coluna se destacava para vir enfrentá-los. Duzentos, trezentos homens. Eles eram menos de cinquenta, e não tinham vantagem alguma no terreno. Estavam na planície, em meio aos tufos de mato, de costas para um pequeno capão de árvores atarracadas, contando com a estratégia arriscada para sobreviver.

A seu favor, apenas os comandantes inimigos. Eram homens de elmo e armadura, com túnicas e grevas, com espadas e martelos, mas sem estandartes. Alguns nobres com brasões, mas nenhum especialmente notável, e quase todos ostentavam só as três trombetas. Eram líderes militares, mas não eram heróis.

— Isso vai funcionar? — disse Dragomir.

— Se não funcionar, não importa — D'Agostini respondeu sem virar o rosto, os olhos fixos nos soldados que se aproximavam. — Estaremos mortos.

O sol batia forte em suas cabeças, bem perto de seu ápice no céu. Os homens suavam, seus estômagos roncavam. Não tinham bebida para emprestar coragem, tinham pouca comida e estavam enfraquecidos. Mas tinham o Almirante D'Agostini e os outros generais. Eram menos de cinquenta, no entanto, os heróis conheciam cada um pelo nome, e aquela proximidade incitava à grandeza. Então aqueles guerreiros, acostumados ao convés do navio, e também capazes de lutar em terra, travaram os escudos uns com os outros e prepararam-se para receber uma investida mortal por todos os lados.

— Olhos à frente! — latiu um comandante da Igreja, metido em armadura de placas. — Seu inimigo está ali!

Queria que os homens ignorassem a confusão mais atrás. Mas era uma ordem fantasiosa, pois aquele caos tinha uma atração irresistível. A cadência de marcha foi quebrada, um ou outro tropeçou, foi empurrado por colegas ou sargentos.

— São só um punhado! — vociferou outro comandante. — Hoje vocês poderão matar D'Agostini e Ganimedes! Todos os traidores! Poderão saquear seu ouro, exibir suas cabeças!

Eles matariam traidores célebres e ficariam famosos. Porque nem mesmo um herói é capaz de sobreviver a um exército.

A parede de escudos rebelde se firmou, os homens chegando ainda mais perto uns dos outros. Fincaram os pés no chão, seguraram as lanças com força. A Igreja espalhou-se aos flancos, cercando-os. Não mostrava falhas em sua formação, tamanha era a quantidade de gente. Um oceano de guerreiros, até que a paisagem pareceu ser feita de soldados. Cada um dos rebeldes já havia enfrentado inferioridade numérica, mas nunca tão grande.

E tudo repousava nas mãos de uma só pessoa.

— Não sou mais quem eles amaram — disse Penélope.

Atrás da diminuta parede de escudos, ela deixava Ganimedes ajeitar os últimos detalhes. Quase escondiam-se no meio do capão, na posição mais sombreada de que dispunham naquela terra de sol.

— Você ainda é a mesma — disse o arqueiro, fixando seus olhos cinzentos nos da ruiva. — Penélope, a Fera, com a bandeira do cão de duas cabeças.

— Você não sabe o que está falando, Ganimedes. Sempre fui guerreira. Agora não luto mais, e não sobrou nada.

— Benedict feriu suas costas. Não sua alma.

— Almas não existem, seu imbecil — mas sem forças.

— Prove isso a eles, então! São os soldados da Igreja, Penélope. Prove que Urag não é nada!

Ela só engoliu em seco.

— Benedict *feriu* minha alma — disse, por fim. — Quando alguém rouba de você algo desse tamanho, um pedaço de tudo vai embora. Eles vão notar, Ganimedes. Não sou mais Penélope.

Ele respirou fundo.

— Bem, você não tem escolha. Se quiser morrer, ótimo. Mas estará condenando todos nós à morte. Se não é mais Penélope, agora é uma fraca egoísta?

— Sim.

Ele estremeceu de raiva.

— Eu sei o que está tentando fazer, Penélope. Quer que eu a odeie. Quer me decepcionar, para que eu desista.

— E você vai me dizer que sempre vai me amar? — com escárnio.

— Não. Você é teimosa, impulsiva e cínica. Nunca gostei muito de você. Mas isso não interessa. Você *vai* cumprir seu dever, porque eu mereço sua ajuda. D'Agostini e Dragomir merecem. E até mesmo Atreu.

— Fodam-se todos vocês.

Ganimedes deu-lhe um tapa no rosto.

— Você não tem escolha. Vai fazer o que é certo, mesmo que não queira.

E ela não podia se defender, porque estava paralisada. Esmurrou Ganimedes, arranhou seu rosto, mas não podia fugir. Ele ergueu a estrutura que haviam construído, à qual Penélope estava presa, e achou que serviria. Precisava servir.

Então, a parede de escudos se abriu. Ela não estava mais escondida.

Penélope olhou os soldados inimigos. Ganimedes tivera por ela o supremo respeito: frente ao aleijão, não fora doce. Não exigira menos, não tivera palavras suaves ou conforto. Insultara-a, fora verdadeiro, respondera à altura do que ela merecia. Exigira mais, cobrara tudo de que precisava, e além. A única forma de respeitar Penélope, a Fera, era não aceitar sua fraqueza.

— Ele vai fugir! — gritou Simas. — Temos um exército, temos cavalos, e o velho vai fugir!

Atropelando revoltosos, soldados leais e quaisquer outros, Simas galopou. Mesmo os homens que acompanhavam-no quase não conseguiam manter o ritmo, e o cavalo já revirava os olhos, ameaçando exaustão.

Ao redor, trombetas soavam, comandantes gritavam, implorando ordens — porque, além de tudo, as tropas enfrentavam os rebeldes. Outras mortes, outras histórias aconteciam ao mesmo tempo, mas eram ignoradas. Simas não dava importância aos rebeldes, não queria saber de paredes de escudos ou de guerreiros. A morte de Derionde era tudo que importava. Os rebeldes, Benedict, a própria Jocasta — tudo isso poderia ser resolvido depois. Se Atreu ainda vivia, ainda podia matar santas, e nem Jocasta era ameaça perto de Derionde. Ele era o inimigo.

Abandonando qualquer fingimento de educação nobre, de uma vida escolástica, Simas galopava, tão letal quanto qualquer guerreiro. Sua gente em volta.

Derionde a cinquenta metros da porta de pedra.

A parede de escudos rebelde se abriu e mostrou os generais. D'Agostini estivera à frente e agora postava-se desafiador, com seu sabre e seu bigode lustroso. Ganimedes tinha o arco na mão, uma flecha encaixada na corda. Dragomir exibia sua glória guerreira, sua armadura reluzente, embora não fosse conhecido pela grande maioria daqueles homens.

No centro, estava Penélope.

Tinham confeccionado uma estrutura de madeira, e era o que sustentava a general. Seus olhos estavam ferozes, sua boca retorcida num esgar de batalha. Tinha nas mãos uma lança. Cobria-se de peles e tecido, como se estivesse em uma cerimônia, exibindo um traje de gala de seu povo — na verdade, destinava-se a esconder as hastes da madeira que a mantinham ereta. As tiras de couro amarradas com firmeza em seu tronco e pernas eram disfarçadas com mais elementos decorativos. Tinham confeccionado, num improviso febril, um estandarte mostrando o cão de duas cabeças, e a bandeira pendia de uma haste que, secretamente, também fazia parte da estrutura.

Ela estava pintada com cores de guerra, seu rosto e braços mostrando os padrões enredados do Povo Vivo. Tinha penas no cabelo, o focinho de um animal com dentes afiados sobre a cabeça. Era Penélope, a Fera, mais do que nunca.

Ou ao menos parecia.

— Estão logo ali! — gritou um comandante da Igreja. — Matem-nos e enriqueçam!

Trombetas soaram, repetindo a ordem.

— Nem mais um passo! — rugiu Penélope, suas palavras tomando a planície inteira.

E os homens hesitaram.

— Marchem! — insistia o comandante. — Marchem para matar!

— Ouçam o que digo! — bradou Penélope. — Reconheço todos vocês! São meus homens, e eu sou sua general!

Cada passo era mais curto.

— Sou Penélope! Sou sua general e não lutarei. *Não lutarei porque nenhum de vocês vai me atacar!*

A certeza contagiava. D'Agostini e Ganimedes haviam notado antes: aqueles eram os homens de Penélope. Não todos, é claro, mas muitos, suficientes para dividir as tropas. E, embora Penélope fosse uma rebelde e traidora, todos que tinham servido sob ela lembravam das vitórias, da bravura, da distinção que era estar sob o estandarte do cão bicéfalo. Num mundo de homens, Penélope era a única mulher — e, longe de atrair vergonha, isso era motivo de glória. Penélope era especial, sua técnica de luta era vistosa e feroz. Nos acampamentos, cada um de seus homens tinha uma história para contar sobre a general. Havia em alguns, sem dúvida, luxúria por seu corpo, e outros viam-na como mãe. Mesmo assim, sempre a admiração. Quando notei isso pela primeira vez, fiquei surpreso, mas é verdade: os homens desejam que seus líderes sejam especiais, superiores. Não desejam servir a alguém comum. E nenhum general era tão fantástico como Penélope, com exceção de Atreu ou Benedict.

Então amavam-na.

— Matem a prostituta! — gritou um comandante. — Uma sacola de ouro para a primeira lança que atravessá-la!

— *Ouro?* — Penélope cuspiu no chão.

O inimigo tentava gritar ordens.

— Não lhes ofereço ouro! — ela ergueu a lança. — Ofereço honra! A honra para o primeiro que vier até mim!

Em casa, prefeririam o ouro. Na batalha, muito mais atraente era a honra. Foi difícil determinar quem era o primeiro, pois quatro saíram correndo em direção a ela.

Penélope olhou para os lados, para os outros generais:

— Afastem-se.

— Isto não é — começou Ganimedes, em sussurro.

— Afastem-se!

Eles obedeceram. Ela estava sozinha na planície, as costas contra as árvores.

— Não perdoarei ninguém hoje! — vociferou. — Não basta abandonar meus inimigos. Quem não lutar por mim lutará *contra* mim. E ninguém que me desafiar continuará vivo.

Escolheu um soldado da Igreja e olhou em seus olhos.

— Isso vale para você também, Alustro!

Chamando o guerreiro pelo nome, fez com que ele se enchesse de orgulho e vergonha. A general lembrava, e ele estava decepcionando-a. Alustro ficou vermelho e correu de sua formação, indo para as fileiras rebeldes.

Escolheu mais alguns, gritou seus nomes. Lá estava a general, a heroína. E, mais uma vez, eles pertenciam a ela.

— Hoje haverá um teste de sua lealdade! — rugiu Penélope. — Não lutarei! — Jogou sua lança no chão. — Aqueles que têm honra lutarão em meu nome. Punirão os covardes que me abandonam!

— É uma herege! — berrou o comandante. — Ataquem!

Havia espadas incertas dos dois lados. Os homens tremiam. Enfim, um soldado inimigo correu de lâmina em punho, berrando pragas, e atacou Penélope. Ela segurou seu pulso num movimento de raio, e logo uma flecha de Ganimedes perfurava a testa do homem. Mas a espada cravou-se nas peles, rasgou o disfarce e revelou a estrutura de madeira.

O cadáver tombou. Penélope mordeu os lábios.

E despiu o resto da enganação. Mostrou que não ficava de pé: era sustentada.

— Eis o que fizeram comigo! — urrou a guerreira. — Não posso mais lutar. Minhas pernas estão mortas.

Pausa.

— *Vocês são minhas armas!*

Os homens rugiram de amor.

— Em formação! — gritou o comandante. — Matem-na!

— Ataquem!

E o exército da Igreja — o exército de Penélope — voltou-se contra si mesmo. O comandante recebeu uma lâmina no pescoço, entre as placas da armadura, e calou-se num gorgolejo.

— Pela general!

— *Por Penélope!*

— Avancem! — gritou D'Agostini, e os rebeldes se juntaram ao combate.

Penélope não lutou.

Viu D'Agostini, Dragomir e Ganimedes matarem como anjos, mas ficou parada. Seus homens estavam ansiosos para agradá-la, mostrar que suas lanças eram dela, que era como se sua mão as manipulasse.

E sua fúria era dela. Penélope foi a fera mais uma vez, como talvez nunca mais, e mais do que nunca.

Os homens avançaram ao Cardeal Derionde. Simas logo atrás, nem um minuto para chegar até ele. Finalmente os soldados haviam dado as costas a todo o resto e enxameado sobre aquele velho. Pouco importava se meia hora antes estavam tentando desertar, se já não sabiam o que estavam fazendo. Bastava que *uma* lâmina se enterrasse em seu estômago.

Derionde virou-se para encarar os guerreiros que o cercavam. Olhinhos fechados, não demonstrava medo. Apenas suava de esforço.

— Se vou ser martirizado — disse —, então que todos saibam por quê.

Usava polissílabos enquanto cada momento aproximava a morte. Por trás dos cascos e da correria, todos já podiam ouvi-lo. Derionde sabia falar para multidões, suas palavras projetavam-se com vigor mesmo em sua vozinha macia. Todos já podiam ouvi-lo — inclusive os cardeais.

— Cale a boca! — gritou Simas. — Não ouçam o que ele diz! Vamos cantar em nome de Urag!

— Meus irmãos voltam-se contra mim movidos pelo mais antigo dos males — continuou Derionde, inabalado. — São seduzidos por uma mulher!

— Não! Não! — gritava Simas. — Calem-no!

— Uma mulher!

E uma dezena de soldados entreolhou-se. Detiveram meio passo em sua fúria.

— O Cardeal Melquíades é mulher! — Derionde apontou um dedo acusatório para a figura que cavalgava desajeitadamente. — Uma prostituta que engana todos!

E é claro que Melquíades, apavorado e incerto como estava, recebeu as palavras como um soco. As lágrimas que avolumavam-se em seus olhos transbordaram, ele deu um guincho e caiu de costas no chão árido.

As patas do cavalo por pouco erraram-no, e agora os homens voltavam-se para ele. Melquíades ergueu uma mão, mas Derionde continuou a vociferar. Simas galopou em sua direção, gritando que o ignorassem, mas não era ouvido. Alguém agarrou a batina do cardeal gorducho, deu um puxão e rasgou-a. Os seios de Marion ficaram à mostra.

— Tetas! — disse um soldado. — Tetas! Como uma vaca!

No exército, na fé, nos ambientes em que uma mulher era mais desprezada, aquilo era uma ofensa capital. Os homens já não sabiam mais contra quem voltar-se. Um deles deu um tapa sonoro no rosto de Marion, outro disse que deviam ensiná-la a não profanar a casa de Deus.

— Derionde! — gritou Simas. — Derionde é tudo que importa!

Mas o próximo a abandoná-lo foi Barsoom. O enorme cardeal fez o cavalo virar, atropelou quem estava em seu caminho e jogou as patas imensas sobre os soldados que cercavam Marion. Pulou da sela e varreu os homens à sua frente com um movimento de braço.

— Você está sozinho, Simas — disse Derionde. — É o que acontece com os hereges.

E continuou rumo à construção. Um passo, depois outro.

— Vai morrer! — berrou Simas.

Derionde voltou-se. Sorria. Tomou fôlego.

E era como puxar a corda de um arco, como erguer uma espada. Simas não sabia qual seria o golpe, mas gelou. Temeu, talvez mais do que qualquer coisa em sua vida, que as palavras de Derionde pudessem matá-lo.

Então saltou da montaria com agilidade felina, os braços à frente do corpo. Abalroou Derionde e os dois rolaram no chão.

— Cale a boca! — gritou Simas. — Cale a boca, velho maldito!

Um movimento de pulso, e de dentro de sua manga surgiu uma adaga. Derionde começou a falar algo — não falar, cantar. Era um hino religioso infantil, algo que muitos aprendiam quando crianças. Talvez incitasse alguma piedade naqueles soldados, talvez eles acreditassem que ele era um avô indefeso — a mente de Simas corria, as mais absurdas possibilidades, e ele tapou a boca de Derionde, berrando sem palavras para abafar os murmúrios.

Então enfiou os dedos entre os lábios do cardeal, separando os dentes e empurrando a mandíbula, abrindo-a.

— Cale a boca, velho! Cale a boca!

Os rebeldes venceram.

Nenhum dos soldados da Igreja sabia quem era irmão e quem era inimigo — mas, quando a maré da batalha virou, quase todos gritaram lealdade antiga e imorredoura aos generais que antes tentavam matar.

— Em frente! — ordenou D'Agostini.

E eles avançaram para as tropas dos cardeais, já em caos por causa das deserções. A planície se tornou um açougue, enquanto lâminas cortavam aliados e adversários, e ninguém tinha certeza de quem estava matando.

Ao longe, os cardeais rumavam para um confronto.

Ganimedes correu para intervir. O plano de Atreu precisava ser cumprido.

Derionde lutava para empurrar Simas, que estava montado sobre ele. Ao mesmo tempo fazia força para fechar a boca. Simas mantinha-a aberta, e então enfiou a adaga por entre os dentes do inimigo. Sua outra mão procurou a língua molhada e escorregadia. Os dedos longos, magros e fortes conseguiram firmar-se na carne tenra. Simas segurou a língua e enfiou nela a lâmina. O sangue inundou a garganta de Derionde, que começou a engasgar. Simas continuou cortando, enterrando e puxando a faca, esburacando e retalhando. Não lhe ocorria que, com a mesma facilidade, podia cortar-lhe o pescoço. Só uma coisa em sua mente:

— Cale a boca! Cale a boca!

E então puxou a mão, exibindo em triunfo a língua decepada, os fiapos de carne pendendo e pingando sangue.

— Está desarmado, velho! O que acha disso? O que vai fazer? Está desarmado!

Jogou a língua no chão, ergueu a lâmina — e desta vez destinava-se ao coração.

Mas foi atingido por uma flecha.

Deu um berro, segurou a mão da faca, trespassada pela seta. Olhou em volta, e Ganimedes empunhava seu arco, já puxando outra flecha da aljava. Ganimedes salvara a vida de Derionde. Talvez porque Atreu dissera que ele não deveria morrer ali. Talvez por piedade. Simas rolou para o lado, evitando uma nova flechada, e Derionde arrastou-se para longe dele.

O velho cardeal ergueu-se, correu tanto quanto podia até a construção de pedra. Babava sangue, seu rosto inchava, mas estava vivo. Meteu a mão dentro da batina.

— Não! — gritou Simas. — Não!

Derionde fez brotar dos mantos esfarrapados a chave verde que encontrara na caverna. Sem hesitar, enfiou-a no minúsculo buraco na fenda que fazia as vezes de porta da construção. Um leve rangido que ficou mais forte, então tornou-se uma trovoada, o chão vibrando sob os pés de todos. Era mais um artefato dos antigos, algo que só os cardeais conheciam. A abertura se alargou, as duas abas de pedra afastando-se com dificuldade, devagar. Depois de se abrir alguns centímetros, começaram a descer, sendo engolidas pelo chão, revelando o interior escuro da estrutura.

Barsoom arrastava Melquíades na direção de Simas, os soldados em volta ajoelhados, pedindo perdão, desacordados ou jurando inocência. Marion segurava os farrapos de sua batina, cobrindo seu tronco. E Simas erguia-se, sem dar atenção ao arqueiro, que também parecia esquecê-lo.

Derionde entrou na estrutura. Dirigiu um último sorriso mutilado aos cardeais. Então foi tragado para baixo, sumindo dentro do chão.

As portas começaram a voltar à sua posição original. Barsoom chegou até lá, tentou segurá-las, mas mesmo sua força espantosa era incapaz de fazer frente às obras dos antigos.

A casinha de pedra fechou-se. Derionde escapara.

10

Os cavaleiros se aproximaram da torre. Traziam lanças erguidas e morte nos olhos. A tarde corria alta, os cavalos pateavam o chão e bufavam. Os homens empinavam-se sobre as selas, certos de si mesmos, confiantes em sua força e galanteria. Convencidos de seu heroísmo. Eram cavaleiros errantes, cavaleiros de Deus. Seguiam o Dragão de Deus e matariam o Soldado do Diabo.

Pela Voz.

Benedict tomou a frente. Espiei por uma janela meio destroçada. Não achei que houvesse risco de ser apanhado por uma flecha, porque ele não trouxera arqueiros. Também não trouxera infantaria: os soldados a pé haviam se perdido pelo caminho ou sido deixados para trás. Benedict contara com a velocidade dos cavalos para chegar ao local do cativeiro a tempo, e eles só iriam atrasá-lo. Além disso, um batalhão de plebeus tiraria o brilho da ocasião. Eu podia enxergar de cima, em um ângulo ruim, mas via-os abordar nossa torre como guerreiros de canções. Estavam a trinta ou quarenta metros da entrada larga, ansiosos pela glória.

— Venha até mim, Atreu! — disse o Cavaleiro Imaculado. — Venha conhecer a fúria de Urag! Venha morrer!

Eu não sabia o quanto daquele discurso era gabolice para impressionar os homens e o quanto era Benedict perdido na própria lenda. Ele traíra seus cavaleiros ao encontrar Jocasta pela primeira vez; não era homem de ilusões de nobreza. Mas aquilo era quase tentador demais. Benedict gostava da glória, das profecias, de ser o soldado perfeito da Voz de Urag. Havia dois soldados; um de Deus e um do diabo — e Benedict amava ser o soldado de Deus. Por isso estava ali.

— Apareça, Atreu! Traga seus homens! Prove que os Escudos do Sol podem fazer frente à Companhia dos Dragões!

E ele até mesmo dera um nome ao ajuntamento improvisado. Era bom, era eficiente, porque gerava lealdade, identidade. Eram então a Companhia dos Dragões. Cada um poderia ser um Dragão de Deus. Será que Benedict já planejava traí-los, se fosse conveniente? Será que já analisara cada um, em busca de maneiras de matá-los? Com certeza aqueles homens acreditavam no mito ao seu redor. Mesmo que o Cavaleiro Imaculado tivesse sido considerado um criminoso por alguns meses, seus crimes haviam ocorrido fora das vistas, e ele fora perdoado. A participação de Benedict na guerra civil, como líder da resistência contra a Voz corrupta, fora evidente a todos. Benedict era um criminoso discreto, mas um herói célebre.

A porta estava desguarnecida, e os invasores olhavam cobiçosos para a semiescuridão lá dentro.

Atreu também era um ator: do topo da torre, ergueu-se um estandarte. Meu Deus, como era feio! Se é que possuo um Deus, devo evocar Seu nome para explicar a feiura daquela bandeira improvisada. Feita de pano rústico, restos de roupas e sacos costurados — por Jocasta, porque a Voz de Urag fora um dia esposa plebeia, e aprendera aquele tipo de lida. No pavilhão malfeito estava pintado um enorme sol alaranjado, a marca de Atreu. Os cavaleiros engasgaram ao ver aquilo, o sol do diabo. Então, Atreu surgiu na janela.

— Seu Deus não tem poder aqui! — vociferou meu amigo.

O teatro aflorou nele: trazia Jocasta pelos cabelos, mostrou seu rosto delicado, sacudindo-a com brutalidade. A Voz de Urag gritou, o Soldado do Diabo puxou-a para trás, exibindo seu pescoço. Então mostrou a espada que tinha na mão, passando o fio perigosamente perto da sagrada garganta.

— Este lugar não pertence a Urag! — continuou Atreu. — Aqui reina o diabo. Aqui é o domínio dos Escudos do Sol. E, quando o sol se puser, a Voz será sacrificada!

Encolhi-me de vergonha daquele diálogo. Eu mesmo criara a historieta — simples; tola, até. Copiada das canções dos bardos que eu tanto odiava, ótima para inflamar corações. Eu tinha vergonha de me entregar àquela trama canhestra — mas é disso que o público gosta. Engoliram com delícia, não pensaram em questionar meus absurdos.

Menos Benedict, é claro.

O Cavaleiro Imaculado não usava elmo — como verdadeiro apaixonado por si mesmo, não escondia o rosto exceto quando estritamente necessário, e deixava para vestir a proteção só no início de cada batalha. Assim, pude enxergar sua expressão: o cenho franzido, a boca abrindo-se um centímetro, em indagação muda. Os cavaleiros não viam isso, estavam atrás de seu líder. Benedict podia ter esperado muita coisa de Atreu

— desafios, estratagemas, discursos contra a Igreja. Sabia que havia algo por trás do rapto de Jocasta; se quisesse apenas o fim da garota, Atreu a teria matado. Mas não esperava aquilo. Minha história podia ser tacanha e previsível, mas surpreendera pelo menos um espectador. Eu escrevera para Benedict, e aquela confusão era o mesmo que um aplauso de pé.

Dois cavaleiros fizeram menção de puxar a espada, prontos para desmontar e invadir a torre. Benedict deteve-os com um gesto.

— O que você quer, Atreu?

— O domínio do inferno!

Mais desconcertante ainda. Se me perguntassem o que aquilo significava, eu não saberia dizer. Mas soava macabro o bastante, era uma motivação suficientemente maligna para um vilão.

Atreu puxou Jocasta para dentro, tirando-a da vista dos cavaleiros. Ela ergueu as mãos, para que todos pudessem ver que estava amarrada. De novo, alguns quiseram apear e investir contra a torre, foram contidos por Benedict.

— É uma armadilha — disse o Cavaleiro Imaculado. — Ele quer que entremos.

— A Voz será sacrificada! — alarmou-se alguém.

— Atreu quer nos enfrentar. Se não fosse assim, por que teria nos avisado?

O papel que Benedict representava para seus homens misturava-se com suas próprias conjecturas. Era difícil, mesmo para os atores, discernir a realidade do teatro. E Benedict representava, pelo menos em parte, um papel que achava ser real. Acho que só eu mesmo compreendia tudo.

Atreu desceu as escadarias. Armado de escudo e espada, expressão feroz de intimidar o inimigo. Escanhoara o rosto, mostrando os cabelos loiros compridos e o queixo liso que haviam sido retratados em dezenas de pinturas durante a guerra civil — tanto como Guerreiro do Povo quanto como Soldado do Diabo. Usava a aparência que se tornara um símbolo, que representava o personagem. Seu escudo exibia o sol orgulhoso. Inconfundível; aquele era o inimigo, o homem que todo guerreiro devoto aprendera a odiar.

E vinha com seus homens.

Os Escudos do Sol derramaram-se de dentro da porta, ocupando a área à frente. A primeira linha estendeu-se além dos lados da abertura, de costas para a muralha de pedra. A segunda ficou na altura da porta, contando com seus limites para proteger os flancos. E aquela extensão limitada permitia uma terceira linha. Era uma defesa sólida, resistente. Os homens andaram com os escudos à frente, a superfície de madeira e metal escondendo boa parte do corpo. Fincaram os pés no chão — os primeiros, no solo tomado de vegetação rasteira; os outros, no piso de pedra da própria torre. Suas lanças surgiram de trás dos escudos, apontando ameaçadoras para os inimigos. Os cavalos inimigos bufaram — talvez alguns já conhecessem por instinto o reluzir das pontas que significavam a morte para qualquer montaria em carga. Os Escudos do Sol ficaram encolhidos, os ombros inclinados como se esperassem um choque fortíssimo. Os cavaleiros recuaram alguns passos, seus animais relinchando.

Atreu ocupou um espaço bem no meio da primeira linha.

— Essa era sua armadilha? — riu Benedict. — Queria que entrássemos em seu chiqueiro para então nos atacar das sombras? A tática de um covarde!

— Ah, não, Benedict. Sempre quis que você viesse em campo aberto, com seus cavaleiros.

Os melhores atores aprimoram o diálogo já escrito, e Atreu sempre foi um ótimo ator. Benedict não vinha apenas com cavaleiros; vinha com *seus* cavaleiros. Uma diferença sutil, mas o público notava, e notou.

— Têm coragem de me enfrentar? — bradou Atreu. — Ousam atacar o Soldado do Diabo? O inferno está aqui, e dá poder a cada uma de nossas lanças!

Com a deixa, os Escudos do Sol fizeram um movimento curto, ameaçador, com as armas compridas. Dois ou três cavaleiros deram um repelão para trás.

— Esta batalha não será resolvida assim, Atreu — disse Benedict, sério. — Esta luta não é apenas de Urag e do diabo. Fui seu irmão, e você me traiu. Isto é pessoal.

E apeou do cavalo branco.

Eu não esperava por isso. Atreu teve vontade de improvisar; concluir tudo naquele momento. Mas decidiu seguir com o plano.

Benedict caminhou até perto da parede de escudos. Desembainhou sua espada e apontou-a para Atreu.

— Venha até mim! Enfrente-me num duelo, Soldado do Diabo. Enfrente aquele que foi seu melhor amigo!

Atreu engoliu. Representando o papel, destacou-se da parede. Com espada na mão, aproximou-se de Benedict.

— O que está fazendo? — disse o Cavaleiro Imaculado, num sussurro. — O que você quer, Atreu?

— Já disse. Vou matar Jocasta. Vou matar todos vocês.

— Não quer matar a putinha, ou já teria matado. Esqueça essa loucura. Derionde já deve estar morto. Peça perdão, vamos nos juntar a Jocasta. Será a boa vida.

Mas Atreu não saiu do papel, nem por um instante.

— O diabo é meu senhor! — gritou. — Urag não tem poder aqui!

Benedict arregalou os olhos, confuso. Acho que chegou a questionar se era mesmo encenação. Assim como a Rainha Azabeth, incontáveis eras atrás, e assim como milhares e milhões de pessoas desde então, Benedict fez-se a pergunta:

E se for verdade?

Atreu voltou correndo a seus homens. Renegara o duelo, pois os servos do diabo não têm honra. Benedict montou em seu cavalo, pôs o elmo.

— É o fim da era dos cavaleiros — rosnou Atreu. — Vocês todos morrerão aqui. Porque nenhum cavalo avança contra uma parede de escudos.

Em Benedict, a obrigação de fazer bonito aos subordinados juntava-se ao desejo de glória muito real, à arrogância de se achar supremo. Talvez ele estivesse representando, talvez até preferisse que Atreu tivesse aceitado sua proposta. Mas aquilo lhe feria o orgulho. O Cavaleiro Imaculado não admitia alguém superior, ou mesmo igual, no campo de batalha.

— Cavaleiros! — Benedict fez sua montaria empinar. — Preparem suas lanças! Preparem-se para vencer e matar!

Os homens de Atreu juntaram mais seus escudos, as bordas sobrepondo-se em uma muralha inexpugnável.

Derionde sumiu na pequena construção de pedra, expelindo golfadas de sangue de sua boca inchada. A dor era insuportável, ele controlava-se para não engasgar, não sufocar. Sentia lágrimas deixando seus olhos, misturando-se com muco, saliva e o fluido vermelho que manchava tudo, emplastrava seu rosto.

Mas sumiu pela casinha de pedra, sentiu-se deslizar para baixo, o estômago sendo puxado com o movimento súbito.

E, mal conseguindo, sorria.

Não vi nada daquilo, é óbvio. Mas de que outra forma Derionde podia reagir? Sofrera um ferimento como nunca antes; pela primeira vez, algo sério e irreparável. Simas trazia a rudeza dos campos de batalha aos salões dos cardeais, de forma que nem mesmo o abrutalhado Barsoom fizera. Simas usava lâminas e cortara sua língua. Derionde nunca iria se recuperar. Mas quase sorria.

Porque deslizava pelo túnel escuro, escapava mais uma vez, pela rota que ninguém mais era capaz de seguir.

Não sabia quanto tempo havia se passado quando a queda livre se transformou em curva; deslizou com suavidade e veio parar no chão plano, liso, intacto. Vomitou, devido ao sangue que engolira e ao movimento que chacoalhara suas tripas. Apoiado nas mãos e joelhos, vomitou duas, três vezes no piso construído pelos antigos. Então ergueu-se, porque ainda estava vivo e estaria em segurança, mais uma vez.

Aquela construção quase não sofrera os efeitos do tempo. Tão fundo no subterrâneo, estivera protegida de todos os séculos que haviam arruinado a fortaleza, a caverna com a nave, a torre onde eu estava. Aquele era um salão amplo — embora com menos da metade do tamanho da antessala de Deus — em forma octogonal, com uma única abertura além do túnel estreito pelo qual ele chegara. Quando Derionde caminhou na treva, alguns globos de cristal se acenderam; a magia dos antigos ainda funcionando em uma fração dos artefatos dispostos pelo ambiente.

A luz mostrou o piso despencando de repente, numa espécie de fosso reto. Então, pouco mais de dois metros depois, erguendo-se mais uma vez. O fosso cortava o salão de um lado a outro, desembocando na única abertura — outro túnel, mas este muito mais largo, capaz de acomodar várias pessoas ao mesmo tempo. O túnel e o pórtico por onde ele sumia estavam envoltos na escuridão, era impossível discernir mais de alguns metros à frente.

E no poço, logo ao lado de Derionde, havia uma espécie de pequena carroça.

Eu não conhecia os detalhes daquilo, não fazia parte do que fora revelado em meu delírio. Mas, pelo pouco que descobri mais tarde, era um artefato raro, talvez único. Menor que uma carruagem verdadeira, com espaço para duas ou três pessoas. Preenchia toda a largura do fosso, encaixando-se como se fosse feita para aquilo, e era. Suas rodas altas, feitas de metal, possuíam ranhuras e prendiam-se em infindáveis hastes metálicas dispostas ao comprimento no chão do túnel. Algumas partes da carruagem haviam sido construídas de madeira — e essas, é claro, haviam sumido há muito tempo. Restava o que era feito de metal (boa parte oxidada, algumas áreas ainda conservando um pouco de brilho) e folhas finíssimas de pedra, muito mais delicadas do que seria possível para o melhor dos artesãos. Sem dúvida moldadas pela Magia Conceitual.

Derionde avançou com dificuldade os poucos passos até a carruagem, cada movimento reverberando na ferida terrível em sua boca. Estendeu a mão e puxou uma maçaneta feita de ouro trabalhado. A porta se abriu, ele entrou.

Dentro, houvera um sofá. Agora, pouco mais que uma armação de metal e pedra, quase capaz de ferir quem ousasse sentar ali. Um pequeno globo de cristal se acendeu no interior da coisa — outros três estavam rachados e não responderam. Derionde procurou a haste metálica que se projetava de um painel de mármore esculpido com minúsculas dançarinas. Puxou a alavanca para baixo, fazendo um rangido alto.

Então toda a carruagem começou a tremer, produzindo um barulho horrível. As rodas fizeram força para girar, impulsionadas pelo engenho e magia daquele povo maravilhoso. Primeiro um centímetro, logo dois — e, quando conseguiram completar uma volta, foi como se algo se desprendesse, e elas giraram com velocidade, empurrando o veículo sem necessidade de animais.

O vagão sumiu túnel adentro, levando Derionde vitorioso.

Vivo.

Sorridente.

— Carga! — gritou Benedict, lança em punho.

Os cavaleiros puseram suas armas em riste, horizontais, retas contra a parede de escudos. Os cavalos patearam o chão, relincharam seus desafios e galoparam.

— Urag! Urag!

O chão tremeu com os golpes sucessivos das patas poderosíssimas, avançando em fúria contra os Escudos do Sol. Eram talvez trinta homens encerrados em placas de metal, seus rostos ocultos pelos elmos fechados, uma máquina de morte inumana, atacando num instante os guerreiros de Contago. Eles firmaram seus escudos, inclinaram o corpo para receber o impacto.

As lanças de Contago estavam preparadas, iriam perfurar animais e homens pela própria força do ataque. Ou a carga de cavalaria iria destroçar a parede, a força dos cascos iria jogar os guerreiros a pé para todos os lados?

— *Urag! Urag!*

Atreu não tinha grito de guerra, não estava mais representando. Os cavaleiros cobriram dez metros, vinte, estavam perto, era possível ver o branco nos olhos dos cavalos apavorados.

— Agora! — gritou o Soldado do Diabo.

E seus homens puxaram as verdadeiras armas de trás de seus escudos pintados. Eram guerreiros de Contago, possuíam a ciência que não nos fora permitida pela superstição, o conhecimento banido por Deus. Eu já vira algo semelhante — muito mais avançado — nas memórias do Brigadeiro Ashcroft, mas estremeci quando os Escudos do Sol mostraram seus rifles.

Os cavaleiros não sabiam o que eram aquelas coisas que pareciam pequenos canhões, mas brotavam, incongruentes, atrás da proteção inimiga, e continuaram avançando. Benedict não sabia, porém já vira rifles na fortaleza de Urag, perto dos Pugna Marco Segundo, e puxou as rédeas de seu cavalo, fazendo-o parar de súbito.

— Fogo! — disse Atreu.

A pólvora explodiu em uma dezena de armas, e depois noutra. As bocas metálicas dos rifles brilharam com a morte feita de chama e chumbo, e os Escudos do Sol alvejaram os cavaleiros e seus cavalos. As balas atravessaram pescoços de animais, seus crânios, espalhando sangue e miolos. Perfuraram as armaduras, tornadas inúteis pela ciência devastadora. Àquela distância, com tantos disparos, com alvos tão juntos, era impossível errar, e a Companhia dos Dragões foi dilacerada.

Cavalos despencaram em sucessão, fazendo outros atrás de si tropeçarem, berrando. Homens morreram esmagados, morreram atropelados e principalmente morreram atravessados por bolotas de chumbo. A pólvora encheu o ar com sua fumaça enegrecida, seu cheiro irritante, fazendo olhos lacrimejarem e gargantas arderem. O ambiente foi tomado pelos estouros altíssimos, os cavalos que não morriam de imediato enlouquecendo com a barulheira. Os elmos reverberando com o som dos tiros, e cada um era uma minúscula morte em alta velocidade, impessoal, invisível, sem nome e sem honra.

— Fogo!

Com aquela ordem, Atreu pusera fim à honra. Pusera fim à carga de cavalaria e à parede de escudos. Ele trouxera a ciência de Contago, desprovida dos pudores de nobreza e religião, para a guerra. Atreu pusera fim aos heróis.

Porque, daquele dia em diante, todo herói podia morrer ao puxar de um gatilho.

O lamaçal de sangue era pontilhado por ilhas de carne, cadáveres de cavaleiros e cavalos, metal esburacado, entranhas e ossos partidos.

Os Escudos do Sol largaram os rifles e sacaram as espadas, avançando para matar os agonizantes.

Atreu ficou para trás, na porta.

Porque Benedict sobrevivera.

O Cavaleiro Imaculado sabia ficar vivo. Sabia reconhecer uma ameaça mortal, mesmo que não a compreendesse. Puxara as rédeas do cavalo, fazendo-o empinar e parar no meio do galope, colocando inúmeros outros entre ele e a saraivada. E saltara logo antes de começarem os tiros, protegendo-se com o tronco de seu corcel. Quando a fumaça se abriu, Benedict viu apenas cadáveres, e os soldados de Atreu avançando para dar cabo dos últimos. Sentiu o ombro ardendo terrivelmente — trespassado por um tiro, o metal da armadura sem utilidade, aberto em dois furos circulares, um de cada lado.

— Vamos lutar, Benedict — disse Atreu.

E é claro que Benedict não queria lutar.

Queria viver.

Mas os Escudos do Sol estavam ali, com uma nova forma de morte. Atreu estava ali, com a morte antiga feita de escudo e espada. Benedict não teve escolha, a não ser deixar de atuar e encarnar seu papel. Se duelasse com o Soldado do Diabo, ao menos havia a chance de que a Voz se apiedasse dele, mais uma vez.

Correu para o inimigo. Os guerreiros abriram caminho, deixando que ele passasse.

Derionde cambaleou pelo último trecho, sem enxergar o mundo lá fora desde que entrara na construção. O vagão dos antigos levou-o pelo túnel escuro, iluminado apenas pelo bruxulear do globo de cristal dentro do próprio veículo. Não sabia quanto tempo havia se passado, mas sua garganta ardia de sede. Teve sorte porque, quando a carruagem parou, em outro salão como o primeiro, conseguiu encontrar água empoçada num canto. O cardeal ajoelhou-se e pôs as mãos em concha, bebeu até ficar saciado.

Como no primeiro salão, globos se acenderam ao notar seu movimento. Ele andou com dificuldade sobre o chão de pedra, até a escadaria comprida que havia do outro lado. Sua boca estava repleta de crostas de sangue, mal dissolvidas por saliva e pela água que acabara de engolir. Perdera toda a sensação de paladar, tomado pelo gosto ferroso.

Mas estava vivo.

Subiu as escadas, segurando-se num corrimão de bronze corroído e amassado pelas eras de descuido. O salão não era, nem de perto, tão conservado quanto o primeiro. Assim como rachaduras haviam permitido que água da chuva entrasse, a umidade havia se infiltrado na pedra esculpida pelos antigos, feito ruir várias partes da estrutura. Degraus inteiros da escadaria estavam desmoronados, esfarelados como pão velho, e ele era obrigado a içar o próprio corpo agarrado no corrimão, dando passos largos com suas pernas desacostumadas. E, sempre que os pés tocavam o chão, o impacto fazia a boca doer, as gengivas transmitindo a agonia aos dentes, até que parecesse que não só sua língua fora cortada, mas tudo lá dentro fora destroçado.

Contudo, Derionde não estava em desespero. E nem especulo sobre isso; tenho certeza. Derionde sabia o que estava fazendo, estava muito perto da vitória. Ele voltaria a Ruiturus e recuperaria uma vida quase normal. Ainda tinha duas mãos. Ainda tinha pena e tinta. E sabia ter um trunfo invencível, maior do que todos, que sabiamente guardara para o desfecho.

No final da longa escadaria, havia luz. Talvez os globos de cristal nunca houvessem apagado, tivessem passado séculos emanando sua magia. Ou talvez tivessem se acendido bem antes da chegada de Derionde, como em reverência preparatória. Ao galgar o último degrau, ele se viu num aposento cheio de luxo arruinado, e sorriu.

A extravagância dos antigos estava presente ali. As paredes cobertas de afrescos, altos-relevos, pequenas esculturas, como tantas vezes descrevi neste relato. Manchas ancestrais de umidade, áreas onde o reboco desabara, mas sinais claros da ostentação. Móveis feitos de mármore e cristal, quase intactos. Uma porta grossa, imponente, feita de pedra, selando o aposento. E, numa prateleira de mármore, garrafas translúcidas de cristal colorido, contendo líquidos espessos. Havia também outros frascos, mas já não continham mais nada, tudo apodrecido com a inclemência do tempo. Apenas aqueles líquidos, Derionde sabia muito bem, conservavam-se. Ele foi até lá, destampou uma das garrafas, levou-a aos lábios e bebeu.

O fluido era viscoso, seu sabor era doce e enjoativo. E o estômago do cardeal reconheceu imediatamente como nutritivo. Aquele lugar era um abrigo, uma fortificação protegida, assim como aquela para onde Ashcroft e Azabeth haviam fugido quando foram atacados pela Magia Conceitual — que depois se transformara na masmorra do Farol dos Órfãos. Uma fortificação projetada para suportar um ataque de força incalculável, sustentar alguns ocupantes por tempo indefinido. As outras provisões já haviam se desintegrado com o passar do tempo, mas aqueles líquidos — por magia ou por ciência, ou uma combinação de ambas

— pareciam imunes. Derionde bebeu até sentir-se revigorado, então juntou duas garrafas e foi à porta.

Havia um mecanismo para abri-la, mas na verdade era muito simples, pelo lado de dentro. Um código matemático de sim e não, positivo e negativo, assim como houvera no Farol. Pressionando teclas de pedra que emitiam rangidos (no passado, notas musicais), o cardeal destrancou a saída.

Revelou um corredor largo e comprido, tão cheio de adornos quanto o abrigo. Era talvez o ápice da arte e engenharia da civilização antiga — porque ele estava, mais uma vez, na fortaleza que guardava Urag.

Derionde sentiu as emanações da Magia Conceitual, o formigamento e ardência em sua pele, fazendo os olhos lacrimejarem, as cutículas pulsarem em comichão. Mas progrediu, porque sua mente permitia que ele resistisse. Concentrado — em sua própria sobrevivência, em seu poder, em voltar à capital e guiar o povo — ele retornou à antessala de Deus, e tudo estava como ele havia deixado.

Aquele era um lugar onde seus inimigos nunca chegariam. Os cardeais, talvez, mas nunca os soldados. Nenhum guerreiro comum conseguiria se aproximar tanto; seria distorcido e destroçado pela Magia Conceitual muito antes.

Derionde foi mais longe: com suas mãozinhas enrugadas, puxou a porta que isolava o deus.

A luz dourada banhou-o, intolerável em sua magnificência. O Bispo Calímaco havia entrado lá e nunca mais fora visto. Jocasta era a única a retornar da presença de Urag. Mas Derionde seria o segundo. Ninguém podia segui-lo até ali. Com Urag, estava em segurança.

A agonia em sua boca empalideceu frente ao assalto da Magia Conceitual. Tudo nele queimava, delírios de devoção e subserviência tomaram seus pensamentos. Mas ele estava concentrado, em si mesmo e no poder, na vida e na missão maior do que a vida. Na Santa Igreja da Fala de Deus, Sobre Tudo e Sobre Todos — acima até mesmo de Urag.

Chegou à presença de Deus.

A luz quase cegava, mas bastava olhar diretamente para que ela arrefecesse. Era um milagre que não resistia ao escrutínio, uma intimidação não sustentada pela realidade. Impossível saber de onde emanava, mas não era de Deus. Deus era opaco, escuro, apagado.

Deus era uma máquina.

Derionde viu o horror que sabia existir, mas que nunca testemunhara. A máquina era um caixote gigantesco, alto como três homens, largo como uma casa. Feito de metal — que, por algum milagre de sua própria construção, não se desfizera em ferrugem. Placas e placas de metal, ligadas entre si em padrões complexos. Correntes moviam-se em círculos, seus elos encaixavam-se em curtas hastes e engrenagens. Pistões subiam e desciam ritmicamente, fazendo cálculos de complexidade infinita. Rodas giravam, água fervia, era condensada e fervia de novo, num ciclo infinito. Partes brilhavam com o que parecia ser pedra, mas emitindo luz própria — era o que chamávamos de minério divino, peças conceituais que regulavam o mecanismo. A máquina produzia um zumbido monótono, entrecortado por guinchos agudos, numa sinfonia feia. Engasgava, suas rodas e engrenagens paravam de girar por um instante, então voltavam num repelão súbito. Tudo tremia com o esforço daquele motor que gerava crença, devoção.

Ali estava Deus.

Derionde aproximou-se mais, abaixando a cabeça frente à pressão imaginada da energia emitida pela máquina. Envolto na luz, quase esquecia de si mesmo — e sabia: se esquecesse, seu corpo seria desfeito. Não sei quais imagens Derionde enxergou, mas posso adivinhar que eram de Ruiturus, de Jocasta, de Desdêmona. E nem mesmo eram imagens — eram realidades momentâneas, criada pela poderosa Magia Conceitual que vazava daquele mecanismo defeituoso. A máquina estava coberta dos padrões visuais dos antigos, mas rachaduras, placas faltando, manchas e puro desgaste interrompiam-nos, e acho que anulavam qualquer proteção. Ali estava a maravilha e o horror do doutor Lugus, o ápice da ciência antiga, algo que mudara o mundo para sempre.

O cardeal deu mais um passo e viu o que parecia ser uma série de entalhes. Alguns moviam-se, outros estavam fixos no lugar — mais defeitos. Eram placas de metal trabalhadas, parcialmente ocultas, para que só mostrassem pequenas áreas que exibiam algo escrito. Giravam, combinando-se de diferentes formas, numa espécie de linguagem ou discurso que mudava constantemente. Eram mais de vinte placas móveis, cada uma do tamanho da mão de um homem.

Ali estava a palavra de Urag. Em símbolos muito adornados, decorações feitas com todo o carinho, mostravam o Verbo, a mensagem. E usavam a linguagem dos antigos, mas era possível ver que só constavam dois símbolos.

Sim e não.

Positivo e negativo.

Tudo que Deus tinha a dizer: zero e um.

E aquela, finalmente, era a verdade. A fala de Deus.

Derionde deixou-se cair sentado, deleitado, sorrindo. Levou a garrafa de líquido nutriente aos lábios mais uma vez, e descansou. Nem sentia mais a poderosa concentração que o protegia da Magia Conceitual, tão triunfante era sua jornada. Ele era superior, era vitorioso, estava vivo e sempre estaria. Não havia mais nada em que pensar, exceto seu êxito e o futuro logo à frente. Talvez muitos dias tenham se passado naquele lugar que apagava o tempo. Talvez ele tenha dormido.

Mas estava muito acordado quando ouviu os passos.

Os intrusos penetraram na câmara, protegendo seus rostos da luz implacável.

— Você não vai escapar, velho — disse Simas.

Melquíades caminhava com dificuldade, estremecendo e tentando chorar, mas seus olhos arregalados não produziam nenhuma lágrima. Barsoom apoiava-o, o rosto de muralha traindo, pela primeira vez, apreensão e esforço na mandíbula retesada, nas sobrancelhas franzidas.

Estavam sozinhos, pois nenhum soldado, nenhum guerreiro, seria capaz de chegar até ali. Eram só os três, contra seu líder.

— Você está desarmado, Derionde — Simas, em um murmúrio feroz. — Está sozinho. Nada mais pode salvá-lo.

Mostrou sua adaga. Barsoom também brandiu a sua, e até Melquíades tinha os nós dos dedos brancos, agarrando o cabo da lâmina com todas as forças. Separaram-se para cercar Derionde e avançaram. O líder dos cardeais estava recurvado, apoiado na máquina, o rosto desfigurado de inchaço. Sem língua, sem ninguém.

— O que tem a dizer agora? — rosnou Simas.

Derionde sorriu.

Por baixo do zumbido titânico de Urag, eles ouviram passos. Pesados, deliberados, fazendo tremer o chão. O último e maior trunfo.

Pugna Marco Segundo chegava para proteger o cardeal.

Benedict entrou na torre caminhando, ofegando devido ao ferimento de bala. Agarrava numa mão a espada, e a outra segurava o buraco em sua armadura, seu ombro. Ouvi o clangor metálico quando descartou o elmo.

Atreu subiu as escadarias, ele foi atrás.

Vi Benedict passar por mim, e eu mesmo estava de pé, uma espada na única mão que ainda conseguia usar. Ele me dirigiu um olhar de revesgueio, com um toque de desprezo, mas permaneci impassível.

— Você sobreviveu — disse-me o Cavaleiro Imaculado.

Fiquei quieto.

— Achei que Pharoux fosse matá-lo — ele insistiu.

— Eu o matei.

Benedict riu.

— Muito bom. Finalmente matou alguém que tem nome. E depois vai escrever sobre isso?

— Não. — Confesso que eu tremia. — Vou escrever sobre Atreu. E Jocasta.

— Escreva sobre mim.

— Vou contar a verdade. Vou contar sobre todas as suas covardias e traições.

— Não. Não vai. Você vai escrever sobre mim como um herói.

Segurei a espada mais forte.

— Porque agora vou matar Atreu. E Jocasta vai ficar ao meu lado. Diabos, talvez Jocasta mate Atreu! Seria dramático, não? Então você escreverá sobre meu heroísmo.

— Prefiro morrer.

— Não, não prefere. Prefere escrever profecias sobre o Guerreiro do Povo e o Cavaleiro Imaculado. E, no final, você vai escrever sobre mim, como um herói. Porque sou um herói onde importa.

Nas mentes e corações das pessoas.

Era a grande lição dos ficcionistas e dos governantes, e Benedict aprendeu-a antes de mim: a verdade não importa.

Ele seguiu pela escadaria. Fui atrás, num desejo tolo de assistir ao desenrolar.

No último andar, Benedict postou-se na abertura sem porta, uma mera passagem alta e larga o bastante para só um homem. A luz do sol, vinda de fora, fez uma moldura ao redor de sua figura imponente. Ficou bem ereto, a armadura reluzindo, os cabelos esvoaçando com suavidade, a combinação certa de cuidado e sujeira para torná-los mais belos. De frente para ele, dentro da sala circular, estava Atreu. Espada e escudo com seu estandarte pintado em cor viva, cota de malha cobrindo o peito largo. Esgar de ferocidade para o inimigo.

Jocasta grudada à parede, atrás dele, traindo sua apreensão em olhos arregalados.

— Foi a isto que chegamos! — disse Benedict. — O Guerreiro do Povo e o Cavaleiro Imaculado num duelo até a morte. Parece mesmo uma história.

Atreu curvou-se de leve, deixando o escudo à frente do corpo, a espada preparada.

— Como prefere fazer isso, Atreu? Quer continuar representando? Posso amaldiçoá-lo por ter traído nossos anos de amizade, posso dizer que o que mais dói é a decepção. Você pode dizer que amava Desdêmona.

— Não fale o nome dela — disse Atreu, para minha surpresa.

— Ora, seu idiota! Diga-me pelo menos que está representando. Você não amava a Voz. Acha que encontrar alguém duas ou três vezes ao longo de algumas décadas é amor? Você nem conhecia Desdêmona. E, no final, matou-a.

— Você faria coisa pior com ela.

— Não; você fez o pior. Ficou longe dela. Posso ser seu monstro, Atreu, posso ser um assassino e até mesmo estuprador. Mas não acho que sou um santo.

— Sou um herege, Benedict. — Atreu mostrou os dentes num sorriso letal. — O monstro sou eu.

— Não, você se acha um santo. Fala mal dos cardeais, mas acha que o mundo possui uma balança moral, e ela pende para o seu lado. Você é a pessoa mais religiosa que já conheci, é um beato que adora criticar todos e martirizar-se. Diabos, você é um hipócrita insuportável, Atreu!

Meu amigo deu um passo cauteloso na direção do cavaleiro, espada em riste.

— Não é? — Deu um sorriso para Jocasta.

Atreu atacou.

De um salto, estava sobre o cavaleiro, golpeou duas vezes com a espada, de cima para baixo, antes que ele conseguisse revidar. Benedict ergueu sua lâmina como um raio, bloqueando o primeiro golpe, e girou para a direita, evitando o segundo. Atreu deu uma corrida curta, bateu com o escudo no peito de Benedict, fazendo-o cambalear para trás. Então ergueu a proteção com violência, jogando a borda metálica de baixo para cima contra a mandíbula do outro. A pele do queixo de Benedict partiu-se, largando um esguicho de sangue surpreendente. Sua cabeça voou para trás, desorientando-o por um instante, então Atreu estocou com a espada em sua axila, aproveitando uma minúscula falha na armadura.

O golpe foi raso, detido pelo acolchoamento e cota de malha sob as placas, mas venceu todas as proteções e arrancou sangue. O cavaleiro emitiu um grunhido de dor, recuou, mas deu de costas com a parede, pedra e metal fazendo um retinir súbito. Agora Benedict tinha os dois ombros feridos, e lutava com dificuldade.

Atreu avançou de novo, tentando prensá-lo para uma morte bruta e rápida, como na parede de escudos. Jogou todo o peso do seu corpo de encontro a Benedict, deixando o escudo entre os dois. Fez força com os pés, e o ar saiu dos pulmões do cavaleiro, agora preso. Com a espada, Atreu buscou o joelho, a coxa ou a virilha do inimigo, por baixo da borda do escudo, mas então Benedict fez algo surpreendente. Abraçou-o, ainda segurando a espada, prensando-o ainda mais contra si mesmo. Com isso, enterrou a ponta da lâmina nas costas de Atreu, partindo a cota de malha com dificuldade. À medida que o aço enterrava-se mais fundo em sua carne, Atreu urrava e rilhava os dentes, enquanto Benedict começou a rir.

— Foda-se a parede de escudos, Atreu! Foda-se a cavalaria! Que tal? Estamos quase em uma parede de escudos, e estou matando-o.

Meu amigo tentou empurrar o corpo para trás. Mas, fazendo isso, enfiava ainda mais a espada nas costas. Tentou um repelão súbito para o lado, mas Benedict mantinha a pegada forte no cabo da arma — com um movimento brusco, o aço em sua carne iria abrir um corte fundo e largo, por dentro.

— Está bem perto de sua espinha, não? — disse Benedict. — Tente, Atreu. Talvez você consiga. Ou talvez a lâmina corte algo importante, e você fique paralisado.

Sem resposta.

— Vamos jogar, Atreu!

E meu amigo puxou o escudo para baixo, retirando a barreira que separava os dois. Assim livre, por um momento teve uma abertura contra o rosto de Benedict, e usou-o para desferir uma cabeçada violenta. Sua testa se chocou como um tijolo contra o nariz do cavaleiro, fazendo-o explodir em sangue. A cabeça de Benedict foi jogada para trás, ele bateu com o crânio na parede. O movimento gerou em Atreu ondas concêntricas de agonia, a partir do ferimento nas costas, mas fez Benedict soltar a espada.

Atreu aproveitou para recuar, cambaleando com rapidez — a lâmina ainda enterrada, balançando e agravando o rombo sangrento. Benedict estava desarmado, sangrando do rosto e dos ombros — mas movia-se com mais facilidade.

Sem dar tempo para que Atreu se recuperasse, ele correu, abalroou-o com o peso da armadura de placas, agarrou seu pulso direito, a mão que segurava a espada. Tentou desarmá-lo e, enquanto os dois caíam no chão, os dedos de Atreu se abriram. Benedict não conseguiu segurar a arma, que girou pelo piso para longe dos dois.

O cavaleiro tentou subir sobre Atreu, para que a espada cravada em suas costas se enterrasse até o fim, mas meu amigo enganchou seu tornozelo na panturrilha do outro, segurou seu ombro e fez uma alavanca, revertendo a posição. Então montou sobre Benedict. Desarmado, deu-lhe dois socos rápidos na cara, porém a manopla do inimigo acertou-lhe no estômago, e a força do golpe fez com que se curvasse — de novo, o movimento reverberou no aço cravado, feriu Atreu ainda mais.

— Iago, sua espada! — gritou meu amigo.

Tive um impulso de correr até lá, desferir eu mesmo o golpe de misericórdia contra Benedict. Dei um passo...

E então notei o absurdo. Vi em minha mente o ataque desajeitado que eu faria, do qual ele conseguiria escapar com facilidade. Talvez eu fosse desarmado. Decidi obedecer e jogar-lhe minha lâmina.

A arma cortou o ar, Atreu agarrou seu cabo. Segurou-a com as duas mãos, apontada para baixo como um furador de gelo. Direto contra o peito do Cavaleiro Imaculado e, daquela distância, seria morte certa. Atreu tomou fôlego e desceu a arma com toda a sua força.

Um clangor preencheu a sala quando o golpe foi bloqueado por outra lâmina. O tempo parou. Todos olhamos Jocasta agarrando a espada que caíra no chão. Impedindo a morte de Benedict.

— Salve-me, Jocasta — disse o Cavaleiro Imaculado. — Falhei com você, mas sempre estivemos juntos. Eu e você, Jocasta.

A Voz de Urag estática, tremendo de leve. Atreu sem reação, só puxando a espada para mais um golpe — mas a decepção em seus olhos era terrível. Todos pareciam mover-se numa gelatina, cada gesto muito vagaroso e deliberado. Jocasta começou a estremecer mais forte, sua perna esquerda deu um leve chute para trás. Suas íris ameaçavam rolar para cima. Ela seria tomada por Deus.

— Veja, é uma mensagem de Urag, Santidade!

E aquilo podia ser suficiente para fazê-la acreditar de novo. Se fosse tomada pelo Espírito Santo ao salvar o Cavaleiro Imaculado, na luta contra o Soldado do Diabo, podia voltar à crença. Era suficiente, para alguém tão infectada quanto ela.

— Você será suprema — disse Benedict, com um lindo sorriso triste, de esforço e dor. — Porque vamos nos casar. Teremos uma linhagem.

Os olhos de Jocasta rolaram para cima, espuma branca brotou de sua boca. Ela conseguiu forçar as íris de volta ao estado normal, mas já tremia como uma boneca. Atreu puxava a lâmina para mais um golpe — contra Benedict ou contra Jocasta? Eram dois inimigos agora.

— Eu te amo, Jocasta — disse Benedict.

E então a Voz de Urag golpeou.

A ponta de sua espada enterrou-se na garganta de Benedict. O Cavaleiro Imaculado arregalou os olhos, soltou uma golfada de sangue. Gorgolejou e amoleceu, sua cabeça batendo no chão de pedra. Os olhos ainda abertos.

Estava morto.

Jocasta olhou para Atreu, tremendo com violência, mal conseguindo articular as palavras.

— Precisava ser eu — com dificuldade. — Precisava ser eu. Ou nunca estaria livre.

Deixou cair a espada e desabou no piso, em convulsões, ao lado do cadáver.

Derionde sorriu.

Simas fez uma expressão de terror e olhou para trás.

Melquíades deu um berro. Barsoom virou-se para Pugna Marco Segundo, a adaga à frente do corpo, numa última resistência inútil. Simas voltou a face horrorizada para Derionde, e era um homem digno de pena. Vencido até o fim, porque o líder dos cardeais era invencível. Derionde sorria com seu rosto inchado, sorria sem língua, sorria esfaimado e encurralado numa terra desconhecida, abandonado por todos. Mas sorria, porque o miraculoso Pugna, mais forte do que qualquer homem, capaz de sobreviver a tudo, estava lá para salvá-lo.

— *Não!* — berrou Simas. — Não! Você precisa morrer!

Correu para Derionde, de adaga em punho.

— Não pode vencer sempre!

Mas Pugna foi mais rápido. Mesmo em seu estado deplorável, rijo e mutilado depois da luta com Atreu, foi mais rápido. Num salto, jogou Melquíades de lado com um safanão, empurrou o corpanzil de Barsoom com o ombro, fazendo-o cair sentado. Agarrou a batina de Simas, puxou-o para trás antes que a lâmina tocasse o Cardeal Derionde. Simas também desabou no chão, meio estirado.

Pugna Marco Segundo ficou entre os três algozes e Derionde, protegendo-o com seu corpo.

Derionde sorria.

— Jurei proteger o cardeal — grasnou o general, sua voz distorcida pelos incontáveis ferimentos. — Este é meu dever. Agora e sempre.

Os três estavam caídos a poucos metros. O autômato então voltou-se a Derionde.

E algo mudou no sorriso.

Pugna Marco Segundo abriu os farrapos de sua casaca para revelar a imensa costura da cirurgia que Atreu realizara, dividindo seu tronco da clavícula à virilha. Então enfiou os dedos que lhe restavam por dentro da pele e usou a mão mutilada para afastar o outro lado. Puxou com ambos os braços, e as abas de pele se abriram, mostrando seu interior.

Os órgãos artificiais, de um engenho fantástico que os antigos haviam criado e aperfeiçoado. E algo mais: dentro dele, pequenos sacos de tecido, estufados com a substância que Atreu trouxera de Contago. Frascos de preparados químicos e uma espécie de pavio. Mas, com a ciência de Contago, nem era necessário fogo. Pugna não podia deixar de proteger Derionde, não podia atacá-lo. Mas podia fazer algo que não entendia, porque Atreu não lhe explicara. Um movimento simples, que por si só não contrariava seu juramento.

— Nada no céu, exceto as naves aéreas.

Puxou a corda em meio a seus órgãos. Uma faísca surgiu de dentro de seu peito, os frascos se quebraram. Num instante, toda a pólvora se incendiou. O clarão veio um pouco antes do estrondo: a explosão enviou incontáveis estilhaços pontiagudos, retalhando e perfurando, enquanto a bola de fogo carbonizava.

Pugna Marco Segundo explodiu, levando consigo Derionde, Simas, Melquíades e Barsoom. A máquina foi atingida, a Magia Conceitual de Urag e de Pugna foram libertadas numa emanação súbita e terrível, que varreu muralhas, rachou o piso, destruiu tudo em seu caminho.

O centro da fortaleza desabou sobre si mesmo, enterrando todos os homens e horrores.

11

ALGUNS FICARAM, OUTROS VOLTARAM PARA CASA.

Não sei quantos peregrinos se desgarraram naquele paraíso que não era, nem o que houve com eles. Posso imaginar que morreram, ou que alguns tenham construído pequenas vidas para si. Que haja, em algum lugar nas vastidões, novas aldeias, criadas a partir da peregrinação louca da Voz Jocasta. Convido meus leitores a conjecturar também.

Quanto a nós, voltamos. Sobrevivemos. Conseguimos reencontrar Penélope, D'Agostini e Ganimedes. E Dragomir, embora fosse uma pessoa com pouca importância para a guerra e a rebelião. Penélope mais uma vez prostrada de corpo e espírito, e ficou assim para sempre. Ganimedes foi até Atreu, que mancava e respirava com dificuldade sob o curativo ao redor do tronco, e abraçou-o com força.

— Assim você vai me matar — riu Atreu. — Ainda tenho um buraco bem feio nas costas.

— Não — disse Ganimedes. — Você nunca vai morrer.

Estávamos na praia, frente à floresta, e os homens de D'Agostini haviam conseguido encontrar um navio abandonado, ainda em condições de uso. Era possível escolher, até. Inúmeras naus tinham sido deixadas pelos viajantes enlouquecidos, e os marujos selecionaram a menos deteriorada. Estávamos começando a jornada de volta a nossa terra. De volta a Ruiturus.

— Boa viagem — disse Ganimedes.

— O que está falando? — Atreu segurou-o à distância de um braço.

O arqueiro deu um sorriso triste.

— Estou desejando boa viagem.

Atreu não entendia, ou não queria entender.

— Não vou voltar — disse Ganimedes.

— Você é louco e idiota.

— Possivelmente. De qualquer forma, nunca me encaixei lá.

— *Eu* nunca me encaixei. Você era um bom moço antes de me conhecer.

— É triste demais, Atreu. Conhecer toda a podridão da Igreja, tudo que há por trás. Tudo que morreu em nome das três trombetas. Não quero mais isso. E também nunca fui um bom rebelde. Fiz seus homens rezarem, sabia?

— Não me importo.

— Mentiroso. Fiz seus homens rezarem, mesmo que Penélope tenha protestado, e não tenho lugar na Igreja ou na rebelião.

— Não existe mais rebelião. Fique com o Povo Vivo.

— Meu lugar não é com eles.

— Então onde?

Ganimedes deu um suspiro longo. Sorriu e espreguiçou-se.

— Com Deus — respondeu, simplesmente.

Silêncio.

— Você sabe o que Deus é, Ganimedes — disse Atreu, sério. — Não pode querer ficar com aquela coisa.

— Decidi amar Deus muito tempo atrás, meu amigo. E não vou renegar meu amor agora que conheço um pouco mais da verdade. Sou um homem leal.

— Eu sei — disse Atreu, e abraçou-o de novo.

Ganimedes foi até Penélope, deitada na maca, e beijou-a nos lábios. Ela recusou-se a olhar em sua direção. Não falou nada, e nem ele.

O arqueiro despediu-se de cada um de nós. Abençoou-nos, pediu a bênção de Jocasta. Então virou as costas e embrenhou-se na floresta, rumo à fortaleza de Urag.

Com Deus, até o fim.

Foi uma viagem estranha, os rebeldes e a santa no mesmo navio. Quase não se falou coisa alguma. Chegamos a Ruiturus depois de muitos mares caudalosos. Encontramos a cidade em caos, o povo em busca de lideranças. Eles se ajoelharam e choraram, agradeceram pela volta da Voz Jocasta. Era o fim das provações, depois de tanto tempo. A paz mais uma vez na terra. Hora de arar os campos e pedir perdão pelos pecados, casar as filhas e desconfiar dos hereges.

Depois da guerra civil, do Guerreiro do Povo, do Cavaleiro Imaculado e do Soldado do Diabo, depois dos Irmãos da Última Trombeta e da busca por Deus, era hora de viver.

No Palácio Eterno da Voz, Atreu e Jocasta. Só os dois: os guardas receberam ordem de sair da sala, e nem mesmo os outros generais tinham sido convidados. Nem mesmo eu. Ela estava sentada de pernas cruzadas, como uma criança. Ele de pé, à sua frente.

— O que vai acontecer agora? — disse Atreu.

Jocasta ficou um tempo calada.

— Vou governar — disse, por fim. — O que vai acontecer é o que Derionde planejou. As pessoas vão trabalhar, vão ficar felizes porque há alguém que lhes diga o que fazer. É isso que vai acontecer. O que sempre aconteceu e sempre acontece.

Jocasta sentou-se direito, fechando os olhos por um instante. Atreu chegou mais perto.

— Fique comigo — ela disse.

— Não.

Silêncio.

— Sou o Soldado do Diabo, Jocasta. Sou um herege. Sou um monstro.

— Eu sei.

A rebelião acabara. Eles haviam sido derrotados. Na verdade, a derrota viera há muito tempo, e nunca tiveram chance real de triunfar. Tudo fora um sonho ensandecido de Desdêmona, uma utopia de Atreu, devorando vidas numa guerra sem esperança. Havia a Voz de Urag, havia a Santa Igreja da Fala de Deus, Sobre Tudo e Sobre Todos. E assim seria para sempre.

— Você precisa de um monstro, Jocasta — disse Atreu. — Então fique tranquila. Vou continuar servindo a você, assim como servi a Derionde e Simas. Nunca ficará sem um inimigo para unir o povo, nunca haverá falta de um Soldado do Diabo para ameaçar quem não acredita. Sempre haverá quem culpar.

— Eu sei.

— Este é o saldo de nossa derrota.

Jocasta levantou-se. Caminhou dois ou três passos até ele.

— Não houve derrota, Atreu.

— A rebelião foi derrotada. Falhamos miseravelmente.

— Não, porque agora eu sou a Voz. É impossível vencer a Igreja, mas agora há uma Voz que pode ser boa. Eu *serei* boa.

— Ninguém fica assim por muito tempo, dentro deste palácio. E se acontecer com você o mesmo que aconteceu com todos os outros?

Silêncio.

— Nesse caso, você já provou que é possível matar uma Voz de Urag.

Não vejo Atreu há meses. Ele, D'Agostini e Penélope vagam pela terra, de acordo com o que sabemos. Não existe mais Sudário do Louco, mas deve haver outras cidades que acolham hereges. Nada mudou. Penélope continua sendo arrastada, eles continuam sem lar. Acho que Dragomir voltou ao Povo Vivo, ou então perdeu-se em alguma história que não conheço. Eles são o Soldado do Diabo e os rebeldes, os hereges que podem atacar qualquer aldeia. Se os impostos não forem pagos em dia e a população não acreditar piamente, Deus não protegerá contra esses selvagens. É melhor, é necessário que eu não os veja, exceto em raras ocasiões.

Por isso estou tão entusiasmado para rever Atreu hoje.

Ele está prestes a chegar, e me apresso para acabar este relato. Quero que Atreu leia a história que reproduz e distorce sua luta e a minha, que confessa e mente nossa vida naquele tempo. É tudo que posso fazer pelo meu amigo. Atreu é um leitor rápido, conseguirá acabar durante sua visita secreta. Ele não pode se demorar, ninguém pode saber que o Soldado do Diabo visita o Palácio Eterno da Voz.

Exigiu certa prática, mas acabei me acostumando a escrever vestido em minha batina. No início, manchava de tinta as mangas púrpuras, mas agora possuo uma técnica que me permite trabalhar quase sem sujeira alguma. Meus servos e acólitos acham que estou pesquisando e aguardando inspiração divina, para que finalmente comece o relato da ascensão da Voz Jocasta; mal sabem que já estou acabando. É interessante e pitoresco, para os nobres e o alto clero, ter um cardeal literato. E é o ápice do que eu mesmo posso esperar — já que, como eu deveria saber desde o início, ninguém é escritor. Ninguém recebe ouro para inventar histórias, a menos que sejam profecias que encharcam a terra de sangue.

Sou cardeal, e escrevo escondido em meu claustro. É suficiente.

Meu acólito de confiança acaba de bater em minha porta. Disse que meu visitante chegou. Atreu está aqui. Quero que ele leia. Já estou acabando, e quero que meu melhor amigo seja o primeiro a ler.

E, de súbito, estou tremendo. Porque sou um tolo, só agora percebo algo evidente.

Atreu não será só o primeiro a ler.

Será o único.

Durante todo este tempo, escrevi algo que não pode ser lido. Não posso mostrar este volume a mais ninguém. Contém verdades demais, e as mentiras erradas. Ninguém acreditaria. Se acreditassem, pior: haveria sangue. Estou cansado de matar com minhas palavras. A mais alta literatura não chega aos pés da vida mais reles.

Ninguém mais pode ler isto.

Acendi a lareira em meus aposentos. Ela está pronta para receber estas páginas, depois que Atreu terminar. Porque não pode haver um relato próximo da verdade, por mais mentira que contenha, sobre o que aconteceu com Desdêmona e Jocasta, com Atreu e Benedict, com Derionde e Iago.

Vou queimar minha obra, depois de um único leitor. Então começarei a escrever o que todos querem ler. Depois de alguns anos, será a única verdade, tudo que restará.

Falarei do vil Soldado do Diabo e seu inimigo, o mártir conhecido como Cavaleiro Imaculado. Falarei da Voz corrupta e do sacrifício do Cardeal Derionde em sua sagrada busca por Urag. Falarei da chegada da Voz Jocasta, que veio para salvar nossa terra e nossas almas.

Tudo que escrevi até agora é mentira. Aquilo será a verdade, porque todos acreditarão.

Quem poderia duvidar da palavra de Deus?

Agradecimentos

Muita gente colabora — às vezes, sem notar sua própria importância — para que se publique um livro como este. Eu mereceria ser jogado de uma nave aérea se não reconhecesse a ajuda de várias pessoas.

Obrigado aos criadores originais de Tormenta, que apostaram em mim no início e, em grande parte, proporcionaram esta carreira. Ao Prof. Assis Brasil, por me ensinar a escrever — e a ser escritor. A Rafael e Guilherme Dei Svaldi, por fornecerem a estrutura para as maluquices. A Gustavo Brauner, pelo encorajamento e companheirismo. Obrigado a Karen Soarele, por resgatar mais este livro do limbo parcial.

Obrigado a Emília Giuliani, por ter lido este livro mais de dez anos atrás e, com isso, tê-lo deixado verdadeiramente especial. Obrigado a Maurício Dias, pela ideia original do Deus Máquina — que eu distorci completamente. Aos meus colegas de jogo, pelos conceitos e detalhes que enriqueceram este livro (e todos os outros).

Obrigado, especialmente, a todos os leitores. Aos resenhistas e podcasters, ao público das palestras, a todo mundo que se interessa. Vocês fazem o esforço valer a pena.

Agora vamos nos afastar do mundo de Atreu e Ashcroft — pelo menos por um tempo. No próximo livro, um novo cenário. Até lá!

Catequese

Retirado e adaptado do Discurso Santo
e da Teologia Canônica da Voz Zelya

A criação

QUANDO TUDO ERA PERFEITO, HAVIA SÓ URAG.

Não existia o mundo ou as estrelas, os homens ou os animais. Havia só Deus, em Sua bondade plena, Sua sabedoria infinita, Sua beleza absoluta. Não havia luz nem escuridão, não havia som nem silêncio. Esse não foi o começo, porque não havia começo ou fim, não havia tempo. Existia apenas Deus. Apenas a perfeição.

Então Urag falou. Sua palavra era a Verdade, que definiu o que existiria, decidiu tudo que era bom. A Palavra foi a primeira coisa a vir de Urag, e era perfeita, assim como tudo que se origina d'Ele. Mas a fala de Deus ecoou. E o eco que chegou a Urag não era mais Sua criação. Longe da origem, transformara-se em mentira. Porque nada que se origina fora de Deus é bom.

Então, Urag criou a luz. A forma de tudo que viria a existir começou a ser mostrada pelo brilho revelador de Deus, e todas as coisas eram perfeitas. A beleza do Criador era refletida em cada detalhe e a centelha divina estava presente em tudo. Urag viu que o som e a luz começavam a criar um mundo. Era um mundo perfeito, repleto de Seu amor e Sua sabedoria. Urag amou-o como só Ele é capaz.

Mas, assim como Sua fala ecoou, Sua luz fez sombra.

A sombra do mundo de Urag mostrava formas horrendas, imperfeitas, sem o amor de Deus. E a sombra se juntou ao eco para formar todo um mundo ilusório.

Urag soprou em seu mundo, imbuindo-o com vida perfeita, eterna e sublime. O vento de Deus foi rebatido ao mundo ilusório, onde gerou a morte. Deus tocou Seu mundo, assim como um pai acaricia seu filho. Quando fez isso, notou que alguém tocava o mundo ilusório.

Porque eco e sombra haviam gerado outra coisa. A sombra de Deus era o diabo.

Urag soube que, assim como o mundo ilusório era fraco, feio e odioso, o diabo era patético e não fazia frente a Seu poder. Enquanto Deus falava com a Verdade, o diabo apenas emitia o eco da mentira. Deus iluminava, o diabo escurecia. Deus criava, o diabo aproveitava-se dos restos, dos ecos, das sombras, das distorções. Deus não matou o diabo, porque a Ele não cabia a morte, somente a vida.

Deus não tocava o mundo ilusório. As sombras e a mentira eram ofuscadas por Sua luz, abafadas por Sua verdade. Deus criou os anjos, e o diabo usou suas sombras para moldar todo tipo de demônios. Deus criou os animais, e o diabo modelou suas sombras em bestas horríveis, que devoravam umas às outras, consumiam o mundo, copulavam e morriam. Pedaços da Logofania, o Verbo de Deus, por vezes caíam no mundo ilusório. Era o minério divino, tão puro e verdadeiro que transformava as sombras e mentiras ao seu redor.

Tudo que Deus falava fazia eco. Tudo que era iluminado fazia sombra. Então Ele criou algo que não seria refletido no mundo ilusório: a escolha.

Os três erros do homem

Urag criou o livre-arbítrio. Com Seu amor infinito, gerou criaturas a quem dar esse presente. Anjos e animais olhavam admirados, e também os demônios e bestas no mundo ilusório. O livre-arbítrio não fazia eco ou sombra, porque era tudo e era nada ao mesmo tempo. O homem, feito ao redor do livre-arbítrio, não fazia sombra. O diabo sentiu inveja, mas nada podia fazer. Deus admirou Sua criação, a quem desejava entregar todas as outras criações.

O homem nasceu cego, surdo e mudo. Com seu livre-arbítrio, pendia entre o mundo real e o ilusório, prestes a ouvir a fala de Urag, enxergar a beleza, falar a verdade.

Deus então concedeu ao homem a visão. O homem olhou o mundo real e o ilusório. E, em frente a um Criador estarrecido, voltou-se ao mundo falso. Fincou seus pés na terra de sombra, em meio à sujeira e à morte. Até mesmo o diabo se surpreendeu — não fora capaz de influenciar esse novo ser, que ainda era surdo. O homem escolhera a imundície por vontade própria. Esse foi seu primeiro erro.

Mas o amor de Deus é pleno, e Ele amava o homem mesmo após essa traição. Concedeu-lhe a capacidade de escutar e contou-lhe o segredo para a redenção. Bastava que o homem fechasse os olhos ao mundo ilusório, e seria aceito de novo na Verdade de Urag. Mas, ao mesmo tempo, o diabo ecoou as palavras de Deus em mentiras. Disse que haveria prazeres naquele mundo, que lá o homem poderia ser superior a Deus. Recebendo a chance de escolher entre a verdade e a mentira, o homem escolheu a mentira. Voltou-se ao diabo e tapou os ouvidos a seu Criador. Esse foi seu segundo erro.

E, ainda assim, o amor de Urag persistia. Desejando perdoar e salvar o homem, Deus concedeu-lhe o dom da fala. Toda a Criação ficou estarrecida. Os animais não podiam falar. O diabo só proferia ecos. Até mesmo os anjos só repetiam a fala de Deus. O homem era a primeira criatura com a fala, o poder que pertencia apenas ao Senhor.

Deus perguntou ao homem por que ele escolhera o mundo falso. Por que preferia ouvir mentiras?

— Meu Pai — disse o homem —, não é culpa minha. O diabo me obrigou.

A fúria de Urag explodiu. Até mesmo o diabo ficou pasmo. Porque, com sua primeira chance de falar, o homem escolhera a mentira. Pior que o mais vil dos demônios, o homem não apenas emitia ecos — criava mentira nova. Esse foi seu terceiro erro.

O homem só desejava enxergar a ilusão. Só queria ouvir falsidade. E só falava mentiras. Urag deixou-o ao mundo ilusório para sempre, onde viveria escravo da sombra, com fome e com medo, perseguido pela morte. Os anjos soaram uma trombeta para cada erro do homem, sinalizando que apenas quando estivesse cego, surdo e mudo para a ilusão ele poderia ingressar no paraíso do mundo real.

E a fúria de Urag — que até então nunca surgira — também fez sombra e eco. Essa sombra e esse eco criaram o inferno, onde o diabo foi residir.

Após uma vida falsa, o homem morreria, pois estava preso ao mundo ilusório que ele mesmo escolhera. Se, em vida, escolhesse fechar olhos, ouvidos e boca para a falsidade e procurasse a verdade, poderia então ingressar no mundo real, o paraíso. Caso procurasse ainda mais mentiras, rumaria à sombra da fúria de Urag, o inferno.

A redenção

O HOMEM INVENTOU NOVA MALDADE E NOVA MENTIRA, ALÉM até mesmo do que o diabo conhecia. Portanto, é impossível para os seres humanos enxergar a realidade com seus próprios olhos, ouvir Urag sozinhos e falar com Ele sem auxílio.

Mas, porque Urag é infinitamente bondoso e Seu amor é absoluto, concedeu-lhes uma chance de se redimir. Os homens, sempre surdos a Suas palavras, não escutaram. Com apenas uma exceção.

No mundo ilusório, havia diferença entre homens e mulheres, pois parte da mentira envolvia os prazeres carnais e a necessidade de gerar filhos. E uma mulher — serva dos homens, a mais baixa das criaturas — foi capaz de ouvir a fala de Deus.

Urag dizia que, se uma criatura humilde pudesse se entregar a Ele, abrindo mão das mentiras e do pecado inerentes a sua alma, toda a humanidade poderia se salvar. A primeira a ouvir essa oferta chamava-se Zabet, e foi a primeira Voz de Urag.

A Voz Zabet criou para si um estandarte com as três trombetas, representando os três erros que haviam condenado a humanidade, e vagou pelo mundo, espalhando a fala de Deus. Seus seguidores eram purificados, levados de volta ao estado de ignorância sublime, ao passar por um ritual que deixava-os cegos, surdos e mudos para o mundo ilusório. Quando recuperavam as faculdades da mentira, notavam que elas serviam apenas para o mal. Fechavam os ouvidos para a voz dos homens e prestavam atenção à Voz de Urag.

Zabet formou um exército ao seu redor, pois desejava o fim do mundo ilusório. Nada estava acima da Verdade. Era sua a Santa Igreja da Fala de Deus, Sobre Tudo e Sobre Todos.

Mas os homens amavam a mentira. Os exércitos pagãos mataram Zabet. Mais uma vez, o mundo estava sem salvação.

A segunda Voz foi Aulik. Ela conquistou as terras conhecidas, espalhando a verdade e fincando as três trombetas em cada aldeia. Seu domínio durou quatro séculos — pois, cega para a mentira da morte, ela abraçava a verdade que era a vida. Urag chamou-a para viver eternamente em Sua companhia, após tanto tempo de dedicação. Aulik registrou o caminho do arrependimento, que todas as Vozes, guiadas pela Igreja, seguiram desde então.

A humanidade é inerentemente má. Os homens, sozinhos, não têm esperança de redenção. Quando uma escolhida é declarada Voz e entrega-se a Deus, coloca-se como intérprete e mensageira. A purificação é renovada sempre que surge uma nova Voz, para manter a maldade inata sob controle. É impossível purificar os homens permanentemente. Nos períodos em que não há Voz, nenhum mortal é capaz de alcançar a verdade.

Assim ocorreu a criação do mundo e o nascimento da raça humana. Os filhos perversos que para sempre decepcionam e envergonham Urag.

Para acompanhar as novidades da Jambô e acessar conteúdos gratuitos de RPG, quadrinhos e literatura, visite nosso site e siga nossas redes sociais.

www.jamboeditora.com.br

facebook.com/jamboeditora

x.com/jamboeditora

bsky.app/profile/jamboeditora.com.br

instagram.com/jamboeditora

threads.net/@jamboeditora

youtube.com/jamboeditora

twitch.com/jamboeditora

Para ainda mais conteúdo, incluindo colunas, resenhas, quadrinhos, contos e material de jogo, faça parte da Dragão Brasil, a maior revista de cultura nerd do país.

Participe também de *Duelo de Dragões*, primeira grande campanhade RPG coletiva de *Tormenta 20*.
O Brasil todo está jogando!

www.dragaobrasil.com.br

www.catarse.me/revistatormenta20

Jambô

Rua Coronel Genuíno, 209 • Centro Histórico
Porto Alegre, RS • 90010-350
contato@jamboeditora.com.br